수정증보판

영원한 언약 속의 신비롭고 오묘한 섭리

하나님의 구속사적 경륜으로 본 예수 그리스도의 족보 Ⅱ (열왕들의 역사)

Revised and Supplemented Edition

The Genealogy of Jesus Christ
in Light of God's Administration
in the History of Redemption

THE MYSTERIOUS AND PROFOUND PROVIDENCE OF GOD IN THE ETERNAL COVENANT

Huisun
Seoul, Korea

수정증보판

영원한 언약 속의
신비롭고 오묘한 섭리

하나님의 구속사적 경륜으로 본 예수 그리스도의 족보 Ⅱ
(열왕들의 역사)

박윤식
Rev. Yoon-Sik Park, D.Min., D.D.

서 평

손석태 박사(Ph.D.)
개신대학원대학교 총장
한국복음주의구약학회 회장
기독대학인회(ESF) 이사장

나는 얼마 전 내가 존경하는 증경 총회장(예장 개혁) 이강로 목사님이 보내 주셔서 박윤식 목사님의 「예수 그리스도의 족보」라는 책을 받았습니다. 흔해 빠진 주제에 그렇고 그런 글이려니 생각하고 떠들어 보지도 않고 책장 한 구석에 밀쳐 놓았습니다. 그러던 중 우연히 옛 지인(知人)과 이야기를 나누다가 박윤식 목사님의 책이 화제에 오르게 되었습니다. 나는 사실 박 목사님에 대해서 아는 바도 없고, 책도 읽어 보지 않아서 모든 것이 궁금했습니다. 그런데 그는 언젠가 신문의 보도를 본 후 말씀사에서 책을 구입하여 읽었으며, 네 번째 책의 출간을 기다리고 있다는 것이었습니다. 그러면서 구약학자인 나에게 읽어 보라고 권했습니다. 그래서 나는 이 책을 꺼내어 읽게 되었습니다. 나는 이 책을 읽으면서, 다양한 현대 성경학자들의 이론이나 주장은 접어 두고 가능한 한 목회자로서의 저자 박 목사님의 입장에서 읽고 이해해 보려고 했습니다.

무엇보다 나는 서문에서 그가 하나님의 말씀을 깨닫기 위하여 지리산 굴 속에 들어가 성경을 읽고, 깨달음이 있을 때마다 그것을 칡넝쿨 잎에 써서 싸리나무에 꿰어 두었는데, 그것들이 후에 이 책의 자료가 되었다는 고백을 읽고, 한국의 목사들 가운데 하나님의 말씀을 이렇게 연구하고 경외하는 분도 있구나 감탄하였습니다. 오늘날 한국의 많은 목사들은 성경을 탐구하지도 않고, 연구하는 방법도 모르고, 말씀을 붙들고 깊이 묵상하거나, 씨름하는 열정도 없기 때문입니다. 나는 책의 내용은 덮어 두고라도, 박 목사님의 말씀 연구에 대한 뜨거운 그 열정과 진지함은 우리 젊은 목회자들의 훌륭한 귀감이라고 생각합니다.

우선 박 목사님은 성경을 연구하는 데 있어서 성경의 가장 핵심이 되는 그리스도와 그의 족보를 붙들었다는 점이 예사롭지 않습니다. 성경은 하나님의 죄인을 위한 구속사이며, 구속사의 중심은 그리스도이시고, 그리스도를 알려면 그리스도의 족보를 알아야 한다는 것입니다. 그래서 그는 마태복음 1:1-17에 나오는 아브라함으로부터 시작하여 다윗을 이은 그리스도의 족보를 14대씩 3기로 나누어 각각의 시기마다 족보를 분석하고, 종합하여 구속사의 흐름을 파악하려고 했습니다. 본 서는 다윗부터 바벨론으로 이거할 때까지, 제2기의 족보를 중심으로 강해한 것입니다. 성경을 전공한 학자도 아닌 분이 하나의 주제를 가지고 끈질기고 줄기차게 연구하여 이처럼 방대한 글을 쓸 수 있다는 사실에 저는 놀랐습니다. 우리는 생각하기 싫어하고, 생각을 한다 해도 그것이 너무 짧아서 한 편의 설교를 쓰기도 쉽지 않습니다. 그러나 박 목사님은 일생 동안 한 우물을 깊이 판 것입니다. 결국 그는 이 시리즈에 그의 사상과 신학, 신앙과 정신, 그리고 그의 열정을 다 쏟아 넣은 것입니다. 보통 우리가 말하는 역작(力作)이라는 말은 이런 경우에 쓰는 말이 아닌가 싶습니다.

박 목사님은 하나의 주제로 한 우물만 깊이 판 것이 아니었습니다. 깊이만 있는 것이 아니라 넓이도 있었습니다. 성경 각 권에 산재해 있는 신학·역사의 조각들을 구속사적 경륜으로 통합하여 하나의 완벽한 그림을 그려 놓았습니다. 그리스도의 족보를 구성하는 인물들 개개인에 대하여 이야기를 실감나게 잘 정리해 놓았습니다. 그는 타고난 이야기꾼으로, 족보에 등장하는 인물들의 이야기에 대한 그의 구성은 단순히 연대를 따른 사건 나열이 아니라, 강해 설교의 양식을 따라 문단마다 적절한 제목을 붙여, 그것만 훑어보아도 전체를 파악할 수 있게 하였으며, 등장 인물들의 생애를 통하여 한마디씩 던지는 저자의 메시지는 독자의 가슴을 파고들며, 그의 문체는 유려(流麗)하고, 구수하고, 흡인력이 있어 단숨에 끝을 봐야 직성이 풀리게 하고 있습니다. 나는 이 점이 참으로 돋보이는 점이라고 생각합니다. 사실 저는 우리 설교자들은 재미있는 이야기꾼이어야 한다고 가르치고 있는데, 성경의 역사서는 훌륭한 소재들이 많으면서도 설교하기가 쉽지 않습니다. 그러나 박 목사님은 바로 이 점에서 우리 후배 목회자들에게 역사서를 가르치고 설교하는 데 새로운 모델을 제시했다고 사료됩니다.

뿐만 아니라 "이해도움"이라는 표제 아래 만든 열왕들의 연표나 도표는 각각 특징 있고, 일목요연하게 잘 정리되어 평신도나 신학생, 목회자나 그 누구도 사무엘서, 열왕기, 역대기를 공부하고, 설교를 준비하는 데 유용한 참고 자료가 되리라 확신합니다.

우리 주 예수 그리스도는 너무나 크고 깊고 넓은 분이어서 그 분을 이해하고 아는 것은 그리 쉬운 일이 아닙니다. 지금까지 수많은 사람들이 주님을 바로 알기 위해서 길을 찾아 헤맸지만, 그 길을 바로 찾은 사람은 많지 않습니다. 우리는 우리의 여러 선배들이 찾아 놓은 그 길을 따라가며 예수 그리스도를 믿고 만납니다. 그런데 박 목사님은 "족보"라는 길을 통하여 그리스도를 찾은 것입니다. 그리스도라는 정상에 이르는 새로운 길(route)을 개척한 것입니다. 그리고 그 길의 안내자가 되어 우리에게 이 책을 내놓았습니다. 나는 박 목사님이 찾은 이 길이야말로 우리 성도들이 그리스도께 이르는 정확한 지름길 중의 하나라고 믿습니다. 그리하여 나는 그리스도를 알기 원하고, 그리스도를 사랑하는 모든 사람들이 이 책을 꼭 한번 읽어 보시기를 권합니다. 특히 그리스도에게로 이르는 길을 앞장서 가야 할 우리 목회자들은 꼭 읽고, 서재에 두고 참고해야 할 책이라고 생각되어 적극 추천하는 바입니다.

개신대학원대학교 총장
한국복음주의구약학회 회장
기독대학인회(ESF) 이사장
손 석 태 박사

| 추천사

원용국 박사
안양대학교 명예교수, 한국고고학회 명예회장

2009년 존 칼빈(John Calvin) 출생 500주년을 맞아 한국뿐만 아니라 전 세계 개신교회에서는 그 기념 예식과 칼빈 연구를 통하여 개신교회의 정화와 부흥의 계기로 삼으려고 매우 활발한 운동을 전개하고 있습니다.

세계 교회사에 가장 큰 족적(足跡)을 남긴 칼빈의 공적에 대해, "칼빈을 통해 제네바 개혁은 곧 시공을 초월하여 유럽 전역과 영미에 영적 부흥의 불을 지피는 원동력이 되었다. 루터와 어거스틴에게서 습득한 절대주권적으로 죄인을 구원하시는 하나님의 은혜에 대한 칼빈의 비전은 윌리엄 캐리와 같은 개척 선교사들뿐만 아니라 리차드 백스터, 존 번연, 조지 휘필드, 조나단 에드워즈, 찰스 스펄전, 그리고 마틴 로이드 존스와 같은 위대한 지도자들에게 불을 질렀다"(오정호 외 공저, 「칼빈과 한국 교회」, 생명의 말씀사, 2009. pp.16-17)라고 평가를 하고 있습니다. 이런 때에 출간된 박윤식 목사님의 구속사 시리즈는 칼빈의 신앙을 이어받아 전 세계에 새로운 영적 부흥의 불을 높이 밝히는 거대한 일을 행하고 있는 것입니다.

박윤식 목사님의 네 번째 저서인 「영원한 언약 속의 신비롭고 오묘한 섭리」는 그의 구속사 시리즈 「창세기의 족보」, 「잊어버렸던 만남」, 「영원히 꺼지지 않는 언약의 등불」과 함께 시종일관 오직 성경을 가지고 구속사를 꿰뚫고 있습니다. 이것은 신구약성경을 관통하지 않고서는 도저히 할 수 없는 놀라운 작업입니다.

박윤식 목사님은 그동안 한국에서 험악한 세월을 통해 인간의 힘으로는 견디기 어려운 수많은 연단을 받으면서 묵묵히 이 놀라운 작업을 진행하셨으며, 마침내 80을 훌쩍 넘긴 노년에 구속사 시리즈로 그 결실을 맺게 되었습니다. 이것은 이제 얼마 남지 않은 인생을 아름답게 마무리하려는 저자의 귀하고 복된 생애의 열매요, 고귀한 매듭이며, 말씀의 기근을 만난 한국 교회에 대한 축복의 단비라고 생각됩니다.

저자는 글을 쓰는 데 남다른 탁월한 문장력을 가지고 있으며 그것이 영적 깊이와 어우러져 그 신령한 묘미를 더해 주고 있습니다. 저는 지금까지 40권이 넘는 책을 저술하였습니다. 모세오경을 위시하여 오경의 기독론, 성서 고고학 사전, 최신 신약 고고학, 창세기 주석, 시편 주석을 썼고, 최근에는 신약에 대한 주석을 시작하여 유다서 강해를 내놓았습니다.

그런데 저는 저자의 책을 읽으면서 저와는 완전히 차원이 다르다는 사실을 발견하게 되었습니다. 저의 글이 학문적인 연구라면, 박 목사님의 글은 성경을 꿰뚫는, 깊고도 영적인 연구라는 점입니다. 그는 성경에 감추인 농축된 보화를 기독론적으로 풀어 내는 신비한 능력을 가지고 있으며, 그 말씀의 강력한 능력은 마치 활화산이 용암 줄기를 분출해 내는 것 같습니다.

이번 책은 예수 그리스도의 족보 제2기를 중심으로 전개되고 있습니다. 저자는 예수 그리스도의 족보를 통해 거꾸로 구약의 역사를 밝히고 있으며, 이것은 예수 그리스도의 족보 속에 구약 전체가 압축되어 있다는 영적 통찰력에서 나온 것입니다.

이 책에서 가장 주목할 만한 점은 예수 그리스도의 족보에 빠진 부분을 밝히고 있다는 점입니다. 우리는 흔히 마태복음 1:4-5의 "람은 아미나답을 낳고 아미나답은 나손을 낳고 나손은 살몬을 낳고 [5] 살몬은 라합에게서 보아스를 낳고..."를 읽으면서, 람의 친아들이 아미나답이요, 살몬의 친아들이 보아스라고 생각하게 됩니다. 그런데 저자는 그 사이에 수백 년의 역사적 공백이 있다는 사실을 성경의 뒷받침을 통해 아주 명쾌하게 밝히고 있습니다. 실로 이것은 지금까지 그 어떤 신학자도 제대로 밝히지 못한 미증유(未曾有)의 세계적인 업적이라 하지 않을 수 없습니다. 그는 또한 요람과 웃시야 사이에 세 왕이 빠진 것도 상세하게 밝히고 있습니다.

오늘날 한국의 강단과 신학계의 문제점이 무엇입니까? 그것은 점점 하나님의 말씀을 떠나고 있다는 점입니다. 많은 설교자가 화려한 미사여구와 청중을 사로잡는 유머와 화려한 언어 구사로 설교를 하고 있지만, 통탄스럽게도 그 설교 속에는 예수 그리스도가 없고, 그 설교는 하나님의 말씀과 아무런 상관이 없는 설교가 되어 가고 있습니다. 이러한 때에 박윤식 목사님은 이 책을 통하여 전 세계의 교회와 신학계가 어떤 길을 가야 할 것인지를 명확하게 제시해 주고 있습니다.

종교개혁자들이 강력하게 주장했던 "오직 성경으로 돌아가는 것", "오직 하나님의 말씀으로 돌아가는 것"(Sola Scriptura)이 한국 교회와 신학계가 사는 유일한 길임을 박윤식 목사님의 저서는 큰 소리로 외치고 있습니다.

날이 갈수록 영적으로 어두워 가는 이 세대에, 박윤식 목사님의 금번 저서가 어둠을 밝히는 신비롭고 오묘한 하나님 섭리의 횃불이 될 것을 확신하며 즐거이 추천하는 바입니다.

안양대학교 명예교수, 한국고고학회 명예회장
원 용 국 박사

추천사

김호환 박사(Ph.D., D.Min., D.D.)
(前) 총신대학교, 대신대학교 교수
(現) 시애틀한인장로교회 담임목사

박윤식 목사님의 저술 「예수 그리스도의 족보 II」를 읽고 세 가지 놀라움을 금할 수 없었다. 우연한 기회에 그분의 다른 저술들도 읽어 보았지만, 이만큼 독특하고 특별한 인상을 내게 준 책은 없었다.

첫째는, 일평생 연구가 필요한 방대한 분량의 신학적 작업을 목회에 시간상 많은 제약을 받는 노 목회자가 이루어 놓았다는 점이다. 아마도 성령님의 은혜와 더불어 평생을 통해 꾸준히 자기를 관리하는 노력과 시간을 끊임없이 투자하는 계획과 헌신이 없이는 결코 이룰 수 없는 일이었을 것이다.

그러나 박 목사님의 글이 나에게 더욱 친밀하게 느껴진 것은, 오늘날 성서의 역사 기록을 그대로 역사적 사실로 받아들이기를 거부하는 자유주의적 역사비평주의자들과 달리, 16세기 개혁주의 전통을 지닌 칼빈주의자들과 루터주의자들의 글에서 흔히 발견되는 예수 중심의 구속사적인 성서 역사 이해의 전통이 저자의 글 구석구석에서 물씬 풍겨 나오고 있었기 때문이다.

둘째로, 예수 그리스도의 족보 연구를 통해 하나님의 오묘한 구속사를 밝혀 보려 한 박 목사님의 글들과 사상들이 너무나 독특하고 특별한 것이지만, 한편으로 내게는 전혀 낯설지 않았다는 점이 놀라웠다.

박 목사님은 본인이 의식했건, 안 했건 간에 이미 자신의 신학적인 작업을 통해 소위 독일의 복음주의적인 전통을 고수했던 구속사 학파가 지녔던 입장을 자신의 입장으로 취하고 있다. 성서를 하나님의 계시의 역사이며, 성서의 역사는 하나님의 섭리의 진행으로 이해하는 입장은 에를랑겐(Erlangen)의 구속사 학파의 거두 호프만(C. K. Hoffman)으로부터 출발하고 있지만, 그러한 성서 이해와 사상은 본래 할레대학을 세운 칼빈주의자 프랑케(Franke)의 생각이었다. 그런데 프랑케에게 그러한 사상을 전해 준 그의 스승 스페너(Spener)가 칼빈의 제네바대학 출신이라는 점을 감안하면, 그것은 곧 칼빈의 성서 이해이기도 하다.

셋째로, 박윤식 목사님의 예수 그리스도의 족보 연구는 단지 신학적인 것만이 아니라 목회적인 결단과 신앙의 변화를 촉구하는 실천적 메시지로 작성되었다는 점이다.

사실 아무리 좋은 신학적 발상이라 해도 교회의 신앙과 목회에 도움이 될 수 없다면, 그것은 단지 하나의 정보 내지는 신학적인 아이디어에 불과하다. 그러나 박 목사님의 글은 지루하고 복잡해 보이는 예수 그리스도의 족보 역사를 통해 놀라운 영적 감동을 자아내며, 또한 읽는 이에게 신앙적인 결단을 촉구하고 있다. 그리고 자신의 신앙적인 고백으로 쓴 그의 글을 읽는 모든 이들로 하여금 마지막 책장을 넘기는 순간, 자신도 모르게 예수 그리스도에 대한 경건한 신앙의 회복에 동참하게 한다.

끝으로, 저자는 창세기로부터 요한계시록에 이르는 긴 과정을 한마디로 구속사로 이해하고 있다는 점이다. 이 구속사의 비밀스러운 경륜을 핵심적으로 압축한 "족보"를 통해 힘 있게 글을 전개하고 있다.

앞에서도 언급했지만 저자는 「예수 그리스도의 족보」를 독특한 관점에서, 또한 끈질기고 집요한 연구를 통해 하나님의 오묘한 섭리를 밝혀 내고 그 놀라운 섭리 앞에 엎드리는 자신의 신앙을 보여주고 있다. 그러면서도 그 어느 누구도 발견하지 못한 사실들을 신앙적인 혜안을 통해 발견해 내고 또한 설명하고 있다.

예수 그리스도의 족보에 생략된 사람들과 그들에 대한 설명, 즉 왜 성서 기자들이 그들의 이름을 생략했던가에 대한 설명은 가히 압권이라 할 수 있다. 이것은 단순히 목회자나 신학자가 볼 수 없는, 오직 성경 해석을 위해 성령의 특별한 은혜를 입은 신앙적인 목회자이신 박 목사님만이 증언할 수 있는 부분이다.

궁극적으로 저자는 예수 그리스도의 족보는 하나님의 구속사의 축소판임을 재확인한다. 그리고 이 족보에 나타나는 하나님의 구속 경륜이 후손들에게 널리 알려져서 그들이 시대를 분별하는 구속사의 주인공이 되게 인도하는 것을 마지막 사명으로 느끼고 있다. 그렇기 때문에 그의 글은 단지 유행에 범람하는 한 조각이 아니라, 시대를 넘어 오직 영원히 꺼지지 않는 등불이 되고 있는 것이다.

(前) 총신대학교, 대신대학교 교수
(現) 시애틀한인장로교회 담임목사
김호환 박사

김호환

추천사

황의춘 목사
미국 UPCA(예수교장로회 국제연합총회) 총회장
미주 장로회신학대학 이사장, 미주 전도대학교 총장, 중화민족 복음선교회 총재

마태복음 1장에 나오는 예수 그리스도의 족보는 구약과 신약을 연결하는 다리입니다. 구약을 마감하고 신약을 시작하는 위치에 바로 예수 그리스도의 족보가 기록되어 있습니다. 이렇게 중요한 예수 그리스도의 족보이기에 평상시에 많은 관심을 가지고 살펴보던 차에, 박윤식 목사님의 「예수 그리스도의 족보 I」이라는 책을 접하게 되었습니다. 망치로 한 대 맞은 듯한 영적 충격과 감동은 책을 읽는 내내 저를 사로잡았습니다.

그저 '낳고, 낳고, 낳고...'로 이어지는 족보가 무미건조하게만 느껴졌는데, 그 사이 사이에 수많은 공백들이 있다는 사실은 너무도 놀라울 따름이었습니다. 특히 람과 아미나답 사이에 애굽 시대 430년 대부분의 공백이 있었고, 살몬과 보아스 사이에 사사 시대 가운데 약 300년의 공백이 있었다는 통찰은 지금까지 세계적으로 발간된 그 어떤 주석에서도 자세히 다루지 않은, 실로 감탄할 만한 연구 업적이었습니다.

「예수 그리스도의 족보 I」에 대한 감동과 여운이 채 사라지기도 전에 박윤식 목사님은 「예수 그리스도의 족보 II-영원한 언약 속의 신비롭고 오묘한 섭리」를 곧바로 출간하셨습니다. 저는 이 책을 읽고 난 후 예수 그리스도의 족보에 담긴 하나님의 구속사적 경륜을

깨닫게 되었습니다.

세계적인 유명 도서관에 가면 각 분야별로 수십만 권의 책들이 진열되어 있습니다. 마태복음 코너에 가도 그와 관련된 수백 권의 책들이 정리되어 있습니다. 그러나 진실되게 성경을 풀어 주는 책을 찾는 일은 백사장에서 보화를 찾는 것과 같습니다. 신학책들 대부분이 여러 가지 학설들을 소개하지만 시원한 대답을 주지 않으며, 대부분의 설교집들 또한 개인적인 묵상 기록일 뿐 성경의 깊고 오묘한 섭리를 전달해 주지 못합니다.

그런데 박윤식 목사님의 책은 지금까지 세상에 출간된 수많은 책들의 갈증을 단번에 해소할 수 있는 가히 독보적인 책이라 할 것입니다. 마치 예수님께서 "이 물을 먹는 자마다 다시 목마르려니와 [14]내가 주는 물을 먹는 자는 영원히 목마르지 아니하리니 나의 주는 물은 그 속에서 영생하도록 솟아나는 샘물이 되리라"(요 4:13-14)라고 하신 말씀처럼, 이 책은 등산 후에 산 정상에서 마시는 시원한 생수 같은 해갈의 능력이 있습니다.

박윤식 목사님의 책은 예수 그리스도의 족보에 있는 여러 가지 난제들을 해결하면서 동시에 구속사적 경륜을 하나 하나 밝히고 있습니다. 무엇보다도 예수 그리스도의 족보에 나오는 인물들을 히브리어와 헬라어를 통하여 그들의 일생을 구속사적으로 풀어 나가는 묘미는 온 몸이 전율할 정도입니다. 사람이 한두 권의 책을 쓸 수 있을지는 몰라도, 구속사적 관점에서 시리즈를 지속하여 발간하는 일은 결코 인간적인 노력을 기울인다고 해서 이룰 수 있는 작업이 아닙니다. 이것은 분명 성령의 강력한 역사를 통해 성경을 관통하는 깊은 영적 능력이 없이는 불가능한 대작업입니다.

박윤식 목사님은 전 세계 교회에 실로 새로운 영적 도전장을 내밀고 있습니다. 교권주의와 물량주의, 그리고 형식주의와 세속주의에 점점 물들고 있는 세계 교회를 향하여 하나님의 말씀 중심, 성경 중심으로 돌아가는 것이 어떤 것인가를 그의 저서 구속사 시리즈를 통하여 담대히 외치고 있는 것입니다.

우리는 전 세계의 거친 광야를 향해 외치는 이 소리를 외면해서는 안 될 것입니다. 이제 박윤식 목사님을 통해서 일하시는 하나님의 역사를 경홀히 여기지 말고 겸손히 배우는 가운데 그에 대한 새로운 평가 작업이 이루어져야 할 것입니다.

어느덧 80을 훌쩍 넘긴 박윤식 목사님께서 더욱 건강하셔서 하나님께서 주신 말씀의 은사를 전 세계 교회에 다 전하고, 그 사명을 온전히 감당하시기를 간절히 기도드립니다. 마지막으로, 전 세계적으로 그 유례를 찾아보기 드문 이 위대한 저서가 전 세계 하나님의 백성에게 널리 읽혀지기를 소망하며 기쁜 마음으로 이 책을 추천하는 바입니다.

미국 UPCA(예수교장로회 국제연합총회) 총회장
미주 장로회신학대학 이사장
미주 전도대학교 총장
중화민족 복음선교회 총재
황 의 춘 목사

저자 서문

Preface

박윤식 목사

신구약성경, 하나님의 말씀은 영원부터 하나님 속에 감취었던 '비밀의 경륜'(엡 3:9)을 계시하고 있습니다. 이 경륜은 만세 전부터 인류 구원을 위해 계획하신 구속사의 청사진입니다. 구속사(救贖史)는 타락 이래 예수 그리스도 안에서 택하신 백성을 구원하시려는 하나님의 경륜의 역사입니다(엡 1:4-5). '경륜'의 중심에는 하나님의 비밀이요, 영광의 소망이신 우리 주 예수 그리스도가 계십니다(골 1:27, 2:2). 이 비밀은 만세와 만대로부터 옴으로 감취었던 것인데, 이제는 그의 성도들에게 나타났으니(골 1:26), 그 안에는 지혜와 지식의 모든 보화가 감취어 있습니다(골 2:3).

그래서 성경은 예수 그리스도를 바라보며 예수 그리스도를 증거하며 예수 그리스도에 의해서만 성취되는 것입니다. 요한복음 5:39에서 "이 성경이 곧 내게 대하여 증거하는 것이로다"라고 말씀하고 있으며, 누가복음 24:27에서도 "모든 성경에 쓴바 자기에 관한 것을 자세히 설명하시니라"라고 말씀하고 있습니다(눅 24:44).

예수 그리스도의 족보(마 1:1-17)는 성경 66권의 주인공이신 예수 그리스도에 관한 것을 가장 간명하게 압축해 놓은 것으로, 구속 경륜의 핵심이라 할 것입니다. 그러므로 예수 그리스도의 족보를 이해하지 않고서는 예수 그리스도에 대하여 온전히 알 수 없고, 창세기에서 시작되어 요한계시록에서 완성되는 하나님의 거대한 구속사의 맥을 놓칠 수밖에 없는 것입니다.

구속사 시리즈 제3권과 제4권은 예수 그리스도의 족보에 대해 연구한 것인데, 제3권은 주로 예수 그리스도의 족보 제1기에 해당되는 아브라함부터 다윗까지의 역사를 다루고, 제4권인 본 서는 주로 예수 그리스도의 족보 제2기에 해당되는 역사를 다루었습니다. 특히 제3권에서 밝힌, 람과 아미나답 사이에 애굽 종살이 생활 430년 기간의 대부분이 생략되어 있고, 살몬과 보아스 사이에 사사 시대 가운데 약 300년이 생략되어 있다는 내용은, 전 세계 기독교 역사에서 처음 있는 새로운 통찰(洞察)이라는 격려들이 쏟아졌습니다. 이 모두가 만물의 찌끼만도 못한 이 불초한 종에게 베풀어 주신 은혜이기에, 모든 영광을 살아 계신 하나님께 돌리며 감사할 따름입니다.

저는 목회 초창기에 하나님의 말씀을 깨닫는 깊이가 너무도 얕아서 지리산 굴 속에 들어가 약 3년 6개월 동안 기도와 성경 읽기에만 전무했던 적이 있었습니다. 그곳에서 성경만을 읽으면서 성령의 강한 조명을 통해 참으로 많은 것을 깨닫고, 깨달아지는 것이 있을 때마다 원고에 적어 놓곤 하였습니다. 때로는 원고지가 없어서 커다란 칡넝쿨 잎에 적어 싸리나무에 꿰어 두었다가 다시 원고지를 구해서 정리하였습니다. 이렇게 반복한 것이 산에서 내려올 때는 어느새 제 키만한 높이의 원고가 되어 있었습니다. 지금도 그 옛날 원고를 볼 때마다 하나님의 크신 은혜에 감사 감격하여 눈물에 젖곤 합니다. 그 커다란 칡넝쿨 잎에 한 자 한 자 적어 놓았던 글들이 원고지에 옮겨지고, 또 그것이 낡아져 다시 노트에 옮겨 적는 작업을 수없이 반복하여, 마침내 이렇게 구속사 시리즈로 출판하게 되었으니 참으로 감사할 뿐입니다.

본 서는 결코 신학 연구서나 주석집이나 강해집이 아닙니다. 한 영혼을 천하보다 귀하게 사랑하는 목자의 심정으로(마 16:26, 18:14), 날마다 기도의 무릎을 꿇으며 평강제일교회 강단에서 선포했던 살아 있고 운동력 있는 하나님의 말씀을 정리한 것입니다. 저는 하나님의 도우심 가운데 성도에게 유익한 것이라면 무엇이든지 거리낌없이 밤낮 쉬지 않고 전하고자 하였습니다(행 20:20, 27, 31). 신구약 성경을 통해서 구속사와 그 속에 감춰었던 비밀의 경륜이신 예수 그리스도를 밝히 드러내는 일에 전심전력하였습니다. 오직 살아 계신 하나님의 말씀만을 전하기 위해 본문을 부둥켜안고 밤을 지새우며 영적 씨름을 하였습니다. 한 구절 한 구절을 살필 때에는 몸의 솜털을 세듯이 자세히 연구하였고, 또 전체적으로는 그 문맥을 놓치지 않으려고 그것들을 구속사적 관점에서 조망하는 데 힘을 다했습니다.

저의 간절한 바람은 구속사 시리즈를 통하여 모든 성도들이 하나님의 비밀의 경륜을 깨달아 그리스도의 장성한 분량까지 자라며

(엡 4:13-15, 히 5:12-14, 6:1-2), 그 신앙이 견고케 되는 것입니다(롬 1:11, 4:20, 고전 1:6, 8, 고후 1:21, 벧전 5:10). 이것은 성경의 일관된 사상이요 시대적인 요청이기 때문입니다. 사도 바울은 "우리 주 예수 그리스도로 말미암아 우리에게 이김을 주시는 하나님께 감사하노니 [58]그러므로 내 사랑하는 형제들아 견고하며 흔들리지 말며 항상 주의 일에 더욱 힘쓰는 자들이 되라 이는 너희 수고가 주 안에서 헛되지 않은 줄을 앎이니라"(고전 15:57-58)라고 선언하였습니다. 사무엘하 23:5에서 "... 하나님이 ... 만사에 구비하고 견고케 하셨으니..."라고 말씀하고 있으며, 로마서 16:26-27에서는 "너희를 능히 견고케 하실 [27]지혜로우신 하나님"이라고 말씀하고 있습니다. 본 서가 한국 교회뿐만 아니라 전 세계 교회 성도들의 신앙을 더욱 견고케 하는 데 일조하기를 간절히 소망합니다.

저는 본 서가 결코 저의 개인적인 저작(著作)이기를 원하지 않습니다. 이 책을 접하는 사람, 읽고 깨닫는 자 모두가 이 책의 저자가 되기를 간절히 기도하며 소망하고 있습니다.

무엇보다 '평강제일교회' 성도들의 헌신과 쉬지 않는 기도와 노고를 통하여 구속사 시리즈 발간이라는 놀라운 사역을 행하게 하신 하나님의 선하신 도우심의 손길에 진심으로 감사를 드립니다. 또한 저의 구태의연한 낡은 표현들을 현대 감각에 맞게 부드럽게 표현해 주고, 제가 정리한 복잡하고 방대한 내용들을 이해하기 쉽도록 도표로 만드는 데 이름 없이 빛도 없이 헌신하여 준 동역자들과 수고한 모든 분들에 대하여 감사하는 마음을 여기 담아 둡니다.

부디 우리의 남은 생애에, 우리의 몸을 통하여 언제나 예수 그리스도만 존귀케 되며(빌 1:20), 이 책이 영원부터 하나님 속에 감춰었던 비밀의 경륜을 밝히 드러내는 일에 크게 쓰임 받게 되기를 간절히 소망합니다(엡 3:9).

2009년 10월 3일
천국 가는 나그네길에서
예수 그리스도의 종 **박 윤 식**

*독자들의 편의를 위하여 2판 8쇄(2014. 3.17.)부터 열왕들과 관련된 전쟁의 진행 과정을 상세히 기록한 지도 15개와 솔로몬의 12행정 구역 지도를 수록하였습니다.

차례

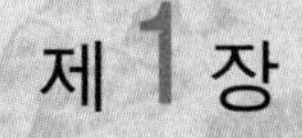

제 1 장

영원한 언약과 하나님의 섭리

The Eternal Covenant and the Providence of God

I
하나님의 구속 경륜
GOD'S ADMINISTRATION OF REDEMPTION

신구약성경 66권 전체를 관통하는 중요한 주제는 창조주 하나님의 절대 주권과 섭리, 타락한 인간의 '구원'(救援, salvation)과 회복이며, 이 구원을 위한 방도와 근거가 예수 그리스도의 십자가로 말미암은 '구속'(救贖, redemption)입니다.

죄인의 구원과 전 피조 세계의 회복을 위해 하나님께서 죄인 된 인간과 시공간 속에 함께하시며 섭리해 오신 전 인류의 역사, 그것을 통틀어 '구속사'라고 합니다.

구속사의 경륜을 연구하고 살펴보는 일은 건축물로 말하면 뼈대에 해당하고, 사람의 몸으로 말하면 척추에 해당할 만큼 매우 중대한 일입니다. 가장 높은 정상에 올라야 쭉 뻗은 거대한 대자연의 운치를 한눈에 조망할 수 있듯이, 성경도 구속사의 관점에서 통시적(通時的)으로 살펴야 저자이신 하나님의 뜻에서 이탈하지 않고 명확하게 깨달을 수 있는 것입니다.

구속사의 '구속'은 대가를 지불하고 소유권을 회복하거나(마 20:28), 노예나 포로가 속박 상태에서 풀려나 자유와 석방을 얻는 것을 의미합니다(롬 3:24). 우리가 예수 그리스도로 말미암아 구속 받기 전에는 죄 아래 '갇혀', 마치 사형수가 사면이 완전히 봉쇄된 흑암 속 철장에 갇혀 있는 것과 같고(쉉클레이오, συγκλείω, 갈 3:22), 또한 죄로 말미암아 영적으로 '매인 바' 되어 일거수일투족 감시당하는 상태와 같았습니다(프루레오, φρουρέω, 갈 3:23). 가혹한 형벌의 현장에서 아무 소망 없이 이미 정해진 죽음의 한 날을 향해 그저 비참한 상태로 살아가는 신세였던 것입니다. 이렇게 피할 수 없는 죽음의 자리, 사망의 권세에 붙잡혀 있던 인간을 단번에 해방시켜 주신 것이 바로 예수 그리스도의 십자가 '구속'입니다(롬 8:1-2).

하나님께서는 흠 없고 순결하신 독생자 예수 그리스도를 죄 있는 육신의 모양으로 이 땅에 보내어 '죄를 정하사' 십자가에 못 박혀 죽게 하심으로 그 육체로 우리의 죄를 담당하셨으니(롬 8:3, 벧전 2:24), 우리는 그 보배로운 피로 구속 곧 죄 사함을 받는 것입니다(엡 1:7, 벧전 1:18-19).

초림하신 예수 그리스도의 그 보배로운 피는 우리를 죄와 사망으로부터 구속하기 위해 지불하신 '속전'(贖錢, ransom money)이며(출 30:11-16, 딤전 2:6, 참고-민 3:44-51, 고전 6:20, 7:23), 우리를 십자가의 핏값으로 사신(행 20:28, 고전 6:20, 7:23) 그 구원 사역은 단번에 이루어진 완전한 것입니다(히 7:27, 9:12-14). 예수 그리스도께서는 만세 전에 작정된 경륜 속에서 십자가를 지시고 세상 죄를 짊어진 하나님의 대속의 어린 양이 되셨습니다(요 1:29, 고전 5:7). 그것도 "많은 사람의 대속물"(마 20:28, 막 10:45, 롬 5:15, 딤전 2:6, 히 2:9-10, 9:28)이라 하였으니, 예수 그리스도께서 지불하신 속전의 효과는 구원 받기로 작정된 모든 자들에게 미치는 우주적인 은혜이며(행 13:48, 갈 3:13-14, 딤전 2:6, 딛 2:14), 그 공효(功效)는 계속적이고 영원합니다(히 9:12, 10:12). 이러한 예수 그리스도의 구속을 중심으로 펼쳐지는 구속사는 하나님의 작정된 경륜 속에서 진행되고 마침내 완성됩니다.

1. 구속 경륜

The administration of redemption

택한 백성의 구원을 위하여 하나님께서 만세 전에 예정(predestination)하시고, 전 우주와 세상의 역사 속에 이루시려고 구체적으로 계획하신 뜻을 가리켜 '하나님의 구속 경륜(救贖經綸)'이라고 합니다. 헬라어로 '경륜'은 '오이코노미아'(οἰκονομία)인데, 이것은 '오이코스'(οἶκος, 집)와 '네모'(νέμω, 분배하다, 할당하다, 관리하다, 경영하다)가 합성된 단어입니다. 한자로는 날 경(經), 낚시줄 륜(綸)으로, '일을 조직적으로 잘 계획함, 천하를 다스림, 경험과 그 능력, 솜씨'라는 뜻을 가지고 있습니다.

하나님의 경륜은 온 우주와 세계 역사를 주도하는 큰 원동력입니다. 그 속에 과거와 현재와 미래의 역사가 진행되어 가는 분명한 방향이 제시되어 있습니다. 하나님의 구원 역사는 우연히 우발적으로 나타나거나 상황에 맞물려 일어나는 것이 아니라, 오직 만세 전에 미리 계획하신 경륜대로 이루어져 가는 것입니다(사 43:12-13, 46:10, 엡 3:9).

성경에 나타난 경륜은 두 가지로 분류되는데, 첫째는 권위를 가지고 있는 사람의 '계획, 경영'을 뜻하고(엡 1:9, 3:2, 9), 둘째는 권위 아래 있는 사람이 위탁받은 '직분, 관리'를 의미합니다(눅 16:2-4, 고전 9:17, 갈 4:2, 골 1:25). 결국 '경륜'이란 창조주 하나님의 구속 계획에 따른 우주 만물의 운행과 질서, 시간에 대한 하나님 자신의 관리와 경영을 가리키며, 피조물 된 우리에게는 그것을 위탁받은 관리인(청지기)이라는 의미로 사용되는 것입니다.

2. 성경에 나타난 경륜의 종류

The types of administration in the Bible

사도 바울은 창조주 하나님의 구속 경륜에 대하여 다섯 가지로 선포하였습니다.

(1) '믿음 안에 있는 하나님의 경륜'이 있습니다.

디모데전서 1:4에서 "신화와 끝없는 족보에 착념치 말게 하려 함이라 이런 것은 믿음 안에 있는 하나님의 경륜을 이룸보다 도리어 변론을 내는 것이라"라고 말씀하고 있습니다. 여기에 '믿음 안에 있는 하나님의 경륜'이 나옵니다.

경륜의 주체는 하나님이십니다. '사람의 경륜'은 존재할 수 없으며, 오직 '하나님의 경륜'만이 존재합니다. 그 이유는, 피조된 인간은 온 우주 만물을 관리하고 경영할 수 없기 때문입니다. 하나님의 경륜은 믿음 안에 있는 것입니다. 믿음 밖에서는, 결코 하나님의 경륜을 이해할 수도 깨달을 수도 없습니다. 오직 믿음 안에서만 하나님의 경륜을 이해하고 그 경륜을 바라보고 그 경륜을 좇아 달려갈 수 있습니다.

(2) '은혜의 경륜'이 있습니다.

에베소서 3:2에서 "너희를 위하여 내게 주신 하나님의 그 은혜의 경륜을 너희가 들었을 터이라"라고 말씀하고 있습니다.

여기 '은혜의 경륜'은 사도 바울이 복음의 일꾼 된 것이 전적으로 하나님의 은혜라는 뜻입니다(엡 3:7). 나아가, 사도 바울에게 그리스도의 비밀을 알게 하신 것이 전적으로 하나님의 은혜라는 뜻입니다(엡 3:2-4). 더 나아가, 이방인들도 하나님의 은혜로 구원의 대상이 되었다는 것입니다(엡 3:6).

사도 바울은 하나님께서 세우신 이러한 은혜로운 구원의 경륜을 알고, 자신이 이 계획에 동참하여 사역하게 되었고, 그 맡은 일을 감당하게 하시려고 은혜를 주셨다고 증언한 것입니다(엡 3:8).

만물의 찌끼 같은 우리가(고전 4:13) 지극히 높고 크신 하나님의 원대한 경륜을 어떻게 헤아리며 측량할 수 있겠습니까? 하나님의 경륜을 아는 것은 오직 하나님의 은혜요(고전 15:10), 또 만세 전부터 예비하신 그 은혜로 우리가 구원을 받게 되는 것입니다(엡 2:8).

(3) '비밀의 경륜'이 있습니다.

에베소서 3:8-9에서 "모든 성도 중에 지극히 작은 자보다 더 작은 나에게 이 은혜를 주신 것은 측량할 수 없는 그리스도의 풍성을 이방인에게 전하게 하시고 [9]영원부터 만물을 창조하신 하나님 속에 감취었던 비밀의 경륜이 어떠한 것을 드러내게 하려 하심이라"라고 말씀하고 있습니다.

이것은 하나님의 경륜이 감추어진 비밀임을 의미합니다. 언제부터입니까? '만세와 만대로부터 옴으로' 감취었던 것이며(골 1:26), '영원부터' 감추어진 것이며(엡 3:9), '만세 전에' 감추어진 것입니다(고전 2:7). 그리고 이 비밀은 '하나님 속에 감취었던'(엡 3:9) 것이므로 하나님께서 그것을 드러내 주시기 전에는 사람은 절대로 알 수 없고, 그저 신비에 싸인 비밀로 남아 있게 됩니다.

에베소서 3:9에서 “드러내게 하려 하심이라”는 헬라어 ‘포티조’(φωτίζω)로, ‘밝게 하다, 비추다, 조명하다’라는 뜻입니다. 그러므로 하나님의 구속사적 비밀의 경륜은 사람의 지혜로는 능히 헤아릴 수 없으며, 오직 성령의 조명을 통해 하나님께서 열어 주실 때 비로소 밝히 깨달을 수 있는 것입니다(시 119:18, 130, 고전 2:10).

(4) ‘때가 찬 경륜’이 있습니다.

에베소서 1:9에서 “그 뜻의 비밀을 우리에게 알리셨으니 곧 그 기쁘심을 따라 그리스도 안에서 때가 찬 경륜을 위하여 예정하신 것이니”라고 말씀하고 있습니다.

여기 ‘때’는 헬라어 ‘카이로스’(καιρός)로, 하나님의 구속사 가운데 어떤 목적이 이루어지는 ‘정(定)한 때, 결정적인 때’ 혹은 ‘특별한 사건이 일어나는 때’를 가리킵니다. 하나님께서 비밀로 감추어 두신 경륜은 결정적인 때가 이르기 전에는 밝혀질 수 없다고 말씀한 것입니다. 하나님의 비밀은 예수 그리스도이며(골 2:2), ‘때가 찬 경륜’은 예수 그리스도의 초림으로 성취가 되었고(막 1:15), 장차 재림으로 완성될 것입니다. 이것을 에베소서 1:10에서는 그리스도 안에서 만물이 통일되는 것으로 표현하였으니, ‘때가 찬 경륜’은 예수 그리스도의 재림과 함께 하나님께서 지으신 전 우주 만물의 회복을 통해서 완전히 성취될 것입니다.

(5) ‘내게 주신 경륜’이 있습니다.

골로새서 1:25에서 “내가 교회 일꾼 된 것은 하나님이 너희를 위하여 내게 주신 경륜을 따라 하나님의 말씀을 이루려 함이니라”라고 말씀하고 있습니다. 또 “내게 주신 하나님의 그 은혜의 경륜”(엡

3:2)이라고 말씀하고 있습니다. 하나님께서는 '하나님의 경륜', '은혜의 경륜', '비밀의 경륜', '때가 찬 경륜'을 사도 바울에게 주셨습니다. 하나님께서 사도 바울에게 경륜을 주신 것은 그를 통하여 하나님의 말씀을 이루시기 위한 것이었습니다(골 1:25). 그러므로 사도 바울이 교회의 일꾼이 된 것은 자신의 의지나 뜻대로 된 것이 아니라 전적으로 하나님의 경륜을 따라 된 것입니다. 이것을 깨달았기에 사도 바울은 성도들을 위하여 받는 괴로움을 기뻐하고, 그리스도의 남은 고난을 그의 몸 된 교회를 위하여 자신의 육체에 채우며, 하나님의 역사를 따라 힘을 다하여 수고하는 삶을 살 수 있었습니다(골 1:24-25, 29).

만세와 만대로부터 옴으로 감취었던 하나님의 구속사적 경륜이 이제 사도 바울을 통하여 그의 성도들에게 나타났습니다(골 1:25-26). 하나님의 감추어졌던 비밀을 알리는 것이 바로 교회의 사명입니다. 에베소서 3:10에서 교회로 말미암아 '하나님의 각종 지혜'를 알게 하려 한다고 말씀하고 있습니다. 그러므로 교회가 전 세계에 드러내고 전파해야 할 것은 하나님의 비밀이요 영광의 소망이신 예수 그리스도입니다(골 1:27, 2:2).

이 땅에 존재하는 모든 성도와 교회들은 '믿음 안에 있는 하나님의 경륜', '은혜의 경륜', '비밀의 경륜', '때가 찬 경륜', '각자에게 주신 경륜'을 선포하는 영광스러운 사역의 주인공들입니다. 우리가 숨쉬고 살아 존재하는 이유는 하나님의 비밀의 경륜을 드러내기 위한 사명 때문입니다. 사도 바울은 '하나님 속에 감취었던 비밀의 경륜이 어떠한 것을 드러내는'(엡 3:9) 일꾼으로서, 자신의 사역을 통해 하나님의 말씀이 이루어지기를 소망했습니다(골 1:24-25). 그러므로 사도 바울은 언제나 하나님의 소원을 따라 '하나님의 열심'을 가지고 자진하여 열정적으로 일했습니다(고후 11:2). 온갖 죽음의 환난 속에서도(고후 1:8-10, 11:23-28) 오직 복음의 비밀이 더욱 담대하게 알려지도록 사도직을 필생(畢生)의 직분으로 감당했습니다(엡 6:19). 살든지 죽든지 자신을 통해 그리스도가 존귀히 되는 그 일이, 그의 모든 생애의 간절한 기대이자 소망이었습니다(빌 1:20). 사도 바울처럼 복음의 일꾼으로 부름 받은 우리도 하나님의 비밀의 경륜을 깨닫고, 각자 '내게 주신 경륜'을 따라 하나님의 말씀이 온 세계에 편만[두루 편(遍), 찰 만(滿)]하기까지(롬 15:19) 복음 선포의 사명을 담대히 감당하시기를 소원합니다.

Ⅱ 영원한 언약과 섭리

THE ETERNAL COVENANT AND THE PROVIDENCE

하나님께서는 동방의 에덴에 실제로 동산을 창설하여 거기에 아담을 두시고(창 2:8), "선악을 알게 하는 나무의 실과는 먹지 말라 네가 먹는 날에는 정녕 죽으리라"라고 말씀하셨습니다(창 2:17). 그러나 하와는 하나님께서 금지하신 그 선악을 알게 하는 나무의 실과를 따서 먹고, 남편 아담에게도 주어 먹게 하므로 그들은 타락하고 말았습니다(창 3:6).

이 타락한 인생을 구원하시는 구속사(救贖史)는 하나님의 경륜에 입각하여 진행되어 왔습니다. 구속사를 연결하는 고리는 하나님의 언약이기에, 구속사는 언약에서 언약으로 연결되어 있습니다.

구속사의 핵심은 메시아에 대한 언약과 그 언약의 성취에 있으며, 그 언약의 핵심이자 최종 계시는 예수 그리스도이십니다.

따라서 구속사는 '언약사'이며, 그 언약사는 하나님의 불변하시는 말씀의 역사입니다. 왜냐하면 언약은 하나님의 말씀으로 체결되며, 언약의 주체이신 하나님께서 '말씀'이시기 때문입니다(요 1:1). 이 '말씀'이 육신이 되어 성육신 하신 분이 바로 구속사의 꽃이신 예수 그리스도입니다(요 1:14). 세상 진리와 '말씀'은 다릅니다. 이데

올로기, 철학, 학문, 타종교와 같은 세상의 진리에는 구원이 없으며, '말씀'이 육신이 되어 오신 예수 그리스도께만 유일하게 구원이 있습니다(요 14:6, 행 4:12).

따라서 '말씀'은 구속사와 함께하고, 그 '말씀'이 전 구속사를 주도해 가는 주체입니다. '말씀'이 흥왕하여 역사하는 곳, '말씀'이 살아서 강력하게 운동하는 거기에 언제나 하나님의 구속사가 뒤따르는 것입니다(참고-행 4:4, 6:7, 12:24, 17:11-12, 19:20, 골 1:5-6).

하나님께서는 구속사의 시대 시대마다 언약을 새롭게 갱신하셨습니다. 언약에 대한 최초의 계시는 창세기 3:15에 나타난 여자의 후손에 대한 약속에서 엿보이며, 그 후에 하나님의 언약은 노아 언약(창 6:18, 9:8-17), 아브라함 언약(창 12:1-3, 7, 13:14-18, 15:12-21, 17:9-14, 18:10, 22:15-18), 시내산 언약(출 20:22-23:33, 24:7), 다윗 언약(삼하 7:12-16, 대상 17:11-14), 예레미야의 새 언약(렘 31:31-34)으로 발전하였습니다. 하나님께서는, 이러한 언약을 기억하고 붙잡는 자에게 생명과 평강의 언약(말 2:5), 화평케 하는 언약(사 54:10), 평화의 언약(민 25:12-13)으로 역사하십니다.

각 언약들은 결코 그 시대에만 유효한 것이 아니라 세상 끝날까지 영원토록 유효합니다. 그러므로 하나님의 언약은 구속사를 완성시키는 원동력이요, 하나님의 섭리라는 구체적인 구속 활동의 근거가 되는 것입니다. 그렇다면 세상 끝날까지 유효한 하나님의 언약의 특징은 무엇입니까?

1. 주권적인 언약입니다.

It is a sovereign covenant.

타락하여 범죄한 인간은(시 14:3, 렘 17:9, 롬 3:10) 감히 하나님과 언약을 맺을 자격이 전혀 없는 존재임에도 불구하고, 만유보다 크신 하나님(요 10:29)께서 택하신 백성의 구원이라는 위대한 경륜을 이루시기 위하여 일방적으로 찾아오셔서 언약을 체결하셨습니다.[1] 이처럼 언약은 주권적 은혜의 산물이며, 그 속에는 한번 정하신 뜻을 반드시 이루시고 끝까지 책임을 지신다는 변함없는 확증이 담겨 있습니다.

성경에는 이러한 주권적 언약을 다음 몇 가지 표현들을 통하여 나타내고 있습니다.

(1) '내 언약(나의 언약)'입니다.

출애굽기 6:5에서 "나의 언약"을 기억한다고 말씀하고 있으며, 여호수아 7:11에서 이스라엘 백성이 "나의 언약"을 어겼다고 말씀하고 있습니다. 이처럼 성경 여러 곳에서 언약을 가리켜 자주 "나의 언약"이라고 말씀하고 있습니다(레 26:15, 왕상 11:11, 시 89:28, 사 54:10, 56:4, 6, 59:21, 렘 33:21, 말 2:4-5).

창세기 6:18에서는 "내가 내 언약"을 세운다고 말씀하고 있습니다. 레위기 26:42에서 "내가 야곱과 맺은 내 언약과 이삭과 맺은 내 언약을 생각하며 아브라함과 맺은 내 언약을 생각하고"라고 말씀하고 있습니다. 이 외에도 성경 여러 곳에서 '내 언약'이라고 말씀하고 있습니다(창 9:9, 15, 17:2, 4, 7, 9-10, 13-14, 19, 21, 출 19:5, 신 31:20, 시 50:16, 89:34, 132:12, 렘 31:32, 34:18, 겔 16:62, 17:19, 44:7, 호 8:1, 롬 11:27, 히 8:9).

(2) '주의 언약'입니다.

시편 기자는 위경에 처한 이스라엘을 속히 구원해 주기를 기도

하면서 "주의 언약을 어기지 아니하였나이다"라고 탄원하고 있으며(시 44:17), 예레미야 선지자는 패역한 유다 백성을 위한 중보기도에서 "주의 언약을 기억하시고 폐하지 마옵소서"라고 간구하였습니다(렘 14:21). 이 외에도 신명기 33:9과 열왕기상 19:10, 14에서 "주의 언약"이라고 표현하고 있습니다.

(3) '하나님(여호와)의 언약'입니다.

역대하 34:32에서 요시야왕 때 신앙 회복을 위해 예루살렘 거민이 "하나님의 언약"을 좇았다고 말씀하고 있습니다. 이 외에도 성경 여러 곳에서 '하나님의 언약'(레 2:13, 시 78:10, 잠 2:17), 혹은 '여호와의 언약'(신 29:12, 수 7:15, 왕상 8:21, 렘 22:9)이라고 표현하고 있습니다.

언약에 대한 이 모든 표현들은 언약의 주체가 하나님이심과 모든 언약이 하나님의 주권적인 은혜로 세워진 것임을 나타냅니다.

2. 영원한 언약입니다.

It is an eternal covenant.

하나님께서 세우신 영원한 언약은, 모든 것이 다 변해도 항상 굳건하게 서 있는 불변하는 언약입니다. 하나님께서 인생과 맺으신 언약들은 당대에만 유효한 것이 아니라 영원까지 유효하다는 뜻입니다. 그 언약은 언약하신 내용이 완전히 이루어질 때까지 계속적으로 유효한 것입니다.

창세기 9:16에서 "무지개가 구름 사이에 있으리니 내가 보고 나 하나님과 땅의 무릇 혈기 있는 모든 생물 사이에 된 영원한 언약을 기억하리라"라고 말씀하고 있습니다. 여기 '영원한'이란 단어는 히브리어 '올람'(עוֹלָם)으로, 완전한 의미에서 무궁한 시간의 '영원'을 의미합니다.

하나님께서는 아브라함과 영원한 언약을 체결하셨고(창 17:7, 13, 19), 출애굽 한 이스라엘 백성과도 영원한 언약을 체결하셨습니다(출 31:16, 레 24:8, 대상 16:17).

평강의 하나님께서는 '영원한 언약의 피'로 예수 그리스도를 죽은 자 가운데서 이끌어 내셨습니다(히 13:20). 마지막 때 세상이 심판을 받는 것은 영원한 언약을 파하였기 때문이며(사 24:5), 반대로 하나님의 백성이 회복되고 살아남는 것은 영원한 언약을 세우셨기 때문입니다(사 55:3, 겔 16:60, 37:26). 하나님께서는 마지막에 화평의 언약을 세워 영원한 언약이 되게 하실 것입니다(겔 34:25, 37:26).

이 영원한 언약을 시편 105:8에서는 "천대에 명하신 말씀"이라고 표현하고 있습니다. 여기 "천대에"는 히브리어 '레엘레프 도르'(לְאֶלֶף דּוֹר)로, 이것은 문자적으로 1,000대를 가리키는 것이 아니라 영원함을 상징하는 표현입니다(출 20:6, 신 7:9). 그러므로 '천대에 명하신 말씀'은 하나님의 언약이 영원하다는 뜻입니다. 이것을 시편 105:10에서는 "야곱에게 세우신 율례 곧 이스라엘에게 하신 영영한 언약이라"라고 말씀하고 있는 것입니다.

영원한 언약이 성취되는 결과로 언약 백성이 누리는 복은 무엇입니까?

첫째, 만사가 구비되고 견고케 됩니다.

사무엘하 23:5에서 "하나님이 나로 더불어 영원한 언약을 세우사 만사에 구비하고 견고케 하셨으니 나의 모든 구원과 나의 모든 소원을 어찌 이루지 아니하시랴"라고 말씀하고 있습니다. 이것은 언약을 통해 모든 것이 합력하여 선을 이루고 범사에 형통케 된다는 것을 보여 주며(롬 8:28, 요삼 1:2), 궁극적으로 완전한 구원에 이르게 된다는 것을 보여 줍니다.

둘째, 하나님과 하나 되는 연합입니다.

예레미야 50:5에서 "너희는 오라 잊어버리지 아니할 영영한 언약으로 여호와와 연합하자"라고 말씀하고 있습니다. 이것은 하나님께서 우리 곁을 떠나지 않고 끝까지 돌보아 주시는 복이요, 우리 또한 하나님을 경외하면서 하나님 곁을 절대 떠나지 않도록 해 주시는 복입니다(렘 32:40). 그리하여 하나님께서는 우리의 하나님이 되시고 우리는 하나님의 친백성이 되는 것입니다(렘 31:33).

3. 맹세하신 언약입니다.

It is a covenant of God's oath.

하나님의 언약이 영원한 언약으로 계속적인 효력을 발휘할 수 있는 것은, 그 언약들이 하나님께서 맹세하신 언약이기 때문입니다.

하나님께서는 아브라함과 이삭과 야곱과 언약을 세우실 때도 맹세로 체결하셨습니다(창 22:16-18, 24:7, 26:3, 50:24, 출 6:8, 32:13, 민 11:12, 신 1:8, 35, 4:31, 6:10, 18-19, 23, 7:8, 12-13, 8:1, 18, 9:5, 10:11, 11:9, 21, 13:17, 19:8, 26:3, 15, 28:11, 29:13, 30:20, 31:7, 20, 수 1:6, 5:6, 21:43-44, 삿 2:1, 느 9:15, 렘 11:5, 16:15, 32:22, 겔 20:28, 42, 47:14, 미 7:20). 모세를 통해 모압 평지에서 언약을 체결하실 때도 맹세로 체결하셨습니다(신 29:12).

또 다윗과 언약을 세우실 때도 맹세로 체결하셨습니다(시 89:3-4, 34-35, 49, 132:11). 시편 89편에서 "한번 맹세하였은즉"(시 89:35), "다윗에게 맹세하신"(시 89:49)이라고 거듭 말씀하고 있습니다.[2)]

'맹세'는 히브리어 '샤바'(שָׁבַע)로, 본래는 '일곱 번 반복하여 약속하다'라는 뜻으로, 반드시 지켜야 하는 약속을 가리킵니다. 그러므로 맹세는 약속 준수를 엄중하게 선언하는 것입니다. 사람의 맹세가 중요하다면 하나님의 맹세는 더욱 중요합니다. 사람의 경우는 상황이 바뀌면 마음도 따라 변질되고, 특별한 사정이 생기면 얼마든지 바뀔 수 있습니다. 그러나 하나님께서 한번 맹세하신 것은, 결코 변경되거나 취소되지 않으며(시 110:4) 반드시 그 약속대로 어김없이 성취되는 것입니다. 밤과 낮을 바꿀 수 없듯이 하나님의 언약을 함부로 바꿀 수 없는 것입니다(렘 33:20-21).

그래서 시편 132:11에서는 "여호와께서 다윗에게 성실히 맹세하셨으니 변치 아니하실지라"라고 말씀하고 있습니다. 하나님께서 성실로 맹세하신 언약은 사단의 그 어떤 방해 속에서도 결코 폐기되지 않고 반드시 하나님의 구속사적 경륜을 이루시고야 마는 것입니다. 그러므로 하나님의 언약을 붙잡는 백성은 그 어떤 환난이나 곤고나 핍박이나 기근이나 적신이나 위험이나 칼 속에서도 반드시 승리하게 될 것입니다(롬 8:35-39). 왜냐하면 하나님께서는 맹세하신 언약을 결코 잊지 않으시고(신 4:31), 반드시 지키시고(신 7:12), 굳게 세우시며(시 89:28), 결코 파하지 않으시고(시 89:34), 영원히 이루시기 때문입니다(신 8:18, 시 105:9-10, 렘 11:5).

4. 기억하시는 언약입니다.
It is a covenant that God remembers.

하나님께서는 열조와 세우신 언약을 반드시 기억하신다고 말씀하셨습니다(시 105:8, 106:45, 111:5, 렘 14:21, 겔 16:60, 눅 1:72). 창세기 9:15-16에서 "내 언약을 기억하리니 ... [16]영원한 언약을 기억하리라"라고 말씀하고 있습니다. 레위기 26:45에서도 "내가 그들의 하나님이 되기 위하여 열방의 목전에 애굽에서 인도하여 낸 그들의 열조와 맺은 언약을 그들을 위하여 기억하리라 나는 여호와니라"라고 말씀하고 있습니다.

하나님께서 언약을 기억하신다는 의미는 무엇입니까?

첫째, 언약을 절대로 잊어버리지 않으신다는 뜻입니다.

'기억하다'라는 단어는 히브리어 '자카르'(זָכַר)로, '잊어버리지 않는다'라는 뜻입니다. 시편 74:22-23에서는 '기억하다'와 '잊지 않는다'가 같은 의미로 대조되어 사용되고 있습니다.

왜 하나님께서 남 유다의 왕들이 죄를 범하였음에도 불구하고 남 유다를 완전히 멸망시키지 않으시고 멸망 후에도 바벨론에서 돌아오게 하셨습니까? 그것은 하나님께서 다윗과 맺으신 언약을 기억하셨기 때문입니다. 역대하 21:7에서 "여호와께서 다윗의 집을 멸하기를 즐겨하지 아니하셨음은 이전에 다윗으로 더불어 언약을 세우시고 또 다윗과 그 자손에게 항상 등불을 주겠다고 허하셨음이더라"라고 말씀하고 있습니다.

그러므로 하나님께서는 언약을 기억하고 지키는 자에게는 천대까지 그 언약을 이행하시며 인애를 베푸시고(신 7:9), 여호와의 인자하심이 영원부터 영원까지 이르게 하시며(시 103:17-18), 인자와 진리로 응답해 주십니다(시 25:10). 그러나 언약을 기억하지 않고 잊어버리는 자는 돌아보지 않으십니다(레 26:14-20, 히 8:9下). 레위기 26:18에서는 언약을 배반하면 그 죄를 칠 배나 더 징치하신다고 말씀하고 있습니다.

둘째, 긍휼히 여겨 주신다는 뜻입니다.

누가복음 1:72에서 "우리 조상을 긍휼히 여기시며 그 거룩한 언약을 기억하셨으니"라고 말씀하고 있습니다. 여기에서 언약을 기억하시는 것과 긍휼히 여기시는 것이 같은 의미로 사용되고 있으며, 누가복음 1:71에서는 '구원'의 의미로 사용되고 있습니다.

하나님께서 애굽에서 430년 종살이하던 이스라엘을 구원하신 것은, 언약을 기억하시고 그들을 긍휼히 여기셨기 때문입니다. 출애굽기 2:24-25에서 "하나님이 그 고통 소리를 들으시고 아브라함과 이삭과 야곱에게 세운 그 언약을 기억하사 [25]이스라엘 자손을 권념하셨더라"라고 말씀하고 있습니다(출 6:5-7). 세상 마지막 때 하나님께서 사단의 손에서 우리를 온전히 구원하시는 것도, 언약을 기억하시기 때문입니다.

결국 모든 언약은 하나님의 은혜입니다. 먼저, 언약을 세우시는 것은 하나님의 은혜입니다. 이사야 55:3에서는 "... 내가 너희에게 영원한 언약을 세우리니 곧 다윗에게 허락한 확실한 은혜니라"라고 말씀하고 있습니다. 다음으로, 하나님께서는 그 세우신 언약을 인하여 은혜를 베풀어 주십니다(왕하 13:23). 또 하나님께서는 그 세우신 언약을 지키시면서 은혜를 베풀어 주십니다(왕상 8:23, 대하 6:14). 언약의 시작과 진행과 마침이 오직 하나님의 은혜입니다.

그러므로 우리가 언약의 백성이 되기 위해서는, 오직 겸손하게 하나님의 은혜를 구해야 할 것입니다. 이러한 자에게 예수 그리스도께서 재림하실 때 가져올 크신 은혜의 선물이 주어질 것입니다(벧전 1:13, 약 4:6).

III
하나님의 섭리와 영원한 인자
God's Providence and Everlasting Lovingkindness

하나님의 '경륜'은 언약을 통해 진행됩니다. 언약은 구속사를 이루는 방편이자 중요한 연결 고리입니다. 하나님께서는 언약을 영원히 성취시키는 구체적인 활동들을 구속사 속에서 행하시는데, 그것이 바로 '섭리'(providence)입니다.

'섭리'는 한자로 끌어당길 섭(攝), 다스릴 리(理)로서, 사전적 의미는 '자연계를 지배하고 있는 원리', 또는 '세상의 모든 것을 다스리는 하나님의 의지 또는 은혜'입니다.

히브리어로는 '라아'(רָאָה)인데 '미리 준비한다'(창 22:8)라는 의미이며, 헬라어는 '프로노이아'(πρόνοια)로, '프로'(πρό, before: 앞, 앞에)와 '노에오'(νοέω, to think: 생각하다)가 합성된 단어입니다. 이 단어의 문자적 의미는 '선견'(先見, foresight)을 의미하나 그 의미가 점차 발전하여 '섭리'를 의미하게 되었습니다.

'섭리'는 '하나님께서 작정하신 목적을 달성하기 위하여 모든 것을 다스리시는 하나님의 계속적인 활동, 곧 모든 일을 그 마음의 원대로 역사하시는 하나님의 작정들의 실현'입니다. 다시 말해, 구속의 목적을 실행해 가시는 하나님 자신의 구체적인 활동입니다. 범죄한 인간을 구원하시겠다는 하나님의 계획이 실현되기까지 이 세상에서 일어나는 모든 일에 주권적으로 개입하셔서 적극적으로 활동하신다는 의미입니다.

1. 섭리의 방법과 영역
The method and sphere of God's providence

하나님께서 온 우주와 인간의 유익을 위해 섭리하시는 방법은 크게 세 가지입니다. 처음 창조하신 만물을 권능의 말씀으로 계속 떠받들면서 유지하시는 보존(保存, preservation - 느 9:6, 행 17:28, 골 1:17, 히 1:3)과, 하나님의 뜻을 실행하시기 위하여 인생의 모든 마음과 행동을 주권적으로 지배하여 움직이시는 협력(協力, concurrence - 롬 8:28, 빌 2:13)과, 택자 구원의 목적을 확실히 성취하기 위하여 우주 만물을 다스리시는 통치(統治, government - 시 103:19, 145:13)입니다.

섭리의 영역은 우주 만물 가운데 시공간을 초월하여 미치지 않는 곳이 없습니다. 모든 개개인(시 31:15, 139:16), 모든 민족과 국가(신 32:8, 행 17:26), 온 우주에 떠 있는 별들(사 40:26, 시 147:4), 태양을 중심한 대기의 모든 자연 현상과 날씨(욥 37:6, 10-12, 시 147:15-19), 지구상에 기식하는 공중의 새와 작은 미물(마 6:26) 등 지극히 세밀한 곳까지 모두 하나님의 섭리 영역입니다. 하나님의 허락 없이는 참새 한 마리도 떨어지지 않는 것입니다(마 10:29). 그러므로 사람의 보기에는 아주 사소하고 우발적으로 보이는 일뿐만 아니라 당장은 모순적으로 보이는 일에 이르기까지 섭리의 조화가 신비롭게 미치고 있습니다.

또한 하나님께서는 과거의 역사와 현재 이루어지고 있는 역사, 그리고 앞으로 펼쳐질 미래의 역사, 이 모든 시간을 주권적으로 섭리하고 계십니다(단 2:21, 행 17:26). 남조와 북조로 분열된 이스라엘 열왕들의 역사도, 표면적으로는 남 유다와 북 이스라엘의 열왕들이 통치한 것처럼 보이지만 그 배후에는 하나님의 섭리가 있었던 것입니다.

택자 구원을 위한 하나님의 구속 섭리는 하나님의 영원한 예정 가운데 그 경륜에 근거하여 세우신 완전 무결한 것이므로(신 32:4), 그것은 도중에 변동되는 일이 없고, 그 계획을 이루지 못하게 할 존재는 하늘과 땅 그 어디에도 없으며, 하나님께서는 스스로 그 기뻐하시는 섭리를 반드시 성취하십니다(롬 8:35-39).

시편 33:11 "여호와의 도모(圖謀)는 영영(永永)히 서고 그 심사(心思)는 대대(代代)에 이르리로다"

2. 우주, 역사, 인생을 섭리하시는 하나님의 인자

God's lovingkindness that governs the universe, history, and mankind

이 세상에는 공간으로 '우주'가 있고, 시간으로 '역사'가 있고, 우주와 역사를 연합하고 축소한 '개인의 삶'이 있습니다. 시편 136편에서는 창세기의 전 우주적 창조 기사로 시작하여 출애굽 사건과 여호수아의 가나안 정복까지 선민의 구속 역사, 그리고 비천한 가운데서 구원하여 주신 개인의 삶에서 받은 은혜를 회고하면서 '그 인자하심이 영원함이로다'라는 감사 찬송을 총 스물여섯 개의 각 구절마다 빠짐없이 기록하고 있습니다. 특별히 그 주제를 우주(시

136:1-9), 역사(시 136:10-22), 개인의 삶(시 136:23-26), 이렇게 셋으로 나누어 하나님의 은혜를 노래한 것은 실로 의미심장합니다.

(1) 온 우주를 섭리하시는 하나님의 영원한 인자(仁慈)

시편 136편 저자는 우주에 충만한 하나님의 인자하심을 보았습니다. 인자는 죄인을 향한 하나님의 사랑과 긍휼을 말합니다. 인자는 영어로는 'lovingkindness'라고 합니다. 한자로는 어질 인(仁), 사랑 자(慈)를 써서, 윗 사람이 아랫 사람에게 '마음이 어질고 자애함'이라는 뜻입니다(창 19:19, 롬 11:22). 시편 136편에서는 하나님을 가리켜 "모든 신에 뛰어나신 하나님"(2절), "모든 주에 뛰어나신 주"(3절), "홀로 큰 기사를 행하시는 이"(4절), "지혜로 하늘을 지으신 이"(5절), "땅을 물 위에 펴신 이"(6절), "해로 낮을 주관케 하신 이"(8절), "달과 별들로 밤을 주관케 하신 이"(9절)라고 말씀하고 있습니다.

오늘도 일월성신은 하나님의 뜻에 따라 질서정연하게 운행되고 있습니다. 온 우주와 대자연의 아름다운 조화와 그 모든 현상은 인류를 사랑하시는 하나님의 영원하신 지혜와 능력과 인자의 표현입니다.

우리는 신앙의 눈을 가지고 하나님께서 능력의 말씀으로 무(無)에서 유(有)를 즉각적으로 6일 동안 창조하신 전(全) 우주와 그 가운데 있는 만물을 보면서, 인류가 범죄와 타락으로 그 본래 가졌던 진선미(眞善美)를 잃어버렸음을 깨달아야 합니다(창 3:17, 롬 8:22). 우주 만물이 우리 인생을 위한 하나님의 불변하시는 '인자의 표시'라는 증거를, 그 형형색색과 천태만상에서 볼 수 있어야 할 것입니다(롬 1:20, 시 19:1-4). 왜냐하면 우주와 모든 만물에는 인류를 사랑하시는 하나님의 선한 뜻이 분명하게 담겨 있기 때문입니다(롬 1:20).

우리는 전 우주 만물 속에서 하나님의 존재, 영광, 능력, 사랑, 지혜, 진실, 인간 구속을 볼 수 있어야 하고, 저 만물처럼 우리 입술에서 감사와 찬송이 떠나서는 안 될 것입니다(엡 5:19, 골 3:16).

"여호와께 감사하라, 그는 선하시며 그 인자하심이 영원함이로다"

(2) 인류 역사를 섭리하시는 하나님의 영원한 인자(仁慈)

우주는 너무나 광대해서 거기 나타난 하나님의 인자를 각각 나와 연관시키기는 오히려 어려울지도 모릅니다. 반면에, 인류의 역사에 나타난 하나님의 인자는 우리에게 좀더 풍성한 감사를 불러일으킵니다.

시편 136:10-22에서는 하나님을 가리켜 "애굽의 장자를 치신 이"(10절), "강한 손과 펴신 팔로 인도하여 내신 이"(12절), "광야로 통과케 하신 이"(16절), "큰 왕들을 치신 이"(17절), "유명한 왕들을 죽이신 이"(18절), "아모리인의 왕 시혼을 죽이신 이"(19절), "바산 왕 옥을 죽이신 이"(20절), "저희의 땅을 기업으로 주신 이"(21절), "곧 그 종 이스라엘에게 기업으로 주신 이"(22절)라고 말씀하고 있습니다.

이것은 단순히 이스라엘에게만 해당되는 역사가 아니라, 만세 전부터 예정하사 만민을 죄 가운데서 구속하시기 위해 여자의 후손(창 3:15)을 보내시려는 하나님의 크신 자비의 역사를 가리킵니다. 세계 역사는 아무렇게나 뜻 없이 흘러가는 것이 아니라, 택하신 백성의 구원 완성을 위해 하나님의 열심, 곧 불붙는 사랑의 동력으로 종말을 향하여 지금도 힘차게 흐르고 있습니다(왕하 19:31, 사 9:7, 37:32).

"여호와께 감사하라, 그는 선하시며 그 인자하심이 영원함이로다"

(3) 개인의 삶을 섭리하시는 하나님의 영원한 인자(仁慈)

온 우주와 역사를 섭리하시는 광대하신 하나님께서는 각 개인의 삶도 섭리하십니다. 하나님의 섭리 속에서 우리 개개인이 일평생 받은 은혜를 어찌 필설로 다 표현할 수 있겠습니까? 시편 기자는 136편에서 "우리를 비천한 데서 기념하신 이에게 감사하라"(23절), "우리를 우리 대적에게서 건지신 이에게 감사하라"(24절), "모든 육체에게 식물을 주신 이에게 감사하라"(25절)고 말씀하고 있습니다. 적어도 육체의 식물을 지금까지 먹으며 살아왔으니, 하나님의 영원하신 인자(仁慈)의 은혜가 크다 하지 않을 수 없습니다. 적신으로 온 존재가 지금까지 입고 누리고 건강하게 살고 있는 것을 생각할 때, 하나님의 인자와 은혜가 아니고 무엇이겠습니까? 설사 육신으로 누린 은혜를 잊을지라도, 예수 그리스도로 말미암은 구속의 은총을 받은 이 한 가지만으로도 하나님의 인자를 영원히 찬송해야 할 것입니다. 이것을 믿음으로 깨달은 하박국 선지자는 "나는 여호와를 인하여 즐거워하며 나의 구원의 하나님을 인하여 기뻐하리로다"라고 고백하였습니다(합 3:18).

"여호와께 감사하라, 그는 선하시며 그 인자하심이 영원함이로다"

만유를 섭리하시는 하나님의 오묘하심은 그 깊이가 한이 없습니다. 오묘(奧妙: 깊을 오, 묘할 묘)는 '심오하고 미묘하다'라는 뜻으로, 하나님께만 속하여 사람으로서는 특정하게 규정지을 수 없는 비밀스러운 활동을 가리킵니다. 신명기 29:29에서는 "오묘한 일은 우리 하나님 여호와께 속하였거니와 나타난 일은 영구히 우리와 우리 자손에게 속하였나니 이는 우리로 이 율법의 모든 말씀을 행하게 하심이니라"라고 말씀하고 있습니다.

이러한 하나님의 오묘한 섭리 중에 가장 중요한 것은, 하나님께서 사람과 언약을 세우셨다는 사실입니다. 하나님의 언약은 타락한 사람을 위하여 일방적으로 찾아오셔서 체결하신 주권적인 약속입니다.

하나님께서는 만유보다 크신 온 우주의 하나님이십니다(요 10:29). 저 광대한 우주의 운행과 유구한 역사의 흐름과 우리 각자의 삶을 보면서 우리는 지금 어떤 고백을 하고 있습니까? 사람은 그 무엇 하나도 창조하거나 통치하거나 섭리할 수 없는 무능한 존재입니다. 그럼에도 불구하고 대주재이신 하나님의 존재를 부인하고 하나님의 섭리에 무지하지는 않습니까? 무감각한 악인(惡人)은 자만하여 감사가 메마르므로 평강이 잠시도 머물지 못합니다(사 48:22, 57:21). 그 일생에 불평불만과 열매 없는 수고와 번민이 가득할 뿐입니다. 참다운 성도라면, 우주와 역사와 인생 속에 충만히 나타나는 영원불변하신 하나님의 섭리와 그 인자를 깨닫고, 그 입술에서 주께 대한 감사와 찬송이 끊이지 않아야 할 것입니다.

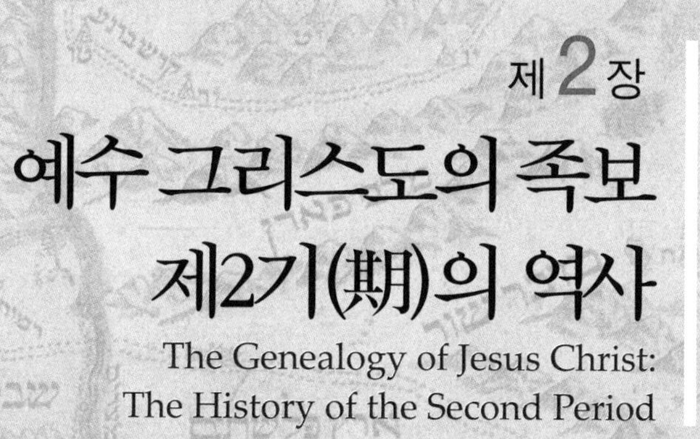

제 2 장

예수 그리스도의 족보 제2기(期)의 역사

The Genealogy of Jesus Christ: The History of the Second Period

***유구한 역사 속에서 세계 최초로 예수님의 두 족보를 시대별로 성경적 체계화 정리**

이해도움 3

THE 42 GENERATIONS IN THE GENEALOGY OF JESUS CHRIST AT A GLANCE
한눈에 보는 예수 그리스도의 족보 42대

마태복음 1:17 "그런즉 모든 대 수가 아브라함부터 다윗까지 열네 대요 다윗부터 바벨론으로 이거할 때까지 열네 대요 바벨론으로 이거한 후부터 그리스도까지 열네 대러라"

Πᾶσαι οὖν αἱ γενεαὶ ἀπὸ Ἀβραὰμ ἕως Δαβὶδ γενεαὶ δεκατέσσαρες καὶ ἀπὸ Δαβὶδ, ἕως τῆς μετοικεσίας Βαβυλῶνος γενεαὶ δεκατέσσαρες καὶ ἀπὸ τῆς μετοικεσίας Βαβυλῶνος ἕως τοῦ Χριστοῦ γενεαὶ δεκατέσσαρες

제1기 (1,163년)

시대		아브라함부터 다윗까지(14대) 14 GENERATIONS FROM ABRAHAM TO DAVID		동시대의 누가복음 3장 족보(14대) THE GENEALOGY IN LUKE CHAPTER 3 FROM THE SAME TIME PERIOD (14 GENERATIONS)
족장 시대	1	아브라함 / אַבְרָהָם / Ἀβραάμ / Abraham (마 1:2, 대상 1:27, 34)	1	아브라함 / Ἀβραάμ / Abraham (눅 3:34)
	2	이삭 / יִצְחָק / Ἰσαάκ / Isaac (마 1:2, 대상 1:28, 34)	2	이삭 / Ἰσαάκ / Isaac (눅 3:34)
	3	야곱 / יַעֲקֹב / Ἰακώβ / Jacob (마 1:2, 대상 1:34, 2:1)	3	야곱 / Ἰακώβ / Jacob (눅 3:34)
	4	유다 / יְהוּדָה / Ἰούδας / Judah (마 1:2-3, 대상 2:1)	4	유다 / Ἰούδας / Judah (눅 3:33)
		다말에게서 (마 1:3)		
애굽 시대	5	베레스 / פֶּרֶץ / Φάρες / Perez (마 1:3, 대상 2:4, 룻 4:18)	5	베레스 / Φάρες / Perez (눅 3:33)
	6	헤스론 / חֶצְרוֹן / Ἑσρώμ / Hezron (마 1:3, 대상 2:5, 룻 4:18-19)	6	헤스론 / Ἑσρώμ / Hezron (눅 3:33)
	7	람 / רָם / Ἀράμ / Ram (마 1:3-4, 대상 2:9-10, 룻 4:19)	7	아니 / Ἀράμ / Arni (ASV) (눅 3:33)
	8	아미나답 / עַמִּינָדָב / Ἀμιναδάβ / Amminadab (마 1:4, 대상 2:10, 룻 4:19-20)	8	아미나답 / Ἀμιναδάβ / Amminadab (눅 3:33)
	9	나손 / נַחְשׁוֹן / Ναασσών / Nahshon (마 1:4, 대상 2:10-11, 룻 4:20)	9	나손 / Ναασσών / Nahshon (눅 3:32)
광야 및 가나안 정복 시대	10	살몬 / שַׂלְמוֹן / Σαλμών / Salmon (마 1:4-5, 대상 2:11, 룻 4:20-21)	10	살몬 / Σαλά / Salmon (눅 3:32)
사사 시대		라합에게서 (마 1:5)		
	11	보아스 / בֹּעַז / Βοόζ / Boaz (마 1:5, 대상 2:11-12, 룻 4:21)	11	보아스 / Βοόζ / Boaz (눅 3:32)
		룻에게서 (마 1:5)		
	12	오벳 / עוֹבֵד / Ὠβήδ / Obed (마 1:5, 대상 2:12, 룻 4:21-22)	12	오벳 / Ὠβήδ / Obed (눅 3:32)
	13	이새 / יִשַׁי / Ἰεσσαί / Jesse (마 1:5-6, 대상 2:12-13, 룻 4:22)	13	이새 / Ἰεσσαί / Jesse (눅 3:32)
통일 왕국 시대	14	다윗왕(王) / מֶלֶךְ דָּוִד / Δαβίδ βασιλεύς King David (마 1:6, 대상 2:15, 룻 4:22)	14	다윗 / Δαβίδ / David (눅 3:31)

*제1기와 제2기의 구분은 다윗의 헤브론 통치 7년 6개월과 예루살렘 통치 33년을 기준함(삼하 5:4-5, 대상 3:4, 29:27, 왕상 2:11).

제2기 (406년)

다윗부터 바벨론으로 이거할 때까지(14대)

14 GENERATIONS OF KINGS FROM DAVID UNTIL THE DEPORTATION TO BABYLON

통일왕국시대	1	다윗 / דָּוִד / Δαβίδ / David (마 1:6, 대상 2:15, 룻 4:22)
		우리아의 아내에게서 (마 1:6)
	2	솔로몬 / שְׁלֹמֹה / Σολομών / Solomon (마 1:6-7, 대상 3:5)
분열왕국시대	3	르호보암 / רְחַבְעָם / Ῥοβοάμ / Rehoboam (마 1:7, 대상 3:10)
	4	아비야 / אֲבִיָּה / Ἀβιά / Abijah (마 1:7, 대상 3:10)
	5	아사 / אָסָא / Ἀσά / Asa (마 1:7-8, 대상 3:10)
	6	여호사밧 / יְהוֹשָׁפָט / ’Ιωσαφάτ / Jehoshaphat (마 1:8, 대상 3:10)
	7	요람 / יוֹרָם / ’Ιωράμ / Joram (마 1:8, 대상 3:11)
		족보에서 제외된 왕 아하시야 / אֲחַזְיָה / Ahaziah (대상 3:11) 아달랴 / עֲתַלְיָה / Athaliah (왕하 11:1-3, 대하 22:12) 요아스 / יוֹאָשׁ / Joash (대상 3:11) 아마샤 / אֲמַצְיָה / Amaziah (대상 3:12)
	8	웃시야(아사랴) / עֻזִּיָּה / ’Οζίας / Uzziah (마 1:8-9, 대상 3:12)
	9	요담 / יוֹתָם / ’Ιωαθάμ / Jotham (마 1:9, 대상 3:12)
	10	아하스 / אָחָז / ’Άχαζ / Ahaz (마 1:9, 대상 3:13)
	11	히스기야 / חִזְקִיָּה / ‘Εζεκίας / Hezekiah (마 1:9-10, 대상 3:13)
	12	므낫세 / מְנַשֶּׁה / Μανασσῆς / Manasseh (마 1:10, 대상 3:13)
	13	아몬 / אָמוֹן / Ἀμώς / Amon (마 1:10, 대상 3:14)
	14	요시야 / יֹאשִׁיָּה / ’Ιωσίας / Josiah (마 1:10-11, 대상 3:14)
		족보에서 제외된 왕 여호아하스(살룸) / יְהוֹאָחָז / Jehoahaz (왕하 23:31, 대상 3:15, 대하 36:1-2) 여호야김(엘리아김) / יְהוֹיָקִים / Jehoiakim (왕하 23:34, 36, 대상 3:15, 대하 36:4)

동시대의 누가복음 3장 족보

THE GENEALOGY IN LUKE CHAPTER 3 FROM THE SAME TIME PERIOD

15	나단 / Ναθάν / Nathan (눅 3:31)
16	맛다다 / Ματταθά / Mattatha (눅 3:31)
17	멘나 / Μεννά / Menna (눅 3:31)
18	멜레아 / Μελεά / Melea (눅 3:31)
19	엘리아김 / ’Ελιακείμ / Eliakim (눅 3:30)
20	요남 / ’Ιωνάν / Jonam (눅 3:30)
21	요셉 / ’Ιωσήφ / Joseph (눅 3:30)
22	유다 / ’Ιούδας / Judah (눅 3:30)
23	시므온 / Συμεών / Simeon (눅 3:30)
24	레위 / Λευί / Levi (눅 3:29)
25	맛닷 / Ματθάτ / Matthat (눅 3:29)
26	요림 / ’Ιωρείμ / Jorim (눅 3:29)
27	엘리에서 / ’Ελιέζερ / Eliezer (눅 3:29)
28	예수 / ’Ιησοῦς / Joshua (눅 3:29)
29	에르 / ’'Ηρ / Er (눅 3:28)
30	엘마담 / ’Ελμωδάμ / Elmadam(눅 3:28)

*누가복음 3장 족보에서 나단 이후 맛다다부터 예수까지 41명은 대부분 성경에 행적이 나타나지 않는 인물들이어서 그들이 살던 명확한 연대를 알 수 없으므로, 각 인물의 위치는 약간의 오차가 불가피함.

제3기 (593년)

바벨론으로 이거한 후부터 그리스도까지(14대)

14 GENERATIONS FROM THE DEPORTATION TO BABYLON UNTIL JESUS CHRIST

시대	번호	이름
바벨론 포로 시대	1	여고냐(여호야긴) / יְכָנְיָה / ’Ιεχονίας / Jeconiah (마 1:11-12, 대상 3:16)
	족보에서 제외된 왕	시드기야(맛다니야) / צִדְקִיָּה / Zedekiah (왕하 24:17-18, 대상 3:15-16)
	2	스알디엘 / שְׁאַלְתִּיאֵל / Σαλαθιήλ / Shealtiel (마 1:12, 대상 3:17)
성전·성벽 재건 시대	3	스룹바벨 / זְרֻבָּבֶל / Ζοροβαβέλ / Zerubbabel (마 1:12-13, 대상 3:19)
		➡ 하나냐 / Hananiah (대상 3:21)
		➡ 스가냐 / Shecaniah (대상 3:22上)
		➡ 스마야 / Shemaiah (대상 3:22下)
		➡ 느아랴 / Neariah (대상 3:23)
		➡ 에료에내 / Elioenai (대상 3:24)
신·구약 중간 시대	4	아비훗 / אֲבִיהוּד / Ἀβιούδ / Abihud (마 1:13)
	5	엘리아김 / אֶלְיָקִים / ’Ελιακείμ / Eliakim (마 1:13)
	6	아소르 / עַזּוּר / Ἀζώρ / Azor (마 1:13-14)
	7	사독 / צָדוֹק / Σαδώκ / Zadok (마 1:14)
	8	아킴 / יוֹקִים / Ἀχείμ / Achim (마 1:14)
	9	엘리웃 / אֱלִיהוּד / ’Ελιούδ / Eliud (마 1:14-15)
	10	엘르아살 / אֶלְעָזָר / ’Ελεάζαρ / Eleazar (마 1:15)
	11	맛단 / מַתָּן / Ματθάν / Matthan (마 1:15)
	12	야곱 / יַעֲקֹב / ’Ιακώβ / Jacob (마 1:15-16)
	마리아의 남편 13	요셉 / יוֹסֵף / ’Ιωσήφ / Joseph (마 1:16)
	마리아에게서 14	예수 / יֵשׁוּעַ / ’Ιησοῦς / Jesus (마 1:16)

동시대의 누가복음 3장 족보

THE GENEALOGY IN LUKE CHAPTER 3 FROM THE SAME TIME PERIOD

31	고삼 / Κωσάμ / Cosam (눅 3:28)
32	앗디 / Ἀδδί / Addi (눅 3:28)
33	멜기 / Μελχί / Melchi (눅 3:28)
34	네리 / Νηρί / Neri (눅 3:27)
35	스알디엘 / Σαλαθιήλ / Shealtiel (눅 3:27)
36	스룹바벨 / Ζοροβαβέλ / Zerubbabel (눅 3:27)
37	레사 / Ῥησά / Rhesa (눅 3:27)
38	요아난 / ’Ιωάννα / Joanan (눅 3:27)
39	요다 / ’Ιωδὰ / Joda (눅 3:26)
40	요섹 / ’Ιωσὴχ / Josech (눅 3:26)
41	서머인 / Σεμεΐ / Semein (눅 3:26)
42	맛다디아 / Ματταθίας / Mattathias (눅 3:26)
43	마앗 / Μάαθ / Maath (눅 3:26)
44	낙개 / Ναγγαί / Naggai (눅 3:25)
45	에슬리 / Ἑσλί / Hesli (눅 3:25)
46	나훔 / Ναούμ / Nahum (눅 3:25)
47	아모스 / Ἀμώς / Amos (눅 3:25)
48	맛다디아 / Ματταθίας / Mattathias (눅 3:25)
49	요셉 / ’Ιωσήφ / Joseph (눅 3:24)
50	얀나 / ’Ιανναί / Jannai (눅 3:24)
51	멜기 / Μελχί / Melchi (눅 3:24)
52	레위 / Λευί / Levi (눅 3:24)
53	맛닷 / Ματθάτ / Matthat (눅 3:24)
54	헬리 / ’Ηλί / Eli (눅 3:23)
55	요셉 / ’Ιωσήφ / Joseph (눅 3:23)
56	예수 / ’Ιησοῦς / Jesus (눅 3:23)

*제3기의 시대적 구분(바벨론 포로 시대~신구약 중간 시대)은 대략적으로 추정함.

*각 이름의 영어 표기는 NASB를 따랐으며, 헬라어는 기본형으로 표기함.

I
족보 제2기의 개괄적 역사와 특징
THE GENERAL HISTORY AND CHARACTERISTICS OF THE SECOND PERIOD IN THE GENEALOGY

1. 족보 제2기의 개괄적 역사
The general history of the second period in the genealogy

(1) 역사의 범위

구속사 시리즈 제3권인 「영원히 꺼지지 않는 언약의 등불」에서는 예수 그리스도의 족보 제1기의 역사를 깊이 연구하였습니다. 제1기는 아브라함부터 시작하여 다윗의 헤브론 통치까지의 역사를 다루었습니다. 제1기의 역사는 아브라함이 출생한 주전 2166년부터 다윗의 헤브론 통치가 끝나는 주전 1003년까지의 약 1,163년의 역사를 중점적으로 연구하였습니다. 따라서 제1기의 역사 속에는 아브라함과 이삭과 야곱을 거쳐서 이스라엘 백성이 애굽에 들어가 430년 종살이하던 기간과, 그 후 출애굽과 광야 40년의 노정과 가나안 입성의 기간이 포함되었습니다. 또한 가나안 입성 이후의 가나안 정복 기간과 사사 시대를 지나 통일왕국 시대의 첫 왕인 사울왕의 통치, 그리고 다윗왕의 역사를 연구하였습니다.

이제 구속사 시리즈 제4권인 본 서에서는 예수 그리스도의 족보 제2기의 역사를 다룰 것입니다. 제2기는 다윗의 헤브론 통치가 끝나고 예루살렘 통치가 시작되는 주전 1003년부터 바벨론으로 이거할 때까지의 역사를 기록하고 있습니다. 특별히 마태복음 1:11-12에서는 바벨론으로 이거한 전후에 여고냐(여호야긴)를 언급하고 있습니다. 그러므로 여고냐가 바벨론으로 이거한 제2차 바벨론 이거(주전 597년)가 예수 그리스도의 족보 제2기의 끝 지점이 됩니다.[3] 따라서 족보 제2기는 주전 1003년부터 주전 597년까지 약 406년의 역사를 다루고 있는 것입니다.

	제1기	제2기	제3기
역사적 범위	아브라함부터 다윗까지 (주전 2166-1003년)	다윗부터 바벨론으로 이거할 때까지 (주전 1003-597년)	바벨론으로 이거할 때부터 예수 그리스도까지 (주전 597-4년)
	1,163년	406년	593년

(2) 역사의 내용

다윗은 10년 동안 사울을 피하여 도피 생활을 하다가, 주전 1010년에 헤브론에서 유다의 왕으로 세움을 받고(삼하 2:3-4, 11) 7년 6개월 동안 통치하다가, 마침내 주전 1003년에 전체 이스라엘의 왕으로 기름부음을 받았습니다(삼하 5:1-5, 대상 11:1-3). 이것이 예수 그리스도의 족보 제2기의 시작입니다.

예수 그리스도의 족보 제2기는 총 14명의 인물을 소개하고 있습니다. 통일왕국 시대 가운데 다윗왕과 솔로몬왕을 다루고 있으며, 분열왕국 시대 가운데 르호보암왕부터 요시야왕까지 남 유다 왕들을 중심으로 다루고 있습니다.

다윗은 예루살렘에서 왕이 된 후에 33년을 통치하였으며, 하나님의 법궤를 모심으로(삼하 6:12-19, 대상 15:25-29), 이스라엘을 다스리는 통치자는 자신이 아닌 하나님이심을 선포하였습니다. 그 후에 다윗이 성전을 지으려는 마음을 가지고 있을 때, 하나님께서는 그에 대한 응답으로 나단 선지자를 통해 '다윗 언약'을 체결해 주셨습니다(삼하 7:1-17, 대상 17:1-15).

다윗 언약을 통해 하나님께서는 성전을 건축할 자는 다윗이 아닌 그의 몸에서 날 솔로몬이라고 말씀하셨습니다(삼하 7:12-13, 대상 17:11-12). 이 말씀대로, 솔로몬은 다윗을 이어 왕이 된 다음에, 다윗이 심혈을 기울여 준비한 성전 건축의 재료들을 가지고(대상 22:1-19) 성전을 완성하였습니다. 실로, 성전 건축은 하나님의 구속 경륜 속에서 이루어진 놀라운 역사였습니다.

그러나 솔로몬은 성전을 짓고 나라가 부강해지자 이방의 많은 여인들을 처첩으로 두면서 타락하기 시작하였고(왕상 11:1-3), 이들은 솔로몬으로 하여금 마음을 돌이켜 다른 신을 섬기며 이스라엘 하나님 여호와를 떠나게 하였습니다(왕상 11:3-4, 9). 이에 여호와께서 저에게 진노하시고 거듭 경고하셨지만 솔로몬은 회개하지 않았습니다(왕상 11:9-11). 결국 솔로몬의 범죄로 말미암아 솔로몬 사후에 나라는 둘로 분열되었습니다. 솔로몬의 범죄는 국가 분열의 직접적인 원인이 되었습니다.

여로보암은 북쪽의 열 지파를 모아서 북 이스라엘 왕국을 세웠고, 나머지 두 지파는 남 유다 왕국이 되었습니다. 예수 그리스도의 족보 제2기는 르호보암왕부터 시작하여 요시야왕까지의 남 유다 왕들을 중심으로 족보를 전개하고 있습니다.

2. 족보 제2기의 특징

The characteristics of the second period in the genealogy

예수 그리스도의 족보 제2기는 독특한 특징 몇 가지를 가지고 있습니다. 그 특징들을 살펴보면 다음과 같습니다.

첫째, 이방인의 믿음과 유대인들의 타락을 대조적으로 나타내고 있습니다.

두 번째 14대는 "다윗은 우리야의 아내에게서 솔로몬을 낳고"로 시작됩니다. '우리야'는 두 번째 14대에 등장하는 유일한 이방인 남자로 헷 사람입니다(삼하 11:3, 6, 17, 21, 24). 그는 자기 아내를 왕에게 빼앗긴 줄도 모른 채 홀로 전쟁터에서 죽는 순간까지 나라를 위하여 충성하였습니다. 반면에, 유대인의 왕 다윗은 우리야의 아내 밧세바와 간음을 하였습니다.

두 번째 14대의 첫머리에 이방인 헷 사람 '우리야'가 등장하는 것은 예수 그리스도의 족보가 혈통보다 믿음을 더 중요시한다는 것을 보여 주며, 또한 하나님께서는 유대인만의 하나님이 아니라 이방인의 하나님도 되심을 증거하는 것입니다(롬 1:14-16, 3:22, 10:11-13, 고전 1:24, 12:13, 갈 3:28, 참고-행 10:9-16, 28-38, 엡 2:11-19).

둘째, 역대 열왕들의 타락 속에서도 예수 그리스도가 오시는 길은 중단되지 않음을 보여 줍니다.

다윗과 솔로몬 후에 이스라엘의 역사는 급속도로 쇠퇴해 갔지만, 그 속에서도 예수 그리스도에 대한 약속은 중단 없이 계속되었습니다. 하나님께서는 다윗 왕가를 통하여 메시아를 보내 주시겠다는 약속을, 열왕들의 패역에도 불구하고 끊어 버리지 않고 면면히 이어 오셨습니다.

북 이스라엘은 약 208년 동안 19명의 왕이 아홉 번이나 왕조가 뒤바뀌는 속에서 끊임없는 반역과 모반을 거듭하다가, 주전 722년에 앗수르에게 멸망을 당하였습니다. 그러나 남 유다는 20명의 왕이 다윗의 한 왕조를 유지했으며, 이것은 다윗의 후손으로 오시는 메시아의 길을 닦는 하나님의 구속사적 경륜 속에서 이루어진 것입니다.

예수 그리스도가 오시는 길을 막기 위하여 사단은 온갖 수단을 동원하여 역대 열왕들로 하여금 불신과 타락과 우상숭배로 패역의 길을 걷게 하였습니다. 이 모든 죄악의 결과가 하나님의 징계로 나타난 것이 '바벨론으로의 이거(移居)'였습니다(마 1:11).

남 유다는 주전 930년부터 344년 동안 유지되다가 주전 586년에 바벨론 느부갓네살에 의해 멸망을 당했습니다. 남 유다가 멸망한 것은 저들이 하나님의 말씀을 무시하고, 선지자들의 경고를 듣지 않고 우상숭배와 같은 패역의 길을 걸었기 때문입니다(대하 36:14-16). 남 유다의 '바벨론으로 이거'는 다윗 왕가의 몰락을 의미합니다. 이로 인해 잠시 사단이 승리하고 하나님의 구속사적 경륜이 중단된 듯이 보였으나, 하나님께서는 자기 백성을 70년 만에 바벨론 포로에서 돌아오게 하셨고, 그 어떤 어둠의 역사도 하나님께서 약속하신 구속사적 경륜의 도도한 흐름을 막을 수 없다는 것을 여실히 보여 주셨습니다.

하나님께서는 남 유다의 역사를 통하여 하나님께서 모든 역사를 주관하시며 불순종과 범죄에 대해 심판하시고, 순종과 신종(信從)에 대해 축복을 베푸신다는 것을 가르쳐 주십니다. 하나님께서는 남 유다의 계속되는 패역 속에서도 '여자의 후손'이면서 '다윗의 자손'으로 오실 메시아의 길이 역사 속에서 끊어지지 않고 유지될 수 있도록 구속사적 경륜을 진행해 오셨습니다. 남 유다의 역사는 죄악 중에서도 길이 참으시는 하나님의 무궁하신 사랑과 인내 속에서 진행된 것입니다.

Ⅱ
족보 제2기의 통치 연대 계산의 근거

THE BASIS FOR THE CALCULATION OF THE REGNAL CHRONOLOGY IN THE GENEALOGY'S SECOND PERIOD

성경에 나오는 사건들의 연대를 바르게 정리하여 하나님의 말씀과 역사적 사건들과의 관계를 밝히는 일은 대단히 중요합니다. 성경의 연대는 하나님께서 인류에게 자신을 계시하신 사건들을 담고 있는 구속사적 시간입니다. 특히 이스라엘 열왕들의 연대는 이스라엘이라는 한 국가의 역사요, 하나님의 언약이 성취되어 온 구속사이기 때문에 더욱 그러합니다.

예수 그리스도의 족보 제2기에는 14명의 열왕들이 등장하는데, 시대적으로는 통일왕국 시대 가운데 다윗과 솔로몬의 시대 그리고 분열왕국 시대에 해당됩니다.

우리는 이 열왕들의 연대를 정확하게 규명해야 합니다. 모세는 가나안 입성을 앞둔 광야 제2세대가 가나안에서 지속적으로 하나님의 말씀에 순종하는 믿음의 세대가 되기를 간절히 바라면서, 신명기 32:7에서 "옛날을 기억하라 역대의 연대를 생각하라"라고 간곡하게 외쳤습니다. 여기 '생각하라'는 히브리어 '빈'(בִּין)으로, '분별(分別)하라'라는 뜻입니다. 우리는 성경에 나오는 역대의 연대를 분별하기 위하여 먼저 정확하게 연대를 계산해야 합니다.

1. 연대 연구의 중요성
The importance of studying the chronology

성경에 나오는 많은 연대들을 체계적으로 연구하는 것은 대단히 중요한 일입니다. 그 이유는 다음과 같습니다.

첫째, 정확한 연대의 연구는 실재했던 역사의 사실(fact)을 그대로 드러내기 때문입니다.

하나님께서 역사 속에서 아무리 많은 일을 행하셨을지라도 인간들이 그것이 진행되었던 연대를 정확하게 알지 못하거나 그 시간적 배열을 불확실하게 알면, 존재했던 역사의 진실성이 왜곡되거나 뒤바뀌며, 또 허구(虛構)의 역사로 전락하고, 심지어는 역사적 사실(fact)이 아주 사라지기까지 합니다. 우리는 연대의 연구를 통하여 당시의 시대적 배경과 상황을 사실 그대로 파악할 수 있으며, 역사적 사실을 명확히 밝힘으로 그 역사의 진실과 가치와 생명력을 바르게 구현(俱現)할 수 있는 것입니다.

둘째, 정확한 연대의 연구는 하나님의 신비롭고 오묘한 섭리를 드러내기 때문입니다.

하나님의 섭리는 역사와 별개로 이루어진 것이 아니라 실제 역사의 연대 속에서 이루어져 왔습니다. 따라서 정확한 연대가 없이는 그 역사를 자칫 지나쳐 버리기 쉽고, 또한 그 역사의 이면을 깊이 주목할 수 없으며, 결국에는 역사의 연대 속에 감추어진 하나님의 섭리를 절대로 깨달을 수 없습니다. 연대 계산이 정확할 때, 하나님의 신비롭고 오묘한 섭리가 풍성하고도 명확하게 드러나게 되는 것입니다.

셋째, 정확한 연대의 연구는 하나님의 구속사적 경륜을 생명력 있게 드러내기 때문입니다.

성경에 기록된 열왕들의 통치 연대와 그들의 통치 시기에 일어났던 사건들의 세부적 연대를 밝히는 순간, 그동안 무심코 지나쳐 버렸던 하나님의 신비롭고 오묘하신 섭리들을 발견할 수 있고, 그것들이 마치 바로 눈앞에서 일어난 사건처럼 펼쳐지는 것을 체험할 수 있습니다. 나아가, 실재했던 역사의 사실들이 시간적 배열을 따라 모아질 때, 세월의 껍질을 벗고 역동적이고 완전한 모습으로 살아 나오게 됩니다. 그리하여 각 시대마다 행하신 하나님의 신비롭고 오묘한 섭리가 단순히 과거에 일어났던 사건으로 머물러 있지 않고, 오랜 세월의 간격을 넘어 예수 그리스도로 말미암은 현재 각자 나와 미래 우리 후손들의 구원을 위한 하나님의 장엄한 구속사적 경륜으로 펼쳐지게 되는 것입니다.

2. 통치 연대 계산의 근거

The basis for the calculation of regnal chronology

지금까지 우리는 각 왕들의 통치를 소개하는 시작 부분과 마지막 부분에서 규칙적으로 기록되어 있는 통치 기간, 왕들의 나이, 상대 국가의 대조 연대를 수없이 읽었지만, 그것을 무심코 지나치거나 정확하게 이해하지 못하여, 그 속에 감추인 하나님의 놀라운 구속 섭리를 미처 발견하지 못하는 우를 범하여 왔습니다.

우리는 족보 제2기의 왕들의 통치 연대를 계산하기 위하여 남 유다와 북 이스라엘 왕국에 등장하는 전체 열왕들의 통치 연대를 계산하는 성경적인 근거와 방법을 정확하게 규명해야 합니다. 물론 왕들이 나라를 통치한 연대를 계산하는 것은 결코 쉬운 작업이 아니며, 때로는 여러 난점에 봉착하는 것이 사실이지만, 성경에는 명확한 연대를 알아보는 데 필요한 근거들이 완벽하게 제시되어 있습니다. 성경에 나타난 열왕들의 연대기는 무오하여 빠진 것이 없습니다. 그러므로 각 왕들마다 상세하게 밝히고 있는 통치 연대를 대충 보아 넘길 것이 아니라, '자세히' 그리고 '빠짐없이' 살펴야 합니다(사 34:16). 그러면 복잡하게 얽힌 듯한 모든 왕들의 전 통치 기간을 첫 고리부터 마지막 고리까지 완벽하게 맞출 수 있게 됩니다.

분열왕국 시대의 남조 유다와 북조 이스라엘 열왕들의 통치 연대는 다음 몇 가지 원리에 의해 정확하게 정립됩니다.

첫째, 각 왕들마다 통치 기간이 정확하게 명시되어 있습니다.

성경은 남 유다 왕 20명과 북 이스라엘 왕 19명 모두 통치한 햇수를 빠짐없이 기록하고 있습니다. 그런데 각 통치 햇수는 섭정(혹은 공동 통치)을 포함한 경우도 있고, 단독 통치만을 가리키는 경우도 있습니다. 예를 들면, 여호사밧의 통치 기간 25년(왕상 22:42)은 그 아들 여호람의 섭정 기간을 포함한 것입니다. 그런데 여호람의 통치 기간 8년(왕하 8:17, 대하 21:5, 20)은 부왕 여호사밧과의 섭정 기간 7년을 포함하지 않은, 단독 통치의 기간입니다. 히스기야의 경우도 부친 아하스와 공동 통치한 15년을 통치 기간에 포함시키지 않고, 29년만 기록하고 있습니다(왕하 18:2, 대하 29:1).

둘째, 각 왕이 즉위한 해를 상대 국가 왕의 통치 연도와 대조하여 밝히고 있습니다.

예를 들면, 남조 아비얌(아비야)은 북조 여로보암왕 제18년(왕상

15:1, 대하 13:1)에 즉위하였으며, 남조 아사는 북조 여로보암왕 제20년(왕상 15:9)에 즉위하였습니다. 또한 북조 나답왕은 남조 아사왕 제2년(왕상 15:25)에 즉위하였고, 북조 바아사왕은 남조 아사왕 제3년(왕상 15:28, 33)에 즉위하였습니다.

셋째, 남조 유다 왕의 경우에는 즉위할 때 왕의 나이가 기록되어 있습니다.

북조의 경우는 즉위할 때의 나이를 언급한 왕이 없으나, 남조의 경우는 아비얌과 아사를 제외하고 모든 왕들의 즉위 나이가 기록되어 있습니다. 즉위할 때의 나이와 통치한 햇수를 더하여 그 왕의 수명도 계산할 수 있습니다. 또한 그렇게 얻은 수명에서 그 아들이 왕으로 즉위할 때의 나이를 감하면 부왕이 아들을 낳았을 때의 나이를 알 수 있습니다. "므낫세가 위에 나아갈 때에 나이 12세라 예루살렘에서 55년을 치리하니라"(왕하 21:1, 대하 33:1)라고 기록되었고, 므낫세의 아들 "아몬이 위에 나아갈 때에 나이 22세라 예루살렘에서 2년을 치리하니라"(왕하 21:19)라고 기록되었습니다. 므낫세는 12세에 왕이 되어 55년을 치리하였으므로 므낫세의 수명은 66세이며, 바로 그 수명(66세)에서 아들 아몬이 왕이 될 때의 나이(22세)를 감하면 므낫세가 아몬을 낳았을 때의 나이(66-22=44세)를 알 수 있습니다.

넷째, 주요 사건들의 정확한 통치 연대가 제시되어 있습니다.

예를 들면, "솔로몬이 이스라엘 왕이 된 지 사 년 시브월 곧 이월에 솔로몬이 여호와를 위하여 전 건축하기를 시작"(왕상 6:1)하였으며, "요시야가 위에 있은 지 십팔 년에 그 땅과 전을 정결케 하기"(대하 34:8)를 마쳤으며, "요시야의 위에 있은 지 십팔 년에 이 유월절을 지켰더라"(대하 35:19)라고 기록한 것 등입니다.

3. 통치 연대 계산에 필요한 세 가지 이해

The three understandings required in the calculation of regnal chronology

남조와 북조의 통치 연대는 각각 자기 나라의 역대지략(chronicles of the kings)에 근거하고 있습니다.

'역대지략'은 한자로 지낼 역(歷), 시대 대(代), 기록할 지(誌), 간략할 략(略)으로, '지난 여러 대를 간략하게 적은 기록'을 말합니다. 역대지략은 당시 실제 있었던 역사적 사실에 근거한 것으로, 남조와 북조의 통치 연대의 진실성을 증거하고 있습니다. 예를 들어, 다윗왕의 역대지략(대상 27:24), 솔로몬의 행장(왕상 11:41), 포로기 이후 레위 자손의 족장들에 관한 역대지략(느 12:23) 등이 있습니다. 북 이스라엘 왕들의 사적은 '이스라엘 왕 역대지략'(왕상 14:19, 15:31, 16:5, 14, 20, 22:39, 왕하 1:18, 10:34, 13:8, 12, 14:15, 28, 15:11, 15, 21, 26, 31)에 기록되어 있고, 남 유다 왕들의 사적은 '유다 왕 역대지략'(왕상 14:29, 15:7, 23, 22:45, 왕하 8:23, 12:19, 14:18, 15:6, 36, 16:19, 20:20, 21:17, 25, 23:28, 24:5)에 기록되어 있습니다.

유다와 이스라엘 각각의 '역대지략'은 서로 다른 연대 계산 방식에 따라 왕의 통치 연도를 기록하였습니다. 따라서 열왕들의 통치 연대를 바르게 이해하고자 할 때 다음 세 가지에 유의하여 잘 조화시켜야 합니다.

첫째, 즉위년 방식과 무즉위년 방식에 대한 이해입니다.

이것은 왕의 통치 햇수를 실제 즉위한 해부터 계산했는지 혹은 즉위한 다음해부터 계산했는지의 여부입니다.

둘째, 니산월과 티쉬리월에 대한 이해입니다.

이것은 남 유다와 북 이스라엘이 각각 왕의 통치 기간 1년(한 해)의 기준을 언제(무슨 달)로부터 시작하였는가의 문제입니다.

셋째, 섭정이나 공동으로 통치한 기간에 대한 이해입니다.

한 시대의 통치가 단 한 사람에 의해 이루어졌는지 혹은 섭정이나 공동 통치가 있었는지의 여부입니다.

(1) 즉위년 방식과 무즉위년 방식의 이해
Understanding the accession year and non-accession year dating methods

북 이스라엘은 왕이 즉위한 그 해부터 통치 기간을 계산하였습니다. 이와 같이 즉위년을 따로 두지 않고 선임 왕을 이어 즉위한 해를 통치 1년으로 계산하는 방식을 가리켜 '무즉위년' 방식("non-accession year dating" method)이라고 합니다.

이와 달리 남 유다는 '즉위년'을 따로 두어, 즉위한 해는 통치 햇수에 포함하지 않고 그 다음 새해 첫 달 첫 날부터 통치 기간으로 계산하였습니다. 이것을 '즉위년' 방식("accession year dating" method)이라고 합니다. 예를 들어 '갑'이라는 왕이 2008년에 왕이 되었을 때, 즉위년 방식을 따르면 2009년이 통치 1년이고, 무즉위년 방식을 따르면 2008년 12월이라도 2008년은 무조건 통치 1년이 되고, 2009년은 통치 2년이 되는 것입니다. 즉위년 방식에 따르면 선임 왕의 통치 마지막 해가 후임 왕의 즉위년이 되고, 선임 왕이 죽은 그 해가 다 지나가기 전에는 아직 후임 왕의 통치 첫 해가 되지 않는 것입니다.

연대 계산 방식에 대한 이해를 돕기 위해, 남 유다의 역대지략과 북 이스라엘의 역대지략에 기록된 두 가지 실례를 살펴보겠습니다.

열왕기상 15:9 "이스라엘 왕 여로보암 제20년에 아사가 유다 왕이 되어"

이 기록은 남 유다의 역대지략에서 나온 것이므로(왕상 15:23), 즉위년 방식이 적용된 경우입니다. 즉위년 방식에 따라 아사 즉위년이 여로보암 통치 제20년이라고 기록하고 있습니다. 그런데 이것을 당시 무즉위년 방식을 따르던 북 이스라엘 기준에서 본다면, 아사가 즉위한 해가 실제로는 여로보암 통치 '제21년'이 되는 것입니다.

이번에는 무즉위년 방식을 따른 북 이스라엘의 역대지략(왕상 15:31)에 기록된 열왕기상 15:25을 보겠습니다.

열왕기상 15:25 "유다 왕 아사 제2년에 여로보암의 아들 나답이 이스라엘 왕이 되어..."

무즉위년 방식에 따라 아사 제2년이 나답이 즉위한 해라고 기록하고 있습니다. 그런데 이것을 즉위년 방식을 따른 남 유다 편에서 본다면 나답이 즉위한 해는 아사 제1년이 됩니다.

이처럼, 실질 통치 햇수로 보면 즉위년 방식의 남조에 비해 무즉위년 방식의 북 이스라엘의 통치 연대가 1년씩 더해져 있는 것입니다. 여기서 한 가지 더 유의할 점은, 남 유다나 북 이스라엘 모두 상대 나라의 통치 연대까지도 각각 제 나라의 계산 방식을 그대로 적용하고 있다는 사실입니다. 그러므로 위에서 살펴본 열왕기상 15:9에 나오는 '여로보암 제20년'은 남 유다의 즉위년 계산 방식을 따른 것이고, 열왕기상 15:25에 나오는 '아사 제2년'은 북 이스라엘의 무즉위년 계산 방식을 따른 것입니다. 그런데 남 유다와 북 이스라엘은, 무즉위년 방식과 즉위년 방식을 지속적으로 적용하지 않고 외교적 상황에 따라 중간에 바꾸어서 사용하기도 했습니다.

① 남 유다의 통치 연대 계산 방식

남 유다는 제1대 르호보암왕부터 제4대 여호사밧왕까지 즉위년 계산 방식을 사용하였습니다.[4] 그러나 여호사밧 시대에 북조와 연혼하면서 동맹 관계가 이루어지자(대하 18:1), 남조는 북조의 영향을 받아 무즉위년 방식을 따라 기록하였습니다. 바로, 북조 아합의 딸 아달랴의 통치 영향력이 크게 미쳤던 그녀의 남편 여호람(제5대), 그녀의 아들 아하시야(제6대), 아달랴(제7대), 요아스(제8대)까지입니다.[5]

실례로, 남조 '아하시야' 때에 북조 '아합의 아들 요람'의 통치 기간을 즉위년 방식을 따라 제11년(왕하 9:29)이라고도 하고, 무즉위년 방식을 따라 제12년(왕하 8:25)이라고도 하여 통치 기간 계산 방식을 바꾼 흔적을 보여 주고 있습니다. 그래서 무즉위년을 사용하기 시작한 여호람과 그 아들 아하시야가 북 이스라엘의 '아합의 집'과 같이 행하였다고 말씀하고 있습니다(왕하 8:18, 27).

이렇게 아달랴의 영향으로 무즉위년을 사용하던 남 유다는 아마샤왕 때부터 다시 즉위년으로 돌아왔습니다. 아마샤왕부터 다시 즉위년을 사용한 정확한 이유에 대하여 성경은 확실한 대답을 하고 있지 않지만, 아마도 아달랴의 영향권에서 완전히 벗어난 아사랴(웃시야)부터 즉위년을 사용하였고, 아사랴(웃시야)가 그의 아버지 아마샤와 섭정을 했기 때문에 아마샤의 통치 연대도 즉위년으로 바꾸어 기록한 것으로 추정할 수 있습니다.

정리하면, 남 유다는 제1대 왕 르호보암부터 제4대 왕 여호사밧까지 즉위년을 사용하였고, 제5대 왕 여호람 때부터 제8대 왕 요아스 때까지 무즉위년을 사용하였으나, 제9대 왕 아마샤 때부터 남 유다 멸망 때까지 다시 즉위년을 사용하였습니다.

② 북 이스라엘의 통치 연대 계산 방식

북 이스라엘은 왕국이 갈라지던 여로보암 때부터 남 유다와 차별적으로 무즉위년을 쓰다가 요아스왕 때부터 즉위년으로 바꾸어 사용하기 시작했습니다. 그 이유는 북 이스라엘이 남 유다와 친밀한 관계를 유지하면서 남 유다를 따라 즉위년 방식을 도입하였기 때문입니다.

이 시기 즈음에 남조와 북조를 통치했던 왕의 이름이 요아스(남조 제8대 왕, 북조 제12대 왕)로 동일한 것을 볼 수 있는데, 이 또한 남조와 북조가 매우 긴밀한 우호 관계에 있었음을 보여 줍니다.

또한 남 유다 아마샤는 에돔을 치기 위하여 은 일백 달란트로 북 이스라엘 요아스에게서 큰 용사 십만을 삯 내었던 적이 있습니다(대하 25:6-10). 남 유다에서 북 이스라엘에게 군사 원조를 받는 것이 가능했던 것은, 남조와 북조의 관계가 원만했던 흔적입니다.

따라서 북 이스라엘은 여로보암(제1대)부터 여호아하스(제11대)까지는 무즉위년 방식을 따라 계산하였으나,[6] 요아스(제12대)로부터 마지막 왕 호세아(제19대)까지는 남조 유다와 마찬가지로 즉위년 방식을 사용했습니다. 이에 대한 증거는, 북조 요아스왕의 통치 기간(주전 797[a]-781년)을 17년이 아닌 즉위년 방식을 따른 16년(왕하 13:10)으로 기록한 것입니다.

이상에서 살펴본 남 유다와 북 이스라엘의 '무즉위년 방식' 또는

'즉위년 방식'의 변동에 맞추어 연대를 계산하면, 서로의 통치 연도가 완벽한 조화를 이루며 맞아 들어가게 됩니다.

*유구한 역사 속에서 세계 최초로 성경적 체계화 정리

(2) 니산월(아빕월, 출 13:4, 23:15)과 티쉬리월(에다님월, 왕상 8:2)

Understanding the month of Nisan and the month of Tishri

통치 연대 계산에 있어서 또 한 가지 중요한 기준은, 이스라엘과 유다가 왕의 통치한 해의 시작을 연중(年中) 어느 시기부터 잡는가 하는 것입니다. 예를 들어, 솔로몬 성전 건축은 제4년 시브월(Ziv, 종교력2월, 태양력 4-5월)에 기초를 쌓기 시작하여 제11년 불월(Bul, 종교력 8월, 태양력 10-11월)에 완공되었습니다(왕상 6:1, 37-38, 대하 3:1-2). 이해도움 5-성경의 달력 참조 이에 따라 성전 건축 기간을 계산해 보면, 왕의 통치 연대를 니산월(Nisan, 종교력 1월, 태양력 3-4월)을 첫 달로 기준하면 8년(7년 6개월 정도)이지만 티쉬리월(Tishri, 종교력 7월, 태양력 9-10월)을 첫 달로 기준하면 7년(6년 6개월 정도)이 나옵니다. 왜냐하면 솔로몬 제4년에 속한 시브월은, 왕의 통치 연대를 티쉬리월을 기준으로 할 때와 니산월을 기준으로 할 때, 1년의 차이가 있기 때문입니다. 따라서 열왕기상 6:38에 성전 건축 기간을 '7년'이라고 한 것은, 남 유다가 솔로몬 때부터 이미 티쉬리월을 사용하였음을 보여 줍니다.[7)]

요시야왕 제18년을 기점으로 성전 수리를 비롯한 대대적인 종교개혁이 실시되었는데(왕하 22:3), 그것을 모두 마친 후 요시야 제18년 니산월에 유월절 행사를 거행하였습니다(왕하 23:23). 성전 수리(왕하 22:3-7), 율법책의 발견(왕하 22:8-20), 언약 준수의 다짐(왕하 23:1-3), 대대적인 우상 제거(왕하 23:4-20) 등 많은 일들이 요시야 제

18년 한 해에 그것도 니산월 전에 행해진 것을 볼 때, 남 유다는 확실히 티쉬리월을 사용했음을 알 수 있습니다(참고-느 1:1, 2:1).[8] 이와 달리 북 이스라엘은 왕의 통치 기간을 계산할 때 유월절이 있는 니산월을 첫 달로 사용하였습니다.

북 이스라엘이 왕의 통치 연대를 계산할 때 니산월(1월)부터 시작하는 월력 체계를 따랐다는 직접적인 언급은 없습니다. 그러나 왕들의 통치 연도와 그들의 대조 연대를 종합적으로 볼 때, 북 이스라엘은 니산월을 기준으로 왕의 통치 연대를 계산하였다는 것을 알 수 있습니다. 북조 여로보암왕은 당시 왕의 통치 연대를 계산하기 위해 남 유다에서 사용하고 있었던, 티쉬리월(7월)을 첫 달로 시작하는 계산법을 따르지 않았습니다. 이것은 아마도 남 유다에 대항하고 남 유다와 완전히 분리하기 위한 조치였을 것입니다. 결국 북 이스라엘은 니산월을 첫 달로 시작하는 전통적이고 보편적인 월력 체계를 따라 왕의 통치 연대를 계산하였던 것입니다.

이해를 돕기 위해 남 유다와 북 이스라엘 왕의 즉위 연도와 통치 기간을 비교한 다음 표를 참조하시기 바랍니다. 표에서 보듯이 북 이스라엘이 남 유다에 비해 6개월이 앞서 진행되면서, 통치 기간이 1년씩 빨라지는 경우도 발생합니다. 따라서 본 서에서는 통치 연대

통치 해 (서양력)	주전 931년		주전 930년		주전 929년		주전 928년	
	니산월	티쉬리월	니산월	티쉬리월	니산월	티쉬리월	니산월	티쉬리월
본서의 남 유다 연대 표기		a 르호보암 즉위년 (주전 930년)	b	a 르호보암 통치 제1년 (주전 929년)	b	a 르호보암 통치 제2년 (주전 928년)	b	
본서의 북 이스라엘 연대 표기	a 여로보암 통치 제1년 (주전 930년)	b	a 여로보암 통치 제2년 (주전 929년)	b	a 여로보암 통치 제3년 (주전 928년)	b		

[남 유다] 왕의 1년 통치 기준은 티쉬리월(7월)부터 이듬해 티쉬리월까지로 함.
·르호보암은 즉위년 방식으로 계산함.
·a: 한 해를 구분하여 처음 티쉬리월과 니산월 사이 6개월 기간
·b: 한 해를 구분하여 니산월과 다음 티쉬리월 사이 6개월 기간

[북 이스라엘] 왕의 1년 통치 기준은 니산월(1월)부터 이듬해 니산월까지로 함.
·여로보암은 무즉위년 방식으로 계산함.
·a: 한 해를 구분하여 처음 니산월과 티쉬리월 사이 6개월 기간
·b: 한 해를 구분하여 티쉬리월과 다음 니산월 사이 6개월 기간

를 계산할 때, 출애굽 이후 성경에 사용된 달력(출 12:2)에 근거하여 남조와 북조 각각 자기 왕조의 연대 계산 방식에 따라 연도를 계산하여 표기하였습니다. 이해도움 1, 2 참조

(3) 섭정(攝政)과 공동(共同) 통치의 이해

Understanding coregencies and joint reigns

남 유다와 북 이스라엘에서는 역사적 형편과 정황에 따라 동시대에 두 왕이 통치하는 섭정이나 공동 통치의 기간이 있었습니다. 섭정(攝政)은 '군주 국가에서 국왕이 어려서 즉위하거나 병 또는 그 밖에 사정이 생겨 직접 통치할 수 없을 때, 국왕을 대리해서 국가의 통치권을 맡아 나라를 다스리는 일 또는 그 사람'을 뜻합니다. 공동(共同) 통치는 '둘 이상의 국왕이 공동으로 통치 또는 관리하는 일'을 뜻합니다.

섭정이나 공동 통치는 북 이스라엘보다 남 유다에 많이 있었습니다. 심지어 남 유다의 경우, 주전 743-739년에 웃시야, 요담, 아하스 세 왕이 약 5년간 함께 통치하는 때도 있었습니다. 이해도움 1 - 분열왕국 시대의 통치 연대기 <남 유다> 참조 그래서 같은 시기의 북조와 남조 왕들의 통치 연대를 각각 합산해 보면, 남 유다는 겹치는 연대가 많아 그 합산한 통치 연도가 북조에 비해 월등히 많은 것을 볼 수 있습니다.

예를 들어, 남조 유다의 아마샤(제9대)부터 므낫세(제14대)까지 통치 기간을 그대로 합산하면 197년(29+52+16+16+29+55)이지만, 여섯 왕이 통치한 실제 연수는 154년(주전 796-642년)으로, 43년(197-154)의 차이가 있습니다. 따라서 43년은 여섯 왕의 실제 역사에서 공동 섭정으로 통치한 기간 때문에 중복된 것이라고 할 수 있습니다.

여기서 유의할 점은, 공동 섭정은 인정하지 않고 단독 통치한 것만을 기준으로 통치의 첫 해를 계산하기도 했다는 사실입니다. 예를 들어, 북조 이스라엘 입장에서는 남조 아사랴가 즉위한 때를 그 아버지 아마샤와의 공동 섭정 통치가 끝나고 단독 통치가 시작될 때로부터 계산하여, '여로보암 제27년'(왕하 15:1)이라고 기록하였습니다.

그렇다면 실제 공동 섭정으로 통치한 열왕들은 누구이며, 그 기간은 어느 정도일까요? 공동 섭정으로 통치한 경우가 남 유다에서 일곱 번, 북 이스라엘에서 세 번 발견되고 있습니다.이해도움 1, 2 참조 참고적으로, 본 서에서는 성경에 기록된 공식 통치 기간 외의 공동 섭정 기간이나 단독 통치 기간은 시작되는 해와 끝나는 해를 포함하여 계산하였습니다.

① 남조 유다의 공동 섭정 통치

ㄱ. 유다 왕 아사가 왕이 된 지 39년에 그 발이 병들어 심히 중할 때, 그 아들 여호사밧이 3년간 공동 섭정하였습니다(왕상 15:23, 22:41-42, 대하 16:12-13). 여기 3년의 공동 섭정 기간은 여호사밧의 공식 통치 기간 25년에 포함되었습니다(왕상 22:42).

ㄴ. 유다 왕 여호사밧이 북 이스라엘의 아합과 연합하여 아람을 치러 나가는 전쟁을 계기로 그 아들 여호람이 7년간 공동 섭정하였습니다(왕상 22:2-29). 열왕기하 8:16에서 "여호사밧

이 오히려 위에 있을 때에 그 아들 여호람이 왕이 되니라"라고 말씀하고 있습니다. 특히 북 이스라엘의 요람왕이 즉위한 해를 남 유다의 '여호람 제2년'(왕하 1:17)과 '여호사밧 제18년'(왕하 3:1) 두 가지로 기록하고 있는데, 이 또한 여호사밧과 그 아들 여호람이 함께 통치했다는 증거입니다. 그런데 여호람의 공동 섭정 7년은 그의 공식 통치 기간 8년(왕하 8:17, 대하 21:5, 20)에서 제외되었습니다.

ㄷ. 아마샤가 북 이스라엘 요아스와의 전쟁에서 패한 후 포로로 끌려가자, 그의 아들 웃시야(아사랴)가 25년간 섭정하였습니다(왕하 14:2, 8-14, 15:1-2, 대하 25:17-25, 26:1-3). 여기 25년은 웃시야의 공식 통치 기간 52년에 포함되었습니다(왕하 15:2, 대하 26:3).

ㄹ. 웃시야(아사랴)가 문둥병에 걸리자, 그 아들 요담이 12년간(주전 750-739년) 섭정하였습니다(왕하 15:5-7, 대하 26:16-23). 이 기간은 남 유다의 요담의 대조 연대 '베가 제2년'(왕하 15:32)을 근거로 계산할 수 있습니다. 여기 12년의 공동 섭정은 요담의 공식 통치 기간 16년에 포함되었습니다.

ㅁ. 요담이 그 아들 아하스와 13년간 공동 섭정으로 통치하였습니다(왕하 15:32-38, 주전 743-731년). 요담과 아하스의 공동 섭정 통치 기간은 '아하스 제12년'(주전 731년)에 북조의 호세아가 왕이 되었다(왕하 17:1)는 대조 연대를 근거로 계산할 수 있습니다. 요담은 그의 공식 통치 16년(왕하 15:33, 대하 27:1, 8)을 마치고 왕위를 아들에게 넘겨주고 물러났지만, 주전 731년까지 살아 있으면서 아들 아하스와 공동 섭정으로 통치한 것으로 보입니다(참고-왕하 15:30). 한편, 아하스의 공식 통치 기간은

요담과 공동 섭정으로 통치한 기간은 제외되고 16년만 기록되었습니다(왕하 16:2, 대하 28:1).

ㅂ. 아하스가 그 아들 히스기야와 15년간(주전 729b-715년) 공동 섭정으로 통치하였습니다(왕하 16:1-2, 18:1, 9-10). 이 기간은 아하스의 통치 기간 16년에 포함되었으며, 히스기야의 공식 통치 기간에서는 제외되었습니다.

ㅅ. 히스기야가 병들어 죽게 되었다가 15년간 생명을 연장받은 이후(왕하 20:1-6) 6년째(히스기야 44세)에, 그 아들 므낫세를 어린 나이(12세)에 왕위에 올려 11년간 공동 섭정으로 통치하였습니다. 어린나이에 통치했던 그 기간은 므낫세의 총 통치 기간 55년(왕하 21:1, 대하 33:1)에 포함되었습니다.

② 북조 이스라엘의 공동 섭정 통치

ㄱ. 북조의 오므리왕이 통치한 기간 총 12년 가운데, 디브니와 다른 지역(디르사)에서 분할 통치한 기간이 5년이요, 단독 통치한 기간은 8년입니다(왕상 16:21-23).

ㄴ. 북조 요아스왕은 남조 아마샤왕과의 전쟁에 참가하기 전, 만일을 대비해 아들 여로보암 2세를 왕의 자리에 앉혀 주전 781년까지 13년간 공동 섭정하게 했습니다(왕하 13:10-13, 참고-왕하 14:8-23, 대하 25:17-25). 이 13년의 기간은 여로보암 2세의 총 통치 기간 41년에 포함됩니다(왕하 14:23).

ㄷ. 므나헴과 베가가 동시대에 두 지역에서 각각 통치하였습니다. 베가는 길르앗을 장악하여 약 20년간 다스렸고(왕하 15:27), 그 기간 전반부에 므나헴은 사마리아에서 약 10년간 다스렸으며, 브가히야는 므나헴을 이어 약 2년간 사마리아를

다스렸습니다(왕하 15:17, 23, 27).

여기서 유의할 점은, 섭정한 기간을 공식 통치 기간에 포함할 경우 섭정을 시작한 해는 '즉위년'이 아니라 '통치 첫 해'로 계산된다는 사실입니다.[9] 예를 들어, 북 이스라엘의 여로보암 2세의 통치 연수 41년은 섭정을 시작한 해부터 계산됩니다. 남 유다의 여호사밧, 요담, 므낫세의 경우가 이에 해당합니다. 예외적으로 아사랴는 섭정으로 즉위하였으나, 부왕 아마샤가 포로로 끌려가 왕위가 공석이었으므로 즉위한 첫 해를 즉위년으로 계산합니다.

이상과 같은 통치 연대 계산 방식들을 적용할 때, 복잡하게 꼬여 있는 듯한 여러 통치 연대는 역사적 사건과 맞물려 너무도 정확하게 연대적 순서에 따라 배열되었음을 발견할 수 있습니다. 이로써, 비록 수많은 세월이 흘렀음에도 불구하고 성경에 기록된 모든 연대는 절대 오류가 없으며, 복잡하게 얽힌 듯 보이는 그 연대가 도리어 하나님의 말씀이 정확무오하며 정밀하다는 것을 증명하고 있음에 놀라지 않을 수 없습니다. 성경에 기록된 말씀은 일점일획도 뜻 없이 기록된 것이 없습니다(참고-고전 14:10). 모든 성경은 정확무오하면서도 질서정연하고 완전 영감으로 기록된, 살아 계신 하나님의 말씀입니다. 특히 열왕기상·하와 역대기상·하에 기록된 모든 연대는 짝을 이루어 과학적이고 치밀하게 기록되어 있습니다. 앞뒤로 연결된 통치자의 연대를 명확하게 이해하고 나면, 문자 속에 기록된 실제의 역사가 시간적 순서에 따라 파노라마처럼 생생하게 그려지게 됩니다. 그때 비로소 각 왕들을 통해 이루고자 하셨던 하나님의 깊고 오묘한 섭리, 각 시대마다 펼쳐진 하나님의 구속 경륜을 폭넓고 깊이 있게 깨달을 수 있는 것입니다.

THE COMPARISON OF THE REGNAL YEARS OF THE KINGS OF ISRAEL AND JUDAH

남조와 북조 열왕들의 통치 연대 비교

관련 성구	평가	통치 햇수와 기간	남조 유다	연대
왕상 11:43-12:24, 14:21-31, 대하 9:31-12:16	악	17년(930-913[b]년)	① 르호보암(Rehoboam)	930
왕상 15:1-8, 대하 13:1-22	악	3년(913[b]-910년)	② 아비얌(Abijam)	913[b]
왕상 15:9-24, 대하 14:1-16:14	선	41년(910-869년)	③ 아사(Asa)	910
왕상 22:1-50, 대하 17:1-21:1	선	25년(871-847년)	④ 여호사밧(Jehoshaphat)	871
왕하 8:16-24, 대하 21:1-20	악	8년(847-840년)	⑤ 여호람(Jehoram)	847
왕하 8:24-9:29, 대하 22:1-9	악	1년(840년)	⑥ 아하시야(Ahaziah)	840
왕하 11:1-21, 대하 22:10-23:21	극악	6년(840-835[b]년)	⑦ 아달랴(Athaliah)	840
왕하 11:21-12:21, 대하 24:1-27	선➡극악	40년(835[b]-796[b]년)	⑧ 요아스(Joash)	835[b]
왕하 14:1-22, 대하 25:1-28	선➡극악	29년(796[b]-767년)	⑨ 아마샤(Amaziah)	796[b]
왕하 14:21, 15:1-7, 대하 26:1-23	선➡악	52년(791-739년)	⑩ 아사랴(Azariah)	791
왕하 15:32-38, 대하 27:1-9	선	16년(750-735년)	⑪ 요담(Jotham)	750
왕하 16:1-20, 대하 28:1-27	극악	16년(731-715년)	⑫ 아하스(Ahaz)	731
왕하 18:1-20:21, 대하 29:1-32:33	선	29년(715-686년)	⑬ 히스기야(Hezekiah)	715
왕하 21:1-18, 대하 33:1-20	극악 ➡ 말년회개	55년(696-642년)	⑭ 므낫세(Manasseh)	696
왕하 21:19-26, 대하 33:21-25	악	2년(642-640년)	⑮ 아몬(Amon)	642
왕하 22:1-23:30, 대하 34:1-35:27	선	31년(640-609[b]년)	⑯ 요시야(Josiah)	640
왕하 23:31-34, 대하 36:1-4	악	3개월(609[b]-608년)	⑰ 여호아하스(Jehoahaz)	609[b]
왕하 23:34-24:7, 대하 36:5-8	악	11년(608-597년)	⑱ 여호야김(Jehoiakim)	608
왕하 24:8-17, 25:27-30, 대하 36:9-10	악	3개월 10일(597년)	⑲ 여호야긴(Jehoiachin)	597
왕하 24:18-25:26, 대하 36:11-21	악	11년(597-586년)	⑳ 시드기야(Zedekiah)	597

통일왕국	평가	통치 햇수와 기간	관련성구
사울(Saul)	선 ➡ 악	40년(1050-1010년)	(삼상 13:1, 행 13:21)
다윗(David)	매우 선	40년(1010-970년)	(삼하 5:4, 왕상 2:11)
솔로몬(Solomon)	대체로 선	40년(970-930년)	(왕상 11:42, 대하 9:30)

연대	북조 이스라엘	통치 햇수와 기간	평가	관련 성구
930	① 여로보암(Jeroboam)	22년(930-909년)	극악	왕상 11:26-14:20 대하 9:31-10:19, 13:1-20
909	② 나답(Nadab)	2년(909-908년)	악	왕상 15:25-32
908	③ 바아사(Baasha)	24년(908-885년)	악	왕상 15:28, 33-16:7, 대하 16:1-6
885	④ 엘라(Elah)	2년(885-884년)	악	왕상 16:6-14
884	⑤ 시므리(Zimri)	7일(884년)	악	왕상 16:8-20
884	디브니(Tibni)	5년(884-880년)	악	왕상 16:21-22
884	⑥ 오므리(Omri)	12년(884-873년)	극악	왕상 16:15-28
873	⑦ 아합(Ahab)	22년(873-852[a]년)	극악	왕상 16:28-22:40, 대하 18:1-34
852[a]	⑧ 아하시야(Ahaziah)	2년(852[a]-851[a]년)	극악	왕상 22:40, 51-53, 왕하 1:1-18, 대하 20:35-37
851[a]	⑨ 요람(Joram)	12년(851[a]-840년)	악	왕하 1:17, 3:1-9:29, 대하 22:1-9
840	⑩ 예후(Jehu)	28년(840-813년)	선➡악	왕하 9:1-10:36, 대하 22:5-7
813	⑪ 여호아하스(Jehoahaz)	17년(813-797[a]년)	악	왕하 13:1-9, 대하 25:25
797[a]	⑫ 요아스(Joash)	16년(797[a]-781년)	악	왕하 13:9-25, 14:8-16, 대하 25:17-25
793	⑬ 여로보암 2세(Jeroboam	41년(793-753년)	악	왕하 14:16-29
753	⑭ 스가랴(Zechariah)	6개월(753-752[a]/752년)	악	왕하 14:29, 15:8-12
752	⑮ 살룸(Shallum)	1개월(752년)	악	왕하 15:10-15
752	⑯ 므나헴(Menahem)	10년(752-741년)	악	왕하 15:14-22
741	⑰ 브가히야(Pekahiah)	2년(741-739년)	악	왕하 15:22-26
739	⑱ 베가(Pekah)	20년(752-732/731년)	악	왕하 15:25-31, 대하 28:5-8
731	⑲ 호세아(Hoshea)	9년(731-722년)	악	왕하 15:30, 17:1-41, 18:9-12

[a]: 북조의 한 해를 구분하여 니산월과 티쉬리월 사이 6개월 기간 [표기 예: ○○○[a]]
[b]: 남조의 한 해를 구분하여 니산월과 티쉬리월 사이 6개월 기간 [표기 예: ○○○[b]]

* 표에 기재된 햇수는 모두 주전(BC) 연도로, 남 유다와 북 이스라엘의 연도 계산 방식에 따름.
* 각 왕의 통치 햇수는 성경에 기록된 것을 기준으로 한 것이며, 통치 기간에 약간의 오차가 있을 수 있음.

Calendar of the Bible
성경의 달력

종교력	명 칭(바벨론식)	원어적 의미
제1월	**니산**(Nisan)(느 2:1, 에 3:7) *아빕(Abib) (출 13:4, 23:15, 34:18, 신 16:1)	니산의 히브리어 '니산'(נִיסָן)은 '그들의 비행, 탈출'이라는 뜻이며, 가나안식 이름인 아빕의 히브리어 '아비브'(אָבִיב)는 '갓난 어린 보리 이삭'이라는 뜻이다.
제2월	**이야르**(Iyyar) *시브(Ziv) (왕상 6:1, 37)	이야르의 히브리어 '이야르'(אִיָּר)는 '연다'라는 뜻이며, 가나안식 이름인 시브의 히브리어 '지브'(זִו)는 '광채, 꽃'이라는 뜻이다(별명: 꽃들의 달).
제3월	**시완**(Sivan) (에 8:9)	시완의 히브리어 '시반'(סִיוָן)은 '그들의 덮개'라는 뜻이다.
제4월	**담무스**(Tammuz)	담무스의 히브리어 '탐무즈'(תַּמּוּז)는 '생명의 싹'이라는 뜻이다.
제5월	**아브**(Av)	아브의 히브리어 '아브'(אָב)는 '아버지'라는 뜻이다. 그 외에 '갈대'라는 잘 쓰이지 않는 뜻도 있다.
제6월	**엘룰**(Elul) (느 6:15)	엘룰의 히브리어 '엘룰'(אֱלוּל)은 '무가치', '하찮음'이라는 뜻이다.
제7월	**티쉬리**(Tishri) *에다님(Ethanim) (왕상 8:2)	티쉬리의 히브리어 '티쉬리'(תִּשְׁרֵי)는 '처음, 봉헌'이라는 뜻이다. 가나안식 이름인 에다님의 히브리어 '에타님'(אֵיתָנִים)은 '영구적인'이라는 뜻이다(별명: 영구한 시내의 달).
제8월	**마르헤쉬완**(Marcheshvan) *불(Bul) (왕상 6:38)	마르헤쉬완의 히브리어 '마르헤쉬반'(מַרְחֶשְׁוָן)은 '제8월'이라는 뜻이다. 가나안식 이름 '불'(בּוּל)은 '증가하다, 생산하다'라는 뜻이다(별명: 강우의 달).
제9월	**기슬르**(기슬래, Chislev) (느 1:1, 슥 7:1)	기슬르의 히브리어 '키슬레브'(כִּסְלֵו)는 '그의 확신'이라는 뜻이다.
제10월	**데벳**(Tebeth) (에 2:16)	데벳의 히브리어 '테베트'(טֵבֵת)는 '선함'이라는 뜻이다.
제11월	**스밧**(Shebat) (슥 1:7)	스밧의 히브리어 '쉐바트'(שְׁבָט)는 '막대기, 작은 가지, 자손'이라는 뜻이다.
제12월	**아달**(Adar)(에 3:7, 스 6:15) 참고-에 3:13, 8:12, 9:1, 15, 17, 19, 21	아달의 히브리어 '아다르'(אֲדָר)는 '영광스러운, 빛나는'이라는 뜻이다.

'*' 표시는 가나안식 명칭, 각 달의 영어 표기는 NASB를 따름.
현재 이스라엘의 민간력은 티쉬리월을 새해 첫 달로 사용.

태양력	절 기	강우	기후 형편과 농사 관련
3-4월	유월절(출 12:18, 레 23:5) 무교절(레 23:6-8) 초실절(레 23:10-11)	늦은비	보리 수확 시작 (참고-룻 1:22, 삼하 21:9, 수 3:15)
4-5월		건기	환절기, 보리 수확
5-6월	칠칠절(오순절)(레 23:15-21)		밀 수확, 이른 무화과 결실, 포도원 손질
6-7월			매우 덥고 건조함(뜨거운 바람), 아침 이슬이 많이 내림, 포도가 익기 시작함
7-8월			감람(올리브) 열매가 익기 시작함
8-9월			무더위 지속, 여름 무화과, 대추 야자 익음
9-10월	나팔절(레 23:24, 민 29:1), 속죄일(레 16:29-31, 23:27), 초막절(레 23:34-36), 거룩한 대회(레 23:36, 민 29:35)	이른비	밭갈이, 석류 익음 감람 열매 추수
10-11월		우기	비가 많음, 경작(보리와 밀)
11-12월	수전절(25일, 요 10:22)-마카비 가문이 안티오쿠스 에피파네스로부터 예루살렘 성전을 되찾고 그곳을 청결케 한 날을 기념하는 절기		겨울 시작(폭우), 겨울 무화과 익음
12-1월			가장 추움, 최대 강우량(우박, 눈, 비 가장 많음), 높은 산에는 눈이 내리고 들에는 꽃이 핌
1-2월			날씨가 점차 따뜻해짐, 살구꽃이 핌
2-3월	부림절(14-15일, 에 9:17-21)		간혹 천둥과 우박, 삼(아마) 벗김, 감귤 수확

달력(월력)은 1년을 날짜에 따라 적어 놓은 것으로, 1년 중의 월(月)·일(日)·절기(節氣)·요일(曜日)·행사일(行事日) 등의 사항을 날짜를 따라 적어 놓은 것을 말합니다. 달력을 사용하는 것은 계절의 변화와 일정한 주기를 따라 때의 기록을 보존하여 일상 생활을 편리하게 영위하려는 목적이 큽니다. 그래서 달력은 기후와 농사에 기초를 두고 있습니다. 그러나 성경의 달력은 하나님의 천지 만물의 창조 역사와 인류 구원을 위한 구속 역사를 기억하고 감사하면서, 하나님을 섬기는 경건 생활을 위한 목적이 더욱 큽니다. 달력에 나오는 년·월·일은, 하나님께서 "그 광명으로 하여 징조와 사시와 일자와 연한이 이루라"(창 1:14)라고 말씀하신 후에 생겼습니다.

성경에서 새해 첫 달은 니산으로 시작하는데 그 이유는, 출애굽 후 하나님께서 모세와 아론에게 이르시기를 "이 달로 너희에게 달의 시작 곧 해의 첫 달이 되게 하고"라고 명령하셨는데, 이 첫 달이 바로 니산월이기 때문입니다(출 12:1-2). 이 명령 이래로 이스라엘은 계속하여 아빕(니산)월을 새해 첫 달로 사용하였습니다(참고-출 12:18, 13:3-4, 23:15, 34:18, 삼하 11:1, 왕상 20:22, 대상 20:1, 느 2:1, 에 3:7).

한편, 성경에 나오는 이스라엘 열두 달의 이름은 숫자로 표시하는가 하면(참고-왕상 6:1, 왕하 25:1, 3, 8, 25, 27, 대하 3:2 등), 각 달마다 고유한 명칭이 있습니다. 각 달의 명칭은 본래 가나안식으로 붙여졌으나 바벨론 유수 이후 바벨론식 새 이름으로 부르게 되었습니다. 성경에 나오는 가나안식 명칭은 아빕월, 시브월, 에다님월, 불월 등입니다.

시편 기자는 시편 90:12에서 "우리에게 우리 날 계수함을 가르치사 지혜의 마음을 얻게 하소서"라고 기도하였습니다. 정확한 날의 계수는 정확한 역사적 사실을 바탕으로, 하나님의 신비롭고 오묘한 섭리를 밝히는 근거가 됩니다.

제 3 장

예수 그리스도의 족보 제2기(期)의 인물

-다윗부터 바벨론으로 이거할 때까지의 14대

The Genealogy of Jesus Christ: Individuals in the Second Period
- Fourteen Generations from David to the Deportation to Babylon

Outline of the 42 Generations in the Genealogy of Matthew (The Second Period)

- The fourteen generations from David to the Deportation to Babylon

마태복음 족보의 42대 인물 개요〈제2기〉

- 다윗부터 바벨론으로 이거할 때까지의 14대

인 물	내 용
1대 **다윗** דָּוִד Δαβίδ David 사랑받는 자, 친구 —— 선한 왕	**통치 기간** 40년(30-70세, 주전 1010-970년) - 헤브론에서 7년 6개월, 예루살렘에서 33년(삼하 5:4-5, 왕상 2:11, 대상 3:4-5, 29:27) ① 다윗은 마태복음 족보의 세 시기 중 제1기를 마감하는 인물이자, 또한 제2기를 시작하는 인물로 유일하게 두 번 계수되었다(마 1:17). 다윗이 한 시대를 마감하고 새 시대를 여는 중심 인물로 부각되어 있다. ② 마태복음 족보 제2기는 "... 다윗은 우리아의 아내에게서 솔로몬을 낳고"(마 1:6)로 시작된다. ③ 다윗이 우리아의 아내 밧세바를 취한 때는(삼하 11장) 헤브론 통치를 마치고 시작된 예루살렘 통치의 전반기이다(삼하 5:13-14, 대상 3:4-5). ④ 다윗이 우리아의 아내를 취한 후에 "칼이 네 집에 영영히 떠나지 아니하리라"(삼하 12:10) 했던 나단 선지자의 예언 그대로, 훗날 남 유다는 완전히 몰락하고 마침내 바벨론에 포로로 끌려가면서 그 왕통이 사실상 끊어지게 된다.
2대 **솔로몬** שְׁלֹמֹה Σολομών Solomon 평화로운	**통치 기간** 40년(주전 970-930년) (왕상 11:42, 대하 9:30) ① 통일왕국 제3대 왕(왕상 1:38-11:43, 대상 29:20-대하 9:31), 예수 그리스도의 족보 제2기 두 번째 인물로(마 1:6-7, 대상 3:5, 10), 그의 부친은 다윗, 모친은 밧세바(암미엘의 딸)이다(삼하 12:24, 대상 3:5). ② 선한 왕이었으나(왕상 3:3), 통치 후반기에 이방 여인들을 연애하여 얻은 왕비들을 따라 다른 신들을 좇으며 하나님 앞에 온전치 못하였다(왕상 11:3-4).

인 물	내 용
—— 선한 왕	③ 솔로몬은 이스라엘 역사상 최대의 영토와 부를 확보하였다(왕상 4:21, 대하 9:26). ④ 성전 건축은 출애굽 한 지 480년 되던 해(왕상 6:1), 솔로몬 즉위 4년 시브월에 시작하여 11년 불월에 필역하였다(왕상 6:37-38, 대하 3:2).
3대 **르호보암** רְחַבְעָם Ῥοβοάμ Rehoboam 백성을 크게 하는 자 —— 악한 왕	**통치 기간** 17년(41-58세, 주전 930-913b년) (왕상 14:21, 대하 12:13) ① 남 유다 제1대 왕(왕상 12:1-24, 14:21-31, 대하 10:1-12:16), 예수 그리스도의 족보 제2기 세 번째 인물로(마 1:7, 대상 3:10), 그의 부친은 솔로몬이요, 모친은 나아마(암몬 사람)이다(왕상 11:43, 14:21, 31). ② 악한 왕으로, 산당과 우상과 아세라 목상을 세우고, 남색하는 자를 두는 등 가증한 일을 행하였다(왕상 14:22-24). ③ 남북의 분열은 솔로몬의 범죄에 대한 심판이었지만(왕상 11:9-13, 26-40), 그것을 역사적으로 이루어지게 한 실제 원인은 르호보암이 노인들의 교도를 버리고 강압 정치를 했기 때문이다(왕상 12:1-15). 결국 북 이스라엘 열 지파는 다윗의 집을 배반하고 여로보암을 왕으로 세웠다(왕상 12:16-20, 대하 10:16-19). ④ 르호보암이 여호와의 율법을 버렸을 때(대하 12:1) 애굽 왕 시삭이 쳐들어왔는데, 이때 선지자 스마야의 경고를 듣고 스스로 겸비하므로, 하나님께서 시삭의 손에서 구원하시고 그 노를 예루살렘에 쏟지 않으셨다(대하 12:1-12).
4대 **아비야** אֲבִיָּה Ἀβιά Abijah 여호와는 나의 아버지이시다	**통치 기간** 3년(주전 913b-910년) (왕상 15:1-2, 대하 13:1-2) ① 남 유다 제2대 왕(왕상 15:1-8, 대하 13:1-22), 예수 그리스도의 족보 제2기 네 번째 인물로(마 1:7, 대상 3:10), 부친은 르호보암, 모친은 마아가(아비살롬의 딸-왕상 15:2, 혹은 압살롬의 딸-대하 11:20-22) 혹은 미가야(기브아 사람 우리엘의 딸)(대하 13:2)로 기록되어 있다. ② 악한 왕으로, 부친 르호보암의 모든 죄를 행하고, 다윗과 같지 아니하여 여호와 앞에 온전치 못하였다(왕상 15:3).

인 물	내 용
혹은 **아비얌** אֲבִיָּם Ἀβιου Abijam 바다의 아버지 —— 악한 왕	③ 병력 40만으로 두 배의 병력(80만)을 갖춘 북 이스라엘의 여로보암을 상대로 승리한 것은(북 이스라엘 병력 50만이 엎드러짐, 대하 13:17), 아비야가 '소금 언약(대하 13:5)에 근거한 다윗 왕조의 영원성'을 확신하고(대하 13:4-12), '열조의 하나님'을 겸손히 의지한 결과였다(대하 13:18). ④ 북 이스라엘의 여로보암은 다시 강성하지 못하고 죽었으나, 남 유다의 아비야는 점점 강성하였고 아내 열넷을 통해 아들 스물둘과 딸 열여섯을 낳았다(대하 13:20-21).
5대 **아사** אָסָא Ἀσά Asa 치유자, 치료 —— 선한 왕	**통치 기간** 41년(주전 910-869년) (왕상 15:9-10, 대하 14:1) ① 남 유다 제3대 왕(왕상 15:9-24, 대하 14:1-16:14), 예수 그리스도의 족보 제2기 다섯 번째 인물로(마 1:7-8, 대상 3:10), 부친은 아비야, 모친은 마아가(아비살롬의 딸 혹은 압살롬의 딸)로 기록되었다(왕상 15:8, 10, 대하 14:1). 아비야의 모친과 이름이 같은 것은 마아가가 아사왕의 할머니이면서 모친 역할을 해 주었기 때문이다. 아사는 '마아가'가 아세라 우상을 숭배하자 태후의 위를 폐하기까지 했다(왕상 15:13). ② 선한 왕으로, 일평생 정직히 행하고 여호와 앞에 온전하였다(왕상 15:11, 14). 남색하는 자를 쫓아내고, 열조의 지은 우상을 타파하였고, 이방 제단과 산당을 없이하였다(왕상 15:12-15, 대하 14:3-5). ③ 군사 100만, 병거 300승의 병력을 가진 구스 사람 세라와의 싸움에서 하나님을 의지함으로 크게 물리쳤다(대하 14:9-15). ④ 북 이스라엘과의 전쟁이 끊이지 않았으며(왕상 15:16), 북 이스라엘(바아사왕)의 침략을 받았을 때 아람 왕 벤하닷을 의지하다가 선견자 하나니에게 책망을 받았으나, 회개하기는커녕 하나니를 옥에 가두었다(대하 16:1-10). 이로 인해 아사는 통치 39년에 발에 심히 중한 병을 얻었다. 그러나 2년간 의원만 구하고 끝내 여호와를 구하지 않다가 41년째 되는 해에 사망하였다(왕상 15:23-24, 대하 16:12-14).

인 물	내 용
6대 **여호사밧** יְהוֹשָׁפָט Ἰωσαφάτ Jehoshaphat 여호와께서 심판하신다 ——— 선한 왕	**통치 기간** 25년(35-59세, 주전 871-847년) (왕상 22:41-42) ① 남 유다 제4대 왕(왕상 22:41-50, 대하 17:1-20:37), 예수 그리스도의 족보 제2기 여섯 번째 인물로(마 1:8, 대상 3:10), 부친은 아사, 모친은 아수바(실히의 딸)이다(왕상 22:42, 대하 20:31). 후손으로는 여호람과 선한 여섯 아들(아사랴, 여히엘, 스가랴, 아사랴, 미가엘, 스바댜)이 있었다(대하 21:2-3). ② 아주 선한 왕으로, 다윗의 처음 길로 행하고(대하 17:3) 부친 아사의 길로 행하여 여호와 보시기에 정직하였다(왕상 22:43, 대하 20:32-33). 이방 산당과 아세라 목상들을 제하였다(대하 17:6). ③ 부귀와 영광이 극에 달했을 때, 북조의 아합왕과 연혼한 것은 여호사밧의 가장 큰 실책이었다(대하 18:1). 아들 여호람과 북조 아합왕의 딸 아달랴와의 결혼으로 당장은 북 이스라엘과 화평하였으나(왕상 22:44), 이후로 남 유다 전체는 온통 아합의 집과 같이 바알 숭배의 온실이 되었다(대하 21:6, 13). 그럼에도 하나님께서 멸하지 않으신 것은 다윗과 맺으신, 항상 등불을 주시겠다는 언약 때문이었다(왕하 8:19, 대하 21:7).
7대 **여호람** יְהוֹרָם Ἰωράμ Jehoram 혹은 **요람** יוֹרָם / Ἰωράμ Joram 여호와께서는 높으시다, 여호와께서는 존귀하시다	**통치 기간** 8년(32-39세, 주전 847-840년) (왕하 8:16-17, 대하 21:1, 5, 20) ① 남 유다 제5대 왕(왕하 8:16-24, 대하 21:1-20), 예수 그리스도의 족보 제2기 일곱 번째 인물로(마 1:8, 대상 3:11), 부친은 여호사밧(왕하 8:16, 대하 21:1)이며 모친에 대한 언급은 없다. ② 악한 왕으로, 그 원인은 아합의 딸 아달랴와의 잘못된 결혼 때문이었다(왕하 8:18, 대하 21:6). 여호람은 장인 아합과 장모 이세벨, 아내 아달랴의 사주를 받아 산당을 세우고, 백성을 미혹하여 바알 신을 음란하듯 섬기게 했다(대하 21:11). 왕위에 올라 세력을 얻은 후 자신의 선한 동생 여섯 명을 칼로 죽였다(대하 21:2-4). ③ 그가 열조의 하나님을 버리자 남 유다 수하에 있던 에돔과 립나가 배반하였다(왕하 8:20-22, 대하 21:8-10). ④ 엘리야 선지자의 예언대로(대하 21:12-15), 블레셋과 아라비아 사람의 침공을 받아 왕궁의 모든 재물과 그 아들들과 아내들을 탈취당하고, 말째 여호아하스만 남았으며 여호람은 창자에 능히 고치지 못할 병이 들어, 2년 만에 창자가 빠져나와 아끼는 자

인 물	내 용
—— 악한 왕	없이 죽었다(대하 21:16-20).
8대 **웃시야** עֻזִּיָּה Ὀζίας Uzziah 여호와께서는 나의 힘이시다 혹은 **아사랴** עֲזַרְיָה Ἀζαριας Azariah 여호와께서 도우셨다 —— 선했다가 악해진 왕	**통치 기간** 52년(16-68세, 주전 791-739년) (왕하 14:21, 15:1-2, 대하 26:1-3) ① 남 유다 제10대 왕(왕하 15:1-7, 대하 26:1-23), 예수 그리스도 족보 제2기 여덟 번째 인물로(마 1:8-9, 대상 3:12), 부친은 아마샤, 모친은 여골리야(혹은 여골리아, 예루살렘 사람)이며(왕하 15:1-2, 대하 26:1-3), 농사를 좋아했다(대하 26:10). ② 선한 왕으로, 여호와 보시기에 정직히 행하였다(왕하 15:3, 대하 26:4-5). 하나님의 묵시를 밝히 아는 스가랴의 사는 날에 하나님을 구하였고, 저가 여호와를 구할 동안에는 하나님께서 형통케 하셨다(대하 26:5). 그러나 웃시야는 산당을 제하지 않았다(왕하 15:4). ③ 솔로몬 이래 가장 강성하여 애굽 변방까지 이르고(대하 26:6-8) 막강한 군사력을 정비하여 나라가 견고하므로(대하 26:9-15) 그 이름이 원방에 퍼지고 강성하였는데, 그 이유는 웃시야가 여호와의 기이(奇異)한 도우심을 받았기 때문이다(대하 26:15下). ④ 말년에 강성해지자 교만하여져서(대하 26:16) 하나님의 전에 들어가 향단에 분향하려 할 때 제사장 아사랴를 비롯한 80명이 그 뒤를 따라 들어가 만류하였으나, 고집을 부리며 노를 발하였다. 그 순간 이마에 문둥병이 발하여(대하 26:16-19) 쫓겨나, 죽는 날까지 문둥병자로 별궁에 거하였다(왕하 15:5, 대하 26:20-21).
9대 **요담** יוֹתָם Ἰωαθάμ Jotham 여호와께서는 완전하시다	**통치 기간** 16년(25-40세, 주전 750-735년)(왕하 15:32-33, 대하 27:1, 8) ① 남 유다 제11대 왕(왕하 15:32-38, 대하 27:1-9), 예수 그리스도의 족보 제2기 아홉 번째 인물로(마 1:9, 대상 3:12), 부친은 웃시야, 어머니는 여루사(사독의 딸)이다(왕하 15:32-33, 대하 27:1). 부친 웃시야가 문둥병에 걸리자 요담이 왕궁을 관리하며 국민을 치리하였다(대하 26:21). ② 선한 왕으로, 부친 웃시야의 모든 행위대로 여호와 보시기에 정직히 행하였다(왕하 15:34, 대하 27:2). 여호와의 전 윗문을 건축하였으며(왕하 15:35下, 대하 27:3上), 여호와 앞에서 정도를 행하

인 물	내 용
선한 왕	므로 점점 강하여졌다(대하 27:6). ③ 군사적 방어 시설(오벨성, 유다 산중 성읍, 수풀 가운데 견고한 영채와 망대)을 건축하여 국방 강화에 심혈을 기울였다(대하 27:3-4). ④ 국방을 강화한 결과, 암몬 자손과 싸워 이기므로 통치 제3년까지 암몬으로부터 은 1백 달란트와 밀 1만 석, 보리 1만 석을 조공으로 받았다(대하 27:5).
10대 **아하스** אָחָז Ἀχάζ Ahaz 그가 붙잡았다 악한 왕	**통치 기간** 16년(24-40세, 주전 731-715년)(왕하 16:1-2, 대하 28:1) 아하스는 주전 735년, 북 이스라엘 '베가 제17년'(왕하 16:1)부터 요담과 정식으로 공동 통치하였으며, 이때 아하스의 나이는 20세였다(왕하 16:2). ① 남 유다 제12대 왕(왕하 16:1-20, 대하 28:1-27), 예수 그리스도의 족보 제2기 열 번째 인물로(마 1:9, 대상 3:13), 부친은 요담(왕하 16:1, 대하 27:9)이며 모친에 대한 언급은 없다. ② 악한 왕으로, 여호와 보시기에 정직히 행치 않고 이스라엘 열왕의 길로 행하여 바알 우상을 만들었으며(대하 28:1-2), 이방 사람의 가증한 일을 본받아 그 자녀를 불사르는 '가증한 일'을 행하였다(대하 28:3). ③ 열조의 하나님을 버렸을 때 아람 왕 르신의 공격으로 심히 많은 무리가 포로로 잡혀 가고, 북조 왕 베가의 공격을 받아 하루에 남 유다 군인 12만 명이 죽임을 당하고, 백성 20만 명이 포로로 끌려갔다가, 오뎃 선지자의 권고로 돌려보내졌다(대하 28:5-15). 또 에돔과 블레셋이 쳐들어왔을 때 아하스가 다시 의지한 앗수르는 대적의 침공을 막아 주기는커녕 도리어 군박(괴롭힘)하였다(대하 28:16-21). 아하스는 이렇게 곤고할수록 더욱 범죄하여, 다메섹 단의 식양을 따라 단을 만들어 이방 신에게 제사를 드리고, 성전 기구를 훼파하고, 성전의 문들을 닫고, 예루살렘 구석마다 단을 쌓고, 성읍 곳곳마다 산당을 세우는 등 망령(妄靈)되이 행하여 여호와의 노를 격발하였다(왕하 16:10-18, 대하 28:22-25). ④ 아람 왕 르신과 북 이스라엘 베가의 공격으로 아하스가 극심한 곤경에 처했을 때, 이사야 선지자는 "처녀가 잉태하여 아들을 낳을 것이며, 그 이름을 임마누엘이라 할 것이라"(사 7:14)라는

인 물	내 용
	소망의 징조를 보여 주며 구원의 확신을 심어 주었다. 이렇게 아하스는 악하였으나, 하나님께서는 다윗에게 하신 언약을 기억하사 훨씬 더 확실한 임마누엘의 한 징조를 보이셨다.
11대 **히스기야** חִזְקִיָּה Ἑζεκίας Hezekiah 여호와께서는 나의 힘이시다, 여호와께서는 강하시다 ——— 선한 왕	**통치 기간** 29년(25-54세, 주전 715-686년)(왕하 18:1-2, 대하 29:1) ① 남 유다 제13대 왕(왕하 18:1-20:21, 대하 29:1-32:33), 예수 그리스도의 족보 제2기 열한 번째 인물로(마 1:9-10, 대상 3:13), 부친은 아하스, 모친은 스가리야(스가랴)의 딸 아비(아비야)이다(왕하 18:1-2, 대하 29:1). ② 유다 왕 중에 유례없이 선한 왕으로(왕하 18:5), 다윗의 모든 길로 행하고 여호와 보시기에 정직히 행하였다(왕하 18:3, 대하 29:2). 모세 때의 놋뱀을 부수고 느후스단이라 불렀으며, 산당을 제하였다(왕하 18:4). 성전을 정결케 하였고(대하 29:3-11), 전 이스라엘이 성대한 유월절을 치르니 예루살렘에 솔로몬 때로부터 없던 큰 희락이 있었다(대하 30:1-27). ③ 히스기야는 병들어 죽게 되었다가 15년 생명을 연장 받았으나(사 38:1-8, 왕하 20:1-11), 마음이 교만하여 여호와께 받은 은혜를 보답하지 않다가, 바벨론 왕 부로닥발라단이 보낸 사자에게 내탕고를 열어 보여 주었다. 그것은 마치 풍부한 국가 재산이 자신의 능력과 노력의 산물인 것처럼 과시한 것으로, 이로써 장차 남 유다가 바벨론에 의해 패망하리라는 징벌을 선고받게 된다(왕하 20:12-18, 대하 32:24-25). 그러나 히스기야가 마음의 교만함을 뉘우치자 히스기야 생전에는 여호와의 노가 임하지 않았다(왕하 20:19, 대하 32:26). ④ 북 이스라엘이 주전 722년 앗수르 왕 살만에셀에 의해 완전히 함락된 후, 앗수르 왕 산헤립은 남 유다까지도 무너뜨리기 위해 침공해 왔다(왕하 18:13-37, 대하 32:1-19). 이때 히스기야 왕은 비방으로 가득한 적의 편지를 여호와의 전에 펴 놓고 하나님께 기도하였으며(왕하 19:14-19, 사 37:14-20), 이사야 선지자도 더불어 기도하였다(대하 32:20). 두 사람이 합심하여 기도한 결과, 여호와의 사자가 앗수르 군사 185,000명을 하루아침에 송장으로 만듦으로써 기적적인 대승을 거두었다(왕하 19:35, 대하 32:21-22, 사 37:36).

인 물	내 용
12대 **므낫세** מְנַשֶּׁה Μανασσῆς Manasseh 잊어버림, 잊어버리게 하셨다 ——— 극악한 왕 (말년에 회개)	**통치 기간** 55년(12-66세, 주전 696-642년)(왕하 21:1, 대하 33:1) ① 남 유다 제14대 왕(왕하 21:1-18, 대하 33:1-20), 예수 그리스도의 족보 제2기 열두 번째 인물로(마 1:10, 대상 3:13), 부친은 히스기야, 모친은 헵시바이다(왕하 21:1). ② 극악한 왕으로, 선한 히스기야의 일을 본받지 않고 이방 사람의 가증한 일을 본받아, 그 부친 히스기야가 헐어 버린 산당을 다시 세우고 우상을 숭배하며, 심지어 여호와의 거룩한 전 두 마당에 우상의 단들을 세우는 등 악을 많이 행하여 하나님의 진노를 격발하였고(왕하 21:2-9, 대하 33:2-9), 무죄한 자의 피를 많이 흘려 예루살렘에 가득하게 하였다(왕하 21:16, 24:4). ③ 므낫세의 극에 달한 악행은 남 유다 패망의 결정적 원인이 되었다(왕하 23:26, 24:2-4, 렘 15:4). 므낫세가 '격노케 한 그 모든 격노'를 인하여 여호와께서는 '그 크게 타오르는 진노'를 돌이키지 아니하셨다(왕하 23:26). ④ 므낫세는 통치 말년에(앗수르의 비문에 따르면 주전 648년) 쇠사슬로 결박당하여 바벨론으로 끌려가 비참한 지경에 이르렀으나, 크게 겸비하여 회개함으로 다시 왕위가 회복되었으며 그제야 여호와께서 하나님이신 줄을 알았다(대하 33:10-13). 므낫세는 비록 악질적인 왕이었으나, 회개하고 이방 신들과 성전의 우상을 제거하고 예루살렘의 단들을 모두 깨뜨렸다(대하 33:14-17). 철저한 회개의 결과, 메시아의 거룩한 계보를 잇는 언약의 족보에 기록되었다(마 1:10).
13대 **아몬** אָמוֹן Ἀμώς Amon 믿을 수 있는, 성실한, 숙련된	**통치 기간** 2년(22-24세, 주전 642-640년)(왕하 21:19, 대하 33:21) ① 남 유다 제15대 왕(왕하 21:19-26, 대하 33:21-25), 예수 그리스도의 족보 제2기 열세 번째 인물로(마 1:10, 대상 3:14), 부친은 므낫세, 모친은 므술레멧(욧바 하루스의 딸)이다(왕하 21:19). ② 악한 왕으로, 부친 므낫세의 행함같이 여호와 보시기에 악을 행하되 열조의 하나님을 버렸으며(왕하 21:20-22), 부친 므낫세가 만든 우상에게 제사하는 등(대하 33:22), 여호와 앞에 스스로 겸비치 않고 더욱 범죄하였다(대하 33:23). ③ 신복들의 반역으로 궁중에서 비참하게 죽었다(왕하 21:23, 대하

인 물	내 용
악한 왕	33:24). 국민들은 아몬왕을 반역한 사람들을 다 죽이고 그의 아들 요시야를 왕으로 세웠다(왕하 21:24, 대하 33:25).
14대 **요시야** יֹאשִׁיָּה Ἰωσίας Josiah 여호와께서 받쳐 주신다, 여호와께서 격려하신다 선한 왕	**통치 기간** 31년(8-39세, 주전 640-609[b]년)(왕하 22:1, 대하 34:1) ① 남 유다 제16대 왕(왕하 22:1-23:30, 대하 34:1-35:27), 예수 그리스도의 족보 제2기 열네 번째 인물로(마 1:10-11, 대상 3:14), 부친은 아몬, 모친은 여디다(보스갓 아다야의 딸)이다(왕하 22:1). ② 매우 선한 왕으로, 어려서부터 다윗의 하나님을 구하고(대하 34:3), 여호와 보시기에 정직히 행하여 그 조상 다윗의 모든 길로 행하고 좌우로 치우치지 아니하였다(왕하 22:2, 대하 34:2). '좌우로 치우치지 말라'라는 내용은, 모세가 왕들의 바른 품행에 대해 권고한 내용 중 하나로(신 17:18-20), 이것을 지켜 칭찬받은 왕은 요시야가 유일무이하다. 그는 '모세의 모든 율법을 온전히 준행한' 왕으로도 전무후무하다(왕하 23:25). ③ 8세에 왕위에 올라, 16세에 비로소 여호와를 찾기 시작했고(대하 34:3), 20세(즉위 12년)에 예루살렘에 있는 우상들을 훼파하였으며(대하 34:3-4), 26세(즉위 18년)에 성전을 수리하기 시작하여(왕하 22:3-6, 대하 34:8), 대제사장 힐기야가 발견한 율법책(왕하 22:8)에 입각한 종교개혁을 단행하고(왕하 23:1-20), 대대적인 유월절을 지켰다(왕하 23:21-23, 대하 35:1-19). 종교개혁을 단행하면서 약 300년 전 무명 선지자의 예언대로(왕상 13:2), 여로보암이 세운 벧엘의 단과 산당을 불사르고 빻아 가루로 만들었다(왕하 23:15-16). ④ 요시야는 애굽 왕 느고(바로느고)와의 전투에서 전사하였다(왕하 23:29-30, 대하 35:20-25). 성경은 그 이유를 "하나님의 입에서 나온 느고의 말을 듣지 아니하고"(대하 35:22)라고 말씀하고 있다. 요시야는 기울어져 가는 남 유다 왕국의 마지막 등불과 같은 존재였으므로 요시야의 죽음에 대한 백성들의 애통이 컸다(참고-슥 12:11). 예레미야 선지자는 그를 위하여 애가를 지었다(대하 35:25). 요시야의 죽음 이후 남 유다의 국운은 갑자기 쇠약해지고 멸망으로 내달았다.

*각 왕들의 통치 햇수는 이해도움 1, 2 <열왕들의 통치 연대기>를 참고 바람.

David / Δαβίδ / דָּוִד
사랑받는 자, 친구 / beloved, friend

- 통일왕국의 제2대 왕(삼하 2:4, 5:3)
- 예수 그리스도의 족보 제2기 첫 번째 왕

마태복음 1:6 "**이새**는 **다윗 왕**을 낳으니라 **다윗**은 우리야의 아내에게서 **솔로몬**을 낳고..."

통일왕국

사울	다윗(40년 통치)	솔로몬
1050 – 1010	1010 – 970	970 – 930

배경
- 부: 이새
- 모: 하나님을 섬기는 경건한 부인(시 86:16, 116:16)
- 아들: 솔로몬(마 1:6, 눅 3:32, 룻 4:17) 외 19명[10)]

평가 - 매우 선한 왕(왕상 9:4, 14:8, 15:5)
다윗은 헷 사람 우리아의 일 외에는 평생에 여호와 보시기에 정직히 행하고 자기에게 명하신 모든 일을 어기지 아니하였다(왕상 15:5). 다윗은 하나님의 명령을 지켜 전심으로 좇으며 하나님 보시기에 정직한 일만 행하였다(왕상 14:8). 다윗은 마음을 온전히 하고 바르게 하여 하나님 앞에서 행하며 하나님께서 명하신 대로 온갖 것을 순종하며 하나님의 법도와 율례를 지켰다(왕상 9:4).

특징
다윗은 40년(주전 1010-970년) 동안 통치했는데(삼하 5:4-5, 왕상 2:11, 대상 3:4), 헤브론에서 7년 6개월 통치하면서 여섯 명의 아들을 낳았고(삼하 3:2-5, 대상 3:1-4), 예루살렘에서 약 33년 통치하면서 열세 명의 아들을 낳았다(삼하 5:13-16, 대상 3:4-9, 14:3-7). 이 외에도 '여리못'이라는 아들이 있었다(대하 11:18).[11)]

다윗은 히브리어로 '다비드'(דָּוִד), 헬라어로 '다비드'(Δαβίδ)입니다. '다비드'(דָּוִד)는 '사랑스러운 자, 사랑하는 사람, 친구, 연인'이라는 뜻으로 히브리어 '도드'(דּוֹד)와 연관이 있는데, 이것은 '끓어오르다, 사랑하다'라는 뜻을 가지고 있습니다. 다윗은 예수 그리스도의 족보 첫 번째 14대를 마무리하면서 두 번째 14대를 시작하는 인물입니다. 예수 그리스도의 두 번째 14대는 "다윗은 우리야의 아내에게서 솔로몬을 낳고"로 시작되고 있습니다(마 1:6).

1. 다윗은 우리야의 아내를 통하여 솔로몬을 낳았습니다.

David became the father of Solomon by Bathsheba who had been Uriah's wife.

마태복음 1:6에서 "다윗은 우리야의 아내에게서 솔로몬을 낳고"라고 말씀하고 있습니다. 여기에서 성경은 '다윗은 밧세바에게서'라는 표현 대신에 "다윗은 우리야의 아내에게서"라는 표현을 사용하고 있습니다. 그 이유는 무엇일까요?

첫째, 밧세바보다는 우리야의 충성이 예수님의 족보에 올라갈 정도로 인정받았음을 강조한 것입니다.

다윗은 밧세바와 간음한 후에 그녀의 남편 우리야를 전쟁터에서 부르고 밧세바와 동침하도록 유도하였습니다. 그러나 우리야는 전쟁터에서 싸우고 있는 동료들과 부하들을 생각하여 자기 집에 들어가지 않아 밧세바와 동침하지 않았습니다(삼하 11:9-13). 율법에서도 전쟁 중에는 모든 악한 일을 스스로 삼가라고 말씀하고 있습니다(신 23:9). 이에 다윗은 우리야를 매우 위험한 전쟁터로 내몰아 죽게 만들었으며, 우리야는 나라를 위해 싸우다 장렬하게 전사하였습니다(삼하 11:14-17).

둘째, 다윗의 범죄를 강조한 것입니다.

나라가 암몬과 치열한 전쟁 중일 때 다윗은 부하의 아내를 취하여 간통(동침)하고, 그 부하를 전쟁이 맹렬한 최전선에 보내어 의도적으로 살해한 사악한 왕이었습니다(삼하 11:17, 24). 그러나 우리야는 그런 왕을 위해서도 충성한 의로운 부하였습니다. 이렇게 예수 그리스도의 족보에서는 우리야의 의로움과 다윗의 범죄를 대조하여 강조하고 있습니다.

셋째, 하나님의 용서와 은혜를 강조한 것입니다.

다윗은 비록 죄를 지었지만, 나단 선지자를 통해서 책망을 받고 눈물로 침상을 띄울 정도로 회개했습니다(시 6:6, 51:1-2, 9-14). 그러나 다윗과 밧세바 사이에서 태어난 첫아들은 죽었습니다. 다윗은 이 아들을 위해서 7일 동안 금식하며 간구하였습니다(삼하 12:15-23).

이렇게 다윗이 자기 죄를 통분히 여겨 회개했을 때 하나님께서는 용서해 주시고, 나중에 낳은 아들 솔로몬을 통하여 예수 그리스도가 오시는 축복의 통로를 열어 주셨습니다. 실로, "죄가 더한 곳에 은혜가 더욱 넘쳤나니"(롬 5:20)라는 말씀을 생각나게 합니다.

2. 다윗은 하나님의 사랑을 많이 받은 사람입니다.

David was greatly loved by God.

다윗은 '사랑 받는 자'라는 그 이름의 뜻처럼 일생 동안 하나님의 사랑을 많이 받은 사람입니다. 하나님께서는 양을 치는 목동에 불과한 다윗을 나라의 왕으로 기름 부으셨으며(삼상 16:11-13), 다윗이 자기를 죽이려는 사울에게 10년 이상 쫓기며 방랑할 때도 끝까지 보호하시고 지켜 주셨습니다. 하나님께서는 다윗을 사랑하셔서 언약을 체결하시고, 그와 그의 자손을 통하여 성전을 건축할 것이며, 나라의 위를 영원히 견고하게 해 주시겠다고 약속하셨습니다(삼하 7:12-16).

하나님께서는, 다윗이 밧세바와 간음하고 그것을 은폐하기 위해 우리아를 죽였지만 그가 철저히 회개할 때 용서해 주셨습니다(삼하 12:13). 또 다윗이 압살롬에게 쫓기어 맨발로 울면서 예루살렘을 떠났을 때도, 다시 왕위를 회복하도록 축복해 주셨습니다. 다윗이 말년에 인구조사를 하여 자기를 과시하는 교만을 드러냈을 때에도, 다윗이 아라우나의 타작마당에서 단을 쌓고 번제와 화목제를 드리자 재앙을 그치게 해 주셨습니다(삼하 24:25). 실로, 다윗은 평생 하나님의 한량없는 용서와 사랑을 뜨겁게 체험한 자였습니다.

다윗이 험난한 인생 가운데 하나님의 크신 사랑을 끊임없이 받은 이유는, 다윗이 자신의 죄를 진실로 뉘우치며 통회자복한 결과입니다(시 6:6, 51:9-14). 참된 회개는 죄를 멀리 떠나 선을 가까이 추구하는 것이요, 자기 중심에서 하나님 중심, 말씀 중심으로 180도의 방향 전환을 의미합니다. 진정한 회개는 지(知)적으로 죄를 바로 깨닫고, 감정으로 슬피 통회하며, 의지적으로 끊어 버리는 것입니다. 뿐만 아니라, 한 걸음 더 나아가 하나님을 사랑하고 선을 추구하는 것입니다. 우리가 이 땅에 살아가면서 어려운 난관에 직면하는 것은 내 속에 숨겨진 은밀한 죄악을 해결하지 못한 결과입니다(욥 4:7).

우리도 다윗처럼 죄를 인하여 탄식하며 통회의 눈물을 흘리며 진심으로 회개해야 합니다. 이렇게 회개할 때, 하나님께서 변함없는 사랑으로 찾아오셔서 본래의 지위를 회복시켜 주실 뿐 아니라, 이전보다 더 나은 생애가 되도록 축복해 주실 것입니다(시 34:18, 51:17).

Solomon / Σολομών / שְׁלֹמֹה
평화로운 / peaceful

- 통일왕국의 제3대 왕(왕상 1:38-11:43, 대상 29:20-대하 9:31)
- 예수 그리스도의 족보 제2기 두 번째 인물

마태복음 1:6 "... **다윗**은 우리야의 아내에게서 **솔로몬**을 낳고..."

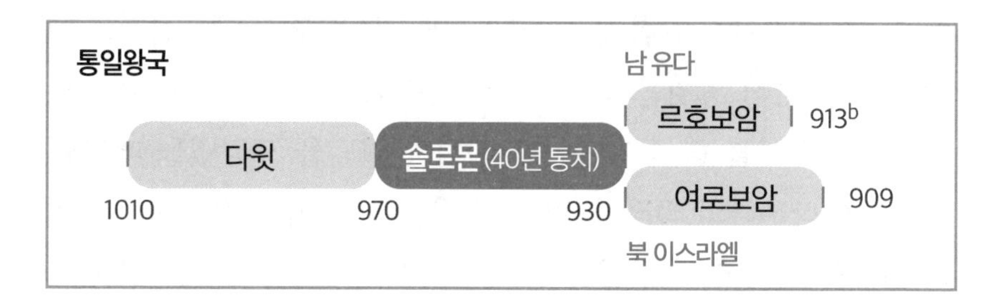

배경
- 부: 다윗(유다 지파)
- 모: 암미엘(엘리암)의 딸 밧수아(밧세바)(삼하 11:3, 12:24, 대상 3:5)

통치 기간
- 40년 통치하였다(주전 970-930년, 왕상 11:42, 대하 9:30).
- 솔로몬이 죽은 후에 여로보암이 열 지파를 중심으로 북 이스라엘을 세우므로, 나라가 남 유다와 북 이스라엘로 분열되었다.

평가 - 대체로 선한 왕(왕상 3:3, 6, 11:4-8, 대하 8:14)
솔로몬은 통치 후반기에 이방에서 얻은 왕비들이 다른 신들을 좇게 함으로, 솔로몬 왕의 마음이 그 부친 다윗의 마음과 같지 아니하여 하나님 앞에 온전치 못했다(왕상 11:4-8).

활동 선지자 - 아히야
솔로몬 말년에 여로보암에게 북 왕국(10지파)의 왕이 될 것을 예언하였다(왕상 11:29-40).

사료(史料) - 솔로몬의 행장(왕상 11:41)

솔로몬은 히브리어로 '쉘로모'(שְׁלֹמֹה)이며, '평화로운'이라는 뜻입니다. '쉘로모'라는 '평안, 평화, 평온, 행복, 번영'이라는 뜻의 '샬롬'(שָׁלוֹם)에서 유래되었습니다. 이 이름은 '평강의 사람'이라는 뜻이며, 솔로몬이 태어나기 전에 하나님께서 미리 지어 주신 이름입니다(대상 22:9上). 솔로몬의 시대는 그의 이름대로 이스라엘의 역사상 가장 평화로운 시대였으며, 이것은 일전에 하나님께서 하신 말씀대로 이루어진 것입니다(대상 22:9下).

밧세바가 솔로몬을 낳았을 때 하나님께서는 나단 선지자를 보내어 그 이름을 '여디디야'(יְדִידְיָה)라고 직접 지어 주셨습니다. 이것은 '여호와의 가장 사랑하는'이란 뜻으로(삼하 12:24-25), 하나님께서 솔로몬을 지극히 사랑하셨다는 사실과 또한 이미 그를 다윗의 후계자로 생각하고 계셨음을 나타냅니다. 실제로 솔로몬은 다윗과 밧세바 사이에서 태어난 시므아, 소밥, 나단 다음의 네 번째 아들입니다(대상 3:5). 그럼에도 불구하고 사무엘하 12:24에는 밧세바가 낳은 첫아들이 죽은 직후 솔로몬이 태어난 것처럼 기록되어 있는데, 그것은 솔로몬이 다윗의 후계자로서 다윗 언약을 계승할 아들임을 암시한 것입니다(삼하 12:15, 24-25). 한편 즉위할 때 솔로몬은 자기 자신을 '작은 아이'라고 했는데(왕상 3:7), 이때 솔로몬의 나이는 대체로 20세로 추정합니다. 솔로몬이 40년 통치한(왕상 11:42) 후에 그의 아들 르호보암이 즉위할 때 41세였던 것을 보아(왕상 14:21), 솔로몬은 왕위에 오를 때 이미 자식을 낳을 정도의 장성한 사람이었음을 알 수 있습니다.

1. 솔로몬은 다윗 사후에 나라를 견고하게 하였습니다.

Solomon firmly established the kingdom after David's death.

열왕기상 2:12에서 "솔로몬이 그 아비 다윗의 위에 앉으니 그 나라가 심히 견고하니라"라고 말씀하고 있습니다(대하 1:1). 여기 '견고하니라'는 '세우다, 안정되다, 확립되다'라는 뜻의 히브리어 '쿤'(כּוּן)의 수동형 계속법으로서, 솔로몬이 왕이 되자마자 하나님께서 왕권을 안정되게 해 주셨다는 의미입니다. 이것은 다윗 언약에 근거한 것입니다. 하나님께서는 사무엘하 7:12에서 "내가 네 몸에서 날 자식을 네 뒤에 세워 그 나라를 견고케 하리라"라고 약속하셨고, 그 약속대로 솔로몬의 왕위를 견고하게 해 주셨던 것입니다.

솔로몬은 왕권을 견고하게 하기 위해 몇 가지 조치를 취하였습니다.

첫째, 아도니야를 죽였습니다.

아도니야는 다윗이 헤브론에서 낳은 네 번째 아들로 학깃의 소생이었습니다(삼하 3:4). 그런데 솔로몬은 왕이 되자마자 자신의 형인 아도니야를 죽였습니다(왕상 2:25). 그 이유는 아도니야가 다윗의 뒤를 이어 왕이 되려고 모반했을 때 솔로몬이 살려 주었음에도 불구하고, 다윗을 수종 들었던 아비삭을 자신의 아내로 달라고 요구하였기 때문입니다(왕상 2:13-21). 아도니야가 다윗이 나이 많아 늙었을 때 얻은 동녀 아비삭을 요구한 것은 왕위를 차지하려는 숨은 의도를 보인 것입니다(왕상 1:1-4). 그러므로 아도니야가 끝내 죽임을 당한 것은, 왕이 되려는 뜻을 끝까지 포기하지 않고 하나님의 뜻에 도전하였기 때문입니다.

솔로몬은 아도니야가 왕이 되려고 모반했을 때 "저가 만일 선한 사람이 될진대 그 머리카락 하나라도 땅에 떨어지지 아니하려니와 저의 가운데 악한 것이 보이면 죽으리라"하여, 정권에 대한 욕심을 버리라는 조건을 제시하면서 관대함을 베풀어 목숨을 살려 주었습니다(왕상 1:51-53). 그런데 아도니야가 또다시 정권에 욕심을 부려 아비삭을 요구하는 악한 일을 행하자, 그 즉시 여호야다의 아들 브나야를 보내어 그를 쳐죽였습니다(왕상 2:25). 이처럼 하나님의 뜻을 거스르는 자는 멸망에 이를 수밖에 없습니다(시 107:10-11).

둘째, 제사장 아비아달을 추방하였습니다.

아도니야가 왕이 되려고 모반을 시도했을 때 제사장 아비아달도 그 일에 가담했습니다(왕상 1:7). 그러나 아비아달이 과거 하나님의 언약궤를 메어 오는 일에 동참했고(대상 15:11-15), 다윗이 환란 받을 때에 충성하였으며(삼하 15:24), 더구나 그는 하나님께서 기름 부어 세우신 제사장이었기 때문에 죽이지 않고 아나돗으로 추방하였습니다(왕상 2:26-27).

이 일은 하나님의 말씀대로 이루어진 것입니다. 전에 하나님께서는 엘리 제사장 가문을 멸망시키겠다고 선언하셨었는데(삼상 2:27-36), 쫓겨난 아비아달이 바로 엘리 제사장의 후손이었습니다(왕상 2:27, 참고-대상 24:3-6).

또한 이것은 엘르아살 계열에게 영원한 제사장직을 주시겠다는 하나님의 말씀이 성취된 것입니다. 가나안 입성을 앞두고 모압 평지에서 엘르아살의 아들 비느하스가 간음하는 남녀(시므리, 고스비)의 배를 창으로 꿰뚫었을 때, 하나님께서는 "내가 그에게 나의 평화의 언약을 주리니 그와 그 후손에게 영원한 제사장 직분의 언약이라"라고 선언하셨습니다(민 25:6-13).

이러한 하나님의 선언에도 불구하고, 다윗 시대에는 아론의 셋째 아들인 엘르아살의 자손 사독과 아론의 넷째 아들인 이다말의 자손 아히멜렉이 같이 대제사장직을 수행하고 있었습니다(대상 24:1-3). 그런데 솔로몬 왕이 아히멜렉의 아들 아비아달의 제사장직을 박탈하자, 이때부터 엘르아살 자손들만이 대제사장직을 수행하게 되었습니다. 그러나 엘르아살의 자손 사독 가문에 의해 수행되었던 대제사장직도 주전 171년 안티오쿠스 에피파네스의 압제로 중단되었습니다.

그러므로 엘르아살 계열의 대제사장직이 영원할 것이라는 하나님의 말씀(민 25:13)은, 예수 그리스도께서 인류의 속죄를 담당하실 영원한 대제사장이심을 예표한 것이라 할 수 있습니다(히 6:20).

아비아달은 다윗이 도피 생활을 시작할 때 다윗을 도와준 제사장 아히멜렉의 아들로, 사울이 아히멜렉을 비롯한 제사장 85명을 죽일 때 가까스로 도망쳐 다윗에게 왔던 자입니다(삼상 22:20). 이후 아비아달은 다윗이 왕이 된 다음에 사독과 함께 대제사장 직무를 수행하였으며(삼하 15:24, 대상 15:11), 압살롬의 반란 때에도 예루살렘에 머물면서 다윗을 돕고 그와 동고동락하였습니다(삼하 15:35-36). 그런데 마지막에 다윗의 뜻과 상관없이 아도니야를 왕으로 세우는 반역에 가담하여 대제사장직을 박탈당하는 비참한 최후를 맞이하였습니다. 한순간의 잘못된 선택으로 일평생 쌓아 왔던 훌륭한 업적과 명성을 하루 아침에 잃어버린 아비아달의 말년은 너무도 안타까운 모습이 아닐 수 없습니다.

셋째, 요압과 시므이를 죽였습니다.

아도니야를 왕으로 세우려 했던 요압은, 아비아달이 대제사장직에서 파면되었다는 소식을 듣고 여호와의 장막으로 도망하여 단 뿔을 잡았습니다(왕상 2:28). 요압은 일전에 아도니야가 제단 뿔을 잡고 목숨을 부지한 사실을 기억하였던 것입니다(왕상 1:50-53). 그러나 솔로몬은 비록 여호와의 성전 안이라 할지라도 요압을 죽이라고 브나야에게 명령하였습니다(왕상 2:34). 이것은 고의로 살인한 자는 하나님의 단에서라도 잡아 내어 죽이라는 말씀에 입각한 것이며(출 21:12-14, 참고-신 19:11-13), 다윗의 유언(왕상 2:5-6)을 솔로몬이 순종한 것입니다.

또한 시므이는 일찍이 다윗이 압살롬의 반란을 피해 도망갈 때에 다윗과 신하들에게 돌을 던지며 저주한 자입니다(삼하 16:5-8). 그러나 그는 압살롬의 반역이 실패하자 요단강을 건너려는 다윗 앞에 나아와 용서를 빌었던 기회주의자였습니다(삼하 19:16-23). 기드론 시내만 건너면 시므이의 고향인 바후림이었으므로(왕상 2:8), 솔로몬은 시므이의 행동을 제약할 목적으로 예루살렘에서 벗어나지 못하게 하였고, 만약 벗어나면 죽임을 당할 것이라고 경고했습니다(왕상 2:36-38). 그런데 3년 후에 시므이는 솔로몬과의 약속을 어기고, 가드 왕 마아가의 아들 아기스에게로 도망간 자신의 두 종을 찾기 위해 예루살렘을 떠나 가드까지 갔습니다. 시므이가 예루살렘을 떠나지 말라는 명령에 불순종하자 솔로몬은 시므이를 즉각 처단하였습니다(왕상 2:39-46). 시므이의 처벌은 사실상 다윗의 유언대로 이루어진 것이며(왕상 2:8-9), 대역부도(大逆不道)의 죄인이 목숨을 부지하게 된 감사를 쉬이 잊어버리고 솔로몬의 명령을 경홀히 여긴 까닭이었습니다.

이렇게 주된 악인들을 제거한 후에 나라가 견고하여 솔로몬 왕국은 날로 번영해 갔습니다(왕상 2:46). 다윗의 유언을 받들어 하나님의 뜻에 거침이 되는 인물들을 제거함으로 솔로몬은 이스라엘 나라를 견고하게 한 것입니다. 언제나 하나님의 뜻이 견고하게 세워지고 형통하려면 우선적으로 하나님께서 기뻐하지 않는 악이 제거되어야 합니다(대하 7:14, 잠 25:5, 렘 4:14, 26:3, 겔 18:27, 33:19, 약 1:21).

솔로몬은 대적들을 제거하고 정치가 안정되자, 애굽과 외교를 수립하고 그 친선의 증표로 바로의 딸을 아내로 맞이하였습니다(왕상 3:1). 후에 솔로몬은 이 바로의 딸을 위하여 따로 궁을 건축하기도 하였습니다(왕상 9:24, 대하 8:11). 솔로몬은 정략 결혼을 통하여 애굽과의 충돌을 피하고 무역으로 막대한 부를 축적한 것입니다(왕상 10:28-29). 그러나 이것은 정치 역학상 필요한 선택이었을지 몰라도, 신성한 결혼을 정치적 수단으로 사용한 바람직하지 못한 일이며, 하나님의 말씀에도 어긋나는 일이었습니다(신 7:3-4, 17:17).

2. 솔로몬은 나라를 지혜로 다스려 최강국으로 만들었습니다.

Solomon established the most powerful kingdom by ruling with wisdom.

솔로몬은 이스라엘 역사상 최대의 강대국을 만들었습니다.

첫째, 솔로몬은 전국을 12행정 구역으로 나누었습니다.

열왕기상 4:7에 "솔로몬이 또 온 이스라엘 위에 열두 관장을 두매 그 사람들이 왕과 왕실을 위하여 식물을 예비하되 각기 1년에 1달씩 식물을 예비하였으니"라고 기록하고 있습니다. 솔로몬의 열두 행정 구역에는 관리장 아사리아(왕상 4:5)를 관리장으로 세우고, 열두 관장을 다스리도록 했습니다(왕상 4:8-19). 솔로몬은 12행정 구역을 12지파의 경계에 제한을 받지 않고 지역적 형편에 따라 배치하였고, 특히 세금을 매달 각 지역에서 얼마씩 각출한 것이 아니라 한 행정 구역에서 한 달씩 왕실에서 필요한 물자를 공급하도록 하였습니다.

솔로몬의 12행정 구역과 책임자(관장)
(왕상 4:1–19)
Solomon's 12 administrative districts and their governors (deputies)
(1 Kgs 4:1-19)
열왕기상 4:7 "솔로몬이 또 온 이스라엘 위에 열 두 관장을 두매 그 사람들이 왕과 왕실을 위하여 식물을 예비하되 각기 일 년에 한 달씩 식물을 예비하였으니"
대해(지중해)
THE GREAT SEA
(MEDITERRANEAN SEA)
두로 Tyre
베니게 PHOENICIA
단 Dan
아람 ARAM
게데스 Kedesh
훌레 호수 LAKE HULEH
하솔 Hazor
9 후새의 아들 바아나
(아셀, 아롯 지역)
Baana the son of Hushai
왕상 4:16
8 아히마아스(솔로몬의 사위)
(납달리 지역)
Ahimaaz
왕상 4:15
악고 Acco
갈릴리 바다 SEA OF GALILEE
한나돈 Hannathon
아스다롯 Ashtaroth
10 바루아의 아들 여호사밧
(잇사갈 지역)
Jehoshaphat the son of Paruah
왕상 4:17
아르묵 강 Yarmuk River
4 벤아비나답
(솔로몬의 사위)
(돌 높은 땅 온 지방)
Ben-abinadab
왕상 4:11
욕느암 Jokneam
길르앗 라못 Ramoth-gilead
다아낙 Taanach
이스라엘 Israel
6 벤게벨
(길르앗 라못의 야일의 모든 촌과 바산 아르곱 땅)
Ben-geber
왕상 4:13
5 아힐룻의 아들 바아나
(다아낙, 므깃도, 벧스안 온 땅)
Baana the son of Ahilud
왕상 4:12
벧산 Beth-shan
헤벨 Hepher
3 벤헤셋
(아룹봇의 소고와 헤벨 온 땅)
Ben-hesed
왕상 4:10
요단 강 Jordan River
1 벤훌
(에브라임 산지)
Ben-hur
왕상 4:8
세겜 Shechem
마하나임 Mahanaim
7 잇도의 아들 아히나답
(마하나임 지역)
Ahinadab the son of Iddo
왕상 4:14
아벡 Aphek
아담 Adam
블레셋 PHILISTIA
2 벤데겔
(마가스, 사알빔, 벧세메스, 엘론벧하난 지역)
Ben-deker
왕상 4:9
벧엘 Bethel
여리고 Jericho
랍바 Rabbah
암몬 AMMON
11 엘라의 아들 시므이
(베냐민 지역)
Shimei the son of Ela
왕상 4:18
아스돗 Ashdod
예루살렘 Jerusalem
헤스본 Heshbon
12 우리의 아들 게벨
(시혼과 옥의 나라 길르앗 땅)
Geber the son of Uri
왕상 4:19
가드 Gath
유다 JUDAH
헤브론 Hebron
유다 지파는 12행정 구역에 포함시키지 않고 왕실 직속으로 삼았다(왕상 4:1–6).
The tribe of Judah was not included as one of the twelve administrative districts. It was under the direct control of the king's palace (1 Kgs 4:1-6).
사해 DEAD SEA
디본 Dibon
모압 MOAB
N

둘째, 솔로몬 시대에 최대의 영토를 확보하였습니다.

영토는 '유브라데강에서부터 블레셋 땅과 애굽 지경에 이르기까지의 열왕들을 관할하는 큰 지역'(대하 9:26, 왕상 4:21)이었습니다. 이 지역의 모든 나라를 다스리므로 그 나라들이 조공을 바치며 솔로몬을 섬겼습니다.

솔로몬이 최대의 영토를 확보한 배경에는 막강한 군사력이 있었습니다. 솔로몬은 마병이 일만 이천이요, 병거가 일천 사백이요, 외양간이 사천이었습니다(왕상 4:26, 10:26, 대하 9:25).[12] 그러나 이것은 "왕 된 자는 말을 많이 두지 말 것이요 말을 많이 얻으려고 그 백성을 애굽으로 돌아가게 말 것이니"라는 말씀을 어긴 것으로(신 17:16), 엄청난 부귀영화 속에서도 다가올 솔로몬 왕국의 몰락을 암시하고 있습니다.

셋째, 솔로몬 시대에 최대의 부를 누렸습니다.

열왕기상 4:20에서는 "유다와 이스라엘의 인구가 바닷가의 모래같이 많게 되매 먹고 마시며 즐거워하였으며"라고 말씀하고 있습니다. 솔로몬의 1일분 식물은 "가는 밀가루가 삼십 석이요 굵은 밀가루가 육십 석이요 [23]살찐 소가 열이요 초장의 소가 스물이요 양이 일백이며 그 외에 수사슴과 노루와 암사슴과 살찐 새들이었더라"라고 말씀하고 있습니다(왕상 4:22-23).

'석'은 히브리어 '코르'(כֹּר)로, 한 호멜(10에바, 약 230kg)에 해당됩니다. 그러므로 밀가루 총 90석(가는 밀가루 30석, 굵은 밀가루 60석)은 약 20,700kg으로서 14,000명을 먹일 수 있는 양이며, 또한 고기의 양도 14,000명이 각각 한 근 이상씩 먹을 수 있는 엄청난 양이었습니다. 이것만 보아도 솔로몬 왕궁이 얼마나 크게 번영하였는지, 그리고 당시 솔로몬 왕국의 규모가 얼마나 컸는지를 알 수 있습니다. 역대하 1:15에서는 "왕이 예루살렘에서 은금을 돌같이 흔하게 하고 백향목을 평지의 뽕나무같이 많게 하였더라"라고 말씀하고 있습니다.

솔로몬의 세입금의 중수는 금 666달란트였습니다(왕상 10:14). 이것은 솔로몬이 일 년 동안 세금으로 거두어 들인 금의 양을 나타냅니다. 금 1달란트의 무게는 34kg으로, 금 666달란트는 22,644kg에 해당하는 엄청난 금액이었습니다.

또한 솔로몬이 앉았던 왕의 보좌는 솔로몬 시대의 부유함을 상징하는 것이었습니다. 솔로몬은 상아로 큰 보좌를 만들고 정금으로 입혔습니다(왕상 10:18). 그 보좌에는 여섯 층계가 있고 보좌 뒤에 둥근 머리가 있고, 앉는 자리 양편에는 팔걸이가 있고 팔걸이 곁에는 사자가 하나씩 섰으며, 또 열두 사자가 있어 그 여섯 층계 좌우편에 섰으니 아무 나라에도 이 같은 보좌는 없었습니다(왕상 10:19-20).

또한 솔로몬이 마시는 그릇은 다 금이었으며, 레바논 나무 궁의 그릇들도 다 정금이었습니다(왕상 10:21). 이와 같은 솔로몬의 부는 역대하 1:12에서 "내가 네게 지혜와 지식을 주고 부와 재물과 존영도 주리니 너의 전의 왕들이 이 같음이 없었거니와 너의 후에도 이 같음이 없으리라"라고 축복하신 말씀 그대로 성취된 것입니다.

넷째, 솔로몬 시대에 최대의 안정(평강)을 누렸습니다.

열왕기상 4:25에서는 "솔로몬의 사는 동안에 유다와 이스라엘이 단에서부터 브엘세바에 이르기까지 각기 포도나무 아래와 무화과나무 아래서 안연히 살았더라"라고 말씀하고 있습니다. 여기 '안연히'라는 히브리어 '베타흐'(בֶּטַח)로, '안전하게, 염려 없이, 안심하고'라는 뜻입니다. 또 '무화과나무 아래'란 무화과나무 그늘을 염두에 둔 표현으로, 무화과나무는 많은 가지와 넓은 잎사귀로 인해 휴식하고 묵상할 만한 훌륭한 안식처로서의 그늘을 제공하였습니다(요 1:48).

그러므로 결국 "포도나무 아래와 무화과나무 아래서 안연히 살았더라"라는 말씀은, 국가의 평화와 가정의 행복을 나타내는 은유적인 표현으로서, 솔로몬 시대에 하나님께서 복을 주시므로 평화롭고 풍요로우며 이상적인 생활을 누렸음을 보여 줍니다(미 4:4).

이것은 역대상 22:9에서 다윗에게 "한 아들이 네게서 나리니 저는 평강의 사람이라 내가 저로 사면 모든 대적에게서 평강하게 하리라 그 이름을 솔로몬이라 하리니 이는 내가 저의 생전에 평안과 안정을 이스라엘에게 줄 것임이니라"라고 선포하신 하나님 말씀의 성취였습니다. 하나님께서 이스라엘에게 평강(태평)을 주신 것은, 성전 봉헌식 때 제사를 드리고 난 후 솔로몬의 입을 통하여 실제로 고백되었습니다(왕상 8:56).

그러나 얼마 가지 않아 나라가 둘로 쪼개어졌으므로, 결국 완전한 의미의 평강은 이루어지지 못했습니다(왕상 12장).

솔로몬 시대의 전무후무한 평강은 장차 평강의 왕이신 예수 그리스도(사 9:6)께서 오심으로 이루어질 완전한 평화 시대를 가리키는 것이기도 합니다(슥 3:10). 예수 그리스도의 평화 시대에는 다시는 밤이 없으며(계 21:25), 다시는 저주가 없으며(계 22:3), 다시는 사망이나 애통하는 것이나 곡하는 것이나 아픈 것이 있지 않을 것입니다(계 21:4).

다섯째, 많은 나라에서 솔로몬의 지혜를 배우기 위해 몰려왔습니다.

솔로몬의 지혜가 동양 모든 사람의 지혜와 애굽의 모든 지혜보다 뛰어났습니다(왕상 4:30). 열왕기상 4:31에서 솔로몬의 지혜는 "예스라 사람(אֶזְרָחִי) 에단과 마홀의 아들 헤만과 갈골과 다르다보다 나으므로"라고 기록되어 있습니다. 당시 지혜에 있어서 대단한 명성을 떨치며 빛을 발했던 이 네 사람은 역대상 2:6을 볼 때 유다 지파의 '세라'(זֶרַח: 떠오름, 빛남) 가문 계열에 소속되어 있습니다.[13] '에단'(אֵיתָן: 영원함, 견고함)은 므라리 자손으로(대상 6:44, 15:17), 시편 89편의 저자입니다(표제: '에스라인 에단의 마스길'). '헤만'(הֵימָן: 신실함, 충실함)은 고라 자손입니다(대상 6:33, 시 88:1). 헤만은 에단과 동일하게 찬송(신령한 노래)하는 자이면서(대상 15:16-17, 19, 25:1), "하나님의 말씀을 받드는 왕의 선견자"(대상 25:5)이며, 시편 88편의 저자입니다(표제: '에스라인 헤만의 마스길'). '갈골'(כַּלְכֹּל: 떠받침, 양육함)과 '다르다(다라)'(דַּרְדַּע : 지식의 진주, 지식의 보배) 역시 에단과 헤만에 필적(匹敵)*하는 사람들입니다. 이렇게 당대에 뛰어난 지혜자들보다 솔로몬의 지혜가 더 뛰어났습니다.

솔로몬은 하나님의 지혜를 받아 잠언 삼천과 노래 일천 다섯을 지었습니다(왕상 4:32). 안타깝게도 이 많은 잠언과 노래가 다 후대에 전해지지는 못했지만, 그 일부가 구약 잠언과 아가서에 남아 있습니다. 시편에 두 편의 시가 기록되어 있으며(시 72, 127편), 전도서

---

*짝 필(匹), 상대(맞설) 적(敵): ① 재주, 힘이 어슷비슷하여 서로 맞서는 것
② 능력, 세력 등이 엇비슷하여 서로 견줄 만함
③ 맞상대, 상대가 될 만한 적수

전체는 솔로몬이 지은 것입니다. 나아가, 솔로몬은 동물과 식물에 대해서도 해박한 지식으로 조예(造詣)가 깊었으며(왕상 4:33), 이러한 솔로몬의 지혜의 소문을 들은 천하 모든 왕 중에 그 지혜를 들으러 온 자들도 있었습니다(왕상 4:34, 10:23-25).

스바 여왕도 어려운 문제를 가지고 솔로몬을 시험하고자 찾아왔으나, 솔로몬은 그 묻는 말에 다 대답하였습니다(왕상 10:1-3). 열왕기상 10:3에서는 "왕이 은미하여 대답지 못한 것이 없었더라"라고 말씀하고 있습니다. 여기 '은미(隱微)하여'라는 히브리어 '알람'(עָלַם)으로, '숨기다, 드러내지 않다'라는 뜻이며, 솔로몬은 어떤 질문이든지 그 답을 드러내지 못한 것이 없었던 것입니다.

스바 여왕은 자기 나라에서 소문으로 들었던 솔로몬의 명성에 대하여 처음에는 믿지 않았으나, 직접 방문하여 시험한 후, 소문은 오히려 실제의 절반도 안 된다며 감탄하였습니다(왕상 10:6-7, 대하 9:5-6). 스바 여왕은 솔로몬의 지혜뿐 아니라 건축물, 식탁의 식물, 신복들의 좌석, 제복을 입고 도열하고 있는 신복들의 모습, 성전으로 올라가는 층계 등을 보고 '정신이 현황하였다'고 말씀하고 있습니다(왕상 10:5). '현황'은 한자로 아찔할 현(眩), 황홀할 황(慌)으로, '숨막힐 만큼 정신이 어지럽고 황홀함'이라는 뜻입니다. 멀리서 귀로만 듣던 소문을 눈으로 보는 순간 모든 것이 사실이요, 그보다 더하다는 것을 확인하는 순간 황홀할 지경이었던 것입니다. 이에 스바 여왕은 솔로몬의 지혜를 항상 듣고 있는 신복들을 복되다 하면서 솔로몬에게 지혜를 주신 하나님을 송축하였습니다(왕상 10:8-9, 대하 9:7-8). 그리고 그 지혜에 감동한 스바 여왕은 금 120달란트와 심히 많은 향품과 보석을 바쳤는데, 그와 같은 일은 전에는 없었던 일이었습니다(왕상 10:10, 대하 9:9).

그렇다면 솔로몬이 이렇게 부강한 나라를 만들 수 있었던 비결이 무엇입니까?

정치 외교적으로 볼 때, 당시 애굽 제21왕조는 가장 약하였고, 또한 앗수르도 암흑 시대에 속하는 쇠퇴기였던 점이 작용했다고 볼 수 있습니다. 그러나 보다 근본적인 원인은 하나님께서 솔로몬에게 지혜와 총명과 넓은 마음을 주셨기 때문입니다. 열왕기상 4:29-30에서 "하나님이 솔로몬에게 지혜와 총명을 심히 많이 주시고 또 넓은 마음을 주시되 바닷가의 모래같이 하시니 [30]솔로몬의 지혜가 동양 모든 사람의 지혜와 애굽의 모든 지혜보다 뛰어난지라"라고 말씀하고 있으며, 열왕기상 10:23-24에서는 "솔로몬왕의 재산과 지혜가 천하 열왕보다 큰지라 [24]천하가 다 하나님께서 솔로몬의 마음에 주신 지혜를 들으며 그 얼굴을 보기 원하여"라고 말씀하고 있습니다.

솔로몬의 지혜는 지혜 자체이신 예수님을 연상시킵니다(고전 1:24, 30). 예수님께서 친히 말씀하신 대로 '솔로몬보다 더 큰' 분이십니다(마 12:42, 눅 11:31). 예수님께서는 표적만 구하며 지혜의 근본이신 인자를 알아보지 못하는 악한 세대를 향하여, 심판 때에 남방 여왕이 일어나 이 세대 사람들을 정죄하게 될 것이라고 탄식하신 적이 있습니다(마 12:38-42, 눅 11:29-31).

하나님의 지혜를 받은 자는 세계에서 가장 뛰어난 자가 됩니다.

잠언 3:15-16에서 "지혜는 진주보다 귀하니 너의 사모하는 모든 것으로 이에 비교할 수 없도다 [16]그 우편 손에는 장수가 있고 그 좌편 손에는 부귀가 있나니"라고 말씀하고 있습니다. 지혜가 제일입니다. 지혜를 높이면 지혜가 우리 삶을 높이 올려 주십니다(잠 4:7-8).

하나님께서는 왜 솔로몬에게 이처럼 놀라운 지혜의 복을 주셨습니까?

솔로몬이 일천 번제를 드리자 하나님께서는 밤에 그의 꿈에 나타나 "내가 네게 무엇을 줄꼬 너는 구하라"라고 말씀하셨습니다(왕상 3:4-5, 대하 1:7). 이때 솔로몬은 선악을 분별할 수 있는 지혜를 구하였습니다. 솔로몬은 열왕기상 3:9에서 "누가 주의 이 많은 백성을 재판할 수 있사오리이까 지혜로운 마음을 종에게 주사 주의 백성을 재판하여 선악을 분별하게 하옵소서"라고 기도하였으며, 이것이 하나님의 마음에 맞았습니다(왕상 3:10, 대하 1:11-12). 꿈에서 깬 솔로몬은 예루살렘에 이르러 여호와의 언약궤 앞에 서서 번제와 수은제를 드리고 모든 신복을 위하여 잔치하였습니다(왕상 3:15).

이에 하나님께서는 "너의 구하지 아니한 부와 영광도 네게 주노니 네 평생에 열왕 중에 너와 같은 자가 없을 것이라"라고 말씀하셨습니다(왕상 3:13). 솔로몬이 하나님의 지혜를 받은 직후 첫 재판에서 '두 창기의 사건'을 명쾌하게 판결하자(왕상 3:16-27), 온 이스라엘이 왕을 두려워하며, 왕의 마음속에 있는 하나님의 지혜가 판결한 것을 보았습니다(왕상 3:28). 하나님께서는 자신의 부족을 알고 겸손히 지혜를 구하는 자에게 반드시 지혜를 주십니다(약 1:5). 솔로몬의 기도를 통해 하나님께서는 우리에게 가장 우선적으로 필요한 것은 부와 영광이 아니라 하나님의 지혜라는 사실을 가르쳐 줍니다. 이것이 바로 하나님의 말씀의 초보가 아닌 장성한 신앙인에게만 허락되는 선악을 분변(分辨)하는 지혜입니다(히 5:12-14). 솔로몬이 받은 '지혜의 복'이 오늘날 참지혜의 근본이신 예수 그리스도를 믿고 따르는 모든 성도의 복이 되시기를 간절히 소망합니다.

3. 솔로몬은 성전을 건축하였습니다.

Solomon built the temple of the LORD.

솔로몬은 다윗이 준비만 하고 이루지 못한 성전 건축을 완성하였습니다. 성전은 재위 4년 시브월부터 짓기 시작하여 재위 11년 불월에 완공되었습니다(왕상 6:1, 37-38, 대하 3:2).

(1) 솔로몬 성전 건축에 나타난 몇 가지 특징

첫째, 하나님 중심주의 신앙에 기초합니다(대상 22, 28, 29:1-19).

대개의 왕들은 나라가 평안할 때 자신이 거할 왕궁을 짓는 데만 열심이지만, 다윗왕은 사방의 모든 대적을 파하고 왕궁에 평안히 거했지만 하나님을 먼저 생각하고, 성전을 지어야겠다는 거룩한 뜻을 품었습니다(삼하 7:1-3). 하나님의 성전을 중심으로 온 백성이 하나 되어 살고자 한 것입니다. 이처럼 성전 건축의 동기가 오직 하나님을 위하고 하나님을 사모함에 있었습니다(대상 29:1下, 3). 성전 건축의 목적 또한 전적으로 하나님의 영광을 위한 것이었습니다. 그래서 "내 하나님 여호와의 이름을 위하여"(대상 22:7), "하나님의 전 역사를 위하여"(대상 29:7), "내 하나님의 전을 위하여"(대상 29:2-3), "주의 거룩한 이름을 위하여"(대상 29:16)라고 말씀하고 있습니다.

이에 따라, 다윗은 온 백성과 함께 그 아들 솔로몬이 지을 하나님의 성전 공사에 필요한 모든 물건을 힘을 다해 예비하되, 전 사유 재산까지 자원하는 마음으로 즐거이 바쳤습니다(대상 29:3-8).

이때 다윗은 온 회중 앞에서 송축하면서, '천지가 주의 것이며(대상 29:11), 모든 주권이 주의 것이며(대상 29:11), 부와 귀가 주께로 말미암으며(대상 29:12), 주는 만유의 머리요 주재자(대상 29:11下-12上)이시며, 모든 자를 크게 하심과 강하게 하시는 권세와 능력이 주의 손에 있다(대상 29:12)'라고 위대한 신앙 고백을 드렸습니다. "모든 것이 주께로 말미암았사오니 우리가 주의 손에서 받은 것으로 주께 드렸을 뿐이니이다"(대상 29:14), "모든 물건이 다 주의 손에서 왔사오니 다 주의 것이니이다"(대상 29:16)라는 고백은 하나님 중심주의의 극치(極致)를 보여 준 것입니다.

하나님의 전 역사를 위하여 모든 것을 준비한 다윗과 백성은, 솔로몬 시대에 성취될 미래의 성전을 내다보며 기쁨을 이기지 못하는 감사와 감격으로 충만했습니다(대상 29:9, 17).

이처럼 솔로몬 성전은 다윗의 하나님 중심주의 신앙이 아니었다면 결코 완성될 수 없었을 것입니다. 다윗은 군인으로서 전쟁터에서 피를 심히 많이 흘린 까닭에 자신이 성전을 지을 수 없음을 알고도(왕상 5:3, 대상 22:8, 28:3), 아들 솔로몬에 의해 이루어질 성전 건축에 필요한 모든 여건을 정성을 다해 빈틈없이 완비하였습니다. 방백들에게도 솔로몬을 도와 '마음과 정신을 진정하여' 성전을 건축하도록 명하였고(대상 22:17-19), 심지어 30세 이상의 레위인을 계수하여 얻은 38,000명에게 성전 건축 후에 그 안에서 할 일을 분담시켰습니다(대상 23:3-6). 그리고 솔로몬에게는 하나님의 말씀대로 힘써 성전을 건축하도록 간곡히 부탁하면서 "강하고 담대하여 두려워 말고 놀라지 말지어다... [16]금과 은과 놋과 철이 무수하니 너는 일어나 일하라 여호와께서 너와 함께 계실지로다"(대상 22:13-16)라고 힘찬 의욕을 불어넣어 주었습니다(참고-대상 28:9-10, 20-21).

그리고 다윗은 마지막으로, 성전 건축이라는 중대한 사역을 담당할 자기 아들 솔로몬을 하나님께 맡기면서, "또 내 아들 솔로몬에게 정성된 마음을 주사 주의 계명과 법도와 율례를 지켜 이 모든 일을 행하게 하시고 내가 위하여 예비한 것으로 전을 건축하게 하옵소서"(대상 29:19)라고 간절히 기도하였습니다.

둘째, 솔로몬이 성전을 건축한 장소는 예루살렘(해발 790m)의 모리아산이었습니다(대하 3:1).

이 장소는 옛날 아브라함이 이삭을 바쳤던 믿음의 장소이며(창 22:1-19), 다윗이 인구조사로 범죄했을 때 토지를 사고 죄를 속량받기 위하여 회개하는 마음으로 제물을 드린 곳으로, 여부스 사람 '아라우나'의 타작마당이었습니다(삼하 24:18-25, 대상 21:18-30). 다윗은 그곳을 가리켜 "이는 여호와 하나님의 전이요, 이는 이스라엘의 번제단이라"라고 말하였습니다(대상 22:1). 이것은 성전 건축이 믿음과 회개의 터 위에 이루어진다는 사실을 교훈하고 있습니다.

셋째, 솔로몬 성전의 식양(설계도)은 하나님께서 친히 다윗에게 알게 하신 것입니다(대상 28:11-19).

역대상 28:19에는 "여호와의 손이 내게 임하여 이 모든 일의 설계를 그려 나로 알게 하셨느니라"라고 말씀하고 있습니다. 또한 역대상 28:12에는 "성신의 가르치신 모든 식양"이라고 말씀하고 있습니다. 여기 '식양'은 히브리어 '타브니트'(תַּבְנִית)로, '설계도'라는 의미입니다.

하나님께서 친히 알게 하신 설계도의 세부 사항은 다음과 같습니다.

① 낭실, 곳간, 다락, 골방, 속죄소의 식양(대상 28:11)
② 여호와의 전의 뜰, 사면의 모든 방, 전의 곳간과 성물의 곳간의 식양(대상 28:12)
③ 전 안에서 쓰이는 모든 그릇, 금기명과 은기명의 중량(대상 28:13-14)
④ 금등대와 그 등잔 그리고 은등대와 그 등잔의 중량(대상 28:15)

역대하 4:7에 의하면, 외소(성소)에 배치한 열 개의 금등대만 기록되어 있고 은등대에 관해서는 언급되어 있지 않은데, 은등대는 성전의 다른 공간에서 사용된 것으로 추정됩니다.

⑤ 진설병을 놓을 떡상을 만들 금의 중량과 은상을 만들 은의 중량(대상 28:16)

⑥ 고기 갈고리와 대접과 종자(양념 등을 담을 정도의 작은 그릇)를 만들 정금의 중량, 금잔을 만들 금의 중량과 은잔을 만들 은의 중량(대상 28:17)

⑦ 향단에 쓸 정금의 중량, 그룹들의 식양대로 만들 금의 중량(대상 28:18)

다윗은 이러한 성전 내부의 식양과 그곳에 쓰이는 금은의 무게까지 그 아들 솔로몬에게 모두 전수하여 주었고, 일일이 설명하여 주었습니다(대상 28:11-13). 그뿐 아니라 다윗은 하나님께서 보여 주신 그 성전 식양에 따라 필요한 재료들을 힘껏 준비하되, 문짝못과 거멀못 등 아주 세부적인 것까지 빈틈없이 준비하였습니다(대상 22:2-19).

이러한 다윗의 치밀한 준비가 없었다면 솔로몬이 성전을 완공하는 일은 불가능했을 것입니다. 열왕기상 6:38에서는 "그 설계와 식양대로 전이 필역되었으니"라고 말씀하고 있으며, 역대하 8:16에는 "여호와의 전이 결점이 없이 필역하니라"라고 말씀하고 있습니다.

그러므로 솔로몬이 지은 성전의 크기, 양식, 그 성전 안의 모든 기구, 그곳에서 진행될 예배 의식은 사람의 생각이 아니고 모두 하나님의 말씀대로 이루어진 것입니다. 노아 방주나 모세의 성막이 지어질 때도 마찬가지였습니다. 하나님께서는 노아의 방주의 재료와 규격과 창문 등의 세부적인 설계도를 가르쳐 주셨고(창 6:14-16), 노아는 하나님께서 명하신 설계도에 있는 그대로 다 준행하였습니다(창 6:22, 7:5). 하나님께서는 모세의 성막도 "무릇 내가 네게 보이는 대로 장막의 식양과 그 기구의 식양을 따라"(출 25:9), "너는 삼가 이 산에서 네게 보인 식양대로"(출 25:40), "너는 산에서 보인 식양대로 성막을 세울지니라"(출 26:30)라고 하여 그 모든 설계도를 세밀히 가르쳐 주셨고(히 8:5下), 모세는 여호와께서 자신에게 명하신 그대로 행하였을 뿐입니다(출 40:16, 19, 21, 23, 25, 27, 29, 32).

하나님의 구속 역사는 그 시작과 진행과 결과에 있어 전적으로 하나님 자신의 역사이지, 인간과 의논하거나 상의하여 이루시는 것이 결코 아닙니다. 구속 역사의 동력은 사망에 처한 죄인을 구원코자 하시는 전적인 하나님의 은혜와 축복에 있는 것입니다.

넷째, 성전 건축에 동원된 인력은 총 183,850명입니다.

이스라엘의 역군이 3만이었으며(왕상 5:13), 이방인 역군들 가운데 담꾼(짐을 나르는 사람)이 7만이요, 산에서 돌을 뜨는 채석장이 8만이었습니다(왕상 5:15, 대하 2:17-18). 또한 성전 역사를 동독[바로잡을 동(董), 감독할 독(督)]하는 중간 감독들이 3,300명이었으며(왕상 5:16), 상급 감독들도 550명이었습니다(왕상 9:23).

열왕기상에서는 중간 감독들이 3,300명이요(왕상 5:16), 상급 감독들이 550명(왕상 9:23)으로 기록되어 있지만, 역대하에서는 이것이 3,600명(대하 2:2)과 250명(대하 8:10)으로 기록되어 있습니다. 열왕기상의 기록이나 역대하의 기록이나 둘 다 감독들의 합계는 3,850명입니다. 열왕기상의 기록은 감독의 '직급'에 따라 3,300명과 550명으로 나누었지만, 역대하의 기록은 '민족적인 분류'에 따라 이방인 감독 3,600명과 이스라엘 감독 250명으로 나눈 것입니다. 그러므로 우리는 상급 감독 550명 가운데 이스라엘 감독이 250명이요, 이방인 감독이 300명이었음을 알 수 있습니다. 그러므로 일꾼과 감독을 다 합한 숫자는 무려 183,850명이었습니다. 이 숫자 중에는 이방인이 153,600명(대하 2:17-18)으로, 이스라엘 백성보다 훨씬 많은 숫자를 차지합니다.

수많은 이들의 헌신이 아낌없이 동원된 결과, 역사적인 솔로몬 성전이 약 6년 6개월 동안 결점 없이 완성될 수 있었습니다(왕상 6:37-38, 대하 8:16). 183,850명이라는 숫자는 하나님의 구속 경륜 속에 진행된 성전 건축 역사에 동참했던 사람을 한 사람도 빠뜨리지 않고 모두 계수한 총계입니다. 마찬가지로 하나님께서는, 구속 역사에 있어서 우리의 수고한 모든 것을 잊어버리지 않으시고 낱낱이 기억하사 기록해 두시며, 장차 그 행위대로 갚아 주실 것입니다(마 16:27, 고전 3:8, 계 2:23, 20:12, 22:12).

솔로몬 성전 건축에 이방인들이 참여한 것은, 장차 예수 그리스도 안에서 이방인과 유대인이 하나님 나라 건설에 함께 참여하게 될 것을 예시합니다(엡 3:6). 예수 그리스도의 복음은 종족과 성별과 신분의 구별을 초월하므로, 헬라인이나 유대인이나 구원에는 차별이 없습니다(고전 1:24, 12:13, 갈 3:28, 골 3:11).

다섯째, 백향목은 두로에서 수운(輸運)되었습니다.

백향목 재목과 잣나무 재목은 레바논 산지에서 벌목된 후 베니게 해안 지대로 운반되었습니다. 그리고 그곳에서 거대한 뗏목으로 엮어져 바닷길로 솔로몬왕이 지정한 욥바까지 이르게 하였습니다(왕상 5:8-9, 대하 2:16). 그것은 욥바에서 다시 대략 56㎞ 떨어진 예루살렘까지 육로를 통해 운반되었습니다. 욥바는 예루살렘과 가장 가까운 항구도시로서, 바위들로 자연 방파제가 형성되어 있으므로, 천연의 선박 기항지였습니다. 히람왕은 레바논에서 욥바까지의 바닷길과 또 욥바에서 예루살렘까지의 험하고 울퉁불퉁한 육로로 목재를 운반해야 하는 수고를 아끼지 않고 솔로몬에게 협조하였습니다.

이스라엘은 산림이 풍부하지 못하기 때문에 성전 건축에 사용될 나무가 없었습니다. 그런데 마침 평소 다윗을 사랑하던 두로 왕 히람(후람)이 솔로몬에게 신복을 보낸 것이 계기가 되어, 히람은 솔로몬의 부탁을 듣고 크게 기뻐하여 백향목과 잣나무 재목을 필요한 만큼 다 보내 주었습니다(왕상 5:1-10). 대신, 솔로몬은 두로 왕 히람의 요구를 따라 궁정의 식물로 밀 2만 석과 맑은 기름 20석을 해마다 보내 주었습니다(왕상 5:11). 솔로몬은 궁정의 식물뿐 아니라 두로 왕의 종들로서 벌목하는 일꾼들에게 품삯을 주었는데, 용정한(가루로 빻은) 밀 2만 석, 보리 2만 석과 포도주 2만 말, 기름 2만 말을 함께 보냈습니다(대하 2:10). 솔로몬과 히람은 서로 친목하여 조약까지 체결하였습니다(왕상 5:12). 서로 경쟁 관계에 있고 종교적으로 다른 두 나라가 협력하게 된 것은 실로, 성전을 건축하게 하시려는 하나님의 각별한 섭리 가운데 이루어졌음을 보여 줍니다.

여섯째, 성전 건축 시 소리가 나지 않았습니다(왕상 6:7).

솔로몬은 성전을 건축할 때, 채석장에서 미리 돌을 다듬어서 정확한 크기를 맞춘 다음에 성전에서는 그것을 맞추기만 하도록 하였습니다. 산에서 돌을 뜨는 자가 8만 명으로(왕상 5:15), 전을 건축하기 위하여 솔로몬의 건축자와 히람의 건축자와 그발 사람이 그 돌을 다듬고, 돌들을 갖추어 놓았습니다(왕상 5:18). 그 결과 성전을 건축하는 동안에 성전 안에서는 방망이나 도끼나 모든 철 연장 소리가 들리지 않았습니다.

열왕기상 6:7 "이 전은 건축할 때에 돌을 뜨는 곳에서 치석하고 가져다가 건축하였으므로 건축하는 동안에 전 속에서는 방망이나 도끼나 모든 철 연장 소리가 들리지 아니하였으며"

성전은 하나님께서 임재하시는 곳이요, 하나님의 이름을 두신 곳이요(왕상 9:3, 대하 6:6, 20, 33:4), 하나님의 눈과 귀와 마음이 항상 머물고 있는 곳이요(왕상 8:29, 9:3, 대하 7:15-16), 하나님과 사람 사이의 화해의 장소이므로, 사람의 잡소리가 나서는 안 됩니다.

그러므로 교회에서는 말씀을 선포하는 소리, 기도하는 소리, 찬송하는 소리가 충만해야 합니다(사 56:7). 교회는 사람의 소리 없이 오직 하나님의 소리로만 움직여져야 합니다. 하나님의 말씀만이 충만해야 합니다.

(2) 솔로몬 성전의 구조

솔로몬 성전의 식양(설계도)은 하나님께서 친히 알게 해 주신 것입니다(대상 28:12, 19). 그 설계와 식양대로 전이 다 필역되었습니다(왕상 6:37-38).

솔로몬 성전의 구조는 대체적으로 장막 성전의 모습과 거의 유사했습니다. 이것은 솔로몬 성전이 모세의 장막 성전의 영적 전통을 그대로 이어받았음을 보여 줍니다.

솔로몬 성전은 커다란 돌덩이들 위에 세워졌습니다(왕상 5:17, 7:9). 솔로몬 성전의 기초석이 왕궁의 기초석과 같은 크기로 놓였다면, 성전 기초석으로 사용된 돌들의 표준 규격은 10규빗(4.56m)과

8규빗(3.648m)이었을 것입니다(왕상 7:10). 열왕기상 5:17을 볼 때, 크고(גָּדוֹל, 가돌: 위대한), 귀한(יָקָר, 야카르: 희귀한) 돌을 떠다가 다듬어서 기초석으로 사용하였습니다. 이 기초석과 성전의 터는 구속사적으로 예수 그리스도를 보여 줍니다(사 28:16, 마 16:18, 고전 3:11, 10:4).

① 성전의 외부(外部) 구조

첫째, 성전의 크기는 장이 60규빗(27.36m), 광이 20규빗(9.12m), 고가 30규빗(13.68m)이었습니다(왕상 6:2, 대하 3:3).

둘째, 성소 앞에 낭실이 있었습니다(왕상 6:3, 대하 3:4).

낭실은 성전 본관에 붙어 있는 부속 건물로, 일종의 현관이나 대기실과 같은 역할을 하였습니다. 낭실의 장은 20규빗(9.12m), 광은 전 앞에서부터 10규빗(4.56m), 고가 120규빗(54.72m)이었습니다.

셋째, 붙박이 교창이 있고, 삼층으로 된 다락에 골방들을 설치했습니다(왕상 6:4-5).

붙박이 교창은 고정된 창문으로, 채광과 통풍의 역할을 하였습니다. 성소와 지성소의 벽에 연접하여 돌아가면서 3층으로 된 다락들을 만들었습니다. 하층 다락의 광은 5규빗(2.28m), 중층 다락의 광은 6규빗(2.736m), 상층 다락의 광은 7규빗(3.192m)으로 만들었습니다(왕상 6:6). 중층 골방의 문은 성전 오른편에 있는데, 나사 모양 사닥다리로 말미암아 하층에서 중층에 오르고 중층에서 제 삼층에 오르도록 만들어졌습니다.

열왕기상 6:8 "중층 골방의 문은 전 오른편에 있는데 나사 모양 사닥다리로 말미암아 하층에서 중층에 오르고 중층에서 제 삼층에 오르게 하였더라"

이 다락에 만들어진 골방들은 제사장들이 머무는 곳으로, 제사장들이 지성물을 먹고 지성물을 보관하는 장소로 사용되었습니다(겔 42:13).

이렇게 성전의 외부가 완성되자 하나님의 말씀이 솔로몬에게 임하였습니다. 열왕기상 6:12-13에서 "네가 이제 이 전을 건축하니 네가 만일 내 법도를 따르며 내 율례를 행하며 나의 모든 계명을 지켜 그대로 행하면 내가 네 아비 다윗에게 한 말을 네게 확실히 이룰 것이요 [13]내가 또한 이스라엘 자손 가운데 거하며 내 백성 이스라엘을 버리지 아니하리라 하셨더라"라고 말씀하고 있습니다.

이것은 성전 내부 공사를 앞두고, 성전을 짓는 목적이 하나님의 말씀에 온전히 순종케 하기 위한 것임을 하나님께서 다시 한 번 확인시키신 것입니다.

② 성전의 내부(內部) 구조

첫째, 성전의 내벽은 백향목 널판을 입힌 후, 거기에 금을 입혔습니다(왕상 6:14-22).

성전의 외벽이 돌들로 만들어진 반면에, 내벽은 돌이 보이지 않도록 백향목 널판으로 모두 입힌 후 금으로 쌌습니다. 그래서 "... 모두 백향목이라 돌이 보이지 아니하며"(왕상 6:18)라고 말씀하였고, "온 전을 금으로 입히기를 마치고 내소에 속한 단의 전부를 금으로 입혔더라"(왕상 6:22)라고 말씀하고 있습니다.

성전 내부가 모두 금으로 장식된 이유는 성전 내부를 순금 등대에서 비취는 불로 환히 밝히기 위함이었습니다. 이것은 마치 예수 그리스도만이 교회의 유일한 빛이신 것과 같습니다(요 1:4-5, 8:12, 9:5, 계 2:1).

둘째, 지성소를 따로 두었습니다.

지성소(the holy of holies)는 대제사장이 1년에 하루만 들어가 속죄제를 드리는 곳입니다.

지성소는 장, 광, 고가 각각 20규빗(9.12m)입니다(왕상 6:20, 대하 3:8). 지성소 안에는 언약궤를 두었고(왕상 6:19), 언약궤 위에 감람목으로 두 그룹을 만들었는데 높이가 각각 10규빗(4.56m)이었습니다. 그룹(cherubim)의 한쪽 날개는 5규빗으로, 이 날개 끝에서 저 날개 끝까지는 10규빗이므로, 두 그룹의 양 날개는 활짝 편 채로 그 끝이 양쪽 벽에 닿았습니다(왕상 6:23-27, 대하 3:10-13). 그러므로 지성소 전체는 그룹의 날개들로 연결되었던 것입니다. 두 그룹 역시 금으로 입혀졌습니다(왕상 6:28). '10'이라는 숫자가 '충만, 완전'을 상징하므로, 그룹의 크기는 하나님의 거룩이 충만하여 완전하게 임재하고 계심을 나타내는 것입니다. 지성소 내부를 장식하는 데 사용된 금은 모두 600달란트(약 20,400kg)나 되었습니다(대하 3:8).

셋째, 내소(지성소)와 외소(성소)에 들어가는 문을 만들었습니다.

내소로 들어가는 문은 감람목으로 만들었으며(왕상 6:31), 외소로 들어가는 문은 잣나무로 만들었습니다(왕상 6:33-34). 외소로 들어가는 문짝은 자주 여닫기 때문에 감람목보다 가벼운 잣나무로 만들었으며, 내소로 들어가는 문짝은 무겁지만 휘어짐이나 뒤틀림이 적은 감람목으로 만들었습니다.

내소(지성소)와 외소(성소) 사이에는 휘장(veil)이 있었는데, 휘장은 청색, 자색, 홍색 실과 가는 베로 만들었고, 그 위에 그룹들의 모양을 수 놓았으며(대하 3:14), 금으로 만든 고리에 매어 좌우로 개폐되었습니다.

또한 안뜰이 있었는데 '제사장의 뜰'(대하 4:9)로도 불리었습니다. 안뜰은 잘 다듬어서 쌓은 돌 세 켜와 그 위에 백향목 두꺼운 판자 한 켜로 둘러 안뜰의 담을 이루었습니다(왕상 6:36). 여기 '켜'는 히브리어 '투르'(טוּר)로서, 포개어 놓은 낱낱의 층을 가리킵니다.

넷째, 내외소의 사면 벽에는 그룹들과 종려와 핀 꽃 형상이 아로새겨 있습니다(왕상 6:29).

문짝에도 역시 그룹과 종려와 핀 꽃이 아로새겨 있었습니다(왕상 6:32, 35). 그룹은 거룩을 상징하고(사 6:1-3, 참고-겔 10장), 종려는 큰 기쁨과 승리를 상징하며(요 12:13), 핀 꽃은 아름다움과 생동감이 넘치는 생명력을 상징합니다.

다섯째, 성전 외소 안에는 열 개의 등대와 열 개의 떡상이 있습니다(왕상 7:48-49, 대하 4:7-8).

모세의 성막에는 등대와 떡상에 관한 설명이 자세하게 기록되어 있지만, 솔로몬 성전에서는 등대나 떡상에 대한 기록이 구체적으로 언급되지 않고 있습니다. 이는 솔로몬 성전은 모세의 성막을 그대로 본떠 만들었기 때문입니다. 가장 큰 차이점은, 모세의 성막에는 등대와 떡상이 하나였는데, 솔로몬 성전에는 열 개인 것입니다. 내소 앞에 좌편으로 다섯 그리고 우편으로 다섯을 두었습니다(왕상 7:49, 대하 4:7).

떡상은 금으로 만들어졌으며(왕상 7:48), 외소 안의 등대의 위치와 비슷한 것으로 보아 떡상은 구조상 등대 바로 앞에 놓였을 것으로 보입니다. 한 떡상에 12개의 떡이 놓였으므로, 솔로몬 성전 외소 안에는 떡이 총 120개였습니다.

등대는 죄악으로 어두워진 세상에 생명의 빛으로 오신 예수 그리스도를 상징하며(요 1:4, 8:12, 9:5, 12:35, 46), 떡은 하늘에서 내려온 생명의 떡 자체이신 예수 그리스도를 상징합니다(요 6:35, 48, 50-51).

모세의 성막에는 물두멍, 등대, 떡상이 각각 하나씩 있었으나, 솔로몬 성전에는 각각 10개가 있었습니다(대하 4:6-8). '10'은 충만수이자 완전수로서, 이스라엘 한 나라에 제한되어 있던 구원 역사가 예수 그리스도로 말미암아 온 우주와 열방으로 충만하게 전개되어 나갈 것을 보여 주며, 또한 하나님의 구원 경륜 속에서 그것이 완전하게 이루어질 것을 뜻합니다.

③ 성전의 기구(器具) 제작

성전 건축을 필한 후에, 성전 낭실 앞에 두 놋기둥과(왕상 7:13-22) 놋바다(왕상 7:23-26), 열 개의 놋받침과 열 개의 물두멍(왕상 7:27-39), 그 밖에 솥, 부삽, 대접(왕상 7:40-45)을 만들었습니다.

이 모두는 놋으로 제작된 것으로, 그것을 만든 이는 두로 사람 히람(후람)이었습니다. 히람의 어머니는 납달리 지파 과부였고, 아버지는 두로 사람으로 놋 기술자였습니다(왕상 7:14上, 참고-대하 4:16). 히람은 그 둘 사이에서 태어나, 모든 놋 일에 지혜와 총명과 재능이 구비된 자였습니다(왕상 7:14, 참고-대하 2:11-13). 솔로몬왕은 그를 두로에서 데려와, 놋으로 제작하는 그 모든 공작을 하게 하였습니다(왕상 7:13-14, 40).

첫째, 성전의 낭실 앞에 두 기둥(야긴, 보아스)을 세웠습니다(왕상 7:21, 대하 3:17).

성전에 들어간 대부분의 기구들은 장막 성전에 사용되었던 것과 같습니다. 솔로몬 성전에서 독특한 점은 낭실 앞에 놋기둥 둘을 세운 것입니다. 높이는 18규빗(8.208m)[14]이요, 둘레는 12규빗(5.472m)이었습니다(왕상 7:15, 렘 52:21). 이로 보아 놋기둥의 직경은 약 1.74m인데, 속이 비었고 두께는 네 손가락이 놓일 정도이며(렘 52:21下), 놋을 녹여 부어서 만들었습니다(왕상 7:16).

오른쪽에 세운 기둥을 '야긴'(Jachin)이라 부르고, 왼쪽에 세운 기둥을 '보아스'(Boaz)라고 불렀습니다(왕상 7:21, 대하 3:17). 야긴은 히브리어 '야킨'(יָכִין)으로, '그가 세우실 것이다'라는 뜻입니다. 하나님께서 성전과 다윗 왕조를 세우셨으므로 영원토록 굳건하게 지켜 가실 것을 나타냅니다. 보아스는 히브리어 '보아즈'(בֹּעַז)로, '강한, 강력한'을 뜻하는 '아즈'(עַז)와 '그 안에'를 뜻하는 '보'(בּוֹ)가 합성된 단어로, '그분 안에 능력이 있다'라는 뜻입니다. 이것은 성전을 견고하게 붙드시고, 다윗 왕조에게 능력 주시는 분은 오직 하나님이심을 나타내는 것입니다. 그러므로 이스라엘 백성은 전 앞에 있는 두 기둥을 볼 때마다 하나님의 신실하심과 영원 불변하심을 생각하였을 것입니다.

둘째, 바다를 만들어 성전 우편 동남방에 두었습니다(왕상 7:39, 대하 4:10).

이 바다는 놋을 부어 만든 큰 대야 같은 것으로, 그 크기가 바다와 같이 많은 물을 담아 둘 수 있으므로 바다(sea)라고 불렀습니다. 그 크기는 직경이 10규빗(4.56m)이고, 둘레가 30규빗(13.68m)이며, 높이가 5규빗(2.28m)이나 되는 거대한 규모입니다(왕상 7:23, 대하 4:2). 바다는 성전 안뜰에서 제사장들이나 레위인들이 몸을 씻는데 사용하였습니다(대하 4:6下, 참고-출 29:4, 레 8:6). 이 바다는 열두 소가 받치고 있었는데, 각각 세 마리의 소가 그 꼬리를 안으로 하고 머리를 동서남북 사방을 향하고 있었습니다(왕상 7:25, 대하 4:4). 이 열두 마리의 소는 이스라엘의 12지파의 순종과 희생을 나타냅니다(레 1:3, 삼상 6:14). 바다에 담는 물의 양은 2천 밧인데, 1밧이 약 22.71리터이므로 총 45,420리터의 엄청난 용량입니다(왕상 7:26下, 참고-대하 4:5). 이는 외부의 어떤 충격에도 파손되거나 절대 흔들리지 않는 견고성을 보여 줍니다.

솔로몬 성전 두 기둥의 머리 장식과 바다의 테두리 장식에는 백합화 문양이 새겨졌습니다(왕상 7:22, 26, 대하 4:5). 백합화는 이스라엘 팔레스타인의 들에 피는 평범한 야생화로, 하나님의 은혜와 보호를 나타냅니다(마 6:28, 눅 12:27-28).

셋째, 열 개의 놋받침과 열 개의 물두멍을 만들었습니다(왕상 7:27-39).

물두멍은 성전 좌우 양편으로 다섯 개씩 두었습니다(왕상 7:39, 대하 4:6). 열 개의 놋받침은 물두멍을 각각 하나씩 받치기 위한 것으로(왕상 7:38, 43), 물두멍은 희생 제물을 씻는 데 사용되었습니다(대하 4:6). 물두멍 또한 놋으로 만들었으며 그 직경은 네 규빗이며, 물두멍마다 각각 40밧(908.4리터, 1밧=22.71리터)의 물을 담게 하였습니다(왕상 7:38). 물두멍을 받치는 놋받침의 크기는 길이와 폭이 각각 4규빗이며, 높이가 3규빗으로(왕상 7:27), 그 부어 만든 법과 척수와 식양이 열 개 모두 동일하였습니다(왕상 7:37). 각각 받침에 놋바퀴와 놋축이 있어서 물의 공급이 수월하게 이루어질 수 있도록 제작되었습니다(왕상 7:30, 32).

넷째, 단을 만들었습니다(대하 4:1).

솔로몬 성전의 번제단의 크기는 장이 20규빗(9.12m), 광이 20규빗(9.12m), 고가 10규빗(4.56m)이며, 놋으로 만들어졌습니다(대하 4:1). 모세 때 성막에 세워진 번제단보다 넓이에 있어서는 4배, 높이에 있어서는 약 3.3배에 달하는 규모로 확장되었습니다(출 27:1-2). 한편, 솔로몬 성전의 번제단의 높이가 무려 4.56m에 달했던 것으로 보아, 그 위에 올라갈 수 있는 층계가 따로 만들어졌을 것으로 추정됩니다(겔 43:13-17).

다섯째, 이 외에도 솥, 부삽, 대접을 만들었습니다(왕상 7:40, 45, 대하 4:11).

여호와 전의 모든 그릇은 '빛난 놋'으로 만들었습니다(왕상 7:45). '빛난'은 히브리어로 '메모라트'(מְמֹרָט)이며 '반반하게 하다, 매끄럽게 하다'라는 뜻을 가진 '마라트'(מָרַט)의 푸알(강조 수동) 분사형으로, 이는 모든 성전 기물을 광택이 나기까지 갈고 닦아서 지극히 정성을 다해 만들었음을 보여 줍니다.

한편, 성전 내부 장식에 금을 주로 사용하였던 것과 달리, 성전 외부 기구 제작에는 투박하고 서민적인 놋을 사용하였습니다. 금이 하나님의 침범할 수 없는 순전함과 영광스러움을 상징한다면, 놋은 죄악된 인간과 함께하시며 그들의 고통을 몸소 체휼하신 그리스도의 성품을 상징하는 것이라 할 수 있습니다(히 4:15).

이렇게 솔로몬은 모든 성전 기구 제작을 다 마쳤습니다(왕상 7:40). 열왕기상 7:48에서 "솔로몬이 또 여호와의 전의 모든 기구를 만들었으니"라고 말씀하고 있으며, 열왕기상 7:51에서 "솔로몬왕이 여호와의 전을 위하여 만드는 모든 것을 마친지라 이에 솔로몬이 그 부친 다윗의 드린 물건 곧 은과 금과 기구들을 가져다가 여호와의 전 곳간에 두었더라"라고 말씀하고 있습니다.

마침내 솔로몬 성전이 솔로몬왕 제4년 시브월부터 시작하여 제11년 불월에 완공되었습니다(왕상 6:37-38, 대하 3:2). 이것을 가리켜 열왕기상 9:25에서는 "전 역사가 마치니라"라고 간단히 기록하였고, 역대하 8:16에서는 "솔로몬이 여호와의 전의 기지를 쌓던 날부터 준공하기까지 범백을 완비하였으므로 여호와의 전이 결점이 없이 필역하니라"라고 말씀하고 있습니다. '기지'는 한자로 터 기(基), 터 지(址)를 써서 '제거될 수 없는 기초돌, 근거가 되는 장소'라는 뜻입니다. 바로 '오르난의 타작마당'에 쌓은 성전의 지대, 성전 터를 의미합니다(대하 3:1-3). 또한 '범백'은 한자로 무릇 범(凡), 일백 백(百)을 써서 '여러 가지 사실, 모든 것'이라는 뜻입니다.

솔로몬 성전 역사의 시작부터 완공까지 관련된 모든 것이 이미 오래 전부터 철저하게 준비되었음을 가리켜 '범백을 완비하였으므로'라고 표현한 것입니다. 범백을 완비했기 때문에 솔로몬 성전 건축에 관련된 모든 일이 결점 없이 필역될 수 있었습니다.

이렇듯 범백을 완비할 수 있었던 것은 하나님께서 다윗에게 미리 성전의 설계도를 알게 하셨기 때문입니다(대상 28:11-19). 역대상 28:19에서 "다윗이 가로되 이 위의 모든 것의 식양을 여호와의 손이 내게 임하여 그려 나로 알게 하셨느니라"라고 말씀하고 있습니다. 다윗은 하나님께서 보여 주신 그 설계도대로 거기에 필요한 재료들을 힘을 다하여 준비하였습니다(대상 28:2). 각각의 쓰임새에 따라 금, 은, 놋, 철, 보석들의 중량을 맞추어 준비하였고, 또 문짝못과 거멀못에 쓸 철까지도 세밀히 준비하였습니다. 돌들도 하나님께서 보여 주신 설계도를 따라 그 쓰임새에 맞게 채석장에서 다듬어 준비하였습니다(대상 29:2).

이같이 하나님께서 보여 주신 설계도를 따라 기지를 쌓던 날부터 준공하기까지 범백을 완비하였으므로(대하 8:16上) 건축이 완성되기까지 각각의 수치가 조금도 어긋나지 않고, 그 수량이 모자라거나 남음이 없이 딱 맞아 떨어졌습니다. 그러므로 솔로몬 성전은 과연 '그 설계와 식양대로', '결점이 없이 필역'되었던 것입니다(왕상 6:37-38, 대하 8:16下). 사람이 아무리 뛰어난 설계를 하더라도 재료가 모자라거나 남는 경우가 많고, 건축을 모두 마치고도 여기 저기 아쉬운 점이 남기 마련입니다. 그러나 하나님께서 계획하시며 진행하시는 모든 일은 어느 한 구석 모자람이나 남음이 없이 완벽하며, 그 결과도 만족스럽습니다.

성전이 완공되고 언약궤를 안치하였을 때 구름과 여호와의 영광이 여호와의 전에 가득하였습니다(왕상 8:10). 그 구름으로 인하여 제사장이 능히 서서 섬기지 못할 정도였습니다(왕상 8:11). 이것은 솔로몬 성전의 모든 대역사를 하나님께서 인정하셨음을 의미하는 것입니다.

(3) 솔로몬 성전의 구속사적 의미

솔로몬 성전 건축이 시작된 것은 솔로몬이 왕이 된 지 4년으로, 주전 966년입니다. 그런데 이때를 열왕기상 6:1에서는 "애굽 땅에서 나온지 사백 팔십 년이요"라고 말씀하고 있습니다.

애굽 땅에서 나온 이스라엘 백성은 광야 40년 동안 이동하는 장막 성전에서 예배를 드렸습니다. 그런데 이제 480년 만에 고정된 성전이 가나안 땅에 세워지게 된 것입니다. 이것은 구속사적 경륜에서 볼 때, 약속의 땅 가나안이 이제 이스라엘의 완전한 소유가 되었다는 확증입니다. 실로, 성전 건축을 위한 준비와 전 과정은, 인격체인 성도가 하나님께서 거하실 성전으로서(고전 3:16, 6:19) 예수님 안에서 함께 지어져 가는 과정을 보여 줍니다(엡 1:23, 2:22).

솔로몬이 완성한 성전 건축의 의미는 무엇입니까?

첫째, 다윗 언약의 성취를 나타냅니다.

하나님께서는 다윗에게 한 아들을 약속하시고, 그 아들이 하나님의 이름을 위하여 성전을 지을 것이라고 말씀하셨습니다(삼하 7:12-13). 다윗의 아들 솔로몬이 성전을 지은 것은 바로 이 다윗 언약의 성취를 보여 줍니다.

둘째, 장차 예수 그리스도가 지으실 참성전을 바라보게 합니다.

솔로몬은 '평화'라는 의미로서, 타락한 세상에 '참평화'를 가지고 '평강의 왕'으로 오실 예수님을 바라보게 합니다(사 9:6, 요 14:27). 솔로몬이 성전 건축을 완성하였듯이 예수님께서는 참성전을 완성하기 위하여 오신 것입니다(요 2:19-21).

그러므로 다윗 언약은 솔로몬에 의해서 일차적으로 성취되었으며, 이제 예수 그리스도께서 오셔서 성전을 완성하시므로 그 궁극적인 성취가 이루어지는 것입니다(계 21:22).

셋째, 성전 우선주의 신앙을 나타냅니다.

솔로몬은 왕궁보다 성전을 먼저 지었습니다. 성전은 7년 동안 지어졌고, 왕궁은 13년 동안 지어져 성전과 왕궁을 건축하는 데 총 20년이 걸렸습니다(왕상 6:37-38, 7:1, 9:10, 대하 8:1).

또한 성전과 왕궁이 서로 마주보게 건축된 것은[15] 왕궁과 성전의 밀접한 연관성을 보여 주며, 이스라엘 백성과 왕은 오직 하나님의 통치만 받아야 함을 보여 줍니다.

(4) 성전 봉헌 기도

솔로몬은 에다님월 7월 절기에 모든 백성을 소집하고 언약궤를 메어 올렸습니다(왕상 8:1-11). 이때는 성전의 기구들이 제작된 기간을 고려할 때(왕상 7:13-51), 성전 건축이 완공된 다음해 7월(약 11개월 후)일 것입니다.[16]

솔로몬은 언약궤를 안치한 후에 성전 봉헌사(奉獻辭)를 통해 모든 것이 하나님의 말씀대로 이루어졌음을 고백하였습니다(왕상 8:12-21). 열왕기상 8:20에서는 "이제 여호와께서 말씀하신 대로 이루시도다"라고 말씀하고 있습니다.

이어 솔로몬은 성전 봉헌에 대한 기도를 합니다. 그는 여호와의 단앞에서 이스라엘 온 회중을 마주서서 하늘을 향하여 두 손을 펴서 들어 올리고 기도하였습니다(왕상 8:22-53, 대하 6:12-42). 또 무릎을 꿇고 두 손을 하늘로 향하여 펴고 기도하였습니다(대하 6:13-14).

이 기도의 내용은 다음과 같습니다.

첫째, 다윗 언약을 지켜 주실 것(왕상 8:23-26, 대하 6:12-17)과 둘째, 기도할 때 응답해 주실 것(왕상 8:27-30, 대하 6:18-21)과 셋째, 회개할 때 용서해 주실 것을 기도했습니다(왕상 8:31-40, 46-53, 대하 6:22-31). 넷째, 이방인의 기도에도 응답해 주실 것을 기도했습니다(왕상 8:41-43, 대하 6:32-33). 이것은 솔로몬에게, 유대인만의 하나님이 아닌 만유의 하나님에 대한 신앙이 있었음을 보여 줍니다. 다섯째, 전쟁에 나갈 때 전(殿) 있는 편을 향하여 여호와께 기도하면 응답해 주실 것을 기도했습니다(왕상 8:44-45, 대하 6:34-35). 여섯째, 범죄하므로 적국의 땅에 사로잡혀 간 후 그 땅에서 전(殿) 있는 편을 향하여 기도하면, 주의 백성을 용서하시고 불쌍히 여겨 그 간구를 들으시고, 부르짖는 대로 들어 달라고 기도했습니다(왕상 8:46-53, 대하 6:36-42).

솔로몬이 봉헌사와 기도를 마쳤을 때, 하늘로부터 불이 내려와 그 번제물과 제물들을 사르고, 여호와의 영광이 그 전에 가득하였습니다. 여호와의 영광이 전에 가득한 것을 보고 제사장이 그 전에 능히 들어가지 못할 정도였습니다(대하 7:1-2). 이때 "이스라엘 모든 자손은 불이 내리는 것과 여호와의 영광이 전에 있는 것을 보고 박석 깐 땅에 엎드려 경배하며 여호와께 감사하여 가로되 선하시도다 그 인자하심이 영원하도다"(대하 7:3)라고 고백하였습니다.

이날에 왕과 백성은 7일간의 성전 낙성식(7월 8-14일)과 또 7일간의 초막절(7월 15-21일)과 폐회 축제(7월 22일)를 겸하여 총 15일 동안 엄청난 헌당의 제사를 드리고 백성은 7월 23일에 각각 자기 집으로 돌아갔습니다(왕상 8:62-66, 대하 7:4-10).

솔로몬왕이 화목제로 드린 제물은 소가 2만 2천, 양이 12만이였습니다(왕상 8:63, 대하 7:5). 솔로몬과 그 백성의 지극한 감사(헌당 제사)를 받으신 하나님께서는 그 응답으로 이스라엘 백성과 세운 언약을 지키며, 하나님의 눈과 귀와 마음과 이름이 이 성전에서 떠나지 않겠다고 약속하셨습니다(왕상 9:1-3, 대하 7:11-18).

이어서, 솔로몬이 하나님의 명령에 순종하여 법도와 율례를 지키면 이스라엘의 왕위가 영원하지만, 만약 불순종하고 다른 신을 섬겨 숭배하면 이스라엘을 멸망시키고 심지어는 "거룩하게 구별한 이 전이라도 내 앞에서 던져 버리리니"라고 선포하셨습니다(왕상 9:4-9, 대하 7:19-22). 그러므로 이스라엘의 미래는 하나님께 대한 순종 여부에 달려 있었던 것입니다.

4. 솔로몬은 말년에 범죄하므로 하나님의 징계를 받았습니다.

God chastised Solomon because of his transgressions in his latter years.

솔로몬은 성전과 왕궁을 지은 후에 군사요충지(밀로, 예루살렘 성, 하솔, 므깃도, 게셀 등)에 요새와 성을 건축하였습니다(왕상 9:15, 19). 이렇게 나라가 부강해지자 솔로몬은 서서히 타락하기 시작하였습니다. 솔로몬은 바로의 딸 외에 이방의 많은 여인을 사랑하였습니다(왕상 11:1). 여기 '사랑하였으니'라는 단어는 히브리어 '아하브'(אָהַב)로, 남녀간의 사랑을 나타내며, 대체적으로 성적인 관계를 의미합니다. 솔로몬은 많은 여인을 사랑함으로 단순히 정략적인 의도뿐만 아니라 자신의 성적인 욕망을 만족시켰던 것입니다.

하나님께서는 이방인과의 통혼을 금지하셨지만(출 34:16, 신 7:3-4), 솔로몬은 이방인 여인들을 '연애'하였다고 열왕기상 11:2에서 말씀하고 있습니다. 여기 '연애하였더라'는 히브리어 '다바크'(דָּבַק)로서 이것은 '달라붙다, 바싹 뒤따르다, 굳게 결합하다'라는 뜻으로, 어떤 대상에 강하게 집착해서 종속되는 상태를 나타냅니다. 그러므로 솔로몬은 성적 욕망의 포로가 되어 이방 여자들에게 종속되었다는 것입니다. 하나님께 종속되어야 할 솔로몬이 이방 여자들에게 마음을 빼앗겨 거기에 종속되고 말았던 것입니다(느 13:26).

그는 처첩을 많이 두어 아내가 700명이요 첩이 300명으로, 그 수가 1천에 달했습니다. 신명기 17:16-17에서는 "왕 된 자는 ... [17]아내를 많이 두어서 그 마음이 미혹되게 말 것"을 권면하고 있습니다.

그러나 솔로몬이 이 말씀에 불순종한 결과, 그가 얻은 수많은 아내와 첩들은 자기들이 섬기는 이방신을 가지고 들어와서 섬겼습니다. 또한 1천 명의 처첩들은 늙은 솔로몬왕의 마음을 돌이켜서, 솔로몬으로 하여금 다른 신들을 좇게 하였습니다(왕상 11:3-4). 솔로몬은 그들의 신들을 위하여 산당을 지었습니다. 열왕기상 11:6-8에서는 "솔로몬이 여호와의 눈앞에서 악을 행하여 그 부친 다윗이 여호와를 온전히 좇음같이 좇지 아니하고 [7]모압의 가증한 그모스를 위하여 예루살렘 앞 산에 산당을 지었고 또 암몬 자손의 가증한 몰록을 위하여 그와 같이 하였으며 [8]저가 또 이족 후비들을 위하여 다 그와 같이 한지라 저희가 자기의 신들에게 분향하며 제사하였더라"라고 말씀하고 있습니다.

수많은 여자들을 통해서 죄를 짓게 된 솔로몬은 훗날 "내가 깨달은즉 마음이 올무와 그물 같고 손이 포승 같은 여인은 사망보다 독한 자라 하나님을 기뻐하는 자는 저를 피하려니와 죄인은 저에게 잡히리로다"(전 7:26)라고 고백하였습니다. 현대인의성경은 이것을 "내가 한 가지 깨달은 사실은 죽음보다 더 지독한 것이 있는데 그것은 마음이 덫이나 그물 같고 손이 쇠사슬과 같은 여자이다. 하나님을 기쁘게 하는 자는 그런 여자를 피하지만 죄인은 그녀의 덫에 걸리고 만다"라고 번역하였습니다.

누구나 형통하여 정상의 자리에 섰을 때 유혹에 쉽게 넘어가기 마련입니다. 우리는 형통할수록 더욱 하나님의 말씀을 지키며 세상 유혹을 물리치는 결단이 있어야 합니다.

(1) 솔로몬을 향한 하나님의 두 번의 경고(왕상 3:5-14, 9:2-9)

열왕기상 11:9-10 "솔로몬이 마음을 돌이켜 이스라엘 하나님 여호와를 떠나므로 여호와께서 저에게 진노하시니라 여호와께서 일찌기 두 번이나 저에게 나타나시고 [10]이 일에 대하여 명하사 다른 신을 좇지 말라 하셨으나 저가 여호와의 명령을 지키지 않았으므로"

일찍이 하나님께서 솔로몬에게 두 번 나타나신 것은 무슨 사건을 가리킵니까? 하나님께서는 먼저 솔로몬이 기브온에서 일천 번제를 드린 후에 나타나셨습니다(왕상 3:4-5). 다음으로 성전과 왕궁을 완공한 후에 나타나셨습니다(왕상 9:1-2). 그때마다 하나님께서는 축복만 주신 것이 아니라, 말씀에 불순종할 때 어떤 일이 일어날 것인지에 대한 경고의 말씀도 주셨습니다. 이스라엘을 그 땅에서 끊어지게 할 것이며, 거룩한 성전이라도 던져 버릴 것이라고 강력하게 말씀하셨습니다.

열왕기상 9:6-7에서는 "만일 너희나 너희 자손이 아주 돌이켜 나를 좇지 아니하며 내가 너희 앞에 둔 나의 계명과 법도를 지키지 아니하고 가서 다른 신을 섬겨 그것을 숭배하면 [7]내가 이스라엘을 나의 준 땅에서 끊어 버릴 것이요 내 이름을 위하여 내가 거룩하게 구별한 이 전이라도 내 앞에서 던져 버리리니 이스라엘은 모든 민족 가운데 속담거리와 이야기거리가 될 것이며"라고 준엄하게 경고하셨습니다.

그러나 솔로몬은 통치 말년에 육신의 정욕에 빠져, 하나님의 경고의 말씀을 경홀히 여겨 잊어버렸습니다. 이에 하나님께서는 "내가 결단코 이 나라를 네게서 빼앗아 네 신복에게 주리라 그러나... 나의 종 다윗과 나의 뺀 예루살렘을 위하여 한 지파를 네 아들에게 주리라"(왕상 11:11-13)고 말씀하셨습니다. 이와 같이 이스라엘 나라가 남북으로 쪼개어진 원인은 솔로몬의 범죄에 있었던 것입니다.

(2) 솔로몬의 범죄에 대한 하나님의 심판

솔로몬의 타락 후 하나님께서는 심판을 선포하시고 그것을 바로 시행하셨습니다. 먼저 에돔 사람 하닷을 일으켜 솔로몬의 원수가 되게 하셨고(왕상 11:14-22), 또 다메섹(수리아)의 르손을 일으켜 솔로몬의 원수가 되게 하셨습니다(왕상 11:23-25).

그리고 선지자 아히야를 통해서 여로보암에게 열 지파를 주겠다고 선언하셨습니다. 여로보암은 솔로몬이 그 소년의 부지런함을 보고 요셉 족속의 역사를 감독하는 신하로 세웠던 자입니다(왕상 11:28). 열왕기상 11:30-31에서 "아히야가 그 입은 새 옷을 잡아 열두 조각에 찢고 [31]여로보암에게 이르되 너는 열 조각을 취하라 이스라엘 하나님 여호와의 말씀이 내가 이 나라를 솔로몬의 손에서 찢어 빼앗아 열 지파를 네게 주고"라고 말씀하고 있습니다.

이 말씀대로, 솔로몬이 죽자 여로보암은 열 지파를 중심으로 북 이스라엘을 건설하였고, 솔로몬의 아들 르호보암은 두 지파를 중심으로 남 유다를 다스리게 되었습니다.

솔로몬은 아버지 다윗으로부터 철저한 신앙 교육을 받았습니다. 그러나 말년에 많은 처첩을 얻고 그들을 통하여 이방 신상을 받아들여 섬기는 엄청난 죄를 짓고 말았습니다. 성경은 계속적으로, 솔로몬이 부친 다윗의 믿음의 길을 좇지 않았다고 말씀하고 있습니다.

열왕기상 11:4 "... 왕의 마음이 그 부친 다윗의 마음과 같지 아니하여 그 하나님 여호와 앞에 온전치 못하였으니"

열왕기상 11:6 "솔로몬이 여호와의 눈앞에서 악을 행하여 그 부친 다윗이 여호와를 온전히 좇음같이 좇지 아니하고"

솔로몬의 경우를 통하여 볼 때, 부모의 신앙 전수와 더불어 중요한 것은, 본인 스스로 세상의 유혹을 물리치고 하나님의 말씀에 순종해야 한다는 것을 깨닫게 됩니다.

솔로몬은 한때 하나님의 은혜를 받아 지혜로운 왕이었습니다. 받은 그 은혜를 계속 유지하는 길은 하나님의 말씀을 순종하며 지켜 행하는 것입니다. 다윗의 마지막 유언도 "네 하나님 여호와의 명을 지켜 그 길로 행하여 그 법률과 계명과 율례와 증거를 모세의 율법에 기록된 대로 지키라"(왕상 2:3)는 것이었습니다. 그러나 솔로몬은 아버지 다윗의 마지막 유언을 가슴 깊이 새기지 않았고, 하나님께서 두 번이나 경고하신 말씀에도 순종하지 않았습니다. 솔로몬이 하나님의 말씀에 순종했을 때는 그 이름의 뜻대로 나라가 평안하였지만, 솔로몬이 다른 신을 좇고 하나님의 언약을 버리고 그 명하신 법도를 지키지 않으므로 나라가 둘로 분열되고 말았습니다(왕상 11:9-13).

하나님의 말씀에 순종하는 것이 곧 민족과 교회와 가정의 평안입니다. 그러나 하나님의 말씀을 경홀히 여겨 불순종하면 민족과 교회와 가정은 갈래갈래 분열되어, 찢기는 아픔이 떠나지 않습니다. 이렇듯 솔로몬의 범죄는 개인뿐만 아니라 전 왕국의 분열과 쇠퇴를 초래하였습니다. 그러나 하나님께서는 솔로몬의 범죄에도 불구하고 나라를 완전히 멸망시키지 않고 한 지파를 남겨 두어, 다윗에게 한 등불이 있게 하셨습니다(왕상 11:36). 이것은 하나님께서 다윗과의 언약을 기억하사(삼하 7:16), 궁극적으로 구속사의 중심이신 예수 그리스도께서 오시는 길을 예비하여 구속사가 결코 끊어지지 않게 하신 하나님의 섭리였습니다.

*유구한 역사 속에서 세계 최초로 성경적 체계화 정리

THE TIME IT TOOK TO CONSTRUCT SOLOMON'S TEMPLE

'솔로몬 성전' 건축 기간

열왕기상 6:37-38 "제 사 년 시브월에 여호와의 전 기초를 쌓았고 [38] 제 십일년 불월 곧 팔월에 그 설계와 식양대로 전이 다 필역되었으니 솔로몬이 전을 건축한 동안이 칠 년이었더라"

열왕기상 6:37-38에는 솔로몬 성전이 건축되는 데 걸린 기간이 기록되어 있습니다. 성전 건축은 솔로몬 제 사 년 시브월(2월) 2일에 시작하여(대하 3:2) 제 십일 년 불월(8월)에 끝났으며, 그 건축한 기간은 "7년"으로 기록되어 있습니다. 열왕기상 9:10에서 여호와의 전과 왕궁을 20년 만에 건축하기를 마쳤다고 기록하고 있는데, 열왕기상 7:1에서는 솔로몬이 자기의 궁을 건축하는 데만 13년이 걸렸다고 말씀하고 있습니다. 이 두 구절을 비교해 보아도 솔로몬 성전을 건축하는 데 걸린 기간은 "7년"(20-13=7)인 것입니다.

그러나 당시 일반적으로 사용하던, 니산월(1월)부터 시작되는 달력 체계로 볼 때는 '8년'으로 표기하는 것이 맞아 보입니다. 왜냐하면 솔로몬 성전 건축이 시작된 솔로몬 제4년부터 끝나는 제11년까지는 여덟 해(통치 4년[1], 5년[2], 6년[3], 7년[4], 8년[5], 9년[6], 10년[7], 11년[8])에 걸쳐 있기 때문입니다.* 그렇다면 왜 성경에서는 솔로몬 성전 건축 기간을 '8년'이 아니라 "7년"(왕상 6:38)으로 기록하고 있을까요?

그 이유는, 솔로몬 시대에 왕의 통치 연수를 계산할 때는 한 해를 니산월(1월)부터 시작하지 않고 티쉬리월(7월)부터 시작했기 때문입니다. 본 서 73-74쪽에서도 이것을 뒷받침하는 근거를 제시하고 있습니다.

티쉬리월을 기준으로 계산된 솔로몬 통치 제4년 시브월(2월)의 위치는, 실제 니산월 기준에서는 솔로몬 제5년째에 해당됩니다. 왜냐하면 니산월 기준이 티쉬리월 기준보다 6개월 앞서 진행되기 때문입니다. 이와 같이 왕의 통치 연수를 티쉬리월을 기준으로 할 때, 성전 건축 기간은 '8년'보다 1년이 적은 "7년"이 되는 것입니다. 그 이유는 왕의 통치 연대를 니산월로 기준하든지 티쉬리월로 기준하든지 간에 성전 건축 기간 계산은 당시 보편적으로 사용하던 달력(1월 니산월부터 12월 아달월까지)을 기준으로 계산하였기 때문입니다.** 이것을 도표로 이해하면 다음과 같습니다.

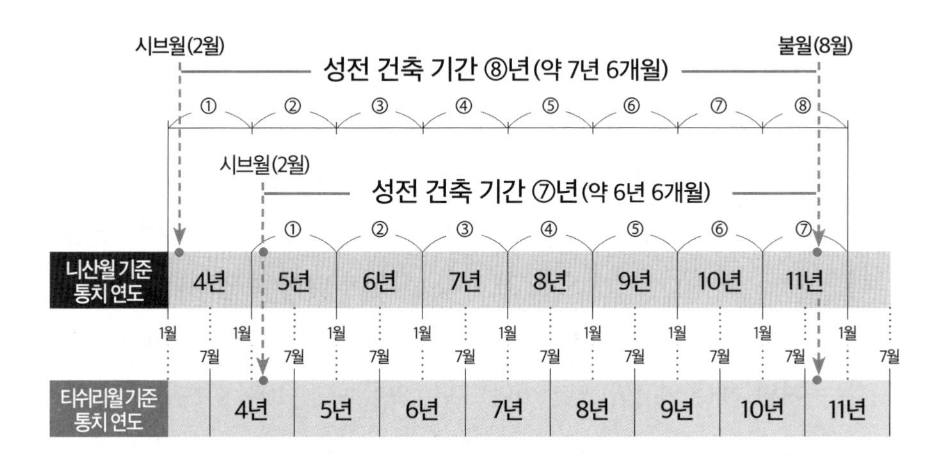

그렇다면 솔로몬 성전을 건축한 기간은 정확히 얼마입니까? 일반적으로는, 성전 건축의 시작이 솔로몬 통치 제4년 시브월(2월)이요,

끝이 제11년 불월(8월)이기 때문에 단순한 계산으로 7년 6개월이라고 생각하기 쉽습니다. 이렇게 생각하는 견해들은 아래와 같습니다.

솔로몬 성전을 건축한 기간이 7년 6개월이라고 주장하는 견해

"건축에 만 7년 6개월이 요한 셈이다."

이상근, 「열왕기상·하서」, 구약성서 주해 시리즈 (성등사, 1998), 71.

"솔로몬이 성전을 건축하기 시작하여 완공하기까지 만 7년 반이 걸리게 되었다."

박윤선, 「사무엘서·열왕기·역대기」, 성경주석 시리즈 (영음사, 1989), 324.

"성전 건축은... 7년 6개월이 걸렸다."

이병규, 「열왕기상」, 성경강해 시리즈 (염광출판사, 1991), 78.

"이 공사가 7년 6개월이 걸렸습니다(왕상 6:37-38)."

석원태, 「설교전집 2권」 (도서출판 경향문화사, 1985), 309.

"열왕기상 6장 37-38절에 보면 솔로몬의 성전 공사는 7년 반 만에 완성되었습니다." 석원태, 「설교전집 2권」 (도서출판 경향문화사, 1985), 300.

"솔로몬의 성전은 7년 6개월 만에 완공되었습니다."

석원태, 「설교전집 32권」 (도서출판 경향문화사, 2004), 34.

"7년 6개월 만에 완공된 성전에 하나님이 찾아오셨습니다."

석원태, 「설교전집 32권」 (도서출판 경향문화사, 2004), 35.

"성전 건축은... 실제적으로는 약 칠년 반이 소요된 셈이다."

그랜드 성서 주석 시리즈 6 (성서아카데미, 2000), 125.

"성전은... 건축 기간은 정확히 7년 6개월이 걸렸습니다."

트리니티 말씀대전 시리즈 9 (예광, 2001), 158.

"건축 기간은 보다 정확히 7년 6개월 걸린 셈이다."

호크마 종합 주석 시리즈 8 (기독지혜사, 1990), 169.

"건축에 소요된 기간이 7년 반이 걸린 것이다."

R. W. Bahr, 「열왕기상」, 랑게 주석 시리즈 11, 배영철 역 (로고스, 1999), 150.

"성전은 정확히 건축에 7년 반이라는 짧은 기간이 걸렸다."

J. Hammond, 「열왕기상」, 풀핏 성경 주석 시리즈 16, 박홍관 역 (보문출판사, 1993), 141.

"성전 건축 착공에서 준공까지는 7년 반에 불과했다(38절)."

Matthew Henry, 「열왕기상」, 메튜 헨리 주석 시리즈 11, 남준희 역 (기독교문사, 1986), 121.

"성전 건축은 만 7년 6개월 만인 솔로몬 11년 불월(유대력 8월)에 완성되었다."

톰슨 II 성경편찬위원회, 「톰슨 II 성경 주석」 (기독지혜사, 2008), 519.

"전 건축에 칠 년이 소요되었다. ... 보다 엄밀하게 말하면 칠 년 반이 걸렸다."

Thomas L. Constable, 「열왕기상·하」, BKC 주석 시리즈 6 문동학·이명준 역 (두란노, 1989), 54.

"그래서 '그 설계와 식양대로' 모두 7년 혹은 보다 정확히는 7년 반이 걸렸다."

C.F. Keil & F. Delitzsch, 「열왕기(상)·(하)」, 카일·델리취 주석 구약 시리즈 8, 박수암 역 (기독교문사, 1994), 97.

"성전을 짓는 데는 7년 반 정도가 걸렸음..."

장종길, 「백투더바이블(열왕기상)」 (그리심, 2003), 144.

"7년 6개월에 걸쳐 지은 성전"

성경인물연구편찬위원회, 「통일 왕국 시대 인물편」, 성경인물연구 시리즈 4권 (램난트, 1998), 601.

"성전 건축은 약 7년 반의 세월을 요하였다."

성서주해[1] (총리원 출판부, 1969), 762.

"솔로몬 즉위 제4년 2월에서 11년 8월까지 7년 6개월을 소비하였다."

아시노 중이찌 외 저, 「룻기-에스더」, 신성서주해 시리즈, 박만제·고영민 공역 (기독교문사, 1986), 287.

"성전 건축은 7년 반에 걸쳐 완성되었다."

F.B. Meyer, 「마이어 주석」 (엠마오, 1995), 183.

" 7년 6개월이 소요된 성전 공사는 ... 그토록 화려하고 정교한 건물을 완공하는 데 7년 반밖에 걸리지 않은 사실은 ..."

제자원 기획·편집, 「열왕기상 1-7장」, 옥스퍼드 원어성경 대전 시리즈 26 (제자원, 2005), 569.

"성전을 건축하기 시작한지 7년 반 만인 솔로몬왕 11년 불월에 성전이 완성되었다."

강병도, 「열왕기상-역대하」, QA시스템 성경연구시리즈 4 (기독지혜사, 1991), 43.

"솔로몬은... 7년 6개월 간의 성전 건축을 완료하고 하나님께 봉헌하였다."

가스펠서브 기획편집, 「라이프 성경사전」 (생명의 말씀사, 2008), 566.

"About seven years and six months are needed to complete the temple."

Paul R. House, *1, 2 Kings*, The New American Commentary, vol. 8 (Nashville, Tennessee: Broadman & Holman Publishers, 1995), 129.

"The building took seven years to complete(vv. 37-38)—or more precisely, seven years and six months."

Iain W. Provan, *1 and 2 Kings*, New International Biblical Commentary (Peabody, Massachusetts: Hendrickson Publishers, 1995), 67.

"Solomon's Temple only took seven and a half years to build."

F. W. Farrar, *The First Book of Kings*, The Expositor's Bible (New York: A.C. Armstrong and Son, 1903), 166.

"Thus seven years and six months were consumed in this work, and this period. This is rounded off to an even seven years, the number of perfection."

Simon J. De Vries, *1 Kings*, Word Biblical Commentary, vol. 12 (Waco, Texas: Word Books, 1985), 96.

"The time spent in constructing the temple was actually seven and one-half years(see vs. 1)."

Clyde M. Miller, *First and Second Kings*, The Living Word Commentary on the Old Testament, vol. 7 (Abilene, Texas: Abilene Christian University Press, 1991), 149.

"The actual time of building was seven years and a half."

I. W. Slotki, *Kings*, Soncino Books of The Bible (London: The Soncino Press, 1971), 46.

"More exactly, 'seven years and six months,' since Zif was the second, and Bul the eighth month."

J. M. Fuller, *1 Samuel-Esther*, The Bible Commentary (Grand Rapids, Michigan: Baker Book House, 1953), 159.

"It took Solomon seven years and six months to finish the temple."

Russell H. Dilday, *1, 2 Kings*, The Communicator s Commentary (Waco, Texas: Word Publisher, 1987), 92.

"The temple took seven and a half years to build."

Norman H. Snaith, *The Interpreter s Bible vol. III* (Nashville, Tennessee: Abingdon Press, 1954), 60.

"The house was precisely seven and a half years in building- a short period."

J. Hammond, *1 Kings*, The Pulpit Commentary (Peabody, Massachusetts: Hendrickson Publisher, 1950), 111.

"The temple took seven and a half years to complete in all its details and specifications."

Donald J. Wiseman, *1 and 2 kings*, Tyndale Old Testament Commentaries (Downers Grove, Illinois: Inter-Varsity Press, 1993), 111.

"A total of seven and one-half year, but that is rounded off to seven years in verse 38"

Howard F. Vos, *1, 2 Kings*, Bible Study Commentary (Grand Rapids, Michigan: Lamplighter Books, 1989), 59.

그러나 솔로몬 성전 건축 기간 7년 6개월은 왕의 통치 연대를 니산월을 기준으로 계산할 때 나오는 수치이며, 당시 왕의 통치 연대에 실제로 사용하였던 티쉬리월을 기준으로 계산한다면 약 6년 6개월이 나옵니다. 이렇게 1년의 차이가 나는 이유는, 티쉬리월을 기준으로 한 통치 제4년 시브월(2월)은 니산월을 기준으로 할 때의 통치 제5년 시브월(2월)에 해당되기 때문입니다.

또한 니산월로 시작되는 달력을 기준으로 할 때, 5년 시브월(티쉬리월 기준은 4년 시브월)부터 11년 불월까지는 일곱 해(통치 5년[1], 6년[2], 7년[3], 8년[4], 9년[5], 10년[6], 11년[7])에 걸쳐 있으므로 열왕기상 6:37-38에서 성전 건축한 기간을 "7년"이라고 기록한 것입니다.

솔로몬 성전 건축이 시작된 주전 966년부터 오늘날까지 3,000여 년이 흘렀습니다. 실로 유구한 역사 속에서 약 3,000년 만에 성전 건축 기간(약 6년 6개월)이 체계적으로 밝혀진 것은 오직 하나님의 은혜와 성령님의 강한 조명의 역사입니다.

*'왕의 통치 기간 외에 어떤 사건의 총 연수를 계산할 때 포괄적인 산술법을 따르는데, 이에 따르면 그 사건이 시작되거나 끝나는 해의 달 수가 12달(1년)에서 조금 부족하여도 그냥 한 해로 계산하게 된다.'[R.K. Harrison, *Introduction to the Old Testament* (Peabody, Massachusetts: Hendrickson Publishers, 2004), 182.]

참고-창 17:12과 레 12:2-3의 비교, 창 42:17과 창 42:18의 비교, 왕하 18:9과 왕하 18:10의 비교, 눅 24:21과 마 12:40, 27:63, 막 8:31, 행 10:40, 고전 15:4의 비교.

** "열왕기나 다른 곳에서 달들(the months)은 해가 봄부터 시작하든지 가을부터 시작하든지 간에 상관없이 니산월을 기준으로 계산되었다." [R.K. Harrison, *Introduction to the Old Testament*, 182.]

참고-출 12:2, 18, 13:3-4, 23:15, 34:18, 삼하 11:1, 왕상 8:2, 20:22, 대상 20:1, 느 1:1, 2:1, 에 3:7

*** **솔로몬 성전 건축이 시작된 해는 티쉬리 기준으로 주전 966년, 니산 기준으로 주전 965년이다.**

·본문에 사용된 달(month)은 종교력[1년=니산월(1월)부터 아달월(12월)까지 12개월] 기준임.

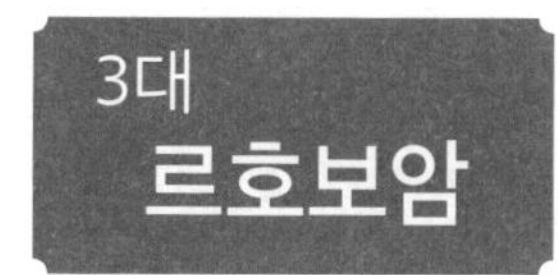

Rehoboam / Ῥοβοάμ / רְחַבְעָם
백성을 크게 하는자
the one who enlarges his people

- 남 유다 제1대 왕(왕상 11:43-12:24, 14:21-31, 대하 9:31-12:16)
- 예수 그리스도의 족보 제2기 세 번째 인물

마태복음 1:7 "솔로몬은 **르호보암**을 낳고 **르호보암**은 아비야를 낳고..."

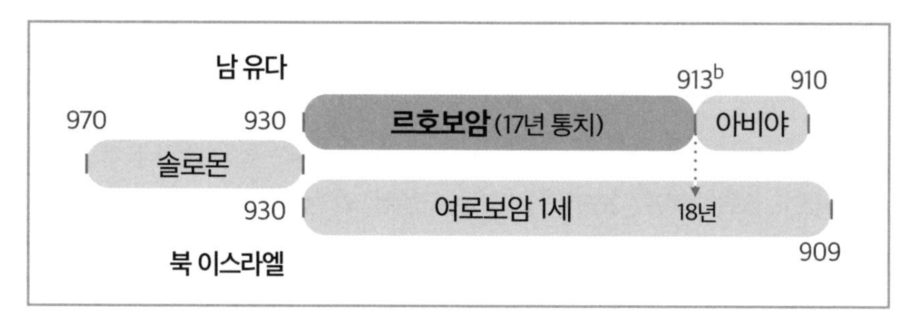

배경
- 부: 솔로몬(왕상 14:21)
- 모: 나아마(암몬 사람 - 왕상 14:21, 31, 대하 12:13)

통치 기간
- 41세에 즉위하여 17년 통치하였다(주전 930-913b년, 왕상 14:21, 대하 12:13). 르호보암 시대에 북 이스라엘에서는 여로보암이 제1대 왕으로 즉위하였다(주전 930년).

평가 - 악한 왕(왕상 14:22-24, 대하 12:14)
르호보암은 여호와의 뜻을 찾는 데는 마음을 쓰지 않고 악한 일만 도모하였는데(대하 12:14), 당시 유다는 여호와의 보시기에 악을 행하되 그 열조의 행한 모든 일보다 뛰어나게 하였다(왕상 14:22). 산당과 우상과 아세라 목상을 세우고, 남색하는 자를 두는 등 가증한 일을 행하였다(왕상 14:23-24).

활동 선지자 - 스마야

하나님의 사람 스마야가 북 이스라엘과 싸우지 말 것과 애굽 왕 시삭이 예루살렘을 침공할 때 대강 구원해 주실 것을 예언하였다(왕상 12:21-24, 대하 11:2-4, 12:5-8).

사료(史料) - 유다 왕 역대지략(왕상 14:29)

솔로몬이 죽은 후, 그를 대신하여 왕이 된 사람이 아들 르호보암입니다. 르호보암 때에 이르러 나라가 남 유다와 북 이스라엘로 분열되었습니다. 르호보암은 히브리어로 '레하브암'(רְחַבְעָם)입니다. 이것은 '넓다, 크다, 확장하다'라는 뜻의 '라하브'(רָחַב)와 '백성'이라는 뜻의 '암'(עַם)이 합성된 것으로, '백성을 크게 하다'라는 의미입니다.

1. 르호보암은 나라를 남 유다와 북 이스라엘로 분열시켰습니다.

Rehoboam caused the kingdom to be divided into the southern kingdom of Judah and the northern kingdom of Israel.

솔로몬왕 때 이스라엘은 유례없는 국가적 번영을 누렸으나, 백성은 솔로몬 성전과 왕궁의 건축으로 인한 고역(왕상 5:13-16)과 많은 세금(왕상 10:14)으로 인해 무거운 멍에에 시달려야 했습니다. 이스라엘 백성은 솔로몬이 죽자, 그의 아들 르호보암에게 이러한 고역과 무거운 멍에를 가볍게 해 달라고 요청하였습니다(왕상 12:4). 여기 '고역'에 해당되는 단어는 히브리어 '카쉐'(קָשֶׁה: 잔인한)와 '아보다'(עֲבֹדָה: 노동)라는 두 단어입니다. '고역'은 '잔인한 노동'으로, 애굽에서의 종살이에 견줄 만큼 견디기 힘든 생활을 의미합니다.

그러나 르호보암은 백성의 노역을 가볍게 해 주어야 한다는 노인들의 교도를 버리고, 자기와 함께 자라난 젊은 소년들의 가르침을 좇아 백성을 강압적으로 다스렸습니다(왕상 12:6-15). 이에 북 이스라엘 열 지파는 "우리가 다윗과 무슨 관계가 있느뇨"(왕상 12:16)라고 하면서 다윗의 집을 배반하고 여로보암을 왕으로 옹립하였습니다(왕상 12:16-19, 대하 10:16-19).

그러므로 남북의 분열은 솔로몬의 범죄에 대한 심판이었지만(왕상 11:9-13, 26-40), 그 분열의 비극을 역사적으로 이루어지게 한 것은 르호보암의 강압 통치였습니다.

르호보암이 강압 통치를 하게 된 배경은 다음과 같습니다.

첫째, 르호보암은 노인들의 가르침을 무시했습니다.

노인은 히브리어 '자켄'(זָקֵן)으로, '풍부한 인생 경험을 통해 깊은 지혜를 가진 자, 장로'를 의미합니다. 르호보암이 무시한 이들은 솔로몬 시대에 국정에 참여하여 솔로몬을 섬긴 지혜로운 자들이었습니다(왕상 12:6上). 그러나 르호보암은 오랜 세월을 통해 축적된 인생 경륜과 지혜를 가진 노인들의 가르침을 무시함으로, 나라를 분열시키는 장본인이 되고 말았습니다. 레위기 19:32에서는 "너는 센 머리 앞에 일어서고 노인의 얼굴을 공경하며 네 하나님을 경외하라 나는 여호와니라"라고 말씀하고 있습니다(참고-잠 16:31, 20:29).

둘째, 르호보암은 백성을 무시했습니다.

르호보암은 백성에게 포악한 말로 "내 부친은 너희의 멍에를 무겁게 하였으나 나는 너희의 멍에를 더욱 무겁게 할지라 내 부친은 채찍으로 너희를 징치하였으나 나는 전갈로 너희를 징치하리라"(왕상 12:14)라고 말하였습니다. 그는 자신의 이름의 뜻대로 백성과 장로들을 크게 생각하며 귀하게 여겨야 했습니다. '민심(民心)이 천심(天心)'이기 때문입니다. 그러나 르호보암왕은 백성의 고충을 헤아리지 않고, 도리어 백성과 장로들을 무시하고 하찮게 생각함으로써 결국 나라를 분열시키고 말았습니다.

2. 남 유다는 르호보암의 초기 통치 3년간 강성했습니다.

The kingdom of Judah was strengthened during the first 3 years of Rehoboam's reign.

역대하 11:17을 볼 때, 르호보암은 3년 동안 강성하였습니다. 여기 '강성하게 하였으니'는 히브리어 '하자크'(חָזַק)로, '강하다, 견고하다, 튼튼하다'라는 뜻입니다. 특별히 여기에서는 히브리어 동사의 피엘형이 사용되어, 감히 다른 나라에서 침범하지 못할 정도로 아주 강력한 나라가 되었음을 의미합니다.

르호보암 치세 초기에 이렇게 강성해진 이유는 무엇입니까?

첫째, 르호보암이 순종하였기 때문입니다.

르호보암은 자신의 강압 통치로 나라가 분열되자 18만 명의 용사를 모아 북 이스라엘을 공격하려 했지만, 그것이 하나님의 뜻이 아니라는 스마야 선지자의 경고를 듣고 즉시 순종하였습니다. 역대하 11:4에서는 "저희가 여호와의 말씀을 듣고 돌아가고 여로보암을 치러 가지 아니하였더라"라고 말씀하고 있습니다. 여기 '듣고'(바이쉬메우, וַיִּשְׁמְעוּ)나 '돌아가고'(바야슈부, וַיָּשֻׁבוּ)는 히브리어 계속법으로서, 르호보암이 하나님의 말씀을 듣고 바로 순종했음을 뜻합니다.

르호보암의 인간적 생각으로는 북 이스라엘에 대한 공격 포기가 결코 용납될 수 없었을 것입니다. 자기 시대에 나라가 분열된다면, 그 모든 책임이 자신에게 돌아올 것이기 때문입니다. 그러나 르호보암은 자신의 생각을 포기하고 하나님의 말씀에 순종하였고, 그 결과 그의 통치 초기는 강성할 수 있었습니다.

둘째, 르호보암의 국방 강화를 위한 건축 사업 때문입니다.

북 이스라엘의 공격을 포기하고 하나님의 뜻에 순종한 르호보암은 국방을 튼튼히 하는 내치(內治)에 힘을 기울였습니다. 당시 남 유다는 북 이스라엘 열 지파가 이탈하고 유다와 베냐민 두 지파뿐이었으므로 국력이 심히 약할 때였습니다. 그러므로 르호보암은 유다 땅 변방에 외적의 침입을 방비하는 열다섯 성읍(베들레헴, 에담, 드고아, 벧술, 소고, 아둘람, 가드, 마레사, 십, 아도라임, 라기스, 아세가, 소라, 아얄론, 헤브론)을 건축하였습니다(대하 11:5-10). 이 성읍들은 모두 견고하였으며(대하 11:10下), 대부분 남쪽과 서쪽에 집중된 것으로 보아, 당시 강성했던 애굽과 블레셋을 염두에 두고 지어졌음을 알 수 있습니다.

역대하 11:5의 '방비하는'은 히브리어 '마초르'(מָצוֹר)로, 철통같은 방어막을 갖춘 요새화(fortification)를 의미합니다. 르호보암은 열다섯 요새를 건축하고 장관을 그 가운데 두고, 전쟁 대비를 위해 양식과 기름과 포도주를 저축하였으며, 그곳에 방패와 창을 두어 심히 강하게 하였습니다(대하 11:11-12).

역대하 11:11에서 르호보암은 "이 모든 성읍을 더욱 견고케 하고"라고 말씀하고 있습니다. 여기 '더욱 견고케 하고'는 히브리어로 한 단어인 '하자크'(חָזַק)의 피엘(강조)형으로, 역대하 11:17의 "강성하게 하였으니"와 같은 단어입니다. 그러므로 다른 나라에서 침범할 수 없을 정도로 강력한 요새를 만들어 나라를 견고하고 강성하게 한 것입니다. 나라의 국방력은 저절로 강해지지 않습니다. 하나님을 믿고 의지하는 신앙에 뿌리를 두고 국방 강화에 노력을 기울인 만큼 나라가 강성해지는 것입니다.

셋째, 북 이스라엘에서 경건한 자손들이 남쪽으로 이주하였기 때문입니다(대하 11:13-17).

역대하 11:13에서 "온 이스라엘의 제사장과 레위 사람이 그 모든 지방에서부터 르호보암에게 돌아오되"라고 말씀하고 있습니다. 여기 '돌아오되'라는 히브리어 '야차브'(יָצַב)의 히트파엘(재귀)형입니다. '야차브'가 재귀형으로 사용될 때는 '배치하다, 곁에 서다'라는 뜻을 가집니다. 그러므로 경건한 자손들이 적극적이고 자발적으로 돌아와서 각자의 위치에 배치되어 사명을 감당하므로 르호보암에게 큰 힘이 되었던 것입니다.

이들이 돌아온 이유가 무엇입니까? 그것은 북 이스라엘의 여로보암이 벧엘과 단에 금송아지를 만들어 섬기게 하고, 레위 지파가 아닌 사람들로 하여금 제사를 인도하게 만들고 여러 우상을 세워 경배하게 하였기 때문입니다(왕상 12:25-33, 대하 11:13-15). 이때 레위 사람들을 따라 예루살렘에 온 일반 백성도 있었습니다. 이들은 '마음을 오로지하여 이스라엘 하나님 여호와를 구하는 자들'이었습니다(대하 11:16). 현대인의성경에서는 "이스라엘의 하나님 여호와를 진심으로 찾고자 하는 사람들"이라고 번역하고 있습니다. 그들은 진심으로 하나님을 찾고자 예배를 자유롭게 드릴 수 있는 남 유다로 넘어왔습니다. 실로, 예배에 목숨을 건 용기 있는 탈출이었던 것입니다. 이러한 경건한 사람들의 영향을 받은 르호보암은 3년 동안 강성하였습니다. 나라에 경건한 사람들이 많아지면 경건한 사람들의 영향력이 커지고, 그들의 도움을 받을 때 나라가 강성해지는 것입니다(대하 11:17).

3. 르호보암은 교만하므로 성전과 왕궁의 보물을 모두 빼앗겼습니다.

The treasures of the temple of the LORD and of the royal palace were taken away because of Rehoboam's pride.

르호보암은 나라가 견고하고 강해지자 교만해지기 시작했습니다. 그의 강성함은 오직 하나님의 역사였음에도 불구하고 르호보암은 그 사실을 잊어버렸던 것입니다. 르호보암의 교만은 어떻게 나타났습니까?

첫째, 하나님의 말씀을 버렸습니다.

역대하 12:1에서 "르호보암이 나라가 견고하고 세력이 강하매 여호와의 율법을 버리니 온 이스라엘이 본받은지라"라고 말씀하고 있습니다. 교만한 사람은 하나님의 말씀을 버리는 자입니다. 왕이 말씀을 버리면 백성도 그것을 본받아 말씀을 버리게 되어 있습니다. 목사가 말씀을 버리면 교인들도 그것을 본받습니다. 하나님께서는 여호수아에게 "이 율법책을 네 입에서 떠나지 말게 하며 주야로 그것을 묵상하여 그 가운데 기록한 대로 다 지켜 행하라 그리하면 네 길이 평탄하게 될 것이라 네가 형통하리라"(수 1:8)고 말씀하셨습니다.

둘째, 산당과 우상과 아세라 목상을 세웠습니다.

하나님의 말씀을 버리는 자는 결국 하나님을 떠나서 우상을 숭배하게 되어 있습니다. 열왕기상 14:22-24에서는 "유다가 여호와 보시기에 악을 행하되 그 열조의 행한 모든 일보다 뛰어나게 하여 그 범한 죄로 여호와의 노를 격발하였으니 [23]이는 저희도 산 위에와 모든 푸른 나무 아래 산당과 우상과 아세라 목상을 세웠음이라 [24]그 땅에 또 남색하는 자가 있었고 여호와께서 이스라엘 자손 앞에서 쫓아내신 국민의 모든 가증한 일을 무리가 본받아 행하였더라"라고 말씀하고 있습니다.

더욱 큰 죄는 이 우상숭배가 성적인 타락으로 연결되었다는 것입니다. 아세라 목상은 여신상(女神像)으로, 농사를 풍년으로 만들어 주는 신으로 알려졌으며, 이 신전에 창기가 있어서 우상숭배 시에 음란한 행위가 공식적으로 행해졌습니다. 또 '남색하는 자'(왕상 14:24)는 이방 우상의 제사에 참여했던 남창(男娼)들을 가리키는 것으로, 남 유다의 도덕적 타락이 극에 달했음을 보여 줍니다(참고-레 19:29, 신 23:17, 왕상 15:12, 22:46, 욥 36:14).

이렇게 르호보암이 교만하게 된 것은 그의 방탕한 결혼생활 때문이었습니다. 르호보암은 아내 18명과 첩 60명을 포함하여 총 78명의 처첩을 거느렸습니다(대하 11:21). 르호보암은 다윗의 아들 여리못의 딸 마할랏을 통해 여우스와 스마랴와 사함을 낳았으며(대하 11:18-19), 압살롬의 딸 마아가를 통해 아비야와 앗대와 시사와 슬로밋을 낳았습니다(대하 11:20). 여기 마아가를 통해 낳은 아비야가 후에 르호보암을 이어 왕이 됩니다(대하 11:22). 솔로몬이 많은 처첩을 통하여 우상숭배에 빠진 것처럼, 르호보암도 많은 처첩을 통하여 자연히 우상숭배에 빠지게 되었습니다. 르호보암의 모친 암몬 사람 나아마(대하 12:13) 또한 르호보암이 하나님을 떠나 우상을 숭배하는 데 영향을 미쳤을 것으로 보입니다(왕상 14:21, 대하 12:13).

하나님께서는 애굽 왕 시삭을 보내어, 하나님의 말씀을 버리고 우상숭배에 앞장선 르호보암을 징책하셨습니다. 애굽 왕 시삭은 르호보암 5년에 예루살렘을 치러 올라와서 '여호와의 전의 보물과 왕궁의 보물'과 솔로몬 시대에 만든 금방패를 몰수히 빼앗아 갔습니다(왕상 14:25-26, 대하 12:2-12). 시삭은 애굽의 제22왕조의 창시자로, 주전 945년부터 924년까지 약 21년 동안 애굽을 통치했으며, 과거 여로보암이 이스라엘에서 반란을 일으켰을 때 많은 도움을 준 왕입니다(왕상 11:40). 시삭왕이 르호보암을 공격한 것은 르호보암을 징계하시기 위한 하나님의 역사였습니다.

그러나 이때 하나님께서는 남 유다를 완전히 멸하시지는 않으셨습니다. 그 이유는 스마야 선지자가 "너희가 나를 버렸으므로 나도 너희를 버려 시삭의 손에 붙였노라"라고 선포한 말씀을 듣고 르호보암이 하나님 앞에 스스로 겸비하였기 때문입니다(대하 12:5-7). '겸비'는 절대자이신 하나님을 경외하는 마음으로, 몸을 매우 낮추는 자세입니다(약 4:10). 역대하 12:7 하반절에서 "저희가 스스로 겸비하였으니 내가 멸하지 아니하고 대강 구원하여 나의 노를 시삭의 손으로 예루살렘에 쏟지 아니하리라"라고 말씀하고 있습니다. 여기 '대강 구원'이라는 표현은 하나님께서 유다를 애굽의 손에서 구원하시되, 완전히 구원하시지 않고 상당한 고통을 당하게 하시고 가까스로 멸망만은 면할 수 있도록 하셨다는 뜻입니다.

르호보암은 빼앗긴 금방패 대신 놋으로 방패를 만들어 왕궁 문을 지키는 시위대 장관의 손에 맡겼습니다(왕상 14:27). 이 놋방패는 솔로몬 시대에 비하여 남 유다의 국력이 쇠퇴하였음과, 그 쇠퇴 속에서도 하나님께서 은혜로 붙잡아 주고 계심을 상징적으로 나타냅니다.

역대하 12:14에서는 "르호보암이 마음을 오로지하여 여호와를 구하지 아니함으로 악을 행하였더라"라고 말씀하고 있습니다. 여기 '오로지하여'는 '견고하다, 안정되다, 확립되다, 세우다'라는 뜻을 가진 히브리어 '쿤'(כּוּן)의 히필형으로, '변함없이 견고하게 서 있는 상태'를 의미합니다. 르호보암은 평생 동안 믿음이 견고하지 못하고 흔들려서 하나님을 찾지 않고 악을 행한 것입니다. 그 결과 17년을 치리하는 내내 북 이스라엘의 여로보암과 전쟁을 계속하였습니다(왕상 14:30, 대하 12:15).

르호보암이 하나님을 향하여 그 마음을 오로지하고, 지속적으로 그 마음이 겸비하여 백성을 크게 여겼다면 이러한 전쟁은 일어나지 않았을 것입니다. 그러므로 하나님의 백성과 지혜로운 자들의 조언, 나아가 하나님의 말씀을 크고 귀하게 여기는 겸손이 우리에게 있어야 함을 깨닫게 됩니다.

르호보암이 세운 15개 성읍(대하 11:5-12)
Fifteen cities established by Rehoboam (2 Chr 11:5-12)

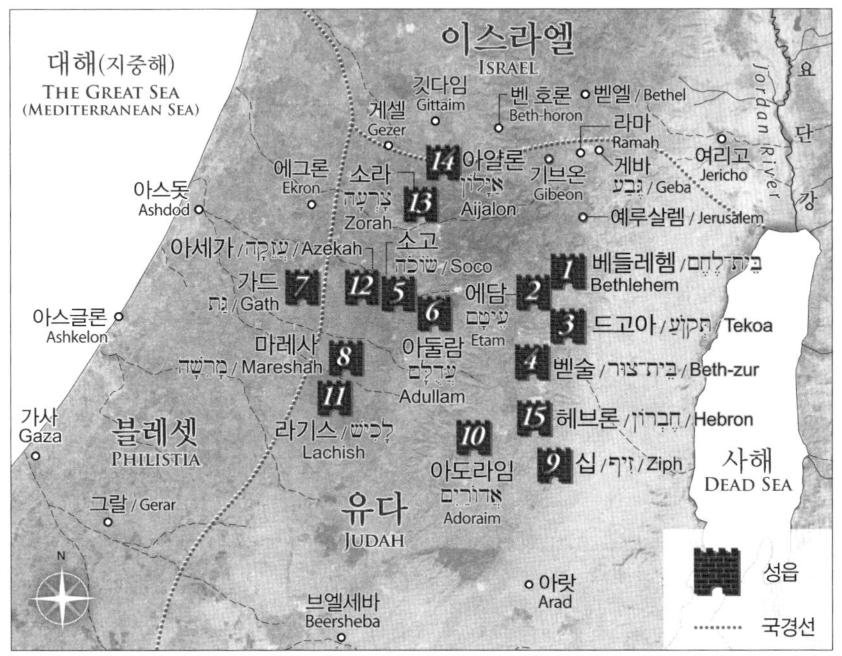

Abijah / Ἀβιά / אֲבִיָּה
여호와는 나의 아버지이시다 / the LORD is my father
Abijam / Αβιου / אֲבִיָּם
바다의 아버지 / The father of the sea

- 남 유다 제2대 왕(왕상 15:1-8, 대하 13:1-22)
- 예수 그리스도의 족보 제2기 네 번째 인물

마태복음 1:7 "... 르호보암은 **아비야**를 낳고 **아비야**는 아사를 낳고"

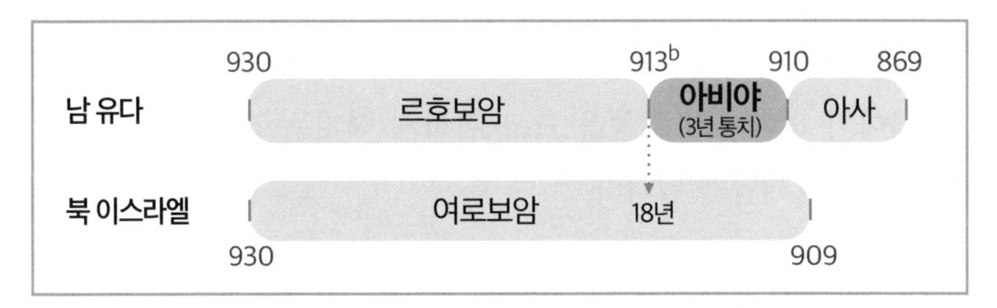

배경
- 부: 르호보암(왕상 14:31, 대하 12:16)
- 모: 마아가(아비살롬의 딸 - 왕상 15:2, 대하 11:20-22)
  역대하 13:2에는 '미가야'(기브아 사람 우리엘의 딸)로 기록

통치 기간
- 3년 통치하였다(주전 913b-910년, 왕상 15:2, 대하 13:2). 즉위할 때 왕의 나이가 언급되지 않았다.
- 아비야가 남 유다의 왕이 될 때는 북 이스라엘 여로보암 제18년이었다(왕상 15:1, 대하 13:1). 무즉위년 방식을 따르는 북 이스라엘 입장에서 보면 아비야가 즉위한 '여로보암 제18년'은 여로보암 통치 제19년에 해당된다.

평가 - 악한 왕(왕상 15:3)
아비야는 처음에 하나님을 의지하여 북 이스라엘과의 전쟁에서 승리하였지만 그 후에 부친 르호보암의 이미 행한 모든 죄를 행하고, 다윗의 마음과 같지 아니하여 그 하나님 여호와 앞에 온전치 못하였다(왕상 15:3).

사료(史料)
- 유다 왕 역대지략(왕상 15:7), 선지자 잇도의 주석 책(대하 13:22)

아비야는 르호보암의 뒤를 이어서 남 유다의 두 번째 왕이 되었습니다. '아비야'(אֲבִיָּה)는 히브리어로 '아버지'라는 뜻의 '아브'(אָב)와 여호와의 단축형 '야'(יָהּ)의 합성어입니다. 그러므로 아비야는 '여호와께서는 나의 아버지이시다'라는 뜻입니다. 아비야의 또 다른 이름 '아비얌'(אֲבִיָּם)은 '아버지'라는 뜻의 '아브'(אָב)와 '바다'라는 뜻의 '얌'(יָם)의 합성어로, '바다의 아버지'라는 뜻입니다.

1. 아비야는 왕이 될 자격이 없었으나, 하나님의 은혜로 왕이 되었습니다.

Abijah was not worthy to become king, but he became a king by the grace of God.

아비야는 르호보암의 두 번째 부인 마아가(압살롬의 딸)의 장자였습니다(대하 11:20). 아비야 위로 르호보암의 첫 번째 부인 '다윗의 아들 여리못의 딸 마할랏'이 낳은 세 아들 여우스, 스마랴, 사함이 있었습니다(대하 11:18-19). 그럼에도 불구하고 르호보암은 순서상 넷째 아들 아비야를 모든 형제들보다 앞세워 왕이 되게 했습니다(대하 11:20-22). 이는 르호보암이 아내 18명과 첩 60명 중 마아가를 가장 사랑하였기 때문이었습니다(대하 11:21). 그러므로 아비야는 도저히 왕이 될 자격이 없는 자신이 하나님의 은혜로 왕이 되었다는 사실을 깨닫고 일평생 하나님만 경외하며 살았어야 했습니다.

그러나 그는 부친 르호보암이 행한 모든 죄를 그대로 행하고, 그 마음이 조상 다윗의 마음 같지 아니하여 하나님 여호와 앞에 온전치 못하였습니다(왕상 15:3).

2. 아비야는 북 이스라엘과의 전쟁에서 크게 승리하였습니다.

Abijah was greatly triumphant in the war against Israel, the northern kingdom.

르보호암과 여로보암 사이에 전쟁이 끊이지 않았는데, 아비야 때에도 북 이스라엘의 여로보암과 전쟁이 있었습니다(왕상 15:6-7).

이때 남 유다 아비야의 군대는 40만 명이었고, 북 이스라엘 여로보암의 군대는 80만 명이었습니다(대하 13:3). 당시 정황을 볼 때, 선(先)왕 르호보암 5년에 애굽 왕 시삭과의 싸움에서 대패한(대하 12:1-9) 이후 12년 동안 여로보암과의 전쟁이 계속되던 상황이었습니다. 남 유다는 북 이스라엘 80만 대군과 맞서 도저히 이길 수 없는 중과부적(衆寡不敵)의 상황이었습니다. 그러나 전쟁이 시작되자, 아비야는 여로보암과 이스라엘 군대를 향하여 "이스라엘 자손들아 너희 열조의 하나님 여호와와 싸우지 말라 너희가 형통치 못하리라"라고 선언하였습니다(대하 13:12).

여기에서 아비야는 북 이스라엘이 남 유다와 싸우는 것은 곧 하나님과 싸우는 것이라고 확언하였습니다. 남 유다는 하나님께서 이스라엘 나라를 다윗과 그 자손에게 영원히 주리라고 약속하신 소금 언약이 있는 나라였습니다(대하 13:5). 그러나 북 이스라엘은 그 언약을 배반했고, 하나님께서 가증히 여기는 금송아지와 함께하는 나라가 되고 말았습니다(대하 13:6-8).

아비야는 북 이스라엘의 여로보암왕이 참제사장들과 레위 사람을 쫓아내고, 레위 자손 아닌 보통 백성으로 제사장을 삼고 이방

백성의 풍속을 좇았던 일을 책망했습니다(대하 13:9上, 참고-왕상 12:31, 13:33). 또한 아비야는 여로보암왕이 제사장을 세울 때 수송아지 하나와 숫양 일곱을 끌고 오면 누구나 제사장이 될 수 있도록 하였던 일도 날카롭게 지적하였습니다(대하 13:9下).[17] 실로, 여로보암왕은 하나님의 계명을 완전히 떠나, 경건성이 하나도 없이 타락하였으며 하나님의 계명을 배반하였던 것입니다(대하 13:10-11).

언약에 근거한 아비야의 담대한 외침은 승리의 원동력이 되었습니다. 여로보암이 복병을 보내어 남 유다를 앞뒤에서 공격하였지만, 유다 사람들이 하나님께 부르짖으며 의지하였고, 제사장은 나팔을 불었습니다(대하 13:13-14). 여기 '부르짖고'는 히브리어 '차아크'(צָעַק)로, '크게 소리를 지르다, 도움을 청하다'라는 뜻입니다. 유다 사람들은 중과부적의 상황에서 하나님의 도우심을 애타게 구하였던 것입니다. "제사장은 나팔을 부니라"라는 표현은 복수형으로, '많은 제사장들이 일제히 소리를 맞추어 나팔을 불었다'라는 뜻입니다. 나팔을 부는 것은 모세의 율법에 근거한 규례로(민 10:9, 31:6), 전쟁을 수행할 때 하나님의 도우심을 요청하는 신호였습니다.

이렇게 부르짖고 나팔을 불 때, 하나님께서 여로보암과 온 이스라엘을 쳐서 패하게 하시므로 남 유다가 북 이스라엘 50만 명을 죽이는 대승을 거두었습니다(대하 13:13-17). 역대하 13:18에서는 이 승리를 남 유다가 하나님을 의지한 결과라고 말씀하고 있습니다. 하나님을 온전히 의지하고 승리를 확신하는 믿음을 가진 자는 어떤 위태로운 상황에서도 승리할 수 있습니다.

3. 아비야는 강성해지자 죄악된 길을 걸었습니다.

Abijah walked in the way of iniquity once he became powerful.

아비야는 전쟁에서 승리한 이후 점점 강성해졌고, 아내 14명을 취하여 아들 22명과 딸 16명을 낳았습니다(대하 13:21). 아비야는 강성해진 직후 그 마음이 교만하여 국정은 돌보지 않고, 쾌락에 빠져 육적 만족만을 추구했던 것입니다. 아비야는 강성해질수록 하나님으로부터 멀어져 갔습니다. 열왕기상 15:3에서 "아비얌이 그 부친의 이미 행한 모든 죄를 행하고 그 마음이 그 조상 다윗의 마음 같지 아니하여 그 하나님 여호와 앞에 온전치 못하였으나"라고 말씀하고 있습니다. 하나님께서는 아비야의 통치를 오래 지속시키시지 않고, 짧은 3년을 끝으로 그를 죽이셨습니다. 이는 하나님 앞에 죄를 많이 짓고 우상을 숭배한 결과입니다.

아비야가 하나님을 의지했을 때는 세상의 그 어떤 세력도 필적할 수 없는 하나님의 능력이 나타났지만, 그가 하나님을 떠났을 때는 세상의 쾌락 속에 빠지는 어리석은 인생이 되고 말았습니다.

4. 아비야의 어머니 이름은 두 가지입니다.

There are two names for Abijah's mother.

역대하 13:2에서는 아비야의 어머니의 이름이 '우리엘의 딸 미가야'로 기록되어 있습니다. 여기 '미가야'(מִיכָיָהוּ)는 '누가 여호와와 같은가? 누가 여호와와 견줄 수 있는가?'라는 뜻입니다. 아무도 전능하신 하나님을 대적할 수 없다는 것입니다.

반면에, 역대하 11:20-22과 열왕기상 15:2에서는 아비야의 모친 이름이 '압살롬(아비살롬)의 딸 마아가'(מַעֲכָה)로 기록되어 있습니다. '압살롬의 딸'이라는 표현에서 '딸'이라는 단어는 히브리어로

'바트'(בַּת)인데, 이것은 꼭 '딸'만을 의미하는 것이 아니라 '손녀'를 의미할 때도 있습니다. 그러므로 실제로 마아가는 압살롬의 손녀요, 우리엘과 다말 사이에서 태어난 딸이었던 것입니다(삼하 14:27, 대하 13:2). 특이한 것은 압살롬의 어머니의 이름도 '마아가'라는 사실입니다(삼하 3:3, 대상 3:2). 이 마아가는 그술 왕 달매의 딸로서, 다윗왕과 결혼하여 압살롬을 낳았고, 압살롬은 누이 다말을 강간했던 배다른 형제 암논을 죽인 후 외할아버지 그술 왕 달매에게 피신하여 3년간 지냈습니다(삼하 13:37-39).

이처럼 마아가는 압살롬의 어머니 이름도 되고, 손녀의 이름도 되는 것입니다.[18] '마아가'(מַעֲכָה)는 '압박하다, 짓누르다'라는 뜻입니다. 마아가는 르호보암이 처첩보다 더욱 사랑했던 아내였으며(대하 11:21), 아사왕의 할머니이지만 어머니 역할을 하면서(왕상 15:10, 대하 15:16) 손자인 아사왕 때까지 오랜 권력을 누렸습니다. 그러나 마아가는 아세라의 가증한 우상을 만들다가 손자 아사왕에게 폐위를 당하고 말았습니다(왕상 15:13, 대하 15:16).

하나님께서는 아비야(아비얌)의 모든 죄 때문에 당장 남 유다를 멸하실 수도 있었지만, 다윗과의 언약을 기억하사 남 유다에게 자비와 은혜를 베푸셨습니다(왕상 15:3-4, 대하 21:7). 아비야의 생애를 볼 때, 아비야는 처음에는 '여호와께서는 나의 아버지이시다'라는 그의 이름의 뜻처럼, 하나님 중심의 신앙으로 전쟁에서 승리하고 선정을 베풀었습니다. 그러나 나중에는 하나님을 저버리고 세상의 쾌락에 빠져 사는 어리석은 왕이 되었습니다. 아비야가 처음의 신앙을 그대로 유지하였다면 그의 인생은 끝까지 승리할 수 있었을 것입니다.

Asa / Ἀσά / אָסָא
치유자, 치료 / healer, healing

- 남 유다 제3대 왕(왕상 15:9-24, 대하 14:1-16:14)
- 예수 그리스도의 족보 제2기 다섯 번째 인물

마태복음 1:7-8 "... 아비야는 **아사**를 낳고 **아사**는 여호사밧을 낳고..."

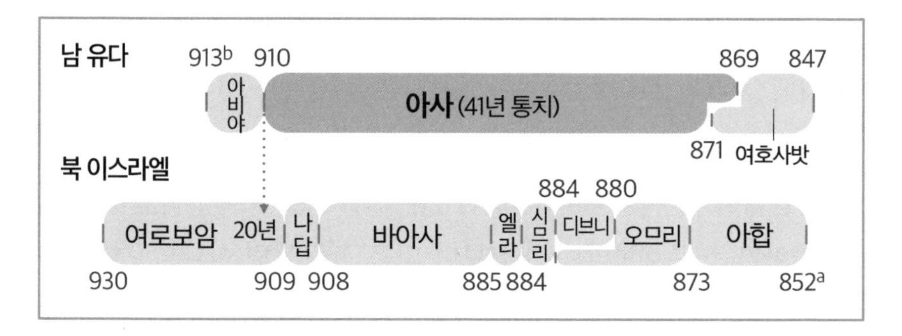

배경
- 부: 아비야(아비얌)(왕상 15:8, 대하 14:1)
- 모: 마아가(아비살롬의 딸 - 왕상 15:10, 대하 15:16)

통치 기간
- 41년 통치하였다(주전 910-869년, 왕상 15:10). 즉위할 때 왕의 나이가 언급되지 않았다.
- 아사가 남 유다의 왕이 될 때는 북 이스라엘 여로보암 제20년이었다(왕상 15:9). 무즉위년 방식을 따르는 북 이스라엘 입장에서 보면 아사 왕이 즉위한 '여로보암 제20년'은 여로보암 통치 제21년에 해당한다.

평가 - 선한 왕(왕상 15:11, 14, 대하 14:2)
아사는 그 조상 다윗같이 여호와 보시기에 정직하며(왕상 15:11), 선과 정의를 행하였다(대하 14:2). 여호와의 산당은 없이 하지 않았으나, 그 마음이 일평생 여호와 앞에 온전하였다(왕상 15:14).

활동 선지자

① 아사랴(대하 15:1-7) - 오뎃의 아들로서(대하 15:1), 때로는 '선지자 오뎃'이라고도 불리며(대하 15:8), 우상숭배를 제거하려는 아사의 노력을 격려하였다.

② 하나니(대하 16:7-10) - 바아사의 침공 당시 아람 왕을 의지한 아사를 비난하자, 아사는 그를 옥에 가두었다.

사료(史料) - 유다와 이스라엘 열왕기(왕상 15:23, 대하 16:11)

아사는 아비야의 뒤를 이어 남 유다의 세 번째 왕이 되었습니다. 그가 41년 동안 왕으로 있을 때에 북 이스라엘은 7명의 왕이 교체되었습니다(여로보암, 나답, 바아사, 엘라, 시므리, 오므리, 아합). '아사'(אָסָא)는 갈대아어(語) '치료하다'라는 뜻의 '아사'에서 유래했으며, '치료자'를 의미합니다.

1. 아사는 통치 초기 10년(주전 910-900년) 동안 평안을 누렸습니다.

There was peace during the first 10 years (910-900 BC) of Asa's reign.

역대하 14:1에서 "... 아사가 대신하여 왕이 되니 그 시대에 그 땅이 십 년을 평안하니라"라고 말씀하고 있습니다. 아사는 초기에 하나님 보시기에 선과 정의를 행하였습니다(대하 14:2). 이방 제단과 산당을 없애고 주상을 훼파하며 아세라 상을 찍었습니다(대하 14:3). 백성으로 하여금 율법과 명령을 행하게 하고, 유다 모든 성읍에서 산당과 태양상을 제거하였습니다(대하 14:4-5).

그런데 열왕기상 15:14에서 "오직 산당은 없이하지 아니하니라 그러나 아사의 마음이 일평생 여호와 앞에 온전하였으며"라고 말씀하고 있습니다. 여기서 아사가 없애지 않은 산당은 우상을 숭배하는 산당이 아니라 여호와께 경배하는 산당이었습니다(대하 33:17). 이스라엘에는 두 종류의 산당이 있었는데, 우상을 숭배하는 산당(왕상 14:22-23, 왕하 21:3, 23:8-20, 대하 20:33, 21:11, 28:4, 24-25, 렘 7:31, 19:5, 32:35, 겔 16:16)과 여호와를 경배하는 산당(대하 33:17)입니다. 아사가 '산당을 제하지 않았다'(왕상 15:14)라는 말씀에는 우상숭배에 대한 언급이 전혀 없는 것을 볼 때, 아사가 제하지 않은 산당은 우상을 숭배하는 산당이 아닌 '여호와의 산당'(참고-왕하 18:22, 대하 32:12)입니다.

이러한 아사의 행동은 하나님을 찾는 행동이었습니다. 역대하 14:7에서 "우리가 우리 하나님 여호와를 찾았으므로 ... 우리가 주를 찾았으므로"라고 표현하고 있습니다. 여기에 나오는 '찾았으므로'라는 단어는 히브리어 '다라쉬'(דָּרַשׁ)로서, 무엇인가의 뒤를 열정적으로 따라가면서 찾는다는 의미를 가지고 있습니다. 아사가 하나님을 열정적으로 찾았기에 하나님께서는 아사의 시대에 평안을 주셨던 것입니다. 나라의 평안과 가정의 평안은 하나님을 열심히 찾을 때 주시는 축복입니다. 아사왕은 초기에 자신의 이름의 뜻대로, 우상숭배에 빠진 유다를 치료하는 선정을 베풀어 나라를 평안하게 하였던 것입니다.

역대하 14:5-7 "... 나라가 그 앞에서 평안함을 얻으니라 [6]여호와께서 아사에게 평안을 주셨으므로 그 땅이 평안하여 여러 해 싸움이 없는지라... [7]주께서 우리에게 사방의 평안을 주셨느니라..."

하나님을 찾는 자에게 하나님께서는 안전하고 견고한 요새와 방패와 산성이 되어 주십니다. 하나님을 찾는 자에게 환난이나 근심이나 걱정의 물결이 절대로 넘어올 수 없습니다. 하나님을 찾는 자에게 새가 보금자리에 깃들인 것과 같이 절대 안전의 평안이 있습니다.

2. 아사 11년(주전 899년), 아사는 세라의 백만 대군과 싸워 승리하였습니다.

Asa fought and triumphed against Zerah's army of a million in the 11th year of his reign (899 BC)

아사 시대가 평안할 때 구스 사람 세라가 100만 대군과 병거 300승을 거느리고 남 유다를 공격하였습니다. 이때 아사왕의 군대는 큰 방패와 창을 잡는 자 30만, 작은 방패를 잡으며 활을 당기는 자가 28만으로, 큰 용사가 모두 58만이었습니다(대하 14:8-9).

이 전쟁은 무려 4년 동안 계속된 두 나라의 국력을 총동원한 대규모 전쟁이었으며, 이때가 아사왕 15년 3월이라고 정확하게 기록되어 있습니다(대하 15:10). 또한 역대하 14:1에서는 아사가 왕이 되고 10년 동안 평안하였다고 말씀하고 있습니다. 그러므로 구스 100만 대군과의 전쟁은 아사왕 11년부터 15년 3월 사이에 대략 4년 정도 진행된 대대적인 전쟁이었던 것입니다.

객관적인 전력으로는 남 유다가 이길 수 없는 상황이었지만, 아사는 하나님께 "여호와여 강한 자와 약한 자 사이에는 주밖에 도와줄 이가 없사오니 우리 하나님 여호와여 우리를 도우소서 우리가 주를 의지하오며 주의 이름을 의탁하옵고 이 많은 무리를 치러 왔나이다 여호와여 주는 우리 하나님이시오니 원컨대 사람으로 주를 이기지 못하게 하옵소서"(대하 14:11)라고 간절히 기도했습니다.

하나님께서 이 기도를 들으시고 구스 사람을 쳐서 패하게 하시므로 구스 사람이 도망갔으며, 아사가 그들을 쫓아가서 죽였으니 살아남은 자가 없을 정도였습니다(대하 14:12-13). 실로 "여호와의 구원은 사람의 많고 적음에 달리지 아니하였느니라"(삼상 14:6)라는 말씀을 실감나게 하는 대역사였습니다. 이 전쟁에서 남 유다는 헤아릴 수 없이 심히 많은 전리품을 거두었습니다(대하 14:13). 아사는 전쟁이 끝나고 노략하여 온 물건 중에서 소 7백과 양 7천으로 여호와께 제사를 드렸습니다(대하 15:11).

3. 아사 15년 3월(주전 895년), 아사는 종교개혁을 단행했습니다.

Asa carried out a religious reformation in the 3rd month of the 15th year of his reign (895 BC)

하나님께서는 오뎃의 아들 아사랴 선지자를 통하여, 구스와의 대승에서 교만해질 수도 있었던 아사에게 경고와 함께 새로운 종교개혁을 촉구하였습니다. 오뎃의 아들 아사랴는 "너희가 여호와와 함께하면 여호와께서 너희와 함께하실지라 너희가 만일 저를 찾으면 저가 너희의 만난 바 되시려니와 너희가 만일 저를 버리면 저도 너희를 버리시리라"(대하 15:2)라고 경고하면서 마지막으로, "그런즉 너희는 강하게 하라 손이 약하지 않게 하라 너희 행위에는 상급이 있음이니라"(대하 15:7)라고 선포했습니다. 이것은 아사에게 용기를 잃지 말고 담대하게 종교개혁을 하라는 격려였습니다.

아사는 이 말씀에 용기를 얻어 가증한 물건을 유다와 베냐민 온 땅에서 제거하고 여호와의 단을 중수했습니다. 하나님께서 아사와 함께하심을 보고 북 이스라엘 사람들 가운데 아사왕이 통치하는 남 유다로 내려오는 사람들도 있었습니다(대하 15:9). 아사왕 15년 3월(대하 15:10)에 예루살렘에 모여 하나님께 제사를(소 700, 양 7,000) 드리면서 마음을 다하고 성품을 다하여 하나님을 찾기로 언약하였고, 무릇 이스라엘 하나님 여호와를 찾지 아니하는 자는 대소 남녀를 무론하고 죽이는 것이 마땅하다 하고 무리가 큰 소리로 부르며 피리와 나팔을 불어 여호와께 맹세하였습니다. 이에 하나님께서 남 유다의 사방에 평안을 주셨습니다(대하 15:11-14).

더 나아가 아사는 '마아가'가 아세라의 가증한 목상을 만들었으므로 그 태후의 위를 폐하고, 그 우상을 찍고 빻아서 기드론 시냇가에서 불살라 버렸습니다(왕상 15:13, 대하 15:16). 본래 마아가는 아사의 할머니지만, 아사의 친어머니가 일찍 죽으므로 할머니가 대신 어머니 역할을 했기에, 아사의 어머니로 호칭되었습니다.

마아가는 르호보암이 처첩보다 더욱 사랑했던 아내이자(대하 11:21-22), 그 다음 왕인 아비야의 모친입니다(대하 13:1-2). 그리고 그 다음 왕인 아사의 모친으로도 언급되어 있습니다(대하 15:16, 왕상 15:13). 마아가는 남편 르호보암의 통치 때와 자기 아들 아비야의 통치 때 최고 지위를 누리면서 자기 마음대로 우상을 숭배하였고, 손자 아사왕 때도 그 세력을 유지하면서 여전히 우상을 섬겼던 것으로 보입니다. 실로 그녀가 누린 권세가 대단했다는 사실과, 그렇기 때문에 그녀의 우상숭배가 나라에 미친 악영향이 얼마나 심각했는지 짐작할 수 있습니다. 아사왕은 종교개혁을 단행하면서 어머니 같은 할머니 마아가의 태후 위를 폐하면서까지(왕상 15:13, 대하 15:16) 철저하게 우상을 제거한 것입니다. 이는 아사가 할머니에 대한 인간적인 정(情)보다도 하나님의 말씀을 더 두렵게 생각하였기 때문입니다(참고-마 10:36-37).

마아가를 폐위한 후부터 아사왕 35년(15년, 주전 895년)[19]까지 다시는 전쟁이 없었습니다(대하 15:19). 이처럼 하나님의 말씀에 철저히 순종하는 진정한 개혁에 하나님의 평안이 임하게 됩니다.

주전 894년(아사 통치 제 16년),
이스라엘 왕 바아사의 침공을 받고 아람을 의지한 유대 왕 아사
(왕상 15:17–23, 대하 16:1–14)

894 BC (Asa's 16th year),
Asa king of Judah relied on Aram after the attack of Baasha king of Israel
(1 Kgs 15:17-23, 2 Chr 16:1-14)

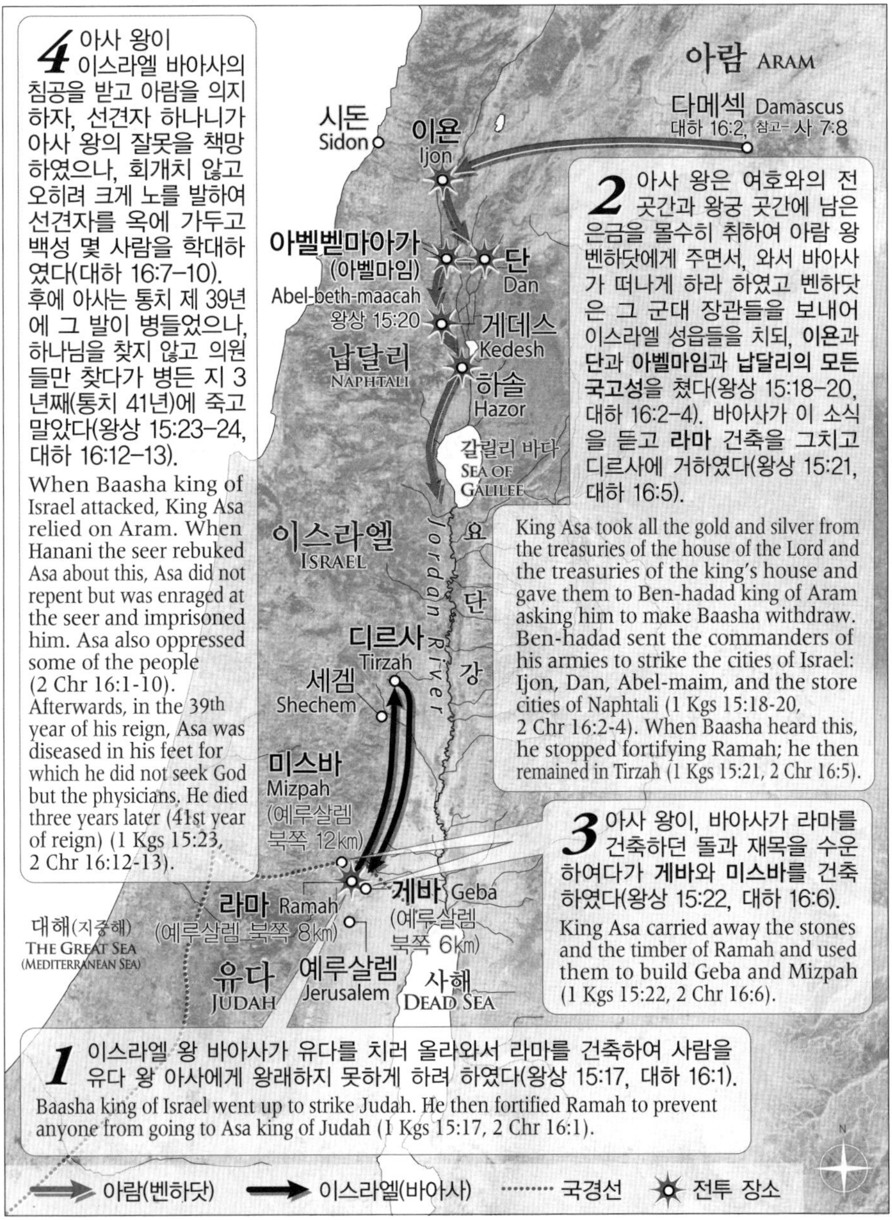

4 아사 왕이 이스라엘 바아사의 침공을 받고 아람을 의지하자, 선견자 하나니가 아사 왕의 잘못을 책망하였으나, 회개치 않고 오히려 크게 노를 발하여 선견자를 옥에 가두고 백성 몇 사람을 학대하였다(대하 16:7–10). 후에 아사는 통치 제 39년에 그 발이 병들었으나, 하나님을 찾지 않고 의원들만 찾다가 병든 지 3년째(통치 41년)에 죽고 말았다(왕상 15:23–24, 대하 16:12–13).
When Baasha king of Israel attacked, King Asa relied on Aram. When Hanani the seer rebuked Asa about this, Asa did not repent but was enraged at the seer and imprisoned him. Asa also oppressed some of the people (2 Chr 16:1-10). Afterwards, in the 39th year of his reign, Asa was diseased in his feet for which he did not seek God but the physicians. He died three years later (41st year of reign) (1 Kgs 15:23, 2 Chr 16:12-13).
아람 ARAM
다메섹 Damascus
대하 16:2, 참고- 사 7:8
시돈 Sidon
이욘 Ijon
2 아사 왕은 여호와의 전 곳간과 왕궁 곳간에 남은 은금을 몰수히 취하여 아람 왕 벤하닷에게 주면서, 와서 바아사가 떠나게 하라 하였고 벤하닷은 그 군대 장관들을 보내어 이스라엘 성읍들을 치되, **이욘**과 **단**과 **아벨마임**과 **납달리의 모든 국고성**을 쳤다(왕상 15:18–20, 대하 16:2–4). 바아사가 이 소식을 듣고 **라마** 건축을 그치고 디르사에 거하였다(왕상 15:21, 대하 16:5).
King Asa took all the gold and silver from the treasuries of the house of the Lord and the treasuries of the king's house and gave them to Ben-hadad king of Aram asking him to make Baasha withdraw. Ben-hadad sent the commanders of his armies to strike the cities of Israel: Ijon, Dan, Abel-maim, and the store cities of Naphtali (1 Kgs 15:18-20, 2 Chr 16:2-4). When Baasha heard this, he stopped fortifying Ramah; he then remained in Tirzah (1 Kgs 15:21, 2 Chr 16:5).
아벨벧마아가 (아벨마임)
Abel-beth-maacah
왕상 15:20
단 Dan
게데스 Kedesh
납달리 NAPHTALI
하솔 Hazor
갈릴리 바다 SEA OF GALILEE
이스라엘 ISRAEL
요단강 Jordan River
디르사 Tirzah
세겜 Shechem
미스바 Mizpah
(예루살렘 북쪽 12㎞)
3 아사 왕이, 바아사가 라마를 건축하던 돌과 재목을 수운하여다가 **게바**와 **미스바**를 건축하였다(왕상 15:22, 대하 16:6).
King Asa carried away the stones and the timber of Ramah and used them to build Geba and Mizpah (1 Kgs 15:22, 2 Chr 16:6).
라마 Ramah
(예루살렘 북쪽 8㎞)
게바 Geba
(예루살렘 북쪽 6㎞)
대해(지중해)
THE GREAT SEA (MEDITERRANEAN SEA)
유다 JUDAH
예루살렘 Jerusalem
사해 DEAD SEA
1 이스라엘 왕 바아사가 유다를 치러 올라와서 라마를 건축하여 사람을 유다 왕 아사에게 왕래하지 못하게 하려 하였다(왕상 15:17, 대하 16:1).
Baasha king of Israel went up to strike Judah. He then fortified Ramah to prevent anyone from going to Asa king of Judah (1 Kgs 15:17, 2 Chr 16:1).
N
아람(벤하닷)
이스라엘(바아사)
국경선
전투 장소

4. 아사 16년(주전 894년), 아사는 전쟁에서 아람을 의지했습니다.

Asa relied on the kingdom of Aram during a battle in the 16th year of his reign (894 BC)

아사왕 36년(16년, 주전 894년)[20]에 북 이스라엘 바아사왕이 유다를 치러 올라왔습니다(대하 16:1). 그는 '라마'를 건축하여 북 이스라엘 사람들이 남 유다로 내려오는 것을 막고, 남 유다 정복의 전진기지로 사용하고자 했습니다. 이때 아사는 여호와의 전 곳간과 왕궁 곳간의 은금을 취하여 아람 왕 벤하닷에게 보냈습니다. 아사는 아람 왕에게 북 이스라엘과의 약조를 파기하고 자기를 도와 오히려 북 이스라엘을 공격해 달라고 요청하였습니다. 벤하닷은 아사왕의 말을 듣고 은금을 취하고, 북 이스라엘을 공격하여 바아사의 라마 건축을 중단시켰습니다(왕상 15:16-21, 대하 16:1-5). 이에 아사왕은 라마의 건축 자재를 옮겨 게바와 미스바를 건축하였습니다(왕상 15:22, 대하 16:6).

국난의 위기 속에서 하나님을 의지하지 않고 이방 국가의 힘을 의지한 것과, 나아가 하나님의 소유인 거룩한 성전의 보물을 이방 왕에게 바친 것은 하나님 앞에 큰 죄악이었습니다. 아사왕은 구스의 100만 대군을 물리쳐 주신 하나님의 은혜와 종교개혁의 정신을 잊어버리고, 세속적인 방법으로 국난을 벗어나고자 했습니다. 물론 아람 군대의 도움으로 당장은 북 이스라엘 바아사의 군대가 철수했지만, 그 후 남 유다는 오히려 아람과 두고두고 전쟁을 치러야 했습니다.

때에 선견자 하나니가 아사왕에게 "왕이 아람 왕을 의지하고 왕의 하나님 여호와를 의지하지 아니한 고로 아람 왕의 군대가 왕의 손에서 벗어났나이다"라고 책망하였습니다(대하 16:7). 그리고 선견자 하나니는 얼마 전 구스 사람 세라가 백만 대군과 병거 300을 거느리고 왔지만 아사왕이 하나님을 의지하고 하나님께 부르짖은 결과, 적군이 다 엎드러져서 한 사람도 살아남은 자가 없고 수많은 노략물을 이끌고 승리했던 놀라운 역사를 상기시켰습니다(대하 16:8, 참고-대하 14:9-15). 마지막으로 선견자 하나니는 하나님께서는 자기에게 전심으로 향하는 자를 위하여 능력을 베푸시지만, 왕이 망령되이 행하였으므로, "이 후부터는 왕에게 전쟁이 있으리이다"라고 강력한 심판의 메시지를 전하였습니다(대하 16:9). 아사는 선지자의 책망을 듣고도, 오히려 크게 노를 발하며 선지자를 핍박하고 투옥하며 백성 몇 사람을 학대하는 큰 죄를 저질렀습니다(대하 16:10).

이 후로 아사왕은 이전에 선지자 아사랴의 권면을 듣고 과감하게 종교개혁을 실시했던 겸손함을 잃어버렸습니다(대하 15:1-9). 나라의 평안과 부강이 아사왕을 교만하게 만들었던 것입니다.

5. 아사 39년(주전 871년), 아사는 통치 말년에 발에 중병이 들었습니다.

Asa was severely diseased in his feet in the latter years of his reign 39th year (871 BC).

아사는 왕이 된 지 39년에 발에 중병이 들었습니다(왕상 15:23, 대하 16:12). 이것은 하나님께서 교만해진 아사왕에게 회개할 수 있는 마지막 기회를 주신 것입니다. 그런데 아사는 병을 치료하기 위하여 하나님께 구하지 않고 의원들에게 구했습니다(대하 16:12). 표준새번역에서는 역대하 16:12을 "아사가 왕이 된 지 삼십구 년이 되던 해에, 발에 병이 나서 위독하게 되었다. 그렇게 아플 때에도 그는 주를 찾지 아니하고, 의사들을 찾았다"라고 번역하고 있습니다.

아사는 자신이 병에 걸린 원인을 하나님께 나아가 한 번도 묻지 않았습니다. 하나님께서 아사왕의 교만을 깨우쳐 옛 신앙을 회복시켜주시려고 했지만, 아사왕은 병에 걸리고도 육신의 생각이 가득하여 하나님 앞에 마음을 낮추지 않았습니다. 하나님의 방법이 아닌 인간의 방법으로 고쳐 보려고, 전국에서 유명한 의사들을 불러 모으고, 발병에 좋다는 약들만 찾아 다녔습니다. 결국 아사왕은 그렇게 아프면서도 자신의 교만을 꺾지 못해 회개할 기회를 놓치고 말았습니다. 끝내는 하나님을 찾지 않고 만 2년간 고생을 하다가 3년째인 통치 제41년에 죽고 말았습니다(대하 16:13-14). 이때 아사의 발병으로 그의 아들 여호사밧이 3년간 섭정하였습니다(참고-왕상 22:41-42).

아사왕은 하나님을 전심으로 구했던 순수한 신앙을 잃어버린 후 범죄하기 시작했고, 그 범죄의 결과 하나님의 징계를 받아 멀쩡했던 발에 중병이 걸려 늘그막에 걷지도 못하게 되었습니다. 자신의 세력이 커지고, 형통하고 부요해진 결과 하나둘씩 육신의 생활로 기울어지기 시작하더니, 어느덧 모든 일을 육신 중심으로 생각하고 행동하였습니다. 육신의 생각은 사망이요, 하나님과 원수가 되며 하나님의 법에 굴복치 않고, 하나님을 결코 기쁘시게 할 수 없습니다. 그러나, 영의 일을 좇아서 영의 일을 생각하는 자는 하나님께서 가까이해 주시며 끊임없이 생명과 평안을 넘치도록 더하여 주십니다(롬 8:5-8).

'여호와 라파'(יְהוָה רֹפְאֶךָ, The LORD is Your Healer) 하나님께서는 우리를 치료하시는 하나님이십니다(출 15:26). 하나님께서는 육체의 질병, 정신적 질병, 영적 질병 모두를 치료하시는 만병의 의사이십니다. 예수님께서는 어떤 병이든지 낫게 하시는 치료자이시며(눅 5:17, 6:19), 우리의 연약한 것을 친히 담당하시고 병을 짊어지신 분입니다(마 8:17). 그러나 아사는 인생 말년에 진정한 '치료자'이신 하나님을 의지하지 않고 의원을 구하다가 중병에서 탈출하지 못하였습니다. 우리는 하나님만이 근본적인 '치료자'이심을 믿고 하나님께 나아가야 합니다. 하나님께서는 믿고 의지하는 자를 결단코 외면치 않으시고 영육간 '치료자'가 되어 주십니다.

6대 여호사밧

Jehoshaphat / Ἰωσαφάτ / יְהוֹשָׁפָט
여호와께서 심판하신다 / the LORD judges

- 남 유다 제4대 왕(왕상 22:1-50, 대하 17:1-21:1)
- 예수 그리스도의 족보 제2기 여섯 번째 인물

마태복음 1:8 "아사는 **여호사밧**을 낳고 **여호사밧**은 요람을 낳고..."

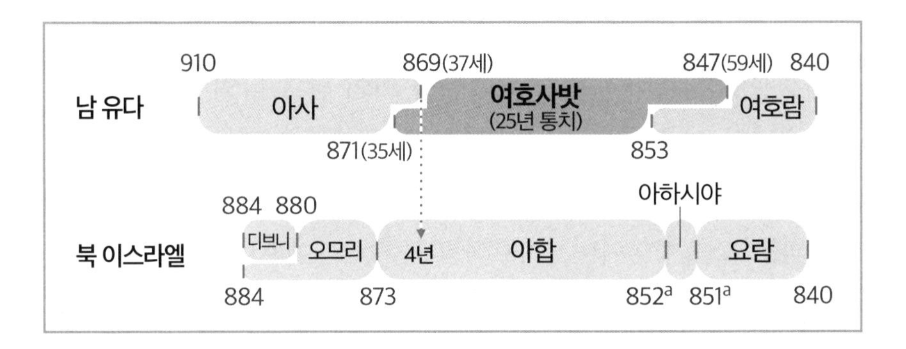

배경
- 부: 아사(왕상 22:41, 대하 17:1)
- 모: 아수바(실히의 딸 - 왕상 22:42, 대하 20:31)

통치 기간
- 35세에 즉위하여 25년 통치하였다(주전 871-847년, 왕상 22:41-42).
- 여호사밧이 남 유다의 왕이 되어 단독으로 통치할 때는 북 이스라엘 '아합 제4년'이었다(왕상 22:41). 무즉위년 방식을 따르는 북 이스라엘 입장에서 보면, 여호사밧이 단독으로 통치를 시작한 '아합 제4년'은 아합 통치 제5년에 해당한다. 여호사밧은 부친 아사왕의 발병 때문에 섭정하기 시작했으므로, 즉위년을 두지 않고 섭정 첫 해를 통치 1년으로 계산한다.

평가 - 선한 왕(왕상 22:43, 대하 20:32-33)
여호사밧은 그 부친 아사의 모든 길로 행하며 돌이켜 떠나지 아니하고 여호와 보시기에 정직히 행하였으며(왕상 22:43上, 대하 20:32), 전심으로 여호와의 도를 행하여 산당(우상)과 아세라 목상을 제하였다(대하 17:6). 그러나 여호와의 산당은 폐하지 않아 백성이 산당에서 제사를 드리며 분향하고, 그 열조의 하나님께로 돌아오지 않았다(왕상 22:43, 대하 20:33).

활동 선지자
예후(대하 19:1-3), 야하시엘(대하 20:14-19), 엘리에셀(대하 20:35-37) 등

사료(史料) - 유다 왕 역대지략(왕상 22:45, 대하 20:34)

여호사밧은 아버지 아사왕의 뒤를 이어 남 유다의 네 번째 왕이 되었습니다. 여호사밧은 아사의 모든 길로 행하며, 돌이켜 떠나지 않고 선한 통치를 하였습니다(왕상 22:43). 여호사밧은 히브리어로 '예호샤파트'(יְהוֹשָׁפָט)이며, '여호와'라는 뜻의 '예호바'(יְהֹוָה)와 '심판하다, 재판하다'라는 뜻의 '샤파트'(שָׁפַט)가 합성된 것입니다. 그러므로 여호사밧은 '여호와께서 심판하신다, 여호와께서 재판하신다'라는 뜻입니다.

1. 여호사밧은 부귀와 영광이 대단하였습니다.
Jehoshaphat had great riches and honor.

역대하 17:5을 표준새번역에서는 "주께서는 여호사밧이 다스리는 나라를 굳건하게 해 주셨다. 온 유다 백성이 여호사밧에게 선물을 바치니, 그의 부귀 영광이 대단하였다"라고 표현하고 있습니다. 여호사밧이 왕이 되어 이러한 큰 축복을 받은 것은 "여호와께서 여호사밧과 함께하셨기" 때문이며(대하 17:3), "여호와께서 나라를 그 손에서 견고하게" 하셨기 때문입니다(대하 17:5).

그렇다면 왜 하나님께서는 여호사밧과 함께하셨을까요?

첫째, 여호사밧이 '다윗의 처음 길'로 행하여 하나님께 구하였기 때문입니다(대하 17:3-4).

여기 '다윗의 처음 길'이란 다윗이 범죄하기 전 하나님을 경외하고 진실하게 살았던 통치 초기의 자세를 가리킵니다. 여호사밧은 다윗의 통치 초기의 순수한 신앙 자세를 본받아 하나님을 경외하고 진실된 삶을 살았던 것입니다.

둘째, 여호사밧이 전심으로 하나님의 말씀대로 행하였기 때문입니다(대하 17:4, 6).

여호사밧은 위에 있은 지 삼 년에 방백들과 레위 사람들을 전국에 보내어 모든 성읍을 순행하면서 하나님의 말씀을 가르치게 하였습니다(대하 17:7-9). 그런데 열왕기상 22:43에서 "여호와 보시기에 정직히 행하였으나 산당을 폐하지 아니하였으므로 백성이 오히려 산당에서 제사를 드리며 분향하였더라"라고 말씀하고 있는데, 이 산당은 우상을 숭배하는 산당(왕상 14:22-23, 왕하 21:3, 23:8-20, 대하 20:33, 21:11, 28:4, 24-25, 렘 7:31, 19:5, 32:35, 겔 16:16)이 아니라, 여호와께 경배하는 산당(대하 33:17, 참고-왕하 18:22, 대하 32:12)이었습니다. 여호사밧이 '택하신 한 곳에서 예배드리라'(신 12:11-14)라는 하나님의 말씀에 온전히 순종하여, 지방에 흩어져 있는 산당까지 모두 제하였다면 그의 종교개혁은 더욱 온전했을 것입니다.

셋째, 여호사밧이 우상을 타파했기 때문입니다.

여호사밧은 바알에게 구하지 않고, 산당과 아세라 목상들을 제거하였습니다(대하 17:3, 6). 하나님께서는 유다 사면 열국에 두려움을 주셔서 남 유다를 공격하지 못하도록 막으시고, 블레셋과 아라비아

사람들로 하여금 조공을 바치게 만드셨습니다(대하 17:10-11).

넷째, 나라의 국방 강화에 심혈을 기울였기 때문입니다.

여호사밧은 점점 강대해져서 유다에 견고한 채(寨: 성곽, 요새)와 국고성을 건축하였고, 군대는 116만 명의 대군을 이루었습니다(대하 17:12-19). 유다에 속한 천부장 중 아드나가 으뜸이 되어 큰 용사 30만을 거느렸고(대하 17:14), 장관 여호하난이 28만을 거느렸고(대하 17:15), 시그리의 아들 아마시야는 큰 용사 20만을 거느렸습니다(대하 17:16). 베냐민에 속한 자 중에는 큰 용사 엘리아다가 활과 방패를 잡은 자 20만을 거느렸고(대하 17:17), 여호사밧은 싸움을 예비한 자 18만을 거느렸습니다(대하 17:18). 이들은 모두 '크게 용맹한 군사'(대하 17:13)였습니다.

여호사밧의 군대 조직과 수(대하 17:12-19)

유다 지파	베냐민 지파
아드나 30만 명	엘리아다 20만 명
여호하난 28만 명	여호사밧 18만 명
아마시야 20만 명	
총 116만 명("크게 용맹한 군사"- 대하 17:13)	

다윗이 인구조사를 할 때 군사의 수가 유다에 50만(삼하 24:9)이었고, 또한 남 유다 제2대 왕 아비야의 군사는 40만(대하 13:3), 제3대 왕 아사의 군사가 58만이던 것에 비교하면(대하 14:8), 여호사밧의 군사는 116만으로, 부왕 때의 2배에 해당하는 규모입니다.

여호사밧 휘하에는 신앙을 겸비한 훌륭한 부하들이 많았습니다.

아드나(עַדְנָה: 즐거움), 여호하난(יְהוֹחָנָן: 여호와께서는 은혜로우심), 아마시야(עֲמַסְיָה: 여호와께서 품으셨다), 엘리아다(אֶלְיָדָע: 하나님께서 아신다), 여호사밧(예호자바드, יְהוֹזָבָד: 여호와께서 주셨다) 등입니다. 이들은 모두 왕을 섬기는 자들이었으며(대하 17:19上), 특히 아마시야는 '자기를 여호와께 즐거이 드린 자'(대하 17:16)였습니다. 이렇게 자기 자신을 돌보지 않고 오직 하나님의 나라와 영광을 위하여 전 생애를 불태우는 충성스러운 일꾼들이 있기에, 여호사밧이 다스리는 동안 나라는 점점 강대할 수 있었습니다.

2. 여호사밧은 아합왕과 연혼(連婚)하였습니다.

Jehoshaphat allied himself with King Ahab through marriage.

여호사밧은 부귀와 영광이 극에 달했을 때 아합왕과 연혼하였습니다(대하 18:1). 이것은 여호사밧의 아들 여호람과 아합의 딸 아달랴를 결혼시킨 것을 가리킵니다. 여호사밧이 북 이스라엘에 바알 숭배를 공식적으로 도입한 아합왕과 연혼하므로 남 유다에도 바알 숭배가 들어오게 된 것입니다.

이것은 당시 강한 세력을 떨치던 아람과 점점 세력을 키우고 있던 앗수르를 경계하기 위한 인간적인 조치였습니다.

아합과 연혼하고 두어 해 후에 여호사밧은 아합의 권유를 받고 아람과 싸우기 위하여 길르앗 라못 전투에 참가하였습니다(대하 18:2). 여기 '두어 해'에 해당하는 히브리어는 '반복하다'라는 의미의 동사 '솨나'(שָׁנָה)의 명사형으로, '여러 해'라는 뜻입니다. '여러 해'는 몇 년 후일까요? 말째 아하시야가 즉위하던 주전 840년 그의 나이 22세였으므로(왕하 8:26), 여호람과 아달랴 사이에서 아하시야가 태어날 때가 대략 862년입니다. 그렇다면 여호사밧의 아들 여호람과 아

주전 852년, 길르앗 라못 탈환 전투(왕상 22:1-40, 대하 18:1-34)

852 BC - The battle to take back Ramoth-gilead
(1 Kgs 22:1-40, 2 Chr 18:1-34)

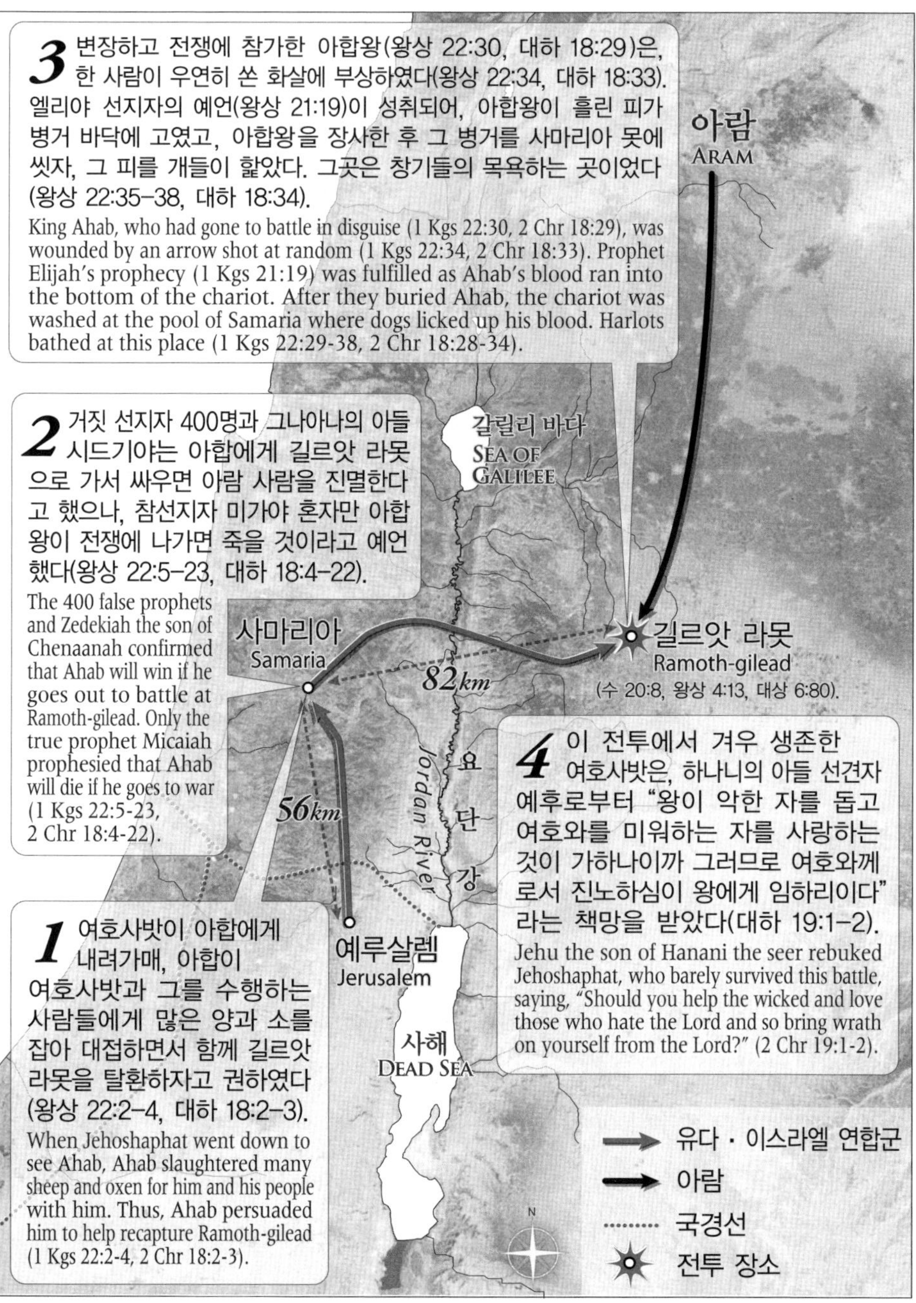

합의 딸 아달랴가 결혼한 해는 대략 865년으로 추정할 수 있습니다. 그러므로 여호사밧은 아합과의 연혼 이후 14년이 지나서 길르앗 라못 전투에 참전한 것입니다.

이때 400명의 거짓 선지자와 시드기야는 길르앗 라못에 나가서 싸우라고 예언했으며, 단 한 사람 미가야 선지자만 길르앗 라못에 가서 싸우면 아합이 죽을 것이라고 예언했습니다(왕상 22:1-17, 대하 18:2-16). 미가야 선지자는 하나님께서 거짓말하는 영을 거짓 선지자의 입에 넣으셨다고 경고했지만(왕상 22:23, 대하 18:22), 여호사밧과 아합은 미가야의 경고를 통해 선포되는 하나님의 뜻을 무시하고, 길르앗 라못 전투에 참가하였습니다(왕상 22:29-30, 대하 18:28-29). 그 결과 아합은 예언대로 전쟁 중에 한 사람이 우연히 쏜 화살에 맞아 결국 죽게 되었습니다(왕상 22:29-40, 대하 18:28-34).

여기에서 우리는 몇 가지 중요한 교훈을 얻을 수 있습니다.

첫째, 성도는 '영'(靈)을 잘 분별해야 합니다.

영 분별(spiritual discernment)은 하나님의 특별한 은사로서 인간의 생각이나 악령의 기만을 가려내는 능력이며, 예언의 은사와 밀접한 관계를 갖고 있습니다(고전 12:10, 살전 5:19-21). 영 분별은 이것이 하나님께로부터 나온 것인지, 사람의 생각에서 나온 것인지, 악령에게서 나온 것인지를 가려내는 힘입니다. 영 분별의 은사는 말세지말에 더욱 중요한 은사입니다.[21)]

거짓 선지자들처럼 거짓말하는 영을 받아서 진실인 양 외치는 잘못된 지도자들이 의외로 많이 있습니다. 이들은 숫자가 많고 그 외치는 소리가 그럴싸하기 때문에 '영의 분별력'이 없는 사람들은 다 넘어가고 맙니다. 요한일서 4:1에서는 "사랑하는 자들아 영을 다

믿지 말고 오직 영들이 하나님께 속하였나 시험하라 많은 거짓 선지자가 세상에 나왔음이니라"라고 말씀하고 있습니다.

둘째, 하나님은 거짓말하는 영(靈)을 사용하시기도 합니다.

미가야 선지자는 열왕기상 22:23에서 "이제 여호와께서 거짓말하는 영을 왕의 이 모든 선지자의 입에 넣으셨고"라고 선포하였습니다. 이것은 사단의 활동까지도 하나님께서 허용하시는 한도 내에서 이루어진다는 것을 가르쳐 줍니다. 하나님께서는 악신이 사울에게 활동하도록 허용하셨으며(삼상 16:14), 또 사단이 욥을 시험하도록 허용하셨습니다(욥 1:6-7, 12, 2:6).

셋째, 인간이 잔꾀를 부려도 하나님의 말씀은 그대로 이루어집니다.

미가야 선지자의 불길한 예언을 들은 아합은 변장을 하고 전쟁에 참가하는 잔꾀를 부렸습니다(왕상 22:30). 그러나 아합은 한 사람이 우연히 쏜 화살에 갑옷의 솔기(갑옷을 연결하기 위하여 꿰맨 선)를 맞아 부상을 입고 피를 흘리다가 결국 죽고 말았습니다(왕상 22:34-37). 이것은 인간이 아무리 잔꾀를 부릴지라도 하나님의 말씀을 피할 수 없음을 가르쳐 줍니다. 아합왕은 적군의 눈은 피했으나, 하나님의 섭리는 피할 수 없었습니다.

여호사밧은 이 전투에서 겨우 살아서 평안히 예루살렘으로 돌아왔지만, 하나니의 아들 선견자 예후는 "왕이 악한 자를 돕고 여호와를 미워하는 자를 사랑하는 것이 가하니이까 그러므로 여호와께로서 진노하심이 왕에게 임하리이다"(대하 19:2)라고 책망했습니다.

여기에서 하나님께서는 두 가지를 책망하셨는데, 첫째는 여호사밧이 악한 자를 도왔다는 것이며, 둘째는 여호사밧이 여호와를 미워하는 자를 사랑했다는 것입니다. 여기 '악한 자'는 히브리어 '라샤'(רָשָׁע)로, '사악한, 범죄한, 불경건한'이란 뜻으로 아합왕을 가리킵니다. '미워하는 자'는 히브리어 '사네'(שָׂנֵא)의 복수형으로, 아합과 그를 추종하는 모든 사람들을 가리키는 것입니다.

우리도 하나님의 은혜와 부귀와 영화의 축복을 받을 때, 인간적인 생각과 정에 사로잡혀 하나님께서 미워하시는 자와 짝하는 어리석음을 범하지 말아야 할 것입니다(약 4:4).

3. 여호사밧은 회개한 후, 제2차 종교개혁을 단행합니다.

After repenting, Jehoshaphat carried out a second religious reformation.

아사는 자신을 책망한 하나니를 감옥에 가두었지만(대하 16:7-10), 여호사밧은 예후의 책망을 듣고 회개하며 다시 종교개혁을 단행하였습니다.

첫째, 자신이 직접 전국을 돌면서 '하나님 여호와께로 돌아오라'고 선포했습니다(대하 19:4).

여호사밧은 브엘세바에서 에브라임 산지까지 민간(民間)에 순행하며 '하나님 여호와께로 돌아오라'라는 개혁의 말씀을 전했습니다. 브엘세바는 남 유다의 최남단에 위치하였고, 에브라임 산지는 남 유다의 최북단 경계에 위치하였습니다. 그래서 여호사밧은 전국을 순회하면서 이미 시행한 바 있는 교육 정책(대하 17:7-9)을 다시금 계승하여 대대적인 개혁을 진행한 것입니다. 참된 말씀 없이는 올바른 신앙 개혁이 불가능하므로, 여호사밧은 종교개혁을 단행하면서 제일 먼저 백성에게 하나님의 말씀을 교육하였던 것입니다.

둘째, 전국 각 성에 전문적인 재판관을 세우고, 하나님을 두려워하는 마음으로 재판하도록 명령했습니다(대하 19:5-7).

여호사밧은 각 성에 재판관을 세워 백성이 억울한 일을 당하지 않도록 조치했으며, 재판관들에게 "너희의 재판하는 것이 사람을 위함이 아니요 여호와를 위함이니 너희가 재판할 때에 여호와께서 너희와 함께하실지라 [7]그런즉 너희는 여호와를 두려워하는 마음으로 삼가 행하라 우리의 하나님 여호와께서는 불의함도 없으시고 편벽됨도 없으시고 뇌물을 받으심도 없으시니라"(대하 19:6-7)라고 권면함으로써, 공의가 제대로 실천되도록 최선의 노력을 다했던 것입니다.

셋째, 재판 업무를 분담하고 체계화 하였습니다(대하 19:8-11).

예루살렘에 중앙 재판소를 설치하고, 레위인, 제사장, 족장 중에서 사람을 세워 여호와께 속한 일과 예루살렘 거민이 모든 송사를 재판하게 하였습니다(대하 19:8). 그들에게 "너희는 여호와를 경외하고 충의와 성심으로 이 일을 행하라"(대하 19:9)라고 명령하였습니다. 또한 재판관들은, 판결만 내리는 것이 전부가 아니라 죄인들에게 죄를 깨닫게 하여 여호와께 죄를 얻지 않도록 하고, 더 나아가 하나님의 진노를 피하도록 힘써야 했습니다(대하 19:10). 담당 재판장은 종교 재판에서는 대제사장 아마랴, 민사 재판에서는 레위인, 궁중 사건에서는 스바댜가 맡았습니다(대하 19:11).

여호사밧이 사법 개혁을 단행한 것은 아합과의 연혼으로 말미암아 나라에 퍼져 가는 우상숭배를 차단하고, 국민들의 생활 속 구석구석까지 다시 하나님의 말씀으로 정화하려는 시도였습니다. 여호사밧은 자신의 이름의 뜻대로 '하나님을 최고의 재판관'으로 모시는 사법 제도를 만들었던 것입니다.

4. 여호사밧은 세 나라 연합군과의 전쟁에서 승리하였습니다.

Jehoshaphat defeated the allied forces of three nations.

여호사밧이 제2차 종교개혁을 단행한 후에 모압, 암몬, 세일산 연합군이 쳐들어왔습니다. 이것은 하나님 말씀의 성취입니다. 하나님께서는 여호사밧이 아합왕과 연혼한 후 길르앗 라못 전투에 참가하는 죄를 짓자, 선지자 예후를 통하여 "여호와께로서 진노하심이 왕에게 임하리이다"(대하 19:2)라고 예언하였습니다. 이 하나님의 진노가 모압, 암몬, 세일산 연합군의 침공으로 나타난 것입니다.

그러나 여호사밧은 이 전쟁에서 연합군이 스스로 자기들끼리 싸우다가 죽는 바람에 큰 승리를 거두고 무수한 전리품을 취하였습니다.

이 전쟁의 승리 비결은 무엇이었습니까?

첫째, 온 백성이 금식하며 기도했기 때문입니다.

여호사밧은 온 백성에게 금식을 선포했고, 백성은 그 명령에 자발적으로 순종하여 다 금식하며 간구했습니다(대하 20:3-4). 심지어는 여자, 자녀, 어린 자까지도 하나님 앞에 섰습니다(대하 20:13). 사람의 힘으로 도저히 해결할 수 없는 큰 시련 앞에서 가장 지혜롭고 슬기로운 방법은 겸손히 모든 것을 하나님께 맡기고 기도하는 길밖에 없는 것입니다(시 50:15, 렘 29:12-13).

이때 하나님께서는 레위 사람 야하시엘 선지자를 통하여 "이 전쟁이 너희에게 속한 것이 아니요 하나님께 속한 것이니라 ... [17]이 전쟁에는 너희가 싸울 것이 없나니 항오를 이루고 서서 너희와 함께

한 여호와가 구원하는 것을 보라 유다와 예루살렘아 너희는 두려워하며 놀라지 말고 내일 저희를 마주 나가라 여호와가 너희와 함께 하리라"(대하 20:15-17)라고 말씀하셨습니다.

둘째, 군대 앞에서 거룩한 예복을 입고 찬송하였기 때문입니다.

여호사밧은 노래하는 자를 택하여 거룩한 예복을 입히고 군대 앞에서 찬송하도록 하였습니다. 이들은 "여호와께 감사하세 그 자비하심이 영원하도다"라고 찬송하였습니다(대하 20:21). 이 노래와 찬송이 시작될 때에 하나님께서 복병을 보내어 유다를 치러 온 암몬, 모압, 세일산 연합군을 치게 하셨습니다. 그 결과 암몬과 모압 군대가 세일산 거민을 쳐서 진멸하고, 그 후에 암몬과 모압 군대는 피차에 살륙하여 전멸하였던 것입니다(대하 20:22-23). "이 전쟁에는 너희가 싸울 것이 없나니"라는 말씀대로(대하 20:17) 여호사밧은 싸우지도 않고 대승을 거두었습니다. 이스라엘 백성은 브라가 골짜기에 모여서 이 대승리를 주신 여호와를 송축하였습니다. '브라가'는 히브리어 '베라카'(בְּרָכָה)로, 그 뜻은 '축복, 번영, 찬양'입니다.

전쟁의 주관자는 하나님이십니다. 세상의 악을 심판하시는 분도 하나님이십니다. 마지막 때 하늘의 전쟁(계 12:7)을 주관하실 분도 하나님이십니다. 그러므로 비록 큰 시련에 직면하여 눈앞이 캄캄하더라도 더욱 하나님만 의지해야 합니다. 왜냐하면 우리의 승리 여부는 우리의 능력에 달린 것이 아니라, 하나님을 온전히 의지하는 것에 달렸기 때문입니다.

5. 여호사밧은 북 이스라엘 왕들과의 교제를 끊지 못했습니다.

Jehoshaphat could not sever ties with the kings of Israel, the northern kingdom.

모압, 암몬, 세일산 연합군과의 전쟁 후에 나라가 태평하였는데 이는 하나님께서 사방에서 평강을 주셨기 때문입니다(대하 20:30). 그러나 여호사밧은 말년에 또다시 북 이스라엘의 왕들과 교제하였습니다. 북 이스라엘의 왕들은 하나같이 악한 왕들로서, 그들과의 교제는 하나님께서 기뻐하시는 것이 아니었습니다.

첫째, 여호사밧은 북 이스라엘 아하시야왕과 교제하며 배를 건조(建造)했습니다.

엘리에셀 선지자가 "왕이 아하시야와 교제하는 고로 여호와께서 왕의 지은 것을 파하시리라"라고 선언한 대로 그 배가 깨지고 말았습니다(대하 20:35-37). 여기 '교제하다'는 히브리어로 '하바르'(חָבַר)인데, '결합하다, 단결하다'라는 뜻입니다. 성경에서는 이러한 여호사밧과 아하시야의 친근한 교제를 세 번이나 강조하고 있습니다(대하 20:35-37). 또한 '파하시리라'는 히브리어로 '파라츠'(פָּרַץ)인데, '순식간에 깨뜨리다, 한꺼번에 부서지다'라는 뜻입니다. 여호와 보시기에 악한 연합은 결국에는 모든 일이 실패로 끝날 수밖에 없다는 것을 보여 줍니다. 이에 여호사밧은 아하시야와 교제하는 것이 하나님의 뜻이 아님을 깨닫고, 공동 항해를 하자는 아하시야의 제안을 거절하였습니다(왕상 22:49).

둘째, 여호사밧은 북 이스라엘 여호람왕과 연합하여 모압과의 전쟁에 출정하였습니다. 361쪽 지도 참조

그동안 북 이스라엘에게 새끼 양 10만과 숫양 10만의 털을 조공으로 바쳐 왔던 모압이 배신하고 독립을 선언하자, 북 이스라엘의 여호람은 남 유다의 여호사밧왕에게 도움을 요청하였습니다(왕하 3:4-7). 여호사밧은 아합왕과 연혼한 관계로 거절하지 못하고 전쟁에 나갔습니다(왕하 3:8). 전쟁에 나간 지 7일 만에 군사와 육축의 물이 다하여 전세가 매우 불리해지자(왕하 3:9), 여호사밧이 '북 이스라엘에 여호와께 물을 만한 선지자가 없느냐'(왕하 3:11)라고 물어서 하나님의 사람 엘리사를 찾았습니다. 여호사밧은 엘리사의 도움으로 가까스로 극적인 승리를 거두었습니다(왕하 3:16-27).

이러한 모든 일들은 여호사밧이 아들 여호람을 아달랴(아합과 이세벨의 딸)와 결혼시키므로 남 유다에 커다란 죄악의 불씨를 만든 결과였습니다. 솔로몬 때에도 하나님께서 원치 않으시는 잘못된 결혼이 통일 국가 분열의 크나큰 불씨가 되었습니다(왕상 11:1-13). 그들은 신명기 7:3-4에 "또 그들과 혼인하지 말지니 네 딸을 그 아들에게 주지 말 것이요 그 딸로 네 며느리를 삼지 말 것은 [4]그가 네 아들을 유혹하여 그로 여호와를 떠나 다른 신들을 섬기게 하므로 여호와께서 너희에게 진노하사 갑자기 너희를 멸하실 것임이니라" 하신 말씀에 불순종하였던 것입니다. 남 유다 백성은 여호사밧이 일구어 놓은 종교개혁으로 잠시 신앙을 회복했을지 몰라도, 그의 사후에는 그가 남긴 불씨로 말미암아 줄곧 숨을 쉴 수 없을 만큼 극심한 악정에 시달려야 했습니다. 우리는 여호사밧의 생애를 통하여, 하나님께서는 반드시 죄를 심판하시는 분임을 깨닫게 됩니다. 그러므로 우리는 죄와 적당히 타협할 것이 아니라, 철저히 죄의 유혹을 끊고 단절하는 단호한 결단이 있어야 하겠습니다.

7대 여호람 또는 요람

Jehoram / Ἰωράμ / יְהוֹרָם
여호와께서는 높으시다, 여호와께서는 존귀하시다
the LORD is exalted, the LORD is honorable
Joram / Ἰωράμ / יוֹרָם

- 남 유다 제5대 왕(왕하 8:16-24, 대하 21:1-20)
- 예수 그리스도의 족보 제2기 일곱 번째 인물

마태복음 1:8 "... 여호사밧은 **요람**을 낳고 **요람**은 웃시야를 낳고"

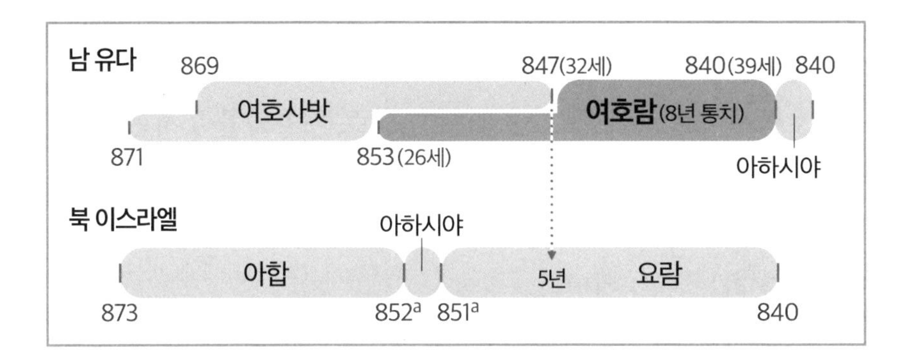

배경
- 부: 여호사밧(왕하 8:16, 대하 21:1)
- 모: 성경 기록이 없다.

통치 기간
- 주전 853년부터 부왕 여호사밧과 공동 섭정으로 7년간 통치하다가(참고-왕하 1:17, 3:1) 32세에 즉위하여 단독으로 8년 통치하였다(주전 847-840년, 왕하 8:16-17, 대하 21:5, 20).
- 여호람이 남 유다의 왕이 되어 단독으로 통치할 때는 북 이스라엘 '요람 제5년'이었다(왕하 8:16). 여호람 때부터 요아스 때까지 남 유다는 북 이스라엘과 똑같이 무즉위년 방식을 사용하였다.

평가 - 악한 왕(왕하 8:18, 대하 21:6)
여호람은 아합의 딸이 그 아내가 되었으며, 이로 인해 이스라엘 왕들의 길로 행하여 여호와 보시기에 악을 행하였다(왕하 8:18, 대하 21:6).

- **활동 선지자** - 엘리야(대하 21:12)
- **사료(史料)** - 유다 왕 역대지략(왕하 8:23)

여호람은 여호사밧의 아들로 남 유다의 제5대 왕이 되었습니다. 여호람의 할아버지 아사와 아버지 여호사밧은 선한 왕이었지만 여호람은 그들의 신앙을 전수(傳受)하지 못하고 악한 왕이 되었습니다. 그는 한글개역성경에서 '요람'으로 줄여서 발음되기도 하였습니다(대상 3:11, 마 1:8). 여호람과 요람은 히브리어로 같은 단어입니다.

여호람은 히브리어 '예호람'(יְהוֹרָם)으로, 여호와를 뜻하는 '예호바'(יְהוָֹה)와 '높이다, 고귀하다'를 뜻하는 '룸'(רוּם)이 합성된 단어입니다. 그러므로 여호람은 '여호와께서는 높으시다, 여호와께서는 존귀하시다'라는 뜻이 됩니다.

1. 여호람은 선한 아우들을 무참히 살해하였습니다.

Jehoram brutally murdered his innocent brothers.

여호사밧은 장자 여호람에게 왕위를 물려주고, 여호람의 동생들에게는 은금과 보물과 유다의 견고한 성읍들을 선물로 주었습니다(대하 21:3). 그런데 여호람은 왕위에 올라 세력을 얻은 후에 6명의 아우들 전부와 그를 따르는 방백들을 칼로 죽였습니다(대하 21:4). 이것은 자기의 왕권을 강화하기 위한 것이었지만, 동생들이 여호람과 그의 아내의 우상숭배를 반대하였기 때문일 것입니다. 역대하 21:13에서는 "너보다 선한 아우들을 죽였으니"라고 말씀하고 있습니다. '선한 아우들'의 이름은 아사랴(여호와께서 도우심), 여히엘(하나님께서 살아 계심), 스가랴(여호와께서 기억하심), 아사랴(여호와께서 도우심), 미가엘(누가 하나님과 같은가), 스바댜(여호와께서 심판하심)입니다(대하 21:2). 동생들은 그 이름대로 선하게 살았으나, 여호람은 이름 값도 못하고 살인자의 길로 행하였습니다.

여호람이 하나님을 높이는 삶을 살았다면 결코 동생들을 죽이지 않았을 것입니다. 그는 하나님을 높이기보다 자신의 왕권을 높이는 어리석은 삶을 살았던 것입니다.

2. 여호람은 아합의 집처럼 행하였습니다(왕하 8:18).

Jehoram walked in the ways of the house of Ahab (2 Kings 8:18).

여호람의 아내는 아달랴로, 북 이스라엘의 왕 아합의 딸이었습니다. 그녀는 오므리의 손녀요, 아합과 이세벨의 영향을 받아 우상을 섬기는 불경건한 여자요, 어미 이세벨 못지않은 악녀였습니다(왕하 11:1, 대하 22:10). 역대하 21:6에서 "저가 이스라엘 왕들의 길로 행하여 아합의 집과 같이 하였으니 이는 아합의 딸이 그 아내가 되었음이라 저가 여호와 보시기에 악을 행하였으나"라고 말씀하고 있습니다. 여호람의 범죄의 근원은 아합의 딸과 결혼한 것입니다. 여호람은 장인 아합, 장모 이세벨, 아내 아달랴의 사주를 받아 바알 숭배를 유다 내에 퍼뜨렸습니다. 여호람은 아내의 영향권에서 결코 벗어날 수 없었던 것입니다.

이렇게 여호람이 하나님을 외면하는 통치를 하자, 하나님께서는 남 유다의 수하에 있던 이방 나라들로 하여금 남 유다를 배반하게 만드셨습니다. 에돔과 립나가 남 유다를 배반하고 여호람의 손에서 벗어났습니다(왕하 8:20-22, 대하 21:8-10). 여호람이 음란하듯 우상을 섬기며 범죄한 결과, 하나님께서는 블레셋과 아라비아를 격동시켜 유다를 치게 하셨습니다(대하 21:16-17). 블레셋은 여호사밧에게 예물을 드리며 은으로 공(貢)을 바치고, 아라비아는 짐승떼 곧 숫양

7천 7백과 숫염소 7천 7백을 바치는 나라였는데(대하 17:11), 그들이 여호람 때에 유다를 공격한 것입니다. 블레셋과 아라비아 사람들은 왕궁의 재물과 그 아들들과 아내들을 탈취해 갔으며, 여호람의 말째 아들 여호아하스(아하시야) 외에는 한 아들도 남지 않았습니다(대하 21:17). 나라는 온통 칠흑같은 밤을 만나 도탄(塗炭: 몹시 곤궁하거나 고통스러운 지경)에 빠졌습니다.

여호람의 죄는 멸망 받을 수밖에 없는 심각한 죄였습니다. 그러나 하나님께서 남 유다를 멸망시키지 않으신 것은, 다윗으로 더불어 언약을 세워 그 자손에게 항상 등불을 주시겠다고 약속하셨기 때문입니다(왕하 8:19, 대하 21:7).

3. 여호람은 엘리야 선지자의 경고를 듣고도 회개하지 않았습니다.

Jehoram did not repent even after hearing the warning from Elijah the prophet.

여호람은 에돔과 립나의 배반 속에서도 회개하지 않고, 유다의 여러 산에 산당을 세워 백성으로 하여금 음란하듯 우상을 섬기게 하여 유다 백성을 죄악에 빠뜨렸습니다(대하 21:11). 이에 엘리야 선지자가 남 유다의 여호람에게 글을 보내어 그의 악행에 대하여 경고하였습니다. 그 내용은 크게 다섯 가지입니다(대하 21:12-15).

첫째, 선한 왕이었던 '여호사밧의 길'과 '아사의 길'로 행치 않았다는 것입니다(대하 21:12).

둘째, '이스라엘 열왕의 길'로 행하여 아합의 집처럼 음란하듯 우상을 섬기게 했다는 것입니다(대하 21:13).

셋째, 자기보다 선한 아우들(모두 6명)을 죽였다는 것입니다(대하

21:2-4, 13下).

넷째, 여호와께서 여호람의 백성과 자녀와 아내들과 모든 재물을 칠 것이라는 예언입니다(대하 21:14).

다섯째, 창자에 중병이 들고 창자가 빠져 죽을 것이라는 예언입니다(대하 21:15).

참으로 안타까운 것은 이런 무시무시한 경고를 듣고도 여호람이 전혀 회개하지 않았다는 사실입니다. 이에 하나님께서는 블레셋 사람과 아라비아 사람들의 마음을 격동시켜 여호람을 치게 하셨습니다. 그들은 남 유다를 침공하여 왕궁의 모든 재물과 그 아들들과 아내들을 탈취해 갔으며, 말째 아들 여호아하스(아하시야)만 겨우 살아남았습니다(대하 21:16-17).

4. 여호람은 창자에 중병이 들어 죽었습니다.

Jehoram died from a disease of the bowels.

여호람은 선지자 엘리야를 통해 선포된 모든 하나님의 말씀이 성취되는 것을 보면서도 전혀 회개하지 않다가, 엘리야의 예언대로 창자에 중병(능히 고치지 못할 병)이 들고 말았습니다(대하 21:18). 그리고 2년 만에 창자가 빠져나와 죽고 말았습니다(대하 21:19).

역대하 21:19의 '여러 날 후 이 년 만에'라는 표현은 하나님께서 여호람에게 계속되는 회개의 기회를 주셨음을 의미합니다. 그러나 여호람은 여전히 회개하지 않았고, 질병으로 인한 극심한 고통과 괴로움 속에서 죽음을 맞았습니다. 역대하 21:19에서는 "저가 그 심한 병으로 죽으니"라고 말씀하고 있습니다. 이것은 여호람이 혹독한 고통 속에서 몸부림치며 죽은 것을 의미하는 것으로, 그의 종말이 매우 비참했음을 보여 줍니다.

여호람이 끝까지 회개하지 않고 악행 가운데 죽었다는 것은 그의 사후의 일을 통해서 극명하게 드러납니다. 한 나라의 국왕이었던 여호람왕, 그의 최후는 너무나 비참했습니다. 아마도 성경에서 이보다 더 비극적인 죽음은 찾아보기 드물 것입니다.

한 나라의 왕이 죽었음에도 불구하고 단 한 사람도 그에게 분향하는 이가 없었습니다(대하 21:19). 죽은 자를 위한 최소한의 슬픔의 표시도 없었다는 말입니다.

또한 "아끼는 자 없이 세상을 떠났으며"(대하 21:20)라고 말씀하고 있습니다. 그의 죽음을 동정하여 애도하는 사람이 하나도 없었다는 것입니다. 그가 하나님을 버리는 순간, 그는 세상 모든 사람에게 버림을 당했습니다. 그리고 그를 다윗성에 장사했으나 열왕의 묘실에는 두지 않았습니다(대하 21:20). 왕이 왕의 묘실에 들어가지 못하였으니 얼마나 비참한 종말입니까? 열왕의 묘실에 두지 않았다 함은 유다의 열조에서 제외되었음을 가리킵니다.

성도라면 죽음 이후에 기념될 만한 선한 믿음의 열매, 하나님께서 기뻐하시는 아름다운 흔적을 이 땅에 남겨야 될 것입니다.

실로, 하나님을 존귀하게 높이는 자는 하나님께서 높이시지만, 하나님을 멸시하는 자는 하나님께 경멸히 여김을 당하게 될 것입니다(삼상 2:30). 하나님을 버리는 순간, 세상에서 철저하게 버림받고 수치를 당하게 됩니다(렘 17:13).

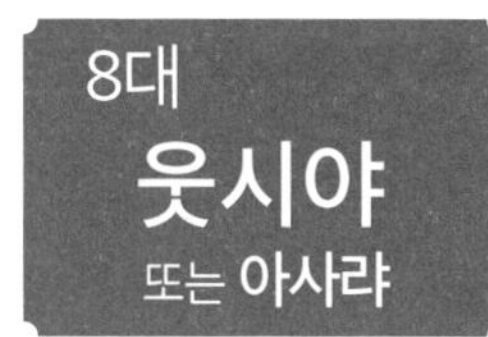

Uzziah / 'Οζίας / עֻזִּיָּה
여호와께서는 나의 힘이시다 / the Lord is my strength
Azariah / Αζαριας / עֲזַרְיָה
여호와께서 도우셨다 / the LORD has helped me

- 남 유다 제10대 왕(왕하 14:21, 15:1-7, 대하 26:1-23)
- 예수 그리스도의 족보 제2기 여덟 번째 인물

마태복음 1:8-9 "... 요람은 **웃시야**를 낳고 **웃시야**는 요담을 낳고..."

- 여호람과 웃시야 사이에 '아하시야, 요아스, 아마샤' 세 왕이 빠짐(대상 3:11-12)

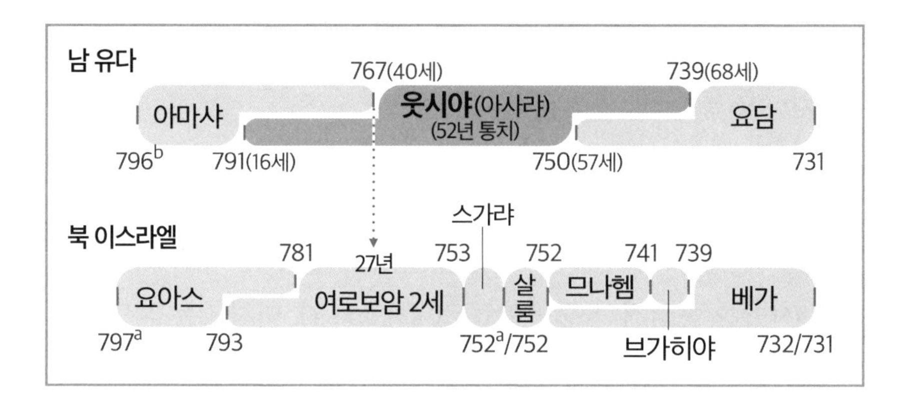

배경

- 부: 아마샤(왕하 15:1, 대하 26:1)
- 모: 여골리야(예루살렘 사람 - 왕하 15:2), 혹은 여골리아(대하 26:3)

통치 기간

- 16세에 즉위하여 52년 통치하였다(주전 791-739년, 왕하 14:21, 15:1-2, 대하 26:1-3). 웃시야가 남 유다의 왕이 되어 단독으로 통치할 때는 북 이스라엘 '여로보암 2세 제27년'이었다(왕하 15:1). 주전 767년은 남조 아마샤가 통치를 마친 해이면서, 웃시야가 단독으로 시작한 해이다. 북조 스가랴가 즉위한 때(주전 753년)를 '아사랴 제38년'(왕하 15:8)이라 기술한 것을 볼 때, 웃시야는 주전 791년부터 이미 아마샤와 공동 섭정으로 통치하고 있었다.

평가 - 선했으나 말년에 악해진 왕(왕하 15:3-5, 34, 대하 26:4-5)
웃시야(아사랴)는 그 부친 아마샤의 모든 행위대로 여호와 보시기에 정직히 행하였다(왕하 15:3, 대하 26:4). 이는 하나님의 묵시를 밝히 아는 스가랴의 사는 날에 하나님을 구하고 여호와를 구할 동안에 하나님이 형통케 하셨기 때문이다(대하 26:5). 그러나 그가 강성하여 마음이 교만하여 악을 행하여 여호와의 성전에 들어가서 향단에 분향하려 할 때 여호와께서 왕을 치셔서 죽는 날까지 문둥이가 되어 별궁에 거하였다(왕하 15:5, 대하 26:16).

활동 선지자
스가랴(대하 26:5), 이사야(대하 26:22, 사 1:1), 미가(미 1:1)

사료(史料)
- 유다 왕 역대지략(왕하 15:6)
- 아모스의 아들 선지자 이사야가 기록(대하 26:22)

웃시야는 아마샤의 뒤를 이어 남 유다의 열 번째 왕이 되었습니다. 웃시야는 공식적인 왕명이었고(대하 26:1-4), 아사랴는 본명이었던 것으로 보입니다(왕하 14:21, 15:1, 대상 3:12). 역대기에서는 제사장 아사랴와 왕의 이름이 같기 때문에(대하 26:17) 이것을 피하기 위하여 왕의 명칭인 '웃시야'를 사용한 것입니다.

'웃시야'(עֻזִּיָּה)는 '오즈'(עֹז: 힘, 능력)와 '야'(יָהּ: 여호와의 단축형)가 합성된 것으로, '여호와께서는 나의 힘이시다'라는 뜻입니다. 아사랴는 히브리어 '아자르야'(עֲזַרְיָה)로서, '아자르'(עָזַר: 돕다)와 '야'(יָהּ: 여호와의 단축형)가 합성되어 그 뜻은 '여호와께서 도우셨다'입니다.

1. 웃시야는 여호와를 구하므로 형통하였습니다.

Uzziah sought the Lord and became prosperous.

웃시야는 즉위하자마자 형통함으로 엘롯을 회복하였습니다(대하

26:2). 엘롯은 '엘랏' 또는 '에시온게벨'로 불렸으며, 아카바만 최북단에 위치한 도시로, 유다의 해상 무역의 요충지였습니다. 그리하여 웃시야는 남 유다가 다시 해상 무역을 활성화하도록 길을 열었습니다.

웃시야는 그 부친 아마샤의 모든 행위대로 여호와의 보시기에 정직히 행하였습니다(왕하 15:3, 대하 26:4). 우리도 웃시야와 같이, 부친 아마샤의 선한 것만 적극적으로 취하고, 잘못된 것은 믿음으로 과감히 버릴 수 있어야 합니다. 아하시야, 요아스, 아마샤 3대는 예수 그리스도의 족보에서 제외되어 기록되지 못했지만, 웃시야는 예수 그리스도의 족보에 기록되었습니다(마 1:8-9). 3대 조상의 모든 악을 버리고 부친 아마샤가 정직하게 행한 것만 본받은 결과였습니다. 모든 결정과 판단에 있어서 선(善)을 취하고 악(惡)을 버릴 수 있을 때, 조상적부터 내려오는 모든 저주와 사망의 고리를 완전히 끊고 하나님의 생명책에 기록될 수 있음을 크게 교훈합니다(시 34:14, 사 7:15, 암 5:14-15, 살전 5:15, 딛 2:14).

웃시야가 부친 아마샤의 모든 행위대로 여호와 보시기에 정직하게 행할 수 있었던 이유는, 그의 경험이나 통치 실력이 아니라 영적 지도자를 만나 그 말씀대로 순종했기 때문입니다. 부친 아마샤는 선지자를 무시하고 핍박했으나(대하 25:15-16), 웃시야는 하나님의 종이 들려준 말씀을 무겁게 받들고 전심으로 순종했습니다. 역대하 26:5에서는 "하나님의 묵시를 밝히 아는 스가랴의 사는 날에 하나님을 구하였고 저가 여호와를 구할 동안에는 하나님이 형통케 하셨더라"라고 말씀하고 있습니다.

여기 '묵시'(默示)는 히브리어 '라아'(רָאָה)의 연계형으로, '(깊게, 자세히) 보는 것'을 의미합니다. 그러므로 묵시는 '하나님을 자세히 봄으로 말미암아 얻을 수 있는 하나님의 계시'를 가리키는 것입니다(사 34:16). '밝히 아는'은 히브리어 '빈'(בִּין)의 히필분사형으로, '밝히 깨우쳐 주는'이라는 의미입니다. 따라서 "하나님의 묵시를 밝히 아는 스가랴"란 말씀은 '하나님의 계시를 밝히 깨닫게 해 주는 스가랴'란 뜻으로, 스가랴가 웃시야의 영적 지도자로서 그의 삶을 신앙으로 지도해 주었음을 의미합니다. 말씀을 밝히 아는 영적 지도자를 따라 하나님을 구할 때 결과적으로 형통의 축복이 뒤따르게 됩니다(대하 26:4-5).

역대하 26:5의 '형통케 하셨더라'는 히브리어 '찰라흐'(צָלַח)로, '돌진하다, 전진하다, 번성하다'라는 뜻입니다. 하나님께서 형통케 하시면 그 앞에 어떤 장애물이 있더라도 거침없이 돌진할 수 있는 것입니다. 그리하여 웃시야는 하나님의 도우심으로 블레셋 사람과 아라비아 사람과 마온 사람을 쳐서 승리하였으며, 암몬 사람이 웃시야에게 조공을 바칠 정도였습니다. 웃시야가 심히 강성하여 그 이름이 애굽 변방까지 퍼졌습니다(대하 26:6-8).

웃시야는 형통하여 그 이름이 원방에 퍼질수록 더욱 내치를 강화하였습니다. 먼저 예루살렘에서 성 모퉁이 문과 골짜기 문과 성굽이에 망대를 세워 견고하게 하였습니다(대하 26:9). 또 광야에 망대를 세우고 물웅덩이를 많이 파서 물을 저장하여 목축업을 장려하였으며, 농사를 좋아하여 여러 산과 좋은 밭에 농부와 포도원을 다스리는 자를 두어 농사를 짓게 하였습니다(대하 26:10).

그뿐만 아니라, 군대를 조직적으로 편성하여 족장의 수가 2,600명, 군대의 수는 30만 7,500명이었으며, 이들은 다 건장하고 싸움에 능하여 왕을 도와 대적을 칠 수 있는 자들이었습니다(대하 26:11-13). 웃시야는 이들을 위하여 방패, 창, 투구, 갑옷, 활, 물맷돌을 예비하였습니다(대하 26:14). 또 망대와 성곽 위에 살과 큰 돌을 발사할 수 있는 기계를 창작하였습니다(대하 26:15). 이렇게 웃시야는 나라를 강성하게 만들어 남 유다에서 유례없는 번영을 이루었습니다.

그 이유를 역대하 26:15에서는 "기이(奇異)한 도우심을 얻어 강성하여짐이더라"라고 말씀하고 있습니다. 여기 "기이한 ... 얻어"는 히브리어 한 단어로 '팔라'(פָּלָא)인데, 이것은 '구별하다, 경이롭다, 너무도 높다'라는 뜻입니다. 즉, 웃시야는 사람의 머리로 도저히 생각할 수 없는 신비한 도우심을 받아 강성해진 것입니다. 진심으로 하나님을 구할 때 '아사랴'처럼 기이한 도우심을 얻게 됩니다.

2. 웃시야는 통치 말년에 교만하여 문둥병에 걸렸습니다.

Uzziah became a leper because of his pride in the latter years of his reign.

웃시야는 강성해지자 교만하여져서 하나님의 전(성소)에 들어가 향단에 분향하려고 하였습니다(대하 26:16). 이것은 왕권뿐만 아니라 제사권까지 행사하려는 욕심과 하나님께서 정해주신 거룩한 영역을 무효화 시키는 극도의 교만에서 나온 행동이었습니다. 웃시야가 제사장의 권한까지 넘본 것은 제사장을 세우신 하나님의 절대 주권에 도전한 신성 모독의 범죄였습니다. 이때 제사장 아사랴가 다른 제사장 80명과 함께 웃시야의 범죄를 막으려 했습니다. 이것은 하나님께서 웃시야를 돌이키시기 위해 기회를 주신 것입니다. 웃시야는 제사장들에게 노를 발하며 계속 분향하려다가 이마에 문둥병이 생기고 말았습니다. 웃시야는 여호와께서 치시므로 성전에서 급히 쫓겨나서, 주전 750년(57세)부터 주전 739년(68세)으로 죽기까지 12년간 별궁에 거하였습니다(왕하 15:5, 대하 26:16-23). 40년간 크게 존경받던 왕이 교만하여 하루아침에 문둥병에 걸려 별궁에 갇혀 지내고, 그 동안 그의 아들 요담이 통치하였습니다(왕하 15:5, 대하 26:21).

아모스 1:1, 스가랴 14:5에서는 웃시야 시대에 일어났던 큰 지진에 대하여 언급하고 있습니다. 역사가 요세푸스(Josephus)는 이 지진이 웃시야 왕이 성전에서 직접 분향을 하다 문둥병을 얻게 된 사건과 관련하여 일어난 것이라고 설명하였습니다(*Ant.* IV. 9:225). 이처럼 한 지도자의 교만은 자신의 삶을 불행하게 만들 뿐만 아니라, 나라에 큰 재앙을 일으켜 국민 전체가 극심한 고난과 아픔을 겪게 만듭니다.

웃시야왕의 오랜 통치는 신앙의 꽃을 피울 수 있었던 절호의 시기였지만, 강성해진 웃시야왕의 어리석음과 교만으로 말미암아 신앙의 전수가 무너지고 말았습니다. 문둥병에 걸린 웃시야는 열조의 묘실에 장사되지 못하고 열조의 곁에 장사되었습니다(대하 26:23).

열왕기하 15:3-4을 볼 때, 웃시야는 여호와의 보시기에 정직히 행하였으나, 산당을 제하지 않았습니다. 온전하지 못한 정직은 교만으로 연결되었으며, 결과적으로 하나님의 도우심을 받지 못하고 모든 축복을 빼앗기고 말았습니다.

웃시야가 겸손히 여호와를 찾고 구하는 동안에는 '여호와의 힘'이 웃시야의 '도움'이 되었으나, 그 마음이 강퍅하여 교만해지자 하나님께 대적하는 자가 되고 말았습니다. 하나님께서는 겸손한 자에게 아낌없이 은혜를 베푸십니다(잠 3:34, 약 4:6, 벧전 5:5). 그러나 교만한 자는 기필코 흔들어 넘어뜨리고(시 147:6), 수치와 멸시를 당하게 하시며(잠 11:2, 18:12, 29:23), 갑자기 망하게 하십니다(잠 29:1).

우리는 웃시야왕을 통하여, 처음 신앙도 중요하지만 변함없이 믿음을 잘 지키며 인격을 더욱 성숙시켜 자신을 낮추고 겸손하게 사는 것이 얼마나 중요한가를 새삼 깨닫게 됩니다(고전 10:12, 엡 6:24).

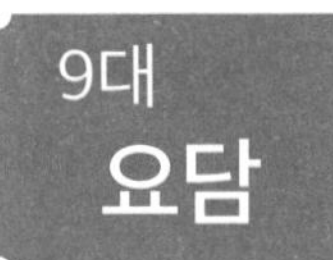

Jotham / Ἰωαθάμ / יוֹתָם
여호와는 완전하시다 / the Lord is perfect

- 남 유다의 제11대 왕(왕하 15:32-38, 대하 27:1-9)
- 예수 그리스도의 족보 제2기 아홉 번째 인물

마태복음 1:9 "웃시야는 **요담**을 낳고 **요담**은 아하스를 낳고 ..."

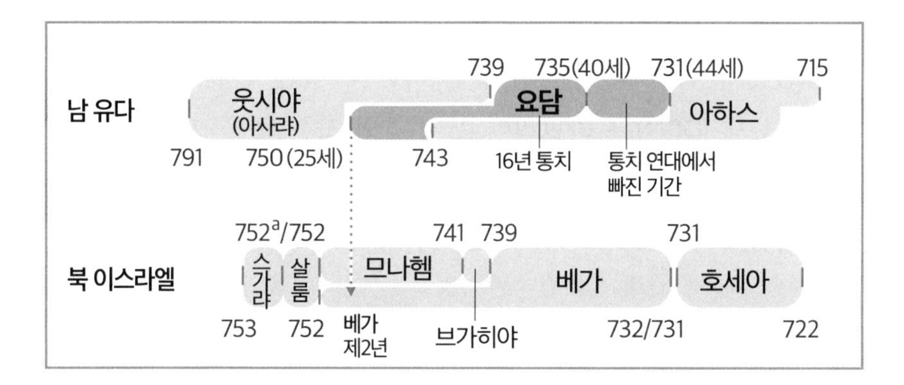

배경
- 부: 웃시야(왕하 15:32, 대하 27:2)
- 모: 여루사(사독의 딸-왕하 15:33, 대하 27:1)

통치 기간
- 25세에 즉위하여 16년간 통치하였다(주전 750-735년, 왕하 15:32-33, 대하 27:1, 8).
- 요담이 남 유다의 왕이 될 때는 북 이스라엘 '베가 제2년'(왕하 15:32) 이었다. 르신과 베가가 동맹하여 유다를 친 사건이 두 번 기록된 것은 (왕하 15:37, 16:5) 요담이 그 아들 아하스와 공동 통치를 했다는 간접적인 증거이다(주전 735-731년).

평가 - 선한 왕(왕하 15:34-35, 대하 27:2)
요담은 그 부친 웃시야의 모든 행위대로 여호와 보시기에 정직히 행하였으며(왕하 15:34, 대하 27:2), 하나님 여호와 앞에서 정도를 행하여 점점 강해졌다(대하 27:6). 그러나 산당은 제하지 않았다(왕하 15:35).

- **활동 선지자** - 이사야(사 1:1), 미가(미 1:1)

- **사료(史料)**
  - 유다 왕 역대지략(왕하 15:36)
  - 이스라엘과 유다 열왕기(대하 27:7)

요담은 웃시야의 뒤를 이어 남 유다의 열한 번째 왕이 되었습니다. '요담'(יוֹתָם)은 히브리어로 '여호와'라는 뜻을 가진 '예호바'(יְהוָֹה)와 '완벽한, 완전한, 건강한'이란 뜻을 가진 '탐'(תָּם)의 합성어입니다. 그러므로 요담은 '여호와는 완전하시다'라는 뜻입니다.

1. 요담은 부친의 잘못을 경계 삼아 성소에 들어가지 않았습니다.

Cautioned by his father's wrongdoing, Jotham did not enter the temple of the Lord.

요담의 아버지 웃시야왕은 제사장만이 출입하는 성전에 들어가 분향하려다가 문둥병에 걸려 죽었습니다. 요담은 웃시야가 12년 동안 문둥병으로 고생할 때 국정을 대리(섭정)하면서 부왕 웃시야의 비참한 말로를 모두 보았습니다. 이것을 경계로 요담은 절대 여호와의 전에 들어가지 않기로 결심하고, 성전에 들어가는 일이 없었습니다.

역대하 27:2에서는 "요담이 그 부친 웃시야의 모든 행위대로 여호와 보시기에 정직히 행하였으나 여호와의 전에는 들어가지 아니하였고 백성은 오히려 사악을 행하였더라"라고 말씀하고 있습니다. 여기 '오히려'는 히브리어 '오드'(עוֹד)로서 '반복적으로, 계속'이라는 뜻을 가지고 있습니다. 그러므로 요담왕이 여호와의 전에 들어가지 않고 정직하게 행하는 동안, 백성은 요담이 통치하기 이전부터 지금까지 계속적으로 악을 행하고 있었다는 것입니다.

왕이 하나님 보시기에 정직히 행하며 겸손하게 살기 위해 노력하는데도, 백성은 여호와 신앙에 무관심하였고 과거의 습관을 좇아 여전히 행악을 일삼았습니다. 세상 마지막 때도 이러한 일들이 일어날 것이라고 성경은 예언하고 있습니다. 요한계시록 22:11에서 "불의를 하는 자는 그대로 불의를 하고 더러운 자는 그대로 더럽고 의로운 자는 그대로 의를 행하고 거룩한 자는 그대로 거룩되게 하라"라고 말씀하고 있습니다(참고-딤후 3:13). 역대하 27:2 하반절에 "여호와의 전에는 들어가지 아니하였고"라고 말씀하였는데, 여기 '오직, 확실히, ...을 제외하고'라는 뜻의 히브리어 '라크'(רַק)가 있으나 개역성경에서 번역되지 않았습니다. 요담이 아버지 웃시야왕이 했던 것 중에 성전에 들어가는 일만 제외하고, 웃시야의 모든 선한 행위대로 행하였다는 사실을 강조합니다. 요담은 아버지 웃시야가 여호와 보시기에 정직하게 행하였으나 순간 교만해지자 하나님의 무서운 심판을 받아 이마에 문둥병이 생겨서 성전에서 쫓겨난 것과, 12년간 별궁에 갇힌채 비참하게 살았던 말로를 다 보았습니다. 그러므로 자신은 아버지처럼 교만하지 않고 오직 말씀대로 겸손히 순종하기 위해서 절대로 여호와의 전에 들어가지 않았던 것입니다(대하 27:2). 그리고 요담은 문둥이가 된 아버지를 대신하여 갑자기 왕위에 올랐지만, 아버지를 경시하거나 업신여기지 않고, 하나님 앞에서 정직하고 부친의 선행만을 본받았습니다. 열왕기하 15:34에서 "요담이 그 부친 웃시야의 모든 행위대로 여호와 보시기에 정직히 행하였으나"라고 말씀하고 있습니다. 그러한 그의 통치는 한 번의 실수로 문둥이가 된 아버지의 죄를 참회하는 것이었다고 볼 수 있습니다. 그리고 요담은 웃시야가 추진하던 모든 사업을 그대로 이어 나갔습니다.

요담은 아버지 웃시야의 비참한 말로를 통해 하나님이 살아계신 것과 두렵고 떨림으로 경외하였습니다. 요담의 할아버지 아마샤는 그 아버지 요아스의 악행만을 본받다가 요아스처럼 비참하게 죽고 예수 그리스도의 족보에서도 제외되었으나, 요담은 그와 정반대로, 아버지 웃시야의 선행만을 붙잡고 정직히 행하다가 아버지와 함께 족보에 기록된 것입니다(대상 3:11-12, 마 1:8-9).

요담은 16년(주전 731년까지 계산하면 20년)이라는 오랜 통치 기간에도 불구하고 그의 행적이 짧은 분량으로 기록되어 있으며(왕하 15:32-38, 대하 27:1-9), 또 그가 남긴 업적 중에는 다른 왕들처럼 결점을 찾아보기 힘들다는 점이 매우 특이합니다. 한편, 결점이 없는 요담에 대한 평가는 너무도 부정적인 그의 아들 아하스에 대한 평가와 날카롭게 대조됩니다.

2. 군사적 방어 시설을 건축하여 국방 강화에 심혈을 기울였습니다.

Jotham placed his heart to strengthen the national defense by building up military defense facilities.

요담은 그 당시 북쪽에서 세력을 확장하고 있던 앗수르의 위협, 그리고 북 이스라엘과 아람의 침략에 대비하기 위해 대대적으로 군사적 방어 시설을 건축하였습니다.

역대하 27:3-4 "저가 여호와의 전 윗문을 건축하고 또 오벨성을 많이 증축하고 [4]유다 산중에 성읍을 건축하며 수풀 가운데 견고한 영채와 망대를 건축하고"

첫째, '여호와의 전 윗문'을 건축하였습니다(왕하 15:35).

'윗'에 해당하는 히브리어는 '엘르욘'(עֶלְיוֹן)으로, '가장 높은'이라는 뜻입니다. 그래서 '전 윗문'은 여호와의 전에 있는 여러 문들 중 높은 쪽인 북쪽 방향의 문을 가리키며, 이 문은 왕이 왕궁을 나와서 성전 바깥뜰에 들어갈 때 사용하는 문이었습니다. 요담이 성전 바깥뜰로 들어가는 문을 건축한 것은, 그의 삶이 언제나 성전을 사모하며 가까이하는 일에 특별한 열심을 가지고 있었다는 사실을 보여 줍니다.

둘째, '오벨성'을 많이 증축하였습니다.

오벨은 히브리어로 '오펠'(עֹפֶל)인데, 이는 '돌출부, 언덕'이라는 의미로, 여기서는 예루살렘 남동부의 해발 약 800m 높이의 구릉을 가리킵니다. 이는 예루살렘성 방어에 매우 중요한 기능을 담당하는 '요새화된 방어성'과 같은 것이었습니다. 요담은 본래 있던 성벽 위에 성벽들을 더 많이 쌓고 연장하여 외침에 대한 방어 시설을 강화한 것입니다. 성경을 보면, 훗날 므낫세가 회개하고 돌아온 후 '오벨을 둘러 심히 높이 쌓고'(대하 33:14)라고 기록하고 있습니다.

셋째, '유다 산중에 성읍'을 건축하였습니다.

여기 '산'은 히브리어로 '하르'(הַר)로서, 평지나 아래 지대를 내려다볼 수 있는 높은 언덕과 산악 지형으로 된 고지대를 뜻합니다. 팔레스틴은 사해 양편에 남북으로 길게 뻗은 높은 산지가 많은데, 바로 이 높고 험한 유다 산지에 성읍(cities)을 건축한 것입니다. 갑작스런 외침을 당했을 때 산지의 성읍은 노출된 평지의 성읍보다는 신속하게 대비할 수 있기 때문이었습니다.

넷째, '수풀 가운데 견고한 영채와 망대'를 건축했습니다.

'영채'는 히브리어 '비라니트'(בִּירָנִית)로, 상당히 큰 규모의 군대가 숙영할 수 있는 요새를 가리킵니다. 수풀 가운데 견고하게 세워진 요새는 그만큼 위장이 잘 되어 있어서, 적의 공격이 있을 때는 언제라도 기습적으로 반격을 가할 수 있는 역할을 하였습니다. 그리고 '망대'는 히브리어 '믹달'(מִגְדָּל)로, 적의 동태를 감시하여 적의 침공을 사전에 대비하는 데 쓰였습니다(대하 14:7, 26:9).

당시는 앗수르 왕 디글랏 빌레셀 3세(주전 745-727년)의 원정과 앗수르 세력의 팽창으로 주변 국가들이 크게 위협을 당하는 시기였습니다.[22] 이때 북 이스라엘의 므나헴도 주전 743년 앗수르의 디글랏 빌레셀('불'은 디글랏 빌레셀의 다른 이름으로, 바벨론을 점령한 이후에 사용됨)에게 은 일천 달란트를 바쳤던 적이 있습니다(왕하 15:19-20).

이러한 주변 국제 정세에 대응하기 위해 요담은 건축 사업에 심혈을 기울여 나라의 힘을 기르고 국방을 견고히 했던 것입니다. 뿐만 아니라 요담은 일찌기 자신의 아들 아하스를 왕위에 올렸습니다(당시 12세, 주전 743년). 이는 자기 시대뿐 아니라 나라의 앞날까지 내다보고 국방 강화에 만전을 기하려 했던 최고 통수권자로서의 철저한 국가의식을 보여 주는 듯합니다. 열왕들의 역사에서 국방 강화를 위한 건축 사업은 하나님의 축복에 대한 암시이며, 경건한 왕들의 통치 기간에는 건축 사업이 자주 있었습니다. 르호보암(대하 11:5-12), 아사(대하 14:6-7), 여호사밧(대하 17:12-13), 웃시야(대하 26:9-10), 회개하고 돌아온 므낫세(대하 33:14)의 경우가 그러합니다.

3. 하나님 앞에 정도를 행하여 국가가 부강해졌습니다.

The kingdom became rich and powerful when Jotham followed the way of the Lord.

요담이 국방 강화를 위한 건축 사업을 부지런히 진행한 결과, 암몬 자손의 왕이 쳐들어왔을 때 외세의 도움 없이 승리했습니다(대하 27:5). 요담은 암몬 자손과의 전쟁에서 승리한 후, 암몬으로부터 은 1백 달란트와 밀 1만 석과 보리 1만 석을 3년 동안 받았습니다(대하 27:5). 은 1백 달란트는 은 3.4톤이며, 밀 1만 석은 밀 12만 말 되는 엄청난 분량입니다. '석'이라는 단어는 히브리어 '코르'(כֹּר)로, 약 12말 정도 되는 분량입니다.

이렇게 요담은 점점 강하여졌는데, 그것은 정도(正道)를 행한 결과였습니다. 역대하 27:6에서는 "요담이 그 하나님 여호와 앞에서 정도를 행하였으므로 점점 강하여졌더라"라고 말씀하고 있습니다. 이것을 표준새번역에서는 "요담은, 주 그의 하나님 앞에서 바른 길을 걸으며 살았으므로, 점점 강해졌다"라고 번역하였습니다.

정도(正道)는 '올바른 길'로, 하나님의 말씀대로 사는 길입니다. 하나님의 말씀은 우리가 반드시 걸어가야 할 올바른 길입니다(시 119:105). 그러므로 성도는 다윗과 같이 "여호와여 주의 도를 내게 보이시고 주의 길을 내게 가르치소서"(시 25:4)라고 기도해야 합니다.

요담의 증조부 요아스, 조부 아마샤, 부친 웃시야에게는 공통점이 있었습니다. 그것은 왕이 된 초기에는 선정을 베풀다가, 말기에 패역하고 하나님을 거스르는 정치를 행하므로 그 말년이 매우 비참했다는 것입니다. 그러나 요담은 통치 초기부터 끝까지 변함없는 믿음으로 하나님 앞에서 바른 길을 걸어 통치 말년을 평안하게 마무리하였습니다. 요담왕 자신은 하나님 앞에 정직하게 살았지만, 그의 백성은 여전히 사악을 행하였습니다(대하 27:2). 그리하여 요담의 말년에 하나님께서는 아람 왕 르신과 르말랴의 아들 베가를 보내어 남 유다를 치게 하셨습니다(왕하 15:37). 아람 왕 르신과 르말랴의 아들 베가가 예루살렘을 친 전쟁이 마치 요담 때(왕하 15:37)와 아하스 때(왕하 16:5, 사 7:1) 두 번 있었던 것처럼 기록된 것은, 이 전쟁이 두 왕의 섭정 기간에 치러진 전쟁이기 때문입니다.

요담의 신앙이 백성에게 전달되지 못한 것은 지도자로서 요담의 한계였습니다. 그 이유를 열왕기하 15:35에서는 "산당을 제하지 아니하였으므로 백성이 오히려 그 산당에서 제사를 드리며 분향하였더라"라고 하여, 산당이 백성의 죄악의 온상지가 되었음을 지적하고 있습니다. 결국 요담은 산당을 제거하지 않으므로 백성을 바른 길로 인도해야 할 소임을 다하지 못했습니다. 원래 산당은 이방인들의 우상 숭배의 장소로서, 하나님께서는 가나안 땅에 들어가면 산당을 모두 훼파(뜻-때려 부수다)하라고 말씀하셨습니다(민 33:51-52, 신 12:1-3). 하나님께서는 택하신 장소를 찾아 나와서 예배를 드리라고 명령하셨습니다(신 12:5, 11).

진정한 지도자는 백성을 바른 길로 인도하여 그들의 삶을 변화시킬 수 있어야 합니다. 그러므로 우리는 하나님의 백성으로서 자기 자신만 죄를 짓지 않는 소극적인 신앙 생활에 만족할 것이 아니라, 적극적으로 복음을 전파하여 불신자나 믿음에서 멀어진 모든 사람의 삶을 변화시켜 올바른 신앙의 길로 인도해야 할 것입니다.

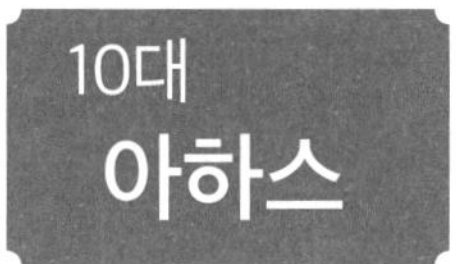

Ahaz / Ἀχάζ / אָחָז
그가 붙잡았다 / he has grasped

- 남 유다 제12대 왕(왕하 16:1-20, 대하 28:1-27)
- 예수 그리스도의 족보 제2기 열 번째 인물(마 1:9)

마태복음 1:9 "웃시야는 요담을 낳고 요담은 **아하스**를 낳고 **아하스**는 히스기야를 낳고"

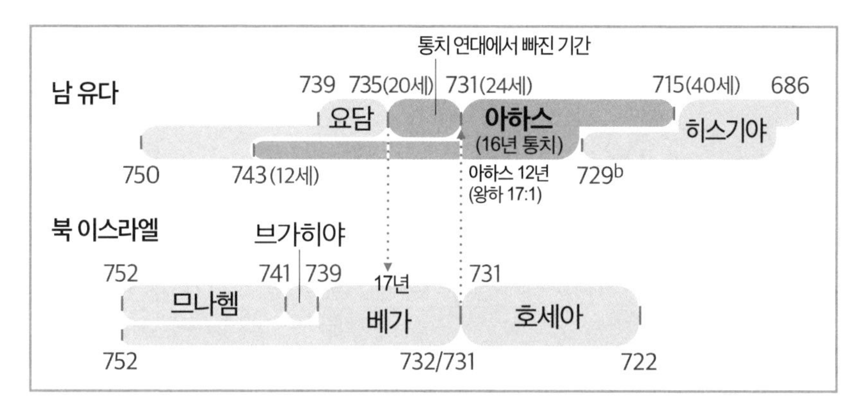

배경
- 부: 요담(왕하 16:1, 대하 27:9)
- 모: 성경 기록이 없다.

통치 기간
- 20세에 즉위하여 요담과의 공식적인 공동 섭정 통치 기간을 지나 24세부터 16년 동안 통치하였다(주전 731-715년, 왕하 16:2, 대하 28:1).
- 아하스는 부왕 요담 밑에서 섭정한 기간을 마친 후에 공식적으로 왕위에 올랐으므로 그 첫 해를 즉위년으로 계산한다(주전 731년).
- 아하스는 할아버지 웃시야왕이 살아 있던 주전 743년부터 요담왕 밑에서 부섭정을 하였다(참고-왕하 17:1). 웃시야, 요담, 아하스 세 왕이 5년간(주전 743-739년) 함께 통치한 것이다. 그리고 공식 섭정을 시작한 주전 735년은 북 이스라엘 '베가 제17년'이며(왕하 16:1),

동시에 이때는 부왕 요담이 공식 통치 16년을 마친 해이다.

- **평가 - 악한 왕**(왕하 16:3-4, 대하 28:1-2)
  아하스는 그 조상 다윗과 같지 아니하여 여호와 보시기에 정직히 행치 아니하고 이스라엘 열왕의 길로 행하였다(왕하 16:3-4, 대하 28:1-2).
- **활동 선지자 -** 이사야(사 1:1), 미가(미 1:1)
- **사료(史料)**
  - 유다 왕 역대지략(왕하 16:19)
  - 유다와 이스라엘 열왕기(대하 28:26)

아하스는 요담의 뒤를 이어 남 유다의 열두 번째 왕이 되었습니다. 아하스는 '움켜쥐다, 잡다, 붙잡다'라는 뜻의 '아하즈'(אָחָז)에서 파생되어 '그가 붙잡았다, 여호와께서 단단히 붙잡았다'라는 뜻입니다.

열왕기하 17:1에서는 "유다 왕 아하스 십이 년에 엘라의 아들 호세아가 사마리아에서 이스라엘 왕이 되어"라고 말씀하고 있습니다. 북 이스라엘의 호세아가 왕이 될 때는 베가가 제20년 통치를 마친 직후이고, 당시 남 유다는 웃시야의 아들 '요담 제20년'(왕하 15:30, 주전 731년)이었습니다. 그렇다면 '아하스 제12년'(왕하 17:1)에 호세아가 왕이 되었으므로 아하스는 743년에 왕이 된 것입니다.

아하스는 20세에 즉위하여 16년을 통치하였습니다(왕하 16:2, 대하 28:1). 이에 따르면 아하스는 통치 16년을 마친 때에 36세(20+16)가 되고, 그의 아들 히스기야가 단독으로 즉위할 때가 25세이므로(왕하 18:2, 대하 29:1) 아하스는 히스기야를 11세(36-25)에 낳은 것처럼 보입니다. 그러나 이것은 잘못된 해석입니다. 이에 대한 해결점은, 아하스가 즉위할 때를 북 이스라엘 '베가 제17년'이라고 한 말씀에 있습니다(왕하 16:1). '베가 제17년'은 주전 735년으로 부왕 요담과 공식 섭정하기 시작한 해로서, 아하스는 부왕 요담과 5년간(주전 735-731년) 공동으로 통치한 후에 공식적으로 즉위하여 16년간 다스린 것입니다. 아하스의 즉위 시의 나이 20세는 부왕 요담과 공동 섭정으로 통치하기 시작할 때(주전 735년)의 나이를 가리키며, 그가 공식적으로 왕위에 오를 때(주전 731년)의 나이는 요담과의 공동 섭정 기간이 지난 24세가 됩니다. 따라서 아하스가 16년 통치를 마친 때는 40세가 되며, 아하스는 히스기야를 15세(40-25)에 낳은 것이 됩니다.

주전 735년에 아하스 20세이므로(왕하 16:1-2), 부섭정을 시작할 때(주전 743년)는 12세입니다. 아하스는 주전 743년부터 715년까지 총 29년 동안 통치하였습니다.[23)]

아하스의 전 통치 기간 29년을 정리하면 다음과 같습니다.

요담이 아직 통치하고 있을 때 아하스는 9년간 부섭정을 하였고(주전 743-735년), 북 이스라엘 '베가 제17년'(왕하 16:1)부터 5년간 부왕과 공동 통치하였습니다(주전 735-731년). 주전 735년은 부왕 요담이 16년의 공식 통치를 마친 해입니다(왕하 15:33, 대하 27:1, 8).

주전 735-731년의 기간은 남 유다의 공식 통치 기간에서 빠져 있는데, 그 이유는 이 기간 동안 집중적으로 이방 민족의 침공을 받아 국토 전역이 유린을 당하고 수많은 백성이 희생되었기 때문입니다(왕하 15:29-16:20, 대하 28:5-21).[24)]

먼저, 아람의 공격으로 엘랏을 빼앗기고 심히 많은 무리가 아람으로 끌려갔습니다(왕하 16:6, 대하 28:5上). 둘째, 북 이스라엘의 공격에 하루에 12만 명이 죽고, 20만 명이 포로로 끌려가는 등 극심한 인

명 피해가 있었습니다(대하 28:5下-8). 셋째, 에돔의 공격을 받아 많은 백성이 포로로 끌려갔습니다(대하 28:17). 넷째, 블레셋의 침노로 유다의 평지에 있는 성읍들과 남방에 있는 여러 성읍들을 블레셋에게 빼앗겼습니다(대하 28:18). 다섯째, 유다가 도움을 청한 앗수르 왕 디글랏 빌레셀은 유다를 돕지 아니하고 도리어 군박[막힐 군(窘) 닥칠 박(迫): 적에게 공격을 당하여 괴로움을 받음]하였습니다. 아하스가 여호와의 전과 왕궁과 방백들의 집에서 재물을 취하여 앗수르 왕에게 주었으나 유익이 없이 짓밟힘만 당하였습니다(대하 28:20-21).

부친 요담왕과의 5년 공동 섭정 통치를 마치고 아하스는 16년간(즉위년 방식) 정식으로 통치했습니다(주전 731-715년). 16년의 통치 기간은 요담이 죽은 이후 아하스 단독으로 통치한 3년(주전 731-729^b년)과 그 이후 아들 히스기야와 공동 통치한 약 15년(주전 729^b-715년)을 포함한 것입니다.

아하스는 부왕 요담이 그랬듯이 자기 아들 히스기야를 일찍 왕위에 올렸습니다(당시 11세, 왕하 18:2, 대하 29:1). 아하스와 히스기야가 공동 섭정으로 통치한 기간은, 히스기야가 북 이스라엘 '호세아 제3년'(왕하 18:1)에 즉위하였다고 기록한 말씀으로 계산할 수 있습니다.

아하스의 아버지 요담과 그 아들 히스기야가 선한 왕이었던 반면에, 아하스는 매우 사악한 왕이었습니다.

1. 아하스는 이방의 가증한 일을 본받아 행하였습니다.

Ahaz followed the abominable ways of the Gentiles.

역대하 28:3에 아하스가 행한 '가증한 일'이라는 단어가 나옵니다. 이것은 히브리어 '토에바'(תּוֹעֵבָה)인데 '구역질나는 것, 혐오스러운 것'을 뜻합니다. 하나님께서 보실 때 구역질이 나실 정도이니, 그의 일상은 온통 더러운 죄를 먹고 마시며 죄로 호흡하는 악한 삶이었음을 알 수 있습니다.

첫째, 아하스는 이스라엘 열왕의 길로 행하여 바알들의 우상을 부어 만들었습니다(대하 28:2).

둘째, 아하스는 힌놈의 아들 골짜기에서 분향하며 심지어는 자기 자녀를 불태워 제사 드리는 일을 행하였습니다(대하 28:3).

셋째, 아하스는 산당과 작은 산 위와 푸른 나무 아래에서 제사를 드리며 분향하였습니다(대하 28:4).

아하스와 여호람왕은 유다 왕국에 이스라엘 열왕들이 행하던 우상숭배를 만연케 했던 왕입니다(왕하 8:18, 16:3). 유다의 모든 왕들에 대한 사적을 소개할 때는 반드시 모친의 이름이 소개되는데, 아하스(왕하 16:1-2, 대하 28:1)와 여호람(왕하 8:16-17, 대하 21:1)의 경우에만 모친의 이름이 언급되지 않은 것은 참으로 특이하게 보입니다.

아하스는 요담으로부터 진실한 신앙 교육을 받았음에도 불구하고, 왕위에 오르자 부왕의 선한 교훈을 버리고 하나님의 곁을 떠나 우상을 섬겼습니다.

우리가 하나님보다 세상의 어떤 것에 마음을 빼앗긴 상태로 드리는 예배는 하나님 앞에 가증스럽고 하나님을 구역질나게 합니다(요엘 2:15-17). 하나님은 깨끗하고(clean), 정직하고(honest), 순수한(pure) 자를 기뻐하시어 가까이하시며, 그러한 자에게 좋은 것을 아낌없이 부어 주십니다(시 84:11).

2. 아하스는 하나님을 의지하지 않고 앗수르 군대를 의지하였습니다.

Ahaz did not rely on God but on the army of Assyria.

(1) 아하스는 아람 왕 르신과 북 이스라엘 왕 베가의 연합군에게 공격을 받아 큰 피해를 입었습니다.

당시에 아람 왕 르신과 북 이스라엘 왕 베가는 연합하여 반(反)앗수르 정책을 펼쳤습니다. 그러나 남 유다가 친앗수르 정책을 펴자, 아람과 북 이스라엘이 연합하여 남 유다를 공격하였습니다. 이것은 요담이 공식 통치를 마친 후 아들 아하스와 공식 공동 섭정을 시작한 후의 일입니다(왕하 15:36-38, 16:1, 5). 이때 아하스왕과 백성의 마음은 마치 삼림이 바람에 흔들림같이 흔들렸다고 말씀하고 있습니다(사 7:1-2).

표면적으로는 아람과 북 이스라엘 연합군이 정치적인 이유 때문에 아하스를 침략한 것처럼 보이나, 실은 아하스가 하나님을 버리고, 이스라엘 열왕의 길로 행하여 바알의 우상들을 부어 만들고 이방 사람의 가증한 일을 본받아 그 자녀를 불사르며 산당과 작은 산위와 모든 푸른 나무 아래에서 제사를 드리며 분향하자, 하나님께서 그 죄를 깨닫게 하시려고 섭리하신 것입니다(대하 28:1-7).

아람과 북 이스라엘은 비록 예루살렘을 점령하지 못하고 아하스도 죽이지는 못했지만(왕하 16:5), 남 유다에 큰 피해를 끼쳤습니다. 이때 하나님께서 아하스를 아람 왕의 손에 붙이시매 아람 왕 르신은 먼저 엘랏을 공격하여 남 유다 사람들을 쫓아내었고, 거기에 아람 사람이 거하게 되었습니다(왕하 16:6). 그리고 아람 왕 르신은 남 유다를 쳐서 '심히 많은 무리'를 사로잡아 가지고 다메섹으로 갔습

주전 735-731년
망령된 유다 왕 아하스 때의 국토 유린 상황
(왕하 15:29, 37, 16:1-16, 대하 28:5-21, 16-25, 사 7-8장)
735-731 BC - The country is trampled upon during the days of the foolish Ahaz king of Judah
(2 Kgs 15:29, 16:1-16, 2 Chr 28:5-21, 16-25, Isa 7-8)
6 디글랏 빌레셀(불)이 갈릴리 북방 지역을 모두 빼앗고, 그 백성을 사로잡아 앗수르로 옮겼다(왕하 15:29).
Tiglath-pileser (Pul) king of Assyria captured all of northern Galilee (Ijon, Abel-beth-maacah, Janoah, Kedesh, Hazor, Gilead, Galilee, and all the land of Naphtali). And he carried away the people of Israel back to Assyria (2 Kgs 15:29).
3 이스라엘 왕 베가는 하루 동안 유다의 용사 12만 명을 죽이고, 부녀자와 자녀를 포함하여 20만 명과 재물을 사마리아로 끌고 갔다 (대하 28:5-8).
Pekah king of Israel killed 120,000 valiant men in one day. Then they carried away 200,000 women, sons, and daughters as captives as well as great spoil back to Samaria (2 Chr 28:5-8).
7 아하스가 앗수르 왕 디글랏 빌레셀(불)에게 구원을 요청하고 여호와의 전과 왕궁 곳간에 있는 은금을 취하여 예물로 보냈으나 유익이 없었고, 도리어 유다를 군박하였다(왕하 16:8, 대하 28:16, 20-21). 유다를 공격하고 돌아오는 아람을 불이 공격하여 다메섹을 점령하였으며, 그 백성을 사로잡고 아람 왕 르신을 죽였다(왕하 16:9).
Ahaz asked Tiglath-pileser (Pul) king of Assyria for deliverance by sending the gold and silver from the house of the Lord and the treasuries of the king's house as a present. But it was of no use; he afflicted Judah instead (2 Kgs 16:8, 2 Chr 28:16, 20-21). Tiglath-pileser attacked the Arameans that were returning from their attack of Judah and captured Damascus. He also killed Rezin king of Aram (2 Kgs 16:9).
1 이스라엘 왕 베가와 아람 왕 르신이 연합하여 유다를 공격하자 (왕하 15:37, 16:5, 사 7:1), 이사야 선지자가 아하스 왕에게 삼가 조용하고 두려워 말라고 촉구했다(사 7:4-9).
When Pekah king of Israel and Rezin king of Aram joined forces and attacked Judah (2 Kgs 15:37, 16:5, Isa 7:1), Prophet Isaiah encouraged King Ahaz to take care, be calm, and do not fear (Isa 7:4-9).
4 유다의 속국 에돔이 남동쪽에서 침략하여 유다 백성을 사로잡았다(대하 28:17).
Edom, a vassal of Judah, attacked from the southeast and carried away the people of Judah as captives (2 Chr 28:17).
5 블레셋도 유다의 평지와 남방 성읍들을 침노하여 벧세메스와 아얄론과 그데롯과 소고와 그 동네와 딤나와 그 동네와 김소와 그 동네를 취하고 거기 거하였다 (대하 28:18).
The Philistines also invaded the cities of the lowland and the Negev of Judah. They took Beth-shemesh, Aijalon, Gederoth, Soco with its villages, Timnah with its villages, and Gimzo with its villages. Then, they settled there (2 Chr 28:18).
2 아람 왕 르신이 엘랏을 공격하여 유다 사람들을 거기서 쫓아내고 아람 사람을 거주하게 하였다(왕하 16:6).
Rezin king of Aram attacked Elath. They drove out the people of Judah and the Arameans came to live there (2 Kgs 16:6).
다메섹 Damascus
이욘 Ijon
게데스 Kedesh
야노아 Janoah
아벨벳마아가 Abel-beth-maacah
하솔 Hazor
악고 Acco
갈릴리 Galilee
아스드롯 가르나임 Ashteroth-karnaim
갈릴리 바다 SEA OF GALILEE
아벡 Aphek
납달리 Naphtali
돌 Dor
이스라엘 ISRAEL
벧산 Beth-shan
요단 강 Jordan River
길르앗 Gilead
사마리아 Samaria
세겜 Shechem
욥바 Joppa
랍바(암만) Rabbah
게셀 Gezer
벧엘 Bethel
아스돗 Ashdod
블레셋 PHILISTIA
에그론 Ekron
예루살렘 Jerusalem
암몬 AMMON
헤브론 Hebron
그랄 Gerar
사해 DEAD SEA
가사 Gaza
브엘세바 Beersheba
아랏 Arad
모압 MOAB
유다 JUDAH
김소 Gimzo
야브네 Jabneh
게셀 Gezer
아얄론 Aijalon
에그론 Ekron
벧세메스 Beth-shemesh
딤나 Timnah
그데라 (그데롯 ?) Gederah (Gederoth ?)
가드 Gath
소고 Soco
에돔 EDOM
보스라 Bozrah
엘랏 Elath
아카바만 GULF OF AQABA
아람 왕 르신의 침공
이스라엘 왕 베가의 침공
블레셋이 빼앗은 성읍
앗수르 왕 디글랏 빌레셀(불)의 침공
이스라엘 백성을 끌고 간 경로
에돔의 침공
블레셋의 침공
포위

니다(대하 28:5). 또한 하나님께서 남 유다를 이스라엘 왕의 손에 붙이시므로 북 이스라엘 왕 베가는 노기가 충천하여 하루 동안 남 유다 용사 12만 명을 죽였습니다. 이때 에브라임 용사 시그리에 의해 왕의 아들(벤, בֵּן: 자손) 마아세야와 궁내 대신 아스리감과 총리 대신 엘가나가 죽임을 당하였습니다. 또 베가는 유다 백성 남녀 20만 명을 포로로 끌고 갔습니다(대하 28:5-8).

오뎃 선지자는 사마리아로 돌아오는 군대 앞으로 나아가, "너희 열조의 하나님 여호와께서 유다를 진노하신 고로 너희 손에 붙이셨거늘 너희 노기(怒氣)가 충천(衝天)하여 살육하고"(대하 28:9)라고 말했습니다. 여기 '노기가 충천하여'의 뜻은 '분노가 하늘까지 다다랐다'(NRSV, in a rage that has reached up to heaven)입니다. 이것은 이스라엘이 심히 격분한 결과, 남 유다를 잔인하게 살육하고 닥치는 대로 끌고 왔음을 보여 줍니다.

이어 오뎃 선지자는 "이제 너희가 또 유다와 예루살렘 백성들을 압제하여 노예를 삼고자 생각하는도다 너희는 너희 하나님 여호와께 범죄함이 없느냐"라고 하면서 남 유다 백성을 노예로 삼고자 하는 일이 범죄라고 선언하였습니다(대하 28:10). 또한 "그런즉 너희는 내 말을 듣고 너희가 형제 중에서 사로잡아 온 포로를 놓아 돌아가게 하라"라고 명령하면서, 그렇게 포로로 잡은 유다의 수많은 남녀 무리를 노예로 부리려 했던 일에 대해 "여호와의 진노가 너희에게 임박하였느니라"라고 선포하였습니다(대하 28:11).

오뎃 선지자의 호된 책망에 찔림을 받은 '에브라임 자손의 두목 네 사람'의 마음이 크게 움직였습니다. 요하난의 아들 '아사랴'(עֲזַרְיָה: 여호와께서 도우셨다)와 무실레못의 아들 '베레갸'(בֶּרֶכְיָה: 여호와께서 축복하셨다)와 살룸의 아들 '여히스기야'(יְחִזְקִיָּה: 여호와께서 강하게 하심)와 하들래의 아들 '아마사'(עֲמָשָׂא: 짐을 진 자)가 일어나서 전장에서 돌아오는 자를 막았습니다(대하 28:12). 이들은 이스라엘에게 본래 '죄와 허물'이 있었으며 형제 유다 민족을 노예로 삼으려 한 이번 일이 그 죄와 허물을 더하게 하였다고 하면서, "진노하심이 이스라엘에게 임박"하였다고 경고했습니다(대하 28:13). 머지않아 멸망하게 될 북 이스라엘의 극심한 타락 속에서도 의로운 소리로 크게 책망하는 네 사람의 방백이 있었다는 사실은 실로 인상적입니다.

오뎃 선지자와 에브라임 족장 네 사람의 권위 있는 책망과 경고에 강한 찔림을 받은 이스라엘 군사들은 포로와 노략한 물건을 방백들과 온 회중 앞에 두었습니다(대하 28:14). 이에 포로를 관리하도록 지명된 사람들이 일어나서 단계적으로 그리고 친절하게 포로 송환을 진행하였습니다. 그들은 노략하여 온 중에서 옷을 취하여 포로들에게 입히며(그들은 알몸으로 끌려왔다), 신을 신기며(그들은 맨발로 끌려왔다), 먹이고 마시우며(그들은 양식은커녕 물조차 마시지 못했다), 기름을 발랐습니다(그들은 모두 크게 부상을 입었다). 약한 자(כָּשַׁל, 카샬: 도저히 걷기 힘든 심한 부상자)는 나귀에 태워 여리고로 데리고 가서 그 형제들에게 넘겨주기까지 하고 사마리아로 돌아왔습니다(대하 28:15).

(2) 하나님께서는 이사야 선지자를 통하여 앗수르를 의지하지 말라고 강력하게 권고하셨습니다.

아람 왕 르신과 북 이스라엘 왕 베가가 연합하여 침략했을 때 하나님께서는 이사야 선지자를 통하여 앗수르를 의지하지 말라고 하시면서, 아람과 북 이스라엘 두 나라는 '연기 나는 두 부지깽이 그루터기'에 불과하므로 두려워하지 말며 낙심하지 말라고 말씀하셨습니다(사 7:4). 그리고 그들이 다윗 집을 폐하기 위해 아하스 대신 자기들이 선택한 '다브엘의 아들'을 왕으로 세우려고 악한 꾀를 꾸몄으나(사 7:5-6) 그 도모가 서지 못하고, 앞으로 65년 내에 북 이스라엘이 다시는 나라를 이루지 못할 것이라고 말씀하셨습니다(사 7:7-9). 아하스왕 시대에 북 이스라엘 왕 베가가 쳐들어왔을 때, 이사야 선지자는 "65년 내에 에브라임이 패하여 다시는 나라를 이루지 못하리라"(사 7:8)라고 예언하였습니다.

북 이스라엘의 베가가 아하스에게 쳐들어온 때는 약 주전 732년입니다. 주전 732년으로부터 65년이면 주전 667년경으로, 앗수르의 통치자 에살핫돈(주전 681-669년)이 아들 앗수르바니팔(주전 669-632년)을 왕으로 세우고, 이스라엘 백성을 추방하고 이방인들을 이스라엘 땅으로 옮겨오게 했던 때를 의미하는 것으로 추정됩니다(왕하 17:24-33, 스 4:2).[25)]

즉 이사야 선지자는 북 이스라엘의 수도 사마리아가 앗수르에게 완전히 패망한 때(주전 722년)를 가리켜 예언한 것이 아니라, 사마리아가 이방과 혈통적으로 혼합되어 나라가 완전히 파괴되고 다시는 재생할 수 없음을 예언한 것입니다.[26)] 앗수르는 북 이스라엘을 멸망시킨 후, 그 민족성을 완전히 말살시키기 위해서 바벨론과 구다와 아와와 하맛과 스발와임에서 사람을 옮겨다가 이스라엘 자손을 대신하여 사마리아를 차지하도록 하는 정책을 썼습니다(왕하 17:24). 이러한 혼합 이주 정책은 산헤립의 아들 에살핫돈(참고-왕하 19:37)부터 시작되어(스 4:2) 오스납발(앗수르바니팔) 때까지 지속되었습니다(스 4:10).

이사야 선지자는 아하스에게 그 사실을 믿게 하려고 한 징조를 구하라고 하였으나, 아하스가 징조를 구하지 않자(사 7:10-13) 주께서 친히 징조를 주시며 "보라 처녀가 잉태하여 아들을 낳을 것이요 그 이름을 임마누엘이라 하리라"라고 말씀하셨습니다(사 7:14). 여기 '임마누엘'은 극한 고난 중에도 하나님께서 유다와 함께하시고, 그들을 돌보아 주실 것을 상징적으로 보여 주신 것입니다.

(3) 아하스는 하나님의 경고를 무시하고 앗수르 왕에게 도움을 구하였습니다.

하나님께서 징조를 보여 주셨음에도 불구하고, 아하스왕은 이사야 선지자를 통해 선포된 하나님의 말씀을 불신하여 완전히 무시하였습니다. 그리고 앗수르 왕 디글랏 빌레셀에게 사자를 보내어 "나는 왕의 신복(עֶבֶד, 에베드: 노예)이요, 왕의 아들이라"(왕하 16:7)라고 굴복하면서, 성전과 왕궁 곳간에 있는 은금을 예물로 보내어 자기를 구원해 달라고 요청했습니다(왕하 16:8).

그런데 역대하 28장에서는 아하스왕이 앗수르에게 도움을 청한 때가 에돔과 블레셋이 남 유다를 침공한 이후인 것처럼 기술되어 있습니다. 역대하 28:16-17에서 "그때에 아하스왕이 앗수르 왕에게 보내어 도와주기를 구하였으니 [17]이는 에돔 사람이 다시 와서 유다를 치고 그 백성을 사로잡았음이며"라고 말씀하고 있습니다.

여기 '그때에'는 히브리어 '바에트 하히'(בָּעֵת הַהִיא)로, 이것은 역대하 28:16의 바로 앞에 나오는 아람과 북 이스라엘의 남 유다 침공 사건이 일어난 때를 가리키는 시간 부사구입니다. 그러므로 아하스왕이 앗수르에게 도움을 청한 것은 아람과 북 이스라엘 연합군이 쳐들어왔을 때입니다.

또한 역대하 28:17의 '이는 ... 다시'는 히브리어로 한 단어인 '베오드'(וְעוֹד)인데 이것은 '그리고 다시'라는 뜻으로, 아하스가 아람과 북 이스라엘 연합군의 침공을 당하여 앗수르에게 원군을 청한 후에 '그리고 다시' 에돔의 침공을 받았다는 뜻입니다.

그러므로 당시 상황을 시간 순서대로 정리하면, 아람과 북 이스라엘 연합군의 침공이 먼저 있었고, 이에 아하스왕은 앗수르 왕에게 원군을 청하였고, 앗수르 왕이 유다에 도착하기 전에 에돔과 블레셋의 남 유다 공격이 있었던 것입니다(대하 28:16-18).

(4) 에돔과 블레셋이 남 유다를 침공한 것은, 여호와께 크게 범죄한 유다를 낮추시기 위한 하나님의 섭리였습니다.

앗수르는 아하스의 원군 요청을 듣고 남 유다로 바로 오지 않고, 남 유다를 공격하고 돌아오는 아람을 공격하여 아람의 수도 다메섹을 점령하고 그 백성을 사로잡아 가고 아람 왕 르신을 죽였습니다(왕하 16:9). 또한 앗수르 왕 디글랏 빌레셀은 북 이스라엘을 쳐서 "이욘과 아벨벳마아가와 야노아와 게데스와 하솔과 길르앗과 갈릴리와 납달리 온 땅을 취하고 그 백성을 사로잡아 앗수르로 옮겼"습니다(왕하 15:29). 그 후 북 이스라엘에서는 요담 20년에 호세아가 반역하여 반(反)앗수르파였던 베가를 쳐서 죽이고 그를 대신하여 왕이 되었습니다(주전 731년, 왕하 15:30, 17:1). 이것은 앗수르가 남 유다를 돕기 위해 온 것이 아니라, 남 유다의 원군 요청을 빌미로 아람과 북 이스라엘을 공격하여 영토 확장의 기회로 삼았음을 뜻합니다.

유다가 아람과 북 이스라엘의 침략으로 국력이 쇠약해진 틈을 타서, 속국이었던 에돔이 유다를 치고 그 백성을 사로잡았습니다(대하 28:17). 에돔은 아마샤왕 때에 이미 취한 바 있는데(대하 25:14, 19), 바로 그 에돔이 유다를 '치고'(נָכָה, 나카: 파괴하다, 쫓아내다) 유다 사람들을 '사로잡아 가는'(שָׁבָה, 샤바: 포로로 끌고 가다) 너무도 비참한 지경이 된 것입니다(대하 28:17).

외세의 침략은 연거푸 계속되었습니다. 에돔이 유다의 남동쪽에서 침략할 무렵, 남서쪽에서 블레셋이 침노(פָּשַׁט, 파샤트: 급습하다, 박살내다)해 들어왔습니다(대하 28:18). 이때 유다의 평지에 있는 성읍들과 남방에 있는 여러 성읍들을 블레셋에게 빼앗겼습니다. 블레셋 사람들이 벧세메스와 아얄론과 그데롯과 소고와 그 동네와 딤나와 그 동네와 김소와 그 동네를 취하여 거기 거했습니다(대하 28:18). 이 성읍들은 대부분 남 유다의 국경 수비를 위한 전략적 요충지였는데, 이것을 블레셋에게 통째로 빼앗겨 버렸으니 나라를 보호하는 울타리가 완전히 무너진 것입니다.

그렇다면 하나님께서는 아람과 북 이스라엘의 침공 후에 왜 다시 에돔과 블레셋으로 하여금 남 유다를 침공하게 하셨을까요? 그 이유를 역대하 28:19에서 "이는 이스라엘 왕 아하스가 유다에서 망령되이 행하여 여호와께 크게 범죄하였으므로 여호와께서 유다를 낮추심이라"라고 말씀하고 있습니다.

이에 하나님께서는 에돔과 블레셋의 침공을 통하여 아하스왕과 남 유다를 낮추셨던 것입니다. 여기 '낮추심이라'는 히브리어 '카나'(כָּנַע)로, '항복하다, 낮추다, (무릎을) 굽히다'라는 뜻입니다. 이것은 동사의 히필(사역)형으로, '하나님께서 유다의 무릎을 꿇게 하시고 교만을 낮추셨다'라는 의미입니다. 하나님께서는 교만하여 그 말씀에 불순종하는 자를 반드시 낮추시며, 징계하고 심판하십니다(삼하 22:28, 시 101:5, 잠 15:25, 29:23, 사 2:12, 17).

(5) 앗수르는 오히려 남 유다를 군박(窘迫)하였습니다.

앗수르는 아람과 북 이스라엘을 공격한 후에 뒤늦게 남 유다에 도착하였습니다. 이때는 에돔과 블레셋이 남 유다를 공격하고 있을 때였습니다. 그래서 앗수르 왕 디글랏 빌레셀이 남 유다를 도와 에돔과 블레셋을 격퇴해줄 줄 알았는데, 도와주기는커녕 도리어 남 유다를 군박하였습니다. 역대하 28:20에서 "앗수르 왕 디글랏 빌레셀이 이르렀으나 돕지 아니하고 도리어 군박하였더라"라고 말씀하고 있습니다. 여기 '군박하였더라'라는 히브리어 '추르'(צוּר)로서 '포위하다, 괴롭히다'라는 뜻을 가지고 있습니다. 앗수르 왕은 엄청난 물질을 받아 놓고도 남 유다를 돕기는커녕 오히려 남 유다를 압박하고 괴롭혔던 것입니다.

아하스처럼 하나님의 경고를 충분히 들었음에도 하나님을 의지하지 않으면, 마침내 자기 꾀에 빠져 그 의지하는 것으로부터 더 큰 괴로움을 당하게 됩니다. 하나님 대신 의지하는 세속적인 방법과 죄악된 수단은 결국 자신을 더욱 비참하게 만드는 올무요, 자신을 속박하는 끈으로 돌변합니다. 우리는 모든 문제의 근본적인 해결자요 환난 날에 피할 가장 안전한 피난처이신 하나님만을 의지해야 합니다. 그래서 시편 146:3-5에서도 "방백들을 의지하지 말며 도울 힘이 없는 인생도 의지하지 말지니 [4]그 호흡이 끊어지면 흙으로 돌아가서 당일에 그 도모가 소멸하리로다 [5]야곱의 하나님으로 자기 도움을 삼으며 여호와 자기 하나님에게 그 소망을 두는 자는 복이 있도다"라고 말씀하고 있습니다.

3. 아하스는 곤고(困苦)할 때에 하나님께 더욱 범죄하였습니다.

Ahaz transgressed against God even more during the time of distress.

역대하 28:22에서 “이 아하스왕이 곤고할 때에 더욱 여호와께 범죄하여”라고 말씀하고 있습니다. 여기 ‘곤고’는 히브리어 ‘차라르’(צָרַר)로, ‘묶다, 고통을 가하다, 꺾쇠로 죄다’라는 뜻입니다. 이것은 아하스의 고통이 말로 표현할 수 없을 정도로 큰 것이었음을 나타냅니다.

이 ‘곤고’는 바로 아하스가 아람과 북 이스라엘 연합군 그리고 에돔과 블레셋의 침공을 통하여 국토가 유린당하고 많은 백성이 포로로 잡혀 가면서 당한 극심한 괴로움을 나타내는 단어입니다.

그러나 아하스는 이러한 고통 속에서도 회개는커녕 오히려 다메섹 신들에게 제사를 드리고, 성전의 기구들을 모아 훼파하고, 여호와의 전(殿) 문들을 닫고, 예루살렘 구석 구석마다 단을 쌓아 하나님의 노를 격발케 하였습니다(대하 28:23-25).

심지어 아하스왕은 앗수르 왕 디글랏 빌레셀을 만나러 다메섹에 갔다가, 거기에서 앗수르 신을 섬기던 단을 보고 그 구조와 식양대로 예루살렘에 새 단을 세웠습니다. 아하스는 거기에서 각종 제사를 지내는 악행을 저질렀으며, 새 단을 설치하기 위하여 놋단을 마음대로 북편으로 옮겼습니다(왕하 16:14). 또 물두멍 받침의 옆 판을 함부로 떼어내고 물두멍의 자리를 옮겼으며, 또 놋바다를 놋소 위에서 내려다가 돌판 위에 두었습니다(왕하 16:17). 특히 놋바다는 견고하게 제작되어 쉽게 옮겨지거나 잘 파손되지 않는데도(왕상 7:23-26) 아하스가 그 자리를 옮겼다는 것은 아하스의 범죄가 매우 적극적이었음을 보여 줍니다.

성전의 식양은 하나님께서 정해 주신 것입니다(출 25:9, 26:30, 대상 28:12). 그러나 아하스는 성전의 식양을 자기 마음대로 바꿈으로 하나님께 도전하는 큰 교만의 죄를 저질렀습니다.

그런데도 제사장 우리야는 아하스의 명령대로 앗수르의 신을 섬기던 단을 제작하고, 거기에서 예배드리는 일에 순순히 복종했습니다(왕하 16:11-16). 열왕기하 16:16에서 "제사장 우리야가 아하스왕의 모든 명대로 행하였더라"라고 말씀하고 있습니다. 하나님께 제사를 드리는 것이 제사장의 사명인데 이방 신에게 제사드리는 일에 앞장섰으니, 이 얼마나 통탄스러운 일입니까?

이렇게 하나님의 손에서 빠져나가 제멋대로 하나님께 도전한 아하스는, 12세에 부왕(副王)으로 즉위하여 부섭정을 하였고, 20세에는 섭정 왕으로 통치의 주도권을 쥐기 시작하면서 총 29년을 통치하다가 40세에 죽고 말았습니다.

그는 영광스러운 열왕의 묘실에 들어가지 못하고 여호람(대하 21:20), 요아스(대하 24:25)에 이어 세 번째로 예루살렘성에 장사되었습니다. 역대하 28:27에서 "아하스가 그 열조와 함께 자매 이스라엘 열왕의 묘실에 들이지 아니하고 예루살렘성에 장사하였더라"라고 말씀하고 있습니다.

일국의 왕으로서 그 후손들에게 얼마나 큰 수치입니까? 아하스는 살아서뿐 아니라 죽어서까지도 하나님과 하나님의 백성에게 버림을 받은 것입니다. 하나님을 의지하지 않고 계속 세상 권력을 의지하며 패역을 향해 달음박질한 자의 결국은 비참한 패배와 수치뿐입니다. 오늘 우리는 '하나님께서 나를 붙잡고 사용하실 때가 가장 행복한 순간'이라는 것을 깊이 깨닫고 감사하면서 맡은 사명에 더욱 충성을 다해야 할 것입니다.

11대 히스기야

Hezekiah / 'Εζεκίας / חִזְקִיָּה

여호와께서는 나의 힘이시다, 여호와께서는 강하시다
the LORD is my strength, the LORD is strong

- 남 유다의 제13대 왕(왕하 18:1-20:21, 대하 29:1-32:33)
- 예수 그리스도의 족보 제2기 열한 번째 인물

마태복음 1:9-10 "... 아하스는 **히스기야**를 낳고 **히스기야**는 므낫세를 낳고 ..."

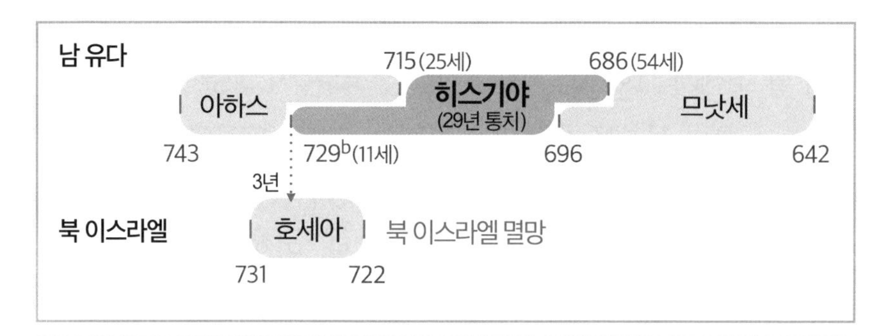

배경
- 부: 아하스(왕하 18:1, 대하 28:27)
- 모: 아비(아비야)[스가리야(스가랴)의 딸 - 왕하 18:1-2, 대하 29:1]

통치 기간
- 25세에 즉위하여 29년 통치하였다(주전 715-686년, 왕하 18:2, 대하 29:1). 이는 아하스와 공동 통치한 약 15년을 제외한 기간이다.
- 히스기야가 부왕 아하스와 공동으로 통치하기 시작할 때(11세)는 북 이스라엘 '호세아 제3년'이었다(왕하 18:1). 히스기야 제6년(호세아 9년, 왕하 18:9-10)에 북 이스라엘은 앗수르에 의해 멸망당했다(주전 722년). 북 이스라엘이 점령된 지 22년(히스기야 단독 통치 제14년), 앗수르의 산헤립왕은 남 유다를 침공했다(왕하 18:13).

평가 - 선한 왕(왕하 18:3, 대하 29:2, 31:20)

히스기야는 그 조상 다윗의 모든 행위와 같이 여호와 보시기에 정직히 행하였으며(왕하 18:3, 대하 29:2), 하나님 여호와 보시기에 선과 정의와 진실함으로 행하였다(대하 31:20).

활동 선지자 - 이사야(사 1:1), 미가(미 1:1)

사료(史料)
- 유다 왕 역대지략(왕하 20:20)
- 아모스의 아들 선지자 이사야의 묵시책과 유다와 이스라엘 열왕기(대하 32:32)

히스기야는 아하스의 뒤를 이어 남 유다의 열세 번째 왕이 되었습니다. 히스기야는 하나님을 의지하였는데, 그의 전후 남 유다의 여러 왕 중에서 그와 같은 왕이 없었습니다(왕하 18:5). 그는 남조와 북조를 통틀어 성경에 가장 많은 지면이 할애된 왕입니다.

'히스기야'(חִזְקִיָּה)는 '강하다, 견고하다'라는 뜻의 '하자크'(חָזַק)와 '야'(יָהּ: 여호와의 단축형)가 합성된 것으로, '여호와께서는 나의 힘이시다, 여호와께서는 강하시다'라는 뜻입니다.

1. 히스기야는 강력한 종교개혁을 단행했습니다.

Hezekiah boldly carried out a religious reformation.

첫째, 히스기야 원년 정월에 성전을 수리하였습니다.

'히스기야 원년 정월'(대하 29:3)은 히스기야가 단독 통치를 시작한 주전 715년 니산월에 해당합니다. 히스기야는 그의 부친 아하스의 거듭되는 악정으로 닫혔던 성전 문(대하 28:24)들을 모두 열고(대하 29:3), 꺼졌던 성전 등불을 밝히며(대하 29:7), 그쳤던 성소의 분향을 다시 시작하였습니다. 또한 레위 사람을 성결하게 하고, 성전에서 이방 단을 비롯한 모든 더러운 것들을 없애 버렸습니다(대하 29:5). 정월 1일에 시작한 것이 8일에 여호와의 낭실까지 이르고, 다시 8일 동안 여호와의 전 안을 성결케 하여 총 16일간 완전히 성전을 깨끗하게 하였습니다(대하 29:3, 17). 또 부왕 아하스가 위에 있으면서 범죄할 때에 버린 모든 기구도 정돈하고 성결케 하여 여호와의 단 앞에 두었습니다(대하 29:19).

히스기야는 성전이 더럽고 예배가 드려지지 않을 때, 하나님께서 유다와 예루살렘을 진노하시고 내어버리사 이방의 두려움과 놀람과 비웃음거리가 되게 하셨으며, 이로 인하여 열조가 칼에 엎드러져 극심한 고통에 시달렸다고 고백하였습니다(대하 29:7-8).

둘째, 하나님께 예배를 드리고 감사 예물을 바쳤습니다.

히스기야는 깨끗해진 성전에서 속죄제와 번제를 드렸습니다. 히스기야는 수송아지 일곱과 숫양 일곱과 어린 양 일곱과 숫염소 일곱을 끌어다가 나라와 성소와 유다를 위하여 속죄 제물을 삼았습니다. 또 속죄 제물로 드릴 숫염소를 끌고 와서 그 위에 왕과 회중이 안수했습니다(대하 29:20-24).

제물에 안수하는 것은 안수하는 자가 자신의 죄를 제물에 전가하는 행위로, 안수를 받고 피를 흘리는 제물은, 유월절 어린 양이 되시어 친히 우리 죄를 대신 지시고 십자가에서 죽으신 예수 그리스도를 상징합니다(요 1:29). 구약의 제물이 일시적 속죄를 이루었다면, 예수 그리스도는 완전하고 영원한 속죄를 이루신 것입니다(히 9:12, 10:12).

이어서 번제를 드릴 때에 노래하며 나팔을 불며 악기를 연주했습니다(대하 29:25-28). 이것은 죄로부터의 회복과 기쁨을 나타내는 것입니다. 이 나팔 소리와 함께, 그동안 우상숭배와 죄로 가득했던 백성의 마음에 어두움이 사라지고 믿음의 찬양이 울려 퍼져 나갔을 것입니다.

히스기야는 속죄제와 번제를 드린 다음에 제물과 감사 예물을 가져오게 하였습니다. 회중이 가져온 번제물의 수효가 너무 많아서 번제 짐승의 가죽을 벗길 제사장이 부족할 정도였습니다(대하 29:32-34).

그래서 역대하 29:36에서는 "이 일이 갑자기 되었을지라도 하나님이 백성을 위하여 예비하셨음을 인하여 히스기야가 백성으로 더불어 기뻐하였더라"라고 말씀하고 있습니다. 사람의 눈으로 볼 때는 갑자기 진행되는 것처럼 보이는 일도, 배후에서 하나님께서 미리 예비하신 일은 많은 사람을 기쁘게 하고 큰 유익을 가져다줍니다.

셋째, **이스라엘과 유다로 하여금 유월절을 지키게 하였습니다.**

유월절(Passover)은 이스라엘 백성이 400년간 애굽의 종살이에서 하나님의 능력으로 탈출하여 해방된 것을 기념하는 대(大)절기로, 누룩 없는 떡(무교병)과 양고기를 구워서 쓴 나물과 함께 유월절 음식으로 먹습니다(출 12:5-11, 민 9:1-11). 유월절 어린 양은 우리를 죄에서 구원하신 예수 그리스도의 모형입니다(고전 5:7).

히스기야는 방백들과 예루살렘 온 회중으로 더불어 의논한 후, 정한 때(1월)에 지키지 못하고 2월에 지켰는데, 그것은 성결케 한 제사장이 부족하고 백성도 예루살렘에 모이지 못했기 때문이었습니다(대하 30:2-3). 히스기야는 온 이스라엘과 유다에 사람을 보내고 또 에브라임과 므낫세에 편지를 보내어 유월절을 함께 지키도록 권유하였습니다(대하 30:1). 이 같은 히스기야의 명을 받은 보발꾼들은 왕과 방백들의 편지를 받아 가지고 '브엘세바에서 단까지' 두루 다니며 반포하였습니다(대하 30:5-10). '단'은 통일왕국 시대의 북쪽 경계로(삼상 3:20, 삼하 17:11, 24:2, 왕상 4:25, 대상 21:2), 히스기야왕은 앗수르의 통치가 느슨해진 틈을 타서 북 이스라엘의 최북단에까지 유월절을 지키도록 촉구하였던 것입니다.

히스기야는 그동안 지키지 않은 유월절을 지키는 것을 하나님께 귀순(歸順: 온전히 하나님께로 돌아와서 자신의 존재를 하나님께 맡기는 것)하는 것으로 해석하였습니다(대하 30:8). 비록 이것을 조롱하며 비웃은 북 이스라엘 사람들이 많았지만(대하 30:10), 아셀과 므낫세, 스불론 중에서 몇 사람이 스스로 겸비하여 예루살렘에 이르렀습니다(대하 30:11). 또한 하나님께서 유다 사람들을 감동시키심으로 왕과 방백들이 여호와의 말씀대로 전한 명령을 일심으로 준행하게 하셨습니다(대하 30:12). 그리하여 유월절을 지키되, 온 회(會)가 다시 7일을 지키기로 결의하고 이에 또 칠 일을 즐거이 지켰습니다(대하 30:23). 이는 사상 유례없는 유월절 축제였습니다. 이를 위해 히스기야는 수송아지 1천, 양 7천을 회중에게, 방백들도 수송아지 1천, 양 1만을 회중에게 주었습니다(대하 30:24). 히스기야와 방백들은 백성이 유월절 축제를 즐길 수 있도록 많은 수송아지와 양을 봉헌한 것입니다. 이와 더불어 첫 유월절을 지키는 일주일 동안 성결하지 못했던 제사장들(대하 29:34)이 성결케 하기를 마치게 되어, 제사 드릴 수 있는 제사장의 수효가 많아졌으므로 2주에 걸친 유월절 축제는 어려움 없이 잘 진행되고 예루살렘에는 큰 희락이 있었습니다. 역대하 30:26-27에서 "예루살렘에 큰 희락이 있었으니 이스라엘 왕 다윗의 아들 솔로몬 때로부터 이러한 희락이 예루살렘에 없었더라 [27]그때에 제사장들과 레위 사람들이 일어나서 백성을 위하여 축복하였으니 그 소리가 들으신 바 되고 그 기도가 여호와의 거룩한 처소 하늘에 상달하였더라"라고 말씀하고 있습니다. 여기 '희락'은 히브리어로 '심하'(שִׂמְחָה)로서 '기쁨, 즐거움, 유쾌함, 행복'이라는 뜻입니다. 하나님의 백성의 참기쁨과 행복은 예배의 회복을 통하여 하나님과 올바른 관계가 정립될 때 주어지는 것입니다.

넷째, 각종 우상을 타파했습니다.

히스기야는 주상(柱像)을 깨뜨리며, 아세라 목상을 찍으며 산당과 단을 제거하였습니다(대하 31:1). 주상은 한자로 기둥 주(柱), 형상 상(像)으로, '기둥 모양으로 만든 가나안 사람들의 우상'을 가리킵니다. 이들은 산당에서 드리는 예배의 대상물이었습니다. 히스기야는 십계명의 제2계명(출 20:4, 신 5:8)과 '아무 곳에서든지 번제를 드리지 말고 택하신 한 곳에서 행하라'(신 12:11-14)라고 하신 말씀을 그대로 실천한 유일한 왕으로, 선왕(先王)들보다 더욱 철저히 개혁을 한 것입니다. 또한 히스기야는 모세가 만든 놋뱀을 부수고 느후스단(뜻: 놋조각)이라고 불렀습니다(왕하 18:4). 그 이유는 사람들이 놋뱀을 우상처럼 섬겼기 때문입니다.

다섯째, 헌물과 십일조 제도를 확립하였습니다.

히스기야는 제사장들과 레위인들의 생활을 보장하기 위하여 백성으로 하여금 모든 소산의 처음 것과 모든 것의 십일조를 가져오도록 명령하였습니다(대하 31:5-6). 이것은 하나님께서 모세에게 명하신 영원한 율례로, 곡식, 포도주, 기름의 첫 소산은 제사장들에게 주어졌고(민 18:12-13) 십일조는 레위인들에게 주어졌습니다(민 18:21-24).

히스기야는 자신의 재산 중에서 얼마를 떼어 헌물로 바침으로써 율법대로 제사를 드리게 하여 종교개혁의 본을 보였습니다(대하 31:3). 지도자의 모범이 백성의 순종을 촉발시킨 것입니다. 이어서 이 물질들을 관리할 수 있는 방을 따로 마련하고 책임자를 정하여 철저히 관리하도록 하였습니다(대하 31:11-19). 히스기야는 성전 안에 십일조와 예물을 드릴 방을 예비한 후, 총책임자는 레위 사람 고나냐(כּוֹנַנְיָהוּ: 주께서 제정하셨다), 부책임자는 그 아우 시므이(שִׁמְעִי: 주께서 들어주심)를 세웠으며, 그들의 수하에서 보살피는 자가 열 명 있었습니다(대하 31:11-13).

이상의 종교개혁은 하나님 보시기에 선과 정의와 진실함으로 행한 것이었습니다(대하 31:20). 히스기야의 강력한 종교개혁은 마치 예수 그리스도의 성전 청결을 보는 듯합니다(요 2:13-22).

히스기야가 하나님의 계명을 철저히 지킬 수 있었던 것은 그가 하나님과 연합하였기 때문입니다(왕하 18:5-7). 여기 '연합하여'라는 단어는 히브리어 '다바크'(דָּבַק)로, '굳게 결합하다, 바싹 따라가다, 착 달라붙다'라는 뜻입니다. 히스기야가 다른 잡념을 버리고 오직 하나님과 깊이 교통하며 온전한 관계를 유지했음을 의미합니다.

개혁의 결과, 하나님께서는 히스기야와 함께하시고 그가 어디로 가든지 형통하게 하셨습니다(왕하 18:6-7).

2. 히스기야는 죽음의 위기에서 생명을 15년 연장받았습니다.

Hezekiah had his life extended 15 years at the verge of death.

히스기야왕은 역대의 열왕들 중에 찾아보기 드문 온전하고 선한 왕이었습니다. 그가 이스라엘 하나님 여호와를 의지하였는데, 그의 전후 유다 여러 왕 중에 그러한 자가 없을 정도였습니다(왕하 18:5). 그런데 하나님께서는 갑자기 히스기야에게 죽을 병이 걸리게 하셨습니다. 이사야 선지자를 통해 "너는 집을 처치하라(너는 네 집에 유언하라) 네가 죽고 살지 못하리라"는 말씀을 전달하셨습니다(왕하 20:1, 대하 32:24, 사 38:1). 이때는 종교개혁이 끝나고 앗수르의 제1차 남 유다 침공이 있기 전이었습니다.

하나님께서 죽는다고 선고하시는데 누가 그 일을 막으며, 누가 그것을 거역할 수 있겠습니까? 히스기야는 병들었다가 그 병이 나을 때에 당시의 비통한 심경을 기록하면서, '음부의 문에 도달했고, 생존 세계에서 다시는 여호와와 세상 거민을 보지 못하며, 목자가 때가 되면 장막을 걷어 다른 데로 이동하듯이, 직공이 베를 다 짜고 나면 거두어서 말아 버리고 베를 끊어 버리듯이 생명이 마치게 되었다'라고 고백하였습니다(사 38:9-12). 질병으로 인한 고통이 얼마나 심했던지, 주께서 사자같이 자신의 모든 뼈를 꺾으시니, 그 아픔으로 인하여 조만간에 목숨이 끊어질 것 같다고 고백하였습니다(사 38:13).

왜 갑자기 하나님께서 히스기야에게 죽음을 선포하셨을까요? 그것은 삶과 죽음의 기로에서 히스기야가 더욱 하나님을 의지하게 함으로 병이 낫는 기적적인 은혜를 주시기 위함이었습니다.

히스기야는 이사야 선지자를 통해서 죽음의 선고를 받은 후에 낯을 벽으로 향하고 기도했습니다(왕하 20:2). 이것은 세상의 모든 것을 포기하고 오직 하나님만 의지하고 기도에 전심전력하겠다는 것입니다. 그는 왕으로서의 체면이나 권위를 다 벗어던지고, 심히 통곡하며 눈물을 흘리면서(왕하 20:3下, 사 38:3下) "여호와여 구하오니 내가 진실과 전심으로 주 앞에 행하며 주의 보시기에 선하게 행한 것을 기억하옵소서"라고 호소하였습니다(왕하 20:3上, 사 38:3上).

히스기야는 얼마나 많은 눈물을 흘렸는지, 이사야 38:14-15의 표준새번역에서, "나는 제비처럼 학처럼 애타게 소리 지르고, 비둘기처럼 구슬피 울었다. 나는 눈이 멀도록 하늘을 우러러 보았다. 「주님, 저는 괴롭습니다. 이 고통에서 저를 건져 주십시오!」 [15]주님께서 말씀하셨고, 주님께서 그대로 이루셨는데, 내가 무슨 말을 더 하겠는가? 나의 영혼이 번민에 싸여 있으므로, 내가 잠을 이룰 수 없다"라고 고백하였습니다. 사람이 극도로 절박해지면, 말 못 할 지경이 되어서 새처럼 사람이 알아듣지 못할 소리로 부르짖게 됩니다.참으로 히스기야는 잠을 이루지 못하고, 마음을 쏟아 붓는 기도를 하나님께 올렸던 것입니다.

하나님께서는 히스기야의 기도를 들으시고 그 눈물을 보셨습니다(왕하 20:5, 사 38:5). 이사야 선지자가 성읍 가운데 이르기도 전에 여호와의 말씀이 다시 이사야에게 임하였습니다(왕하 20:4). 하나님께서는 그 종처(腫處: 부스럼이 난 자리)에 무화과 반죽을 놓으라고 하여 그 병을 단번에 고쳐 주시고(왕하 20:7, 사 38:21), 그의 생명을 15년 연장시켜 주셨습니다(왕하 20:6, 사 38:5下). 그리고 그의 병이 낫는 징조로 해 그림자가 10도 물러가게 하셨습니다(왕하 20:8-11, 사 38:7-8). 이것은 여호수아 10:12-13에서 태양이 거의 하루 종일 멈추었던 사건과 같은 하나님의 놀라운 기적이었습니다.

히스기야는 이사야 선지자로부터 15년의 수명 연장을 약속 받으면서 "내가 너와 이 성을 앗수르 왕의 손에서 구원하고 내가 나를 위하고 또 내 종 다윗을 위하므로 이 성을 보호하리라 하셨다 하라"(왕하 20:6, 사 38:6)는 약속을 함께 받았습니다.

히스기야왕은 25세에 단독으로 즉위하여 54세까지 29년(주전 715-686년) 동안 통치하였습니다(왕하 18:1, 대하 29:1). 히스기야왕이 죽음을 선고 받은 것은 39세 때로, 통치 제14년째였습니다.

3. 히스기야는 생명을 연장 받은 후에 교만하였습니다.

Hezekiah became proud after his life was extended.

히스기야가 병들었다 함을 듣고 바벨론 왕 부로닥발라단이 편지와 예물을 보내 왔습니다(왕하 20:12). 이 사건의 이면에는 하나님께서 히스기야왕을 시험하시려는 의도가 담겨 있었습니다. 하나님께서는 히스기야왕이 병에서 고침을 받고 지금까지 축복 받은 것에 대하여 모든 영광을 하나님께 돌리는지 돌리지 않는지를 시험해 보려 하신 것입니다(대하 32:31).

역대하 32:31을 표준새번역에서는 "심지어 바빌로니아의 사절단이 와서 그 나라가 이룬 기적을 물을 때에도, 하나님은 그의 인품을 시험하시려고, 히스기야가 마음대로 하게 두셨다"라고 번역하고 있습니다. 그러나 히스기야왕은 바벨론의 사자들에게 자기 보물고와 내탕고(內帑庫)뿐만 아니라 심지어는 군기고(軍器庫)까지 다 보여주며 은근히 자기를 과시했습니다. 역대하 32:24-25에서는 "그때에 히스기야가 병들어 죽게 된 고로 여호와께 기도하매 여호와께서 그에게 대답하시고 또 이적으로 보이셨으나 [25]히스기야가 마음이 교만하여 그 받은 은혜를 보답지 아니하므로 진노가 저와 유다와 예루살렘에 임하게 되었더니"라고 말씀하고 있습니다.

이로 말미암아 이사야 선지자는 그 보여 준 것들이 다 바벨론으로 옮겨지게 될 것이라는 여호와의 말씀을 전하였습니다(왕하 20:17). 이는 바벨론에 의해 남 유다가 패망할 것을 예언한 것으로, 실제로 약 115년 후(주전 586년) 그대로 성취되었습니다.

히스기야는 하나님의 책망을 듣고 자신의 교만과 감사치 못한 잘못을 이내 뉘우치고 회개하였습니다. 그리하여 하나님의 노가 히스기야 생전에는 임하지 않는다는 응답을 받게 되었습니다(대하 32: 25-26).

4. 주전 701년, 히스기야는 앗수르와 두 번 전쟁을 치렀습니다.

701 BC - Hezekiah went to battle against Assyria twice.

(1) 앗수르의 제1차 침공(왕하 18:13-16)

히스기야왕 제14년에 앗수르 왕 산헤립이 유다에 쳐들어왔습니다(왕하 18:13). 앗수르는 주전 722년 북 이스라엘을 멸망시키고, 반

(反)앗수르 정책(왕하 18:7)을 실시하던 남 유다를 공격하기 시작한 것입니다. 열왕기하 18:13-16은 산헤립의 제1차 유다 침공을 기술하고 있습니다. 이때 히스기야는 하나님을 온전히 의지하지 않고, 은 300달란트와 금 30달란트와 각 기둥에 입힌 금을 벗겨서 앗수르 왕에게 조공으로 바치고 앗수르의 침략에서 벗어날 수 있었습니다. 은 300달란트는 10,200kg, 금 30달란트는 1,020kg에 해당되는 무게로, 자그마치 은이 10톤이 넘고, 금이 1톤이 넘었으니 엄청난 액수였습니다. 이 모든 것이 하나님을 온전히 의지하지 않은 결과였습니다. 히스기야왕은 이 엄청난 조공을 바치기 위해 여호와의 전과 왕궁 곳간에 있는 은을 다 주었고, 여호와의 전 문의 금과 자기가 모든 기둥에 입힌 금을 벗겨 모두 앗수르 왕에게 바쳤습니다(왕하 18:15-16).

히스기야는 죽을병에서 하나님의 은혜로 생명을 15년 연장 받은 후에, 문병 온 바벨론의 사자에게 왕궁과 내탕고에 있는 보물을 비롯하여 모든 것을 다 보여 주었습니다(왕하 20:12-15).

열왕기하 20:13 "히스기야가 사자의 말을 듣고 자기 보물고의 금은과 향품과 보배로운 기름과 그 군기고와 내탕고의 모든 것을 다 사자에게 보였는데 무릇 왕궁과 그 나라 안에 있는 것을 저에게 보이지 아니한 것이 없으니라"

한 나라의 왕이 아무 생각 없이 순식간에 정신병자처럼 보물고와 군기고와 내탕고를 다 보여 준 것입니다(왕하 20:13). '보물고'는 국가의 부가 얼마나 되는지를 알려 줍니다. '군기고'는 전쟁 시에 공급할 수 있는 무기들을 보관하는 장소로서, 그 나라의 군사력을 공개한 것입니다. '내탕고'는 왕궁과 왕의 직속에서 쓸 수 있는 물자를 비축해 놓은 곳입니다. 이처럼 히스기야가 전쟁이나 비상시에 얼마나 대처할 수 능력이 있는가를 뽐내고 자랑한 것인데, 자기 나라의 특급 비밀을 적군에게 모두 보여 주었으니, 이것은 분명 자살 행위와 같은 너무도 어리석은 행동이었습니다.

이때까지만 해도 왕궁의 창고에 보물이 쌓여 있었습니다. 그런데 이 보물을 앗수르 제1차 침공 시 앗수르 왕에게 준 것을 볼 때, 히스기야에게 죽음의 선고가 주어진 사건이 먼저이고, 그 다음에 히스기야가 병이 나아 바벨론의 사자에게 내탕고를 보여 주었고, 그 후에 하나님께서 히스기야를 징계하시려고 보내신 앗수르의 제1차 침공으로 내탕고에 있던 많은 금과 은, 보물을 빼앗긴 것을 알 수 있습니다.

(2) 앗수르의 제2차 침공 (왕하 18:17-19:37, 대하 32:1-23, 사 37:8-20, 36-38)

이때 유다로부터 많은 조공을 받은 앗수르 왕이 그것에 만족치 못하고 예루살렘을 완전히 함락시키려는 악랄한 의도로 제2차로 침공하였습니다. 히스기야왕은 산헤립의 제2차 유다 침공 시(대하 32:1-2)에는 과거의 잘못을 깨닫고 온전히 하나님을 의지하게 되었습니다. 히스기야는 먼저 성 밖에 있는 모든 물 근원을 막아서 적들이 물을 얻을 수 없게 하였습니다(대하 32:3-4). 이때 히스기야는 예루살렘성 밖의 기혼 샘물을 막고 지하를 통해 성 안으로 흐르게 하는 놀라운 공사를 이루어 냈습니다. 비문에 의하면 그 지하 수로의 길이는 1,200규빗(약 547미터)이었습니다.[27] 또 히스기야는 퇴락한 성을 중수하여 높이 쌓고 외성을 쌓으며, 다윗성의 밀로(Millo: 성의 내성과 외성 사이를 흙으로 메워 요새화한 토성)를 견고하게 하고, 병기와 방패를 많이 만들고, 그곳에 군대장

주전 701년, 앗수르 왕 산헤립의 히스기야 제2차 침공
(왕하 19:8-37, 대하 32:1-23, 사 37:8-20, 36-38)
701 BC - The attack of Sennacherib king of Assyria against Hezekiah
(2 Kgs 19:8-37, 2 Chr 32:1-23, Isa 37:8-20, 36-38)

관들을 두어 군대를 이끌게 하였습니다(대하 32:5-6, 참고-사 22:7-11).

그리고 히스기야는 담대한 믿음으로 백성을 안심시켰습니다. 역대하 32:7-8에서 "너희는 마음을 강하게 하며 담대히 하고 앗수르 왕과 그 좇는 온 무리로 인하여 두려워 말며 놀라지 말라 우리와 함께하는 자가 저와 함께하는 자보다 크니 [8]저와 함께하는 자는 육신의 팔이요 우리와 함께하는 자는 우리의 하나님 여호와시라 반드시 우리를 도우시고 우리를 대신하여 싸우시리라 하매 백성이 유다 왕 히스기야의 말로 인하여 안심하니라"라고 말씀하고 있습니다.

막강한 군사력으로 패기만만했던 산헤립왕은 신하들(왕하 18:17上, 다르단, 랍사리스, 랍사게)을 보내어 유다 백성이 먼저 항복하도록 유도했습니다(왕하 18:31). 그 모든 내용은 하나님을 모독하는 말과 히스기야왕을 경시하는 말로 가득차 있었습니다. 이때 앗수르 왕이 보낸 신하 중 하나인 랍사게는 드디어 일어나서 유다 방언으로 히스기야의 신하들과 백성의 마음을 약하게 만들었습니다. 그는 "... 대왕 앗수르 왕의 말씀을 들으라 [29]왕의 말씀이 너희는 히스기야에게 속지 말라 저가 너희를 내 손에서 건져내지 못하리라"(왕하 18:28-29)라고 말하고, 나아가 "히스기야가 너희를 면려(뜻: 힘써 함)하여 이르기를 여호와께서 우리를 건지시리라 하여도 듣지 말라"(왕하 18:32)라고 조롱하였습니다. 또한 랍사게는 앗수르의 유다 침공이 여호와의 뜻이며, 항복할 경우 곡식과 포도주가 있고 떡과 포도원이 있으며 기름 나는 감람과 꿀이 있는 땅을 주겠다는 거짓말로 현혹했습니다(왕하 18:31-32). 심지어 유일하신 참하나님을 모독하면서 '그 여호와가 너희를 내 손에서 구원할 수 없다'고 장담했습니다(왕하 18:35).

히스기야와 백성은 이 사면초가(四面楚歌), 진퇴유곡(進退維谷)의 순간에 여호와 하나님을 의지할 것인지, 앗수르 왕을 의지할 것인지 결단해야 했습니다(참고-왕하 18:19-20, 대하 32:10). 히스기야는 왕복을 찢고 굵은 베를 입고 여호와의 전에 들어가 기도를 드렸습니다(왕하 19:1). 그리고 궁내대신 엘리야김과 서기관 셉나와 제사장 중 장로들에게도 굵은 베를 입혀 이사야 선지자에게 보내며 기도를 부탁하였습니다(왕하 19:2-4, 사 37:2-4). 그리고 자신은 앗수르 왕에게서 온 협박 편지를 여호와 앞에 펴 놓고 그 앞에서 간절히 기도했습니다(왕하 19:14-19).

여기서 왕이 옷을 찢고 굵은 베를 입은 것은(왕하 19:1), 왕의 힘으로도 어쩔 수 없는 국가적인 큰 재앙과 위기를 만났을 때 전적으로 하나님만을 의지한다는 믿음의 표현입니다(왕하 6:30, 에 4:1). 또한 하나님 앞에서 자신은 보잘것 없는 존재임을 고백하는 것이요, 극심한 고통과 슬픔에 직면하였을 때 깊이 뉘우쳐 참회하는 행위입니다(창 37:34, 삼하 3:31, 왕상 21:27).

이어 히스기야왕은 산헤립이 하나님의 이름을 모욕하는 것을 보면서 거룩한 의분을 가지고 "여호와여 귀를 기울여 들으소서 여호와여 눈을 떠서 보시옵소서 산헤립이 사신 하나님을 훼방하러 보낸 말을 들으시옵소서 ... [19]우리 하나님 여호와여 원컨대 이제 우리를 그 손에서 구원하옵소서 그리하시면 천하 만국이 주 여호와는 홀로 하나님이신 줄 알리이다"(왕하 19:16, 19)라고 기도하였습니다.

그날 이사야 선지자와 히스기야왕이 마음을 같이하여 기도할 때(대하 32:20, 참고-왕하 19:20), 하나님께서 사자를 보내어 하룻밤 사이에 적군 185,000명을 쳐 송장이 되게 하셨습니다(왕하 19:35, 사 37:36, 참고-대하 32:21). 이에 앗수르 왕 산헤립은 이사야 선지자의 예언대로 자국으로 돌아간 후 아들의 칼에 맞아 죽었으며(왕하 19: 37,

대하 32:21, 사 37:38), 남 유다는 극적인 승리의 쾌거를 이루었습니다. 아무리 사면초가의 위험 중에 있더라도, 하나님을 경외하고 간절히 매달려 기도드릴 때, 하나님께서 천천만만의 천군천사를 보내어 구원해 주시는 기적적인 역사가 일어나게 됩니다(창 32:1-2, 시 34:7, 68:17, 148:2, 단 7:10).

우리 개인 삶에도 히스기야와 같이 교만한 순간, 하나님께서 말씀을 보내어 회개할 기회를 주십니다. 하나님이 주시는 회개의 기회를 놓친다면, 영원히 회복할 길 없는 불행한 인생으로 바닥까지 미끌어지게 될 것입니다. 하나님의 말씀 앞에 교만하면 영원한 사망이요, 오직 살 길은 무릎을 꿇고 엎드려 통회자복하며 회개하는 것입니다. 히스기야는 왕복을 버리고 오직 하나님만 바라보고 1대 1로 하나님 앞에 마음을 다 쏟아 철저하게 회개한 결과, 자기 자신과 남 유다가 패망 위기에서 건짐을 받았고, 국가의 생명은 100년 넘도록 연장될 수 있었습니다.

5. 히스기야는 아들 므낫세에게 신앙을 온전히 전수하지 못했습니다.

Hezekiah did not fully pass down his faith to his son Manasseh.

앗수르의 제2차 침공 후 히스기야의 남은 생애는 부와 영광이 극에 달하였고(대하 32:27) 모든 일이 형통하였습니다(대하 32:30). 히스기야가 54세에 죽자 다윗 자손의 묘실 중 높은 곳에 장사하여, 그의 죽음에 예루살렘 사람들이 존경함을 표했습니다(대하 32:33).

한편, 히스기야 본인은 선하고 정직했으나, 그의 아들 므낫세에게 신앙을 온전히 전수하지 못하므로 남조 유다에 비극의 불씨를 남기고 말았습니다. 히스기야는 자기를 이어 므낫세가 다음 왕이 되어 나라를 잘 통치해 갈 것으로 기대했습니다. 그래서 히스기야는 11년 동안(주전 696-686년), 므낫세 나이 12-22세까지 공동 통치를 통해 지도자로 훈련시켰습니다. 주전 696년은 히스기야가 죽을 병에 걸렸다가 15년 생명의 연장을 받고 이사야로부터 유다의 패망에 대한 예언을 받은 지 6년째 되는 해였습니다.

그렇다면 히스기야는 15년의 수명 연장을 자신에게 주어진 마지막 대사명의 기회로 인식하고, 총력을 기울여 전 민족에게 하나님의 말씀을 가르치고 온전한 신앙을 회복하도록 진력했어야 했습니다.

무엇보다 다음 세대를 이끌어 갈 므낫세왕에게 철두철미하게 율법과 여호와 신앙을 부지런히 가르쳤어야 했습니다. 히스기야는 11년 동안 므낫세에게 왕이 인간적으로 가져야 할 지도자적인 품위나 교양을 가르쳤을지는 몰라도, 결과적으로 볼 때 신앙의 전수는 제대로 이루어지지 못하였으며, 므낫세가 왕이 된 이래 남 유다는 하나님께 죄를 짓고 점점 기울어 멸망으로 치닫고 말았습니다.

히스기야의 아들 므낫세 55년의 오랜 악정은 히스기야의 신앙이 제대로 전수되지 않은 결과였습니다. 안타깝게도 히스기야의 한때 교만했던 태도가 므낫세에게 전수되고 말았던 것입니다. 후에 므낫세의 55년 악정은 유다가 바벨론에게 멸망당하는 결정적인 원인이 되었습니다(왕하 21:11-15, 23:26-27, 24:3-4, 렘 15:4).

히스기야는 오직 하나님을 자신의 힘으로 삼고 종교개혁을 일으켜 예루살렘에 큰 희락이 있게 하였습니다. 그러나 그 신앙이 제대로 전수되지 않아 당대에만 머물고 말았으며, 무려 55년이라는 므낫세의 악정 속에 남 유다 백성은 또다시 영적으로 큰 암흑기를 만나고 말았습니다.

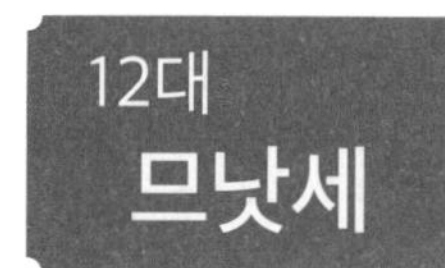

Manasseh / Μανασσῆς / מְנַשֶּׁה
잊어버림, 잊어버리게 하신다
to forget, causing to forget

- 남 유다 제14대 왕(왕하 21:1-18, 대하 33:1-20)
- 예수 그리스도의 족보 제2기 열두 번째 인물

마태복음 1:10 "히스기야는 **므낫세**를 낳고 **므낫세**는 아몬을 낳고 아몬은 요시야를 낳고"

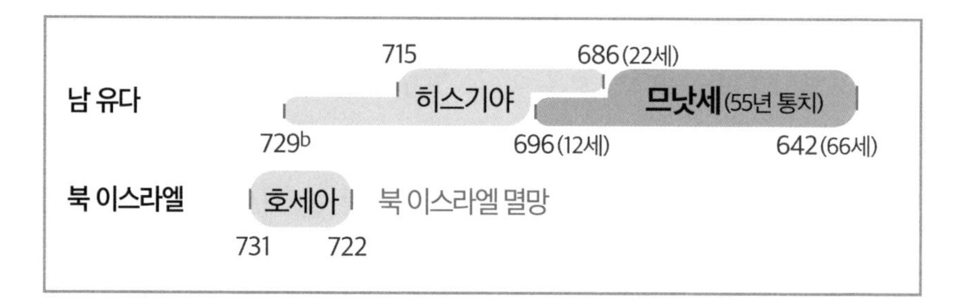

배경
- 부: 히스기야
- 모: 헵시바(왕하 21:1)

통치 기간
- 12세에 즉위하여 55년 통치하였다(주전 696-642년, 왕하 21:1, 대하 33:1). 부왕 히스기야와 11년 공동 섭정 후(주전 696-686년) 45년 단독 통치하였다(주전 686-642년).

평가 - 악한 왕(왕하 21:2-9)이었으나 **말년에 회개**(대하 33:2-13)
므낫세는 여호와 보시기에 악을 행하여 그 부친 히스기야의 헐어 버린 산당을 다시 세우며 바알을 위한 단을 쌓으며 아세라 목상을 만들며 하늘의 일월성신을 숭배하여 섬겼다(왕하 21:2-5, 대하 33:2-5). 또한 그 아들을 불 가운데로 지나게 하며 점치며 사술을 행하며 신접한 자와 박수를 신임하여 여호와 보시기에 악을 많이 행하여 그 진노를 격발하였으며(왕하 21:6, 대하 33:6), 유다와 예루살렘 거민을 꾀어 악을 행하게 하였다(왕하 21:7-9, 대하 33:7-9). 그러나 므낫세는 말년(49년)에 하나님 앞에 크게 겸비하여 회개하여, 왕위를 회복하였다(대하 33:10-13).

활동 선지자 - 나훔(나 1:1)

사료(史料)
- 유다 왕 역대지략(왕하 21:17)
- 이스라엘 열왕의 행장(行狀)(대하 33:18)
- 호새의 사기(史記)(대하 33:19)

므낫세는 히스기야의 뒤를 이은 남 유다의 열네 번째 왕이었습니다. 그는 남 유다와 북 이스라엘 왕들을 통틀어 가장 긴 55년을 통치하였습니다. 므낫세는 히브리어 '메나쉐'(מְנַשֶּׁה)로, '잊어버리다, 빼앗다'라는 의미의 '나샤'(נָשָׁה)에서 유래하였습니다. 그러므로 므낫세는 '잊어버림, 잊어버리게 하셨다'라는 뜻이라 할 수 있습니다.

1. 므낫세는 역대 왕 중에 가장 사악했습니다.
Manasseh was the most evil among all the kings.

므낫세는 역대 유다 왕 20명 중에 가장 사악했습니다. 므낫세는 히스기야가 헐었던 산당들을 세우며, 바알을 위하여 단을 쌓고, 자기 스스로 아세라 목상을 만들었으며, 하늘의 일월성신을 숭배하였습니다(왕하 21:3, 7). 그뿐 아니라 인신(人身) 제사를 드리며 신접한 자들과 박수를 신임하여 여호와의 노를 격발하고 말았습니다(왕하 21:6, 대하 33:6).

므낫세의 아버지 히스기야는 므낫세와 11년 동안 공동으로 통치하면서 그 아들을 가르치며 훈계했을 것입니다. 그러나 므낫세는 히스기야와 달리, 하나님 앞에 사악한 행실을 드러내었습니다. 부모의 신앙이 자식에게 좋은 영향을 미칠 수 있지만, 궁극적으로 자녀가 선한 길을 가느냐 가지 못하느냐 하는 것은 결국 하나님 앞에 선 자녀 자신의 결단과 믿음의 문제입니다. 부모의 신앙 교육 못지 않게 중요한 것은, 본인이 하나님 앞에 올바로 서는 결단과 믿음입니다. 좋은 믿음의 부모를 두고도 가장 사악한 길을 걸은 므낫세의 모습은 참으로 안타까울 뿐입니다.

므낫세의 가장 결정적인 죄악은, 여호와의 거룩한 전 안에 우상의 단들을 세웠다는 점입니다(왕하 21:4-5). 므낫세가 성전 안 뜰과 바깥 뜰에 우상숭배의 단을 쌓은 것은 하나님께 도전하는 행위였습니다.

이러한 므낫세의 꾐을 받고 당시 백성이 악을 행한 것은 열방보다 더욱 심했습니다. 선지자들이 목숨을 걸고 그 죄를 깨달을 수 있도록 경계했으나 듣지 않았습니다(왕하 21:9-15).

> **역대하 33:9-10** "유다와 예루살렘 거민이 므낫세의 꾀임을 받고 악을 행한 것이 여호와께서 이스라엘 자손 앞에서 멸하신 열방보다 더욱 심하였더라 [10]여호와께서 므낫세와 그 백성에게 이르셨으나 저희가 듣지 아니한 고로"

더 나아가, 므낫세는 예루살렘에서 무죄하고 경건한 사람들의 피를 심히 많이 흘렸습니다. 열왕기하 21:16에서 "므낫세가 여호와 보시기에 악을 행하여 유다로 범하게 한 그 죄 외에 또 무죄한 자의 피를 심히 많이 흘려 예루살렘 이 가에서 저 가까지 가득하게 하였더라"(왕하 24:4)라고 말씀하고 있습니다.

므낫세는 자신의 죄를 책망한 사람들을 무수히 죽였습니다. 유대의 전승에 의하면, 므낫세는 이사야 선지자까지 톱으로 켜서 죽였다고 합니다. 이러한 므낫세의 악정에 대하여, 하나님께서는 "내가 이제 예루살렘과 유다에 재앙을 내리리니 듣는 자마다 두 귀가 울리리라"(왕하 21:12)라고 말씀하셨습니다. 이것은 과거에 들어 본 적이 없는 무시무시한 심판을 내리실 것이라는 선언입니다(참고-삼상 3:11, 렘 19:3).

이어서 열왕기하 21:13에서 "내가 사마리아를 잰 줄과 아합의 집을 다림보던 추로 예루살렘에 베풀고 또 사람이 그릇을 씻어 엎음 같이 예루살렘을 씻어 버릴지라"라고 말씀하고 있습니다. 여기 '줄'과 '추'는 건축할 때 측량하는 도구입니다. 하나님께서 인간의 행위를 측량하는 기준이 되는 도구는 바로 하나님의 '말씀'입니다. 하나님께서는 하나님의 말씀을 배반한 북 이스라엘을 멸망시키셨듯이(왕하 18:9-12), 이제 같은 기준으로 하나님의 말씀을 배반한 남 유다도 멸망시키겠다고 선언하신 것입니다.

그러므로 므낫세의 죄는 그동안 남 유다의 온갖 죄악과 패역에도 불구하고 다윗 언약에 근거하여 유보하셨던(왕상 11:12, 왕하 8:19, 19:34, 대하 21:7) 하나님의 공의의 심판을 촉발시켜, 남 유다의 멸망을 가져오는 직접적인 계기가 되었습니다(왕하 21:11-15, 23:26-27, 24:3-4, 렘 15:4).

참으로 므낫세는 그 이름의 뜻처럼 자신과 전 민족이 하나님의 율법을 까맣게 잊어버리게 만들었습니다. 무고한 백성의 피를 많이 흘리고, 경건한 신앙의 흐름을 완전히 차단했던 극심한 영적 암흑기를 가져왔습니다. 우리는 하나님의 말씀을 잊어버릴 때 영적 암흑기를 만나게 되며, 하나님의 심판을 불러온다는 것을 깨달아야 할 것입니다.

2. 므낫세는 통치 말년에 회개하였습니다.

Manasseh repented in the latter years of his reign.

하나님께서는 심판을 예언하신 대로 앗수르의 군대 장관들로 하여금 남 유다를 치게 하시고, 므낫세를 쇠사슬로 결박하여 바벨론으로 끌고 가게 하셨습니다(대하 33:11). 앗수르의 비문에 따르면, 주전 648년(므낫세 통치 49년)에 앗수르가 남 유다를 침공했다는 기록이 나옵니다. 여기에 나오는 쇠사슬은 히브리어 '네호쉐트'(נְחֹשֶׁת)로, 짐승을 잡을 때 사용되는 이중으로 된 사슬을 의미합니다. 므낫세는 이렇게 짐승처럼 꽁꽁 묶여서 앗수르의 포로로 끌려간 것입니다. 므낫세는 포로로 끌려가면서 비로소 자신의 지금까지의 죄를 깨닫고 회개하였습니다.

므낫세는 남 유다의 왕으로서의 모든 명예, 부, 권력을 다 잃어버리고 순식간에 앗수르의 포로가 된 비참한 상황 속에서 하나님을 찾기 시작하였습니다. 그는 포로로서 온갖 수모와 고초를 겪은 다음에 자신의 죄악된 과거를 청산하고 철저히 회개하는 삶을 살게 되었습니다.

역대하 33:12-13에서 "저가 환난을 당하여 그 하나님 여호와께 간구하고 그 열조의 하나님 앞에 크게 겸비하여 [13]기도한 고로..."라고 말씀하고 있습니다(대하 33:23上). 여기 '겸비'라는 히브리어로 '카나'(כָּנַע)인데, '항복하다, 무릎을 꿇다, 굴복하다, 엎드리다'라는 뜻입니다. 자신을 인간 이하의 물건처럼 여기고, 마치 저주받은 자처럼 여겼다는 의미입니다. 그것도 '크게'(מְאֹד, 메오드: 대단히, 최상으로) 겸비하였다고 한 것은 므낫세가 중심으로부터 진실한 회개를 하였음을 나타냅니다.

므낫세의 진심 어린 회개와 간구를 들으신 하나님께서는 그를 다시 예루살렘으로 돌아오게 하시고 왕위를 회복시키셨습니다. 므낫세는 그제야 비로소 여호와께서 하나님이심을 깨달았습니다.

역대하 33:13 "기도한 고로 하나님이 그 기도를 받으시며 그 간구를 들으시사 저로 예루살렘에 돌아와서 다시 왕위에 거하게 하시매 므낫세가 그제야 여호와께서 하나님이신 줄을 알았더라"

(1) 하나님께서는 회개할 때 다 용서해 주셨습니다.

하나님께서는 비록 므낫세가 악질적인 왕이었지만 회개할 때 용서해 주셨습니다. 하나님의 자비와 긍휼은 이처럼 한이 없습니다. 누구든지 회개할 기회가 주어졌을 때 그 즉시 죄를 회개하면 용서를 받고 망하지 않지만, 회개하지 않으면 하나님의 진노와 심판을 피할 수 없습니다(눅 13:1-5). 인류의 시조 아담의 죄가 모든 인간에게 미쳤기 때문에 그 어떤 사람도 회개하지 않으면 망하게 되어 있습니다(욥 4:7, 롬 5:12).

지난 생활을 돌이켜 볼 때, 혹시 입술로 지은 죄는 없습니까? 우리가 말을 할 때 주의 이름으로 하지 않았다면 그것도 하나님 앞에 큰 죄입니다. 마태복음 12:36-37에서 "내가 너희에게 이르노니 사람이 무슨 무익한 말을 하든지 심판 날에 이에 대하여 심문을 받으리니 [37]네 말로 의롭다 함을 받고 네 말로 정죄함을 받으리라"라고 말씀하고 있습니다. 골로새서 3:17에서 "또 무엇을 하든지 말에나 일에나 다 주 예수의 이름으로 하고 그를 힘입어 하나님 아버지께 감사하라"라고 말씀하고 있습니다(참고-엡 5:20). 지금까지 '주 예수의 이름으로' 하지 않고 나의 영광을 드러낸 것이 있다면 철저히 회개해야 할 것입니다.

회개할 때 죄가 주홍 같을지라도 눈과 같이 희어지고, 진홍같이 붉을지라도 양털같이 하얗게 되는 것입니다(사 1:18).

우리에게 소망이 있는 것은, 므낫세와 같은 악질적인 왕도 환란을 당하여 회개할 때 용서해 주시고 예수 그리스도가 오시는 거룩한 계보를 잇는 믿음의 통로로 삼아 주셨다는 사실입니다. 그렇다면 우리에게도 소망이 있지 않습니까? 지금까지 어떠한 죄를 지었더라도 철저히 회개하므로 다시 회복되는 긍휼의 축복이 있기를 간절히 소망합니다(시 51:9-12).

(2) 진정한 회개는 죄의 근원지를 깨뜨리는 것입니다.

므낫세는 회개한 다음에 이방 신들과 성전의 우상을 제거하였으며 예루살렘에 쌓여 있는 모든 단을 깨뜨렸습니다. 다시 하나님의 전의 단을 중수하고 화목제와 감사제를 드리고, 백성으로 하여금 하나님만 섬기며 제사를 드리게 하였습니다(대하 33:14-17). 이것은 '회개는 옛 생활을 청산하는 실천이 수반되어야 함'을 가르쳐 주는 것입니다.

'회개'라는 단어는 히브리어로 '나함'(נָחַם, 욥 42:6)과 '슈브'(שׁוּב, 시 7:12)가 사용되는데, '나함'은 '후회하다, 뉘우치다, 참회하다'라는 뜻으로서 마음속 깊은 곳에서 우러나는 진정한 참회를 가리키며, 슈브는 '돌아가다'라는 뜻으로서 죄의 자리를 떠나 본래의 자리, 하나님 앞으로 돌아가는 것을 말합니다. 따라서 회개는 단순히 자신의 잘못을 뉘우치고 아파하는 것만이 아니라, 과거의 죄악된 생활을 완전히 끊어 버리는 의지적인 결행입니다(사 55:7).

그런데 므낫세왕이 회개하였음에도 불구하고 그의 백성은 여전히 산당에서 제사를 드렸습니다. 역대하 33:17에서 "백성이 그 하나님 여호와께만 제사를 드렸으나 오히려 산당에서 제사를 드렸더라"라고 말씀하고 있습니다. 본래 하나님께 드리는 제사는 택하신 한 곳, 곧 예루살렘 성전에 찾아 나아와서 드리도록 되어 있습니다(신 12:5, 11, 13-14, 17-18, 26). 산당에서 제사 드리는 것은 하나님께서 허용하신 것이 아닙니다. 그러나 므낫세 당시 백성은 하나님께 제사를 드리면서도 산당에서 편하게 드렸던 것입니다. 결국 이 산당은 우상에게 경배하는 범죄의 온상지요, 남 유다 백성을 타락하게 만든 죄의 근원지가 되고 말았습니다.

진정한 회개는 죄의 근원지까지 완전히 깨뜨리는 것입니다. 근원지를 없애지 못하면 언젠가는 또 죄를 짓기 때문입니다. 우리 주변에 '영적인 산당'이 있다면 완전히 깨뜨림으로 죄의 근원지를 없애고, 철저히 하나님 제일주의, 하나님 중심주의로 살아가야 할 것입니다.

(3) 죄악의 영향력은 깊은 뿌리를 내립니다.

므낫세는 49년 동안 하나님 앞에 죄를 짓고 앗수르의 포로로 끌려갔습니다. 그 후에 얼마 지나지 않아 귀환한 것으로 본다면, 그는 약 6년 동안 하나님 앞에 회개하고 개혁 운동을 실시한 셈이 됩니다. 무려 49년 동안 우상숭배로 완고해진 백성을 되돌리기에 6년의 세월은 너무도 짧았습니다. 그리하여 므낫세가 유다 백성에게 우상 타파를 명령하였음에도 불구하고 여전히 산당은 제거되지 않았던 것입니다(대하 33:16-17).

또한 므낫세의 뒤를 이어 왕이 된 아몬은 여호와의 보시기에 악을 행하였는데, 그것은 부친 므낫세가 만든 아로새긴 모든 우상에게 제사한 것이었습니다(대하 33:22). 그는 므낫세처럼 회개하지 않고 더욱 범죄하였습니다(대하 33:23). 아비가 지은 죄의 영향이 자식에게 그대로 미친 것입니다.

이러한 역사는 악의 뿌리가 얼마나 깊은지 잘 보여 줍니다. 죄의 뿌리는 완전히 제거되지 않으면 다시 싹이 나고 자라서 언젠가는 죄악의 열매를 맺는 것입니다. 그러므로 죄를 범했을 때 회개하는 것도 중요하지만, 더욱 중요한 것은 처음부터 악한 죄악의 물결에 휩쓸리지 않도록 하나님의 말씀을 따라 스스로 절제하며 힘써 믿음의 삶을 사는 것입니다.

므낫세는 죽은 다음에 열조의 묘실에 장사되지 못하고 자신의 별궁에 있는 작은 동산 '그 궁궐 동산 곧 웃사의 동산'에 장사되었습니다(왕하 21:18). 므낫세는 인생의 대부분을 하나님의 은혜를 저버리고 우상숭배에 앞장서므로 죽음 후에도 왕의 묘실에 장사되지 못하는 수치를 당한 것입니다.

회개할 때 과거에 범죄했던 모든 것을 잊어버리고 기억지 않으시는 하나님의 무궁한 사랑은, 므낫세까지도 예수 그리스도의 족보에 올라가게 하시는 은혜를 베푸셨습니다. 우리는 므낫세의 생애를 교훈 삼아 현재의 죄악을 철저히 회개하고, 더 나아가 처음부터 하나님의 말씀을 잊지 않고 기억하는 삶을 살아야 할 것입니다.

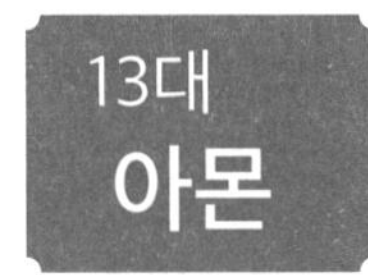

Amon / Ἀμώv / אָמוֹן
믿을 수 있는, 성실한, 숙련된
trustworthy, faithful, skillful

- 남 유다 제15대 왕(왕하 21:19-26, 대하 33:21-25)
- 예수 그리스도의 족보 제2기 열세 번째 인물

마태복음 1:10 "히스기야는 므낫세를 낳고 므낫세는 **아몬**을 낳고 **아몬**은 요시야를 낳고"

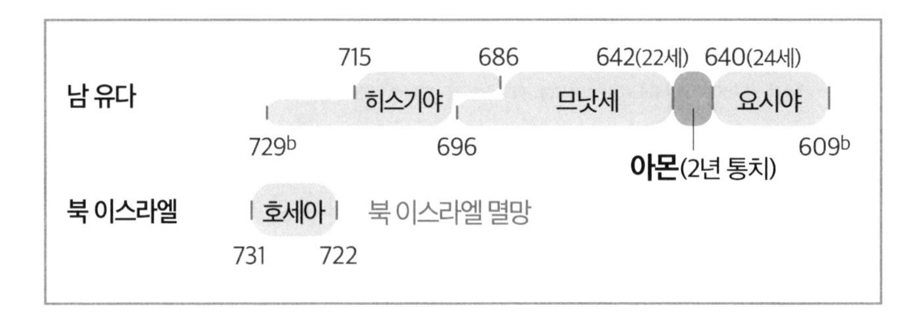

배경
- 부: 므낫세(왕하 21:18, 대하 33:20)
- 모: 므술레멧(욧바 하루스의 딸-왕하 21:19)

통치 기간
- 22세에 즉위하여 2년 통치하였다(주전 642-640년, 왕하 21:19, 대하 33:21).

평가 - 악한 왕(왕하 21:20-22, 대하 33:22-23)
아몬은 그 부친 므낫세의 모든 길로 행하여 여호와 보시기에 악을 행하였으며 그 부친의 섬기던 모든 우상을 섬겨 경배하고 그 열조의 하나님 여호와를 버리고 그 길로 행치 아니하였다(왕하 21:20-22, 대하 33:22). 그는 여호와 앞에서 스스로 겸비치 아니하고 더욱 범죄하였다(대하 33:23).

사료(史料) - 유다 왕 역대지략(왕하 21:25)

아몬은 므낫세의 아들로, 남 유다의 열다섯 번째 왕이 되었습니다. '아몬'(אָמוֹן)은 '성실한, 숙련된'이라는 뜻으로, 히브리어 '아만'(אָמַן)에서 유래되었습니다. '아만'(אָמַן)은 '확실하게 하다, 충실하다, 믿다'라는 뜻을 갖고 있습니다.

1. 아몬은 여호와 보시기에 악을 행하였습니다.

Amon did evil in the sight of the Lord.

열왕기하 21:20에서 "아몬이 그 부친 므낫세의 행함같이 여호와 보시기에 악을 행하되"라고 말씀하고 있습니다.

여기 '그 부친 므낫세의 행함같이'라는 표현은 아몬이 그의 아버지 므낫세의 불신앙과 우상숭배와 악행을 본받았다는 뜻입니다. 북 이스라엘과 남 유다의 역대 왕들 가운데 '...의 행함같이'라는 표현이 붙은 왕은 오직 다윗 한 사람뿐이었습니다. 이것은 다윗이 선한 왕의 대명사로서 하나님 보시기에 합당한 행함이 있었다는 증거입니다. 그런데 '...의 행함같이'라는 표현이 므낫세에게 또 붙었다는 것은, 므낫세가 악한 왕의 대명사로서 그가 하나님 보시기에 악행을 일삼았다는 것을 의미합니다. 아몬의 행위에 대하여 "그 부친의 행한 모든 길로 행하여 그 부친의 섬기던 우상을 섬겨 경배하고 [22] 그 열조의 하나님 여호와를 버리고 그 길로 행치 아니하더니"라고 말씀하고 있습니다(왕하 21:21-22).

아몬은 16세(주전 648년)에 부왕인 므낫세가 쇠사슬에 묶여 포로로 끌려가는 것을 지켜보았습니다. 그리고 므낫세가 회개하고 포로에서 돌아와 다시 개혁하는 것을 보았습니다. 그럼에도 불구하고 그는 므낫세가 하나님께 회개하고 충성한 모습을 본받지 않고, 므낫세의 과거 패역한 모습만을 본받은 것입니다.

2. 아몬은 신복들의 반역으로 비참하게 죽었습니다.
Amon's servants conspired against him and he died a wretched death.

열왕기하 21:23에서 "그 신복들이 반역하여 왕을 궁중에서 죽이매"라고 말씀하고 있습니다(대하 33:24). 궁중은 왕이 거처하는 곳으로, 가장 안전한 곳입니다. 그런데 왕이 궁중에서, 그것도 신복들에게 죽임을 당하였다는 것은 참으로 어처구니없는 일입니다. 하나님을 떠난 인생이 자기 자신을 지키기 위해서 그 어떤 보호처를 만들지라도 아무 소용이 없는 것입니다. 시편 127:1에서는 "여호와께서 집을 세우지 아니하시면 세우는 자의 수고가 헛되며 여호와께서 성을 지키지 아니하시면 파수꾼의 경성함이 허사로다"라고 말씀하고 있습니다.

그러나 다행인 것은 국민이 아몬왕을 반역한 사람들을 죽이고 그 아들 요시야를 왕으로 세웠다는 사실입니다(왕하 21:24). 이 국민이 누구입니까? 이들은 다윗 왕조가 끊어지지 않기를 간절히 열망하며 여호와의 신앙으로 무장한 숨겨진 믿음의 사람들이었습니다. 이들은 자기들이 세운 요시야왕의 뒤에서 남 유다의 마지막 신앙의 불꽃을 피운 것입니다.

아몬이 스스로 겸비하여 회개하였다면 그 이름의 뜻대로 하나님을 잘 믿는 충성되고 성실한 믿음의 왕이 될 수도 있었습니다. 그러나 그는 므낫세의 회개한 후의 겸비한 모습이 아니라, 회개하기 전의 패역한 모습을 따라가므로(대하 33:22) 비참한 인생의 종말을 맞고 말았습니다. 오늘도 하나님께서는 하나님 앞에 성실하고 충성스럽게 섬기는 자를 살펴, 함께 거하기를 간절히 소원하고 계십니다(시 101:6, 느 9:8).

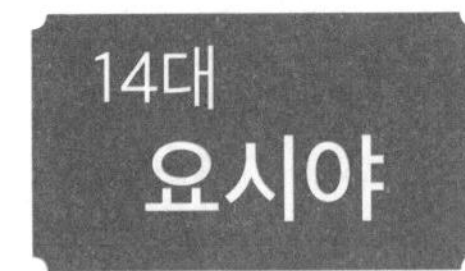

Josiah / Ἰωσίας / יֹאשִׁיָּה
여호와께서 받쳐 주신다, 여호와께서 격려하신다
the Lord supports, the Lord encourages

- 남 유다 제16대 왕(왕하 22:1-23:30, 대하 34:1-35:27)
- 예수 그리스도의 족보 제2기 열네 번째 인물(마 1:10-11)

마태복음 1:10-11 "... 아몬은 **요시야**를 낳고 바벨론으로 이거할 때에 **요시야**는 여고냐와 그의 형제를 낳으니라"

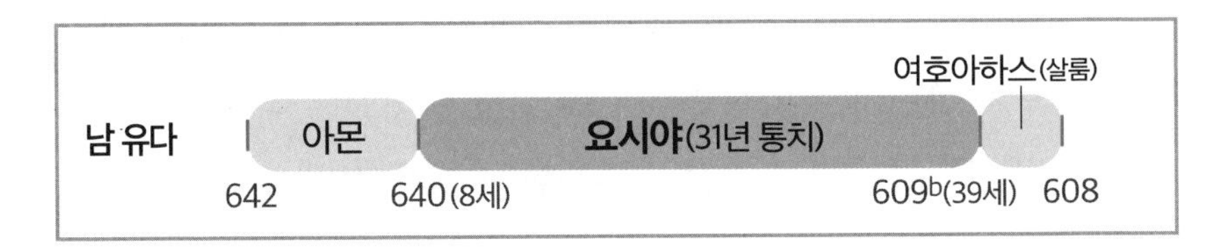

배경
- 부: 아몬(왕하 21:26, 대하 33:25)
- 모: 여디다(보스갓 아다야의 딸-왕하 22:1)

통치 기간
- 8세에 즉위하여 31년 통치하였다(주전 640-609b년, 왕하 22:1, 대하 34:1).

평가 - 선한 왕(왕하 22:2, 대하 34:2)
요시야는 여호와 보시기에 정직히 행하여, 그 조상 다윗의 모든 길로 행하고 좌우로 치우치지 않았다(왕하 22:2, 대하 34:2, 참고-신 17:18-20). 므깃도 전투에서 하나님의 말씀을 듣지 않다가 전사하였다(왕하 23:29-30, 대하 35:20-25).

활동 선지자
- 여 선지자 훌다(왕하 22:14-20, 대하 34:22-28)
- 스바냐(습 1:1)
- 예레미야(대하 35:25, 렘 1:2, 25:2-3, 36:1-2)

사료(史料)
- 유다 왕 역대지략(왕하 23:28)
- 이스라엘과 유다 열왕기(대하 35:26-27)

요시야는 아몬의 뒤를 이어서 남 유다의 열 여섯번째 왕이 되었습니다. 왕의 신복들이 아몬을 죽이고 반정을 일으켰지만, 다윗 왕조의 계승을 원했던 경건한 사람들이 8살의 어린 나이인 요시야를 남 유다의 왕으로 세웠습니다.

'요시야'(יֹאשִׁיָּה)는 여호와의 단축형인 '야'(יָה)와 '부벽, 지지물, 버팀목'이란 뜻을 가진 '아슈야'(אֻשְׁיָּה)가 합성되어 '여호와께서 받쳐 주신다, 여호와께서 격려하신다'라는 뜻입니다.

1. 요시야는 남 유다의 마지막 종교개혁을 일으켰습니다.

Josiah carried out the last religious reformation in Judah, the southern kingdom.

요시야 전에 철저히 종교개혁을 단행했던 히스기야가 '다윗 자손의 묘실 중 높은 곳'(대하 32:33)에 장사된 해(주전 686년)로부터 46년을 지나, 그의 증손 요시야가 8살의 어린 나이에 왕이 되었습니다. 므낫세와 아몬은 히스기야의 선한 개혁의 공로를 모두 무효화했으며, 요시야가 즉위했을 때 온 나라에는 우상이 가득하였고, 하나님의 전은 황폐하였습니다.

어린 나이에 즉위한 요시야왕은 다윗의 길로 행하며 히스기야의 종교개혁을 부활시켰습니다. 열왕기하 22:2에 "여호와 보시기에 정직히 행하여 그 조상 다윗의 모든 길로 행하고"라고 말씀하고 있습니다. 역사적으로 이런 호평을 들었던 현군(賢君)은 여호사밧(대하

17:3), 히스기야(왕하 18:3), 요시야 뿐입니다. 그 가운데서도 요시야가 유일하게 "좌우로 치우치지 아니하였더라"라는 평가를 받았음을 볼 때(왕하 22:2, 대하 34:2), 하나님 앞에서 진실로 경건하게 살았음을 알 수 있습니다(왕하 23:25).

요시야는 8세에 왕위에 올라, 16세(즉위 8년)에 비로소 여호와를 찾기 시작했고(대하 34:3上), 20세(즉위 12년)에 유다와 예루살렘을 정결케 하기 시작하여 우상들을 제하여 버렸으며, 우상을 섬겼던 제사장들의 시신을 무덤에서 꺼내어 불살랐고, 그 범위를 확대하여 므낫세, 에브라임, 시므온과 납달리까지 사면의 황폐한 성읍들을 정결케 하였습니다(대하 34:3下-7). 그리고 26세(즉위 18년)에 성전을 수리하다가 율법책을 발견하였습니다(왕하 22:3-13, 대하 34:8-21). 그는 무려 6년 동안이나 우상을 제거한 후 성전 수리를 시작하였음을 알 수 있습니다. 한편, 요시야 제18년은 종교개혁의 절정이었습니다(왕하 22:3-23:23).

요시야의 종교개혁의 특징은 다음과 같습니다.

첫째, 요시야의 종교개혁은 전 민족적이었습니다.

예루살렘에서의 개혁을 시작으로(왕하 23:4-7) 유다 전역에 개혁을 단행하였으며(왕하 23:8-14), 심지어 북방 이스라엘의 지역까지 개혁을 실행하였습니다(왕하 23:15-20).

요시야는 민족적인 동질 의식을 가지고 북방 이스라엘 지역까지 여호와의 신앙을 회복케 하여, 우상숭배의 악습이 남 유다로 넘어오지 못하도록 차단하였던 것입니다.

둘째, 요시야의 종교개혁은 철저하였습니다.

요시야왕이 성전과 나라 안의 우상을 제거하는 모습은 굉장히 자극적인 단어들로 표현되었는데 이것은 요시야의 개혁이 그만큼 철저하였음을 나타냅니다. 이를테면, '불사르다'(왕하 23:4, 6, 11, 15-16, 20), '헐다'(왕하 23:7-8, 12, 15), '폐하다'(왕하 23:5), '빻아서 가루를 만들다'(왕하 23:6, 12, 15), '뿌리다'(왕하 23:6), '더럽게 하다'(왕하 23:8, 10, 13, 16), '제하다'(왕하 23:11, 19), '깨뜨리다'(왕하 23:14), '찍다'(왕하 23:14), '죽이다'(왕하 23:20) 등입니다.

인신 제사를 드렸던 힌놈의 아들 골짜기의 도벳을 파괴하고(왕하 23:10), 태양에게 제사할 때에 사용되던 말과 수레를 제거하였습니다(왕하 23:11). 당시 페르시아에서는 태양 숭배를 위한 특별한 의식이 있었는데, 사람들이 제사를 지내고 싶을 때는 이른 아침에 말을 타고서, 마치 태양을 경배하듯 일출하는 태양을 향해 달려간 후에, 그 말을 희생 제물로 바쳤습니다.[28] 남 유다 왕들은 이방 나라의 태양 숭배를 그대로 모방하였던 것입니다.

아하스의 다락 지붕에 세운 단들과 므낫세 때 여호와의 성전 마당에 세운 단들을 다 헐어 버렸습니다(왕하 23:12). 또 예루살렘 앞 멸망산 우편에 세운 산당을 더럽게 하고 모조리 철폐하였습니다(왕하 23:13-14). 이 멸망산은 이방에서 시집온 솔로몬의 처첩들을 위해 감람산 봉우리에 수많은 우상의 산당들을 세워 준 데서 붙여진 이름입니다(왕상 11:4-8). 실로 요시야의 종교개혁은 나라의 구석구석까지 철저했습니다.

셋째, 요시야의 종교개혁은 모든 우상을 파괴하였습니다.

요시야는 바알과 아세라와 하늘의 일월성신을 위하여 만든 모든 기명을 성전에서 내어다가 불살라 버리고, 우상을 섬기며 바알과 해와 달과 열두 궁성과 하늘의 모든 별에게 분향하는 자들을 폐하였습니다(왕하 23:4-5). 그는 성전에 있는 아세라 상을 기드론 시내로 가져다가 불사르고 빻아서 가루로 만들었으며(왕하 23:6), 미동(male prostitutes: 남자 창기들)의 집을 헐어 버렸습니다(왕하 23:7). 또한 여로보암이 벧엘에 세운 단과 산당을 헐어 버리고 아세라 목상을 불살라 버렸습니다(왕하 23:15).

우상(idol)은 거짓 신들(false gods)을 나타내는 형상·모양입니다. 우상숭배는 천계의 해·달·별이든, 소·고양이·뱀·악어 같은 동물이든, 사람이 만든 수공물이든, 무엇이든지 그것을 신(神)으로 숭배하는 것입니다(행 17:16, 고전 8:5).

시편 115:4-7 "저희 우상은 은과 금이요 사람의 수공물이라 [5]입이 있어도 말하지 못하며 눈이 있어도 보지 못하며 [6]귀가 있어도 듣지 못하며 코가 있어도 맡지 못하며 [7]손이 있어도 만지지 못하며 발이 있어도 걷지 못하며 목구멍으로 소리도 못하느니라"

'성전'은 여호와의 임재와 통치의 상징이요, 하나님께서 그 백성을 만나 주시는 거룩한 장소입니다(출 25:8, 22, 29:42-43, 30:6, 36, 레 16:2, 민 17:4). 하나님의 이름을 두시는 곳이요(신 12:11, 왕상 5:3, 5, 8:16-20, 9:3, 대상 22:6-7, 10, 19, 대하 6:20, 7:16, 33:4), 하나님의 눈과 마음이 항상 임재하는 곳입니다(왕상 8:29, 9:3, 대하 6:40, 7:14-16).

그러므로 하나님의 전은 퇴락해서는 안 되며, 항상 깨끗이 보존되어 하나님께 영광 돌리는 사명을 감당해야 합니다. 율법에서는 '성소를 공경하라'(레 19:30, 26:2)라고 할 만큼 성전을 건물이 아닌, 마치 높은 인격체로 보았고, 그곳에서 행하는 예배를 귀하게 여겼습니다. 요시야는 하나님의 말씀을 따라 성전의 중요성을 깨닫고 성전을 수리하였던 것입니다.

넷째, 요시야의 종교개혁은 약 300년 전의 예언을 성취하였습니다.

요시야는 오래 전에 무명의 선지자, 하나님의 사람이 예언했던 아주 특별한 왕이었습니다(왕상 13:1-2). 그 무명의 선지자는 북 이스라엘 초대 왕 여로보암이 벧엘의 단에서 분향할 때, "단아 단아 여호와께서 말씀하시기를 다윗의 집에 요시야라 이름하는 아들을 낳으리니 저가 네 위에 분향하는 산당 제사장을 네 위에 제사할 것이요 또 사람의 뼈를 네 위에 사르리라 하셨느니라"라고 예언하였습니다(왕상 13:2). 그런데 이 예언이 약 300년 만에 그대로 성취되어, 요시야왕이 벧엘의 단 위에 뼈들을 불살랐던 것입니다(왕하 23:15-18, 대하 34:4-5). 참으로 하나님께서는 그 입으로 말씀하신 것을 반드시 실행하시는 역사의 주관자이십니다(왕상 13:32, 민 23:19, 수 23:14, 사 55:11).

무덤에 있는 뼈를 파내어 불사르는 것은 죽은 자와 그의 자손들에게 주는 최대의 수치였습니다. 요시야왕은 이것을 통해 우상숭배를 하지 않도록 백성에게 철저하게 각인(刻印)시켰던 것입니다.

2. 요시야는 율법책을 발견하고 언약을 체결하였습니다.

Josiah discovered the book of the law and made a covenant.

주전 622년 요시야 26세(즉위 18년)에 성전을 수리하다가 제사장 힐기야가 여호와의 전에 연보한 돈을 꺼내면서 여호와의 율법책을 발견하였습니다(왕하 22:3-8, 대하 34:8-14). 열왕기하 22:8의 '율법책'

은 히브리어로 '세페르 하토라'(סֵפֶר הַתּוֹרָה)로서, 일반적으로 모세 5경(창세기, 출애굽기, 레위기, 민수기, 신명기)이 기록되어 있는 두루마리 책을 말합니다. 힐기야가 발견한 율법책은 서기관 사반을 통해 요시야왕에게 전달되었고, 사반이 왕 앞에서 읽었습니다(왕하 22:9-10, 대하 34:15-18). 요시야는 이 책의 말씀을 듣자 자기 옷을 찢고 통곡하였습니다(왕하 22:11, 대하 34:19, 27).

요시야는 여호와의 전에서 발견한 이 책의 말씀에 대하여 하나님께 묻도록 힐기야, 아히감, 악볼, 사반, 아사야를 여선지자 훌다에게 보냈습니다. 훌다는 궁중 예복을 주관하는 살룸의 아내로, 예루살렘 둘째 구역에 살고 있었습니다(왕하 22:14, 대하 34:22). 훌다는 '유다 백성이 하나님을 버리고 다른 신에게 경배했기 때문에 이 책에 기록된 대로 저주받을 것'과 '요시야는 모든 재앙을 눈으로 보지 못하고 평안히 묘실에 들어가게 될 것'을 예언했습니다(왕하 22:15-20, 대하 34:23-28).

요시야는 유다와 예루살렘의 모든 장로를 불러 모았으며, 이에 모든 백성이 무론노소하고 다 함께하였습니다. 요시야왕은 친히 그 말씀을 읽어서 무리의 귀에 들리고, 백성과 함께 여호와 앞에서 언약을 좇기로 하였습니다(왕하 23:1-3, 대하 34:29-31上). 그리고 왕이 대 위에(성전 기둥 옆에) 서서 "마음을 다하고 성품을 다하여 여호와를 순종하고 그 계명과 법도와 율례를 지켜 이 책에 기록된 언약의 말씀을 이루리라"라고 선포하였습니다(대하 34:31下). 이렇게 요시야가 사는 날 동안 모든 땅에서 가증한 것을 다 제하여 버리고, 이스라엘 모든 사람으로 그 하나님 여호와를 섬기게 하였으므로 예루살렘 거민이 하나님께 복종하고 그 언약을 떠나지 않았습니다(대하 34:32-33).

요시야의 개혁은 하나님의 말씀이 뒷받침된 참된 개혁이었습니다. 열왕기하 23:25에서는 "요시야와 같이 마음을 다하며 성품을 다하며 힘을 다하여 여호와를 향하여 모세의 모든 율법을 온전히 준행한 임금은 요시야 전에도 없었고 후에도 그와 같은 자가 없었더라"라고 말씀하고 있습니다.

개혁(改革)은, '제도나 기구 따위를 새롭게 뜯어 고친다'라는 뜻입니다. 하나님의 말씀에 대한 바른 태도가 올바른 개혁을 가져오며(딤후 3:16), 올바른 개혁을 통하여 하나님의 말씀이 바르게 선포되는 것입니다(왕하 23:2). 오늘날에도 하나님의 말씀에 입각한 올바른 개혁 운동이 일어나야 합니다.

또한 요시야는 하나님의 말씀에 입각하여 대대적으로 유월절을 지켰습니다(대하 35:1-19). 열왕기하 23:22에서는 "사사가 이스라엘을 다스리던 시대부터 이스라엘 열왕의 시대에든지 유다 열왕의 시대에든지 이렇게 유월절을 지킨 일이 없었더니"라고 말씀하고 있으며, 역대하 35:18에서도 "선지자 사무엘 이후로 이스라엘 가운데서 유월절을 이같이 지키지 못하였고..."라고 말씀하고 있습니다.

3. 요시야는 애굽 왕 느고와의 전투에서 전사했습니다.
Josiah died in a battle against King Neco of Egypt.

요시야 당시의 국제 상황을 보면, 북 이스라엘을 멸망시킨 앗수르 제국이 주전 608년 바벨론 제국에게 멸망을 당하기 직전이었습니다. 이때 애굽은 앗수르를 도와 바벨론의 남하를 막기 위하여 갈그미스에서 바벨론과 싸우려고 하였습니다. 애굽 왕 느고는 갈그미스로 가기 위해 팔레스타인 지역을 통과해야 했는데, 이때 반(反) 앗수르 입장이었던 요시야왕은 북진하는 애굽과 전쟁을 하게 되었습니다.

므깃도 전투(주전 609년)와 갈그미스 전투(주전 605년)
(왕하 23:29, 24:7, 대하 35:20-27, 렘 46:2)
The battle of Megiddo (609 BC) and the battle of Carchemish (605 BC)
(2 Kgs 23:29, 24:7, 2 Chr 35:20-27, Jer 46:2)

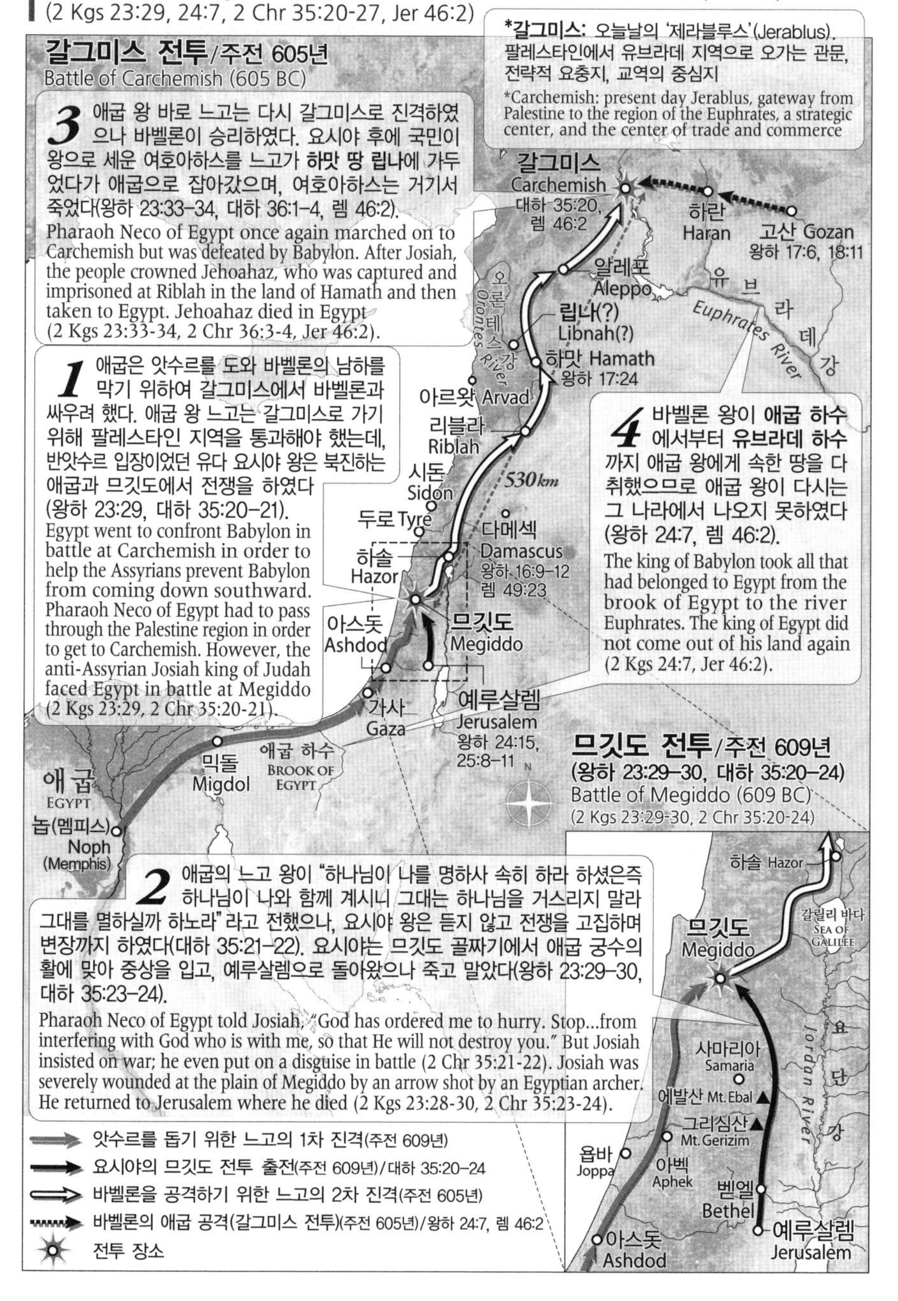

애굽 왕 느고는 사자를 보내어 화친을 요청하며 자신이 싸우려는 대상은 요시야왕이 아님을 분명히 했습니다. 느고는, "유다 왕이여 내가 그대와 무슨 관계가 있느뇨 내가 오늘날 그대를 치려는 것이 아니요 나로 더불어 싸우는 족속을 치려는 것이라 하나님이 나를 명하사 속히 하라 하셨은즉 하나님이 나와 함께 계시니 그대는 하나님을 거스리지 말라 그대를 멸하실까 하노라"라고 말했습니다(대하 35:21). 느고는 하나님의 명령에 따라 유다는 전혀 칠 생각이 없었고, 오직 바벨론을 상대로 싸우려 했던 것입니다. 여기 '명하사'의 히브리어는 '아마르'(אָמַר)의 칼 완료형으로, 하나님의 말씀이 확실히 있었다는 사실을 강조합니다. 더욱이 하나님께서 '속히 하라'라고 명령하셨으므로, 느고는 요시야왕과는 전혀 싸울 여유가 없었습니다. 애굽 왕 느고가 갈그미스를 향해 진격하는 것은 바로 유다 왕 요시야가 믿고 섬기는 하나님의 직접적 명령이기 때문에, 이것을 요시야가 중간에서 막으면 하나님의 뜻을 거스리는 큰 죄가 됩니다.

그런데 요시야왕은 애굽 왕 느고의 사자를 통해 하나님의 뜻이 분명히 전달되었지만, 듣지 않고 변장까지 하면서 전쟁터에 남기를 고집하였습니다(대하 35:21-22). 역대하 35:22 하반절에서 "하나님의 입에서 나온 느고의 말을 듣지 아니하고"라고 말씀하였습니다. 이때 애굽의 궁수가 유다군을 향하여 막연히 쏜 화살에 변장한 요시야왕은 중상을 입고 쓰러졌습니다(대하 35:23). 전쟁터에서 빠져 나와 예루살렘에 돌아왔으나, 죽고 말았습니다(대하 35:23). 그의 나이 39세였습니다(왕하 22:1, 대하 34:1). 하나님의 말씀을 불순종하고 무모하게 출전한 데 대한 하나님의 즉각적인 징계였습니다. 인간적 수단과 변장으로 하나님의 심판을 피해 갈 수는 없습니다(렘 23:19, 갈 6:7).

하나님의 이름을 빌어 말씀을 전할 때는, 그것이 설사 대적이나 이방의 입에서 나온 말이더라도 신중히 경청해야 합니다. 이 전쟁은 이 세상의 모든 역사가 하나님의 강권적인 섭리 속에 진행되고 있음을 잘 증거해 줍니다. 구속사에는 하나님께서 이방인들을 감동시키사 하나님의 뜻을 나타내신 적이 많았는데(창 41:1-57, 대하 36:22-23, 스 1:1-3), 다니엘 4:17에는 "지극히 높으신 자가 인간 나라를 다스리시며 자기의 뜻대로 그것을 누구에게든지 주시며 또 지극히 천한 자로 그 위에 세우시는 줄을 알게 하려 함이니라"라고 기록하고 있습니다. 심지어 바사 왕 고레스는 바벨론을 정복하고 이스라엘을 회복시키려는 하나님의 섭리에 따라 '하나님의 기름부음 받은 자'로 소개되었습니다(사 44:28-45:3).

요시야의 죽음은 단순히 한 나라 통치자의 죽음이 아니라, 마치 나라 전체에 등불이 거의 꺼질 듯 먹구름이 가득 낀 것과 같은 큰 비극을 남겼습니다. 온 유다와 예루살렘 사람들이 그의 죽음을 슬퍼하였고, 예레미야는 저를 위하여 애가를 지었으며, 노래하는 남녀가 슬피 노래하였습니다. 그의 죽음을 슬퍼하여 애도하는 것이 이스라엘의 규례가 되어 오늘날까지 이르렀으며, 그 가사는 애가 중에 기록되었습니다(대하 35:24-25).

요시야는 종교개혁을 통해, 므낫세 통치 55년과 아몬 통치 2년 동안 하나님 보시기에 극악한 우상숭배에 빠져 급격히 영적 내리막길로 곤두박질하던 남 유다에 일시적으로나마 제동을 걸었습니다. 하나님께서는 남 유다가 멸망으로 내달릴 때, 그래도 요시야가 사는 날 동안 남 유다를 떠받쳐 주심으로 멸망하지 않도록 지켜 주셨습니다. 그러나 이것은 역설적으로, 요시야 후에 남 유다의 국운이 갑자기 쇠약해지고 이제 멸망할 수밖에 없다는 것을 가르쳐 주는 것입니다.

그래서 요시야 시대에 활동했던 스바냐 선지자는 "진멸하리라"(습 1:2), "진멸하고 ... 진멸할 것이라 ... 멸절하리라"(습 1:3), "멸절하며 ... 멸절하며"(습 1:4), "멸절하리라"(습 1:6), "멸절하되 놀랍게 멸절할 것임이니라"(습 1:18)라는 표현을 통해 임박한 하나님의 심판을 선포하였습니다. 이러한 선포대로 요시야 이후에 남 유다는 바벨론에 포로로 끌려가고 나라가 망하는 비운을 겪게 되었습니다. 하나님께서 받쳐 주시지 않으면 그 나라는 더 이상 지탱할 수 없고 순식간에 무너져 망할 수밖에 없습니다.

결언: 남 유다의 역사 속에 중단 없이 진행된 구속사적 경륜

Conclusion: The administration in the history of redemption that ceaselessly continued in the history of Judah, the southern kingdom

남 유다가 다윗왕 이후에 한 왕조로 계속되는 동안, 북 이스라엘은 계속 왕조가 바뀌다가 주전 722년 완전히 멸망하였습니다. 하나님께서 남 유다가 단 한 번도 왕조가 바뀌지 않도록 다윗 왕조를 계속적으로 보존해 주신 이유는, 다윗과 맺은 언약을 기억하셨기 때문입니다. 그 언약은 "네 집과 네 나라가 내 앞에서 영원히 보전되고 네 위가 영원히 견고하리라"라고 약속하신 것입니다(삼하 7:16, 대상 17:12-14).

역대하 21:7에서는 "여호와께서 다윗의 집을 멸하기를 즐겨하지 아니하셨음은 이전에 다윗으로 더불어 언약을 세우시고 또 다윗과 그 자손에게 항상 등불을 주겠다고 허하셨음이더라"라고 말씀하고 있습니다(왕상 11:36, 왕하 8:19). 하나님께서는 다윗과 맺은 언약을 지키시기 위하여 남 유다의 거듭된 패역에도 불구하고 그들을 보존하셨던 것입니다. 그러나 이 약속은 어디까지나 전제 조건이 있는 언약이라는 것을 기억해야 합니다. 하나님께서는 사무엘하 7:14에서 "저가 만일 죄를 범하면 내가 사람 막대기와 인생 채찍으로 징계하려니와"라고 말씀하셨습니다. 하나님께서는 남 유다의 죄가 돌이킬 수 없을 정도로 가득 찬 것을 보시고, 남 유다를 징계하기 위하여 바벨론에 포로로 끌려가게 하셨습니다.

바벨론에 포로로 끌려가기 전까지 하나님께서는 남 유다의 죄에 대하여 여러 번 참으시고 용서하시고 그들의 회개를 기다리시며, 크신 은혜와 긍휼을 베푸셨습니다. 하나님께서는 남 유다에게 '여러 번 긍휼을 발하사 건져내시고'(느 9:28), 그들을 '여러 해 동안 용서하시고'(느 9:30), 아주 멸하지 아니하시며 버리지도 아니하셨습니다(느 9:31). 하나님께서는 새벽부터 부지런히 선지자들을 보내어 회개를 촉구하셨습니다(렘 25:4, 26:5, 29:19, 35:15, 44:4).

그러나 남 유다는 선지자들을 비웃고 하나님의 말씀을 멸시하였습니다(대하 36:15-16). 하나님의 말씀을 가르쳐도 청종치 않고, 불러도 대답하지 않고 목을 곧게 하여 그 마음의 강퍅한 대로 행하였습니다(렘 7:13, 25-26, 11:7, 32:33, 슥 7:13). 나아가, 하나님의 눈에 악을 행하고 하나님께서 즐겨하지 아니하는 일만 골라서 행하였으며(사 65:12), 주께로 돌아오기를 권면하는 선지자들을 죽이고, 하나님 앞에 크게 설만[더러울 설(褻), 교만할 만(慢): 행동이나 말이 음란하고 방자함]하게 행하였습니다(느 9:26). 하나님께서는 남 유다의 극악을 더 이상 방치하지 않으시고 마침내 그 앞에서 제하시고, '세계

열방의 저줏거리'가 되게 하셨습니다(렘 26:6).

남 유다가 바벨론에 포로로 끌려간 것은, 도저히 돌이킬 수 없을 정도로 관영한 남 유다의 죄악에 대한 강력한 징계였던 것입니다. 그러나 역대하의 마지막은 바벨론에 포로로 끌려간 이스라엘 백성에게 귀환을 명령하는 바사 왕 고레스의 칙령이 선포되는 것으로 끝나고 있습니다(대하 36:22-23). 이것은 하나님께서 남 유다를 멸망시킨 것이 결코 끝이 아니며, 바벨론 유수(幽囚)라는 징계를 통하여 하나님의 백성을 연단·정화시켜 다시 부르실 것을 강력하게 예고하고 있는 것입니다.

남 유다의 멸망과 바벨론 유수로 인하여 하나님께서 택하신 백성의 구속 역사가 단절되는 듯이 보였지만, 이는 하나님께서 범죄한 자들을 다 멸하시고, 진실되고 거룩한 신앙을 지킨 자들과 진정으로 회개한 '남은 자'(remnant)들을 통해서 구속사를 새롭게 진행하시려는 하나님의 섭리였습니다. 택하신 백성에 대한 하나님의 사랑은 결코 단절되지 않았습니다. 하나님께서는 자기 백성의 죄에 대한 강한 징계를 통하여 회개를 촉구하시며, 다시 하나님의 구속 역사를 담당할 거룩한 백성으로 거듭나게 하셨던 것입니다. 하나님의 구속사적 경륜은 남 유다의 멸망이라는 소용돌이 속에서도 결코 중단되지 않고 정하신 뜻을 향하여 변함없이 전진하였습니다. 그리하여 '여자의 후손'(창 3:15) 언약 이후 아브라함의 언약(창 15, 17장)과 다윗 언약(삼하 7:12-16)을 비롯한 구약의 모든 언약들은, 북 이스라엘과 남 유다의 멸망 속에서도 언약의 성취자이신 예수 그리스도를 향하여 구속 경륜 가운데 성취되며 중단 없이 진행되었습니다.

바벨론 왕 느부갓네살의 유다 1, 2, 3차 침공
(왕하 24:1-25:21, 대하 36:5-21, 렘 39:1-10, 52:1-27)
The 1st, 2nd, and 3rd invasions of Nebuchadnezzar king of Babylon into Judah
(2 Kgs 24:1-25:21, 2 Chr 36:5-21, Jer 39:1-10, 52:1-27)

제 4 장

예수 그리스도의 족보 제2기에서 제외된 왕들의 역사

The History of the Kings that were Omitted from the Second Period in the Genealogy of Jesus Christ

예수 그리스도의 족보 제2기에서 제외된 왕들의 역사

THE HISTORY OF THE KINGS THAT WERE OMITTED FROM THE SECOND PERIOD IN THE GENEALOGY OF JESUS CHRIST

마태복음 1장에 나오는 예수 그리스도의 족보는 하나님의 구속사적 경륜을 압축하여 기록하고 있습니다. 아브라함으로부터 시작하여 예수 그리스도에 이르기까지 약 2,162년의 방대한 역사 속에서 행하신 하나님의 신비롭고 오묘한 섭리가 예수 그리스도의 족보 속에 고스란히 담겨 있는 것입니다. 그러나 예수 그리스도의 족보는 모든 세대가 빠짐없이 연속적으로 기록된 것이 아닙니다. 오히려 족보 사이사이에 많은 대수가 생략되어 있습니다. 구속사 시리즈 제3권 「영원히 꺼지지 않는 언약의 등불」에서 예수 그리스도의 족보 제1기에서 생략된 부분을 일부 소개하였습니다. 그 후 많은 분들이 신학자도 아닌 목회자가 족보에서 빠진 부분을 성경을 통해 체계적으로 정리하여 발표한 것은 세계적으로 처음 있는 쾌거라고 하면서, 분에 넘치는 평가를 해주셨습니다.[29)]

구속사 시리즈 제3권(2장)에 수록된 예수 그리스도의 족보 제1기의 생략된 족보를 다시 한 번 정리하고, 이어서 제2기에서 생략된 내용을 살펴보고자 합니다. 제1기 족보에서 생략된 부분은 람과 아미나답 사이와 살몬과 보아스 사이입니다. 또한 제2기 족보에서 생략된 부분은 요람과 아사랴(웃시야) 사이입니다.

I
예수 그리스도의 족보 제1기에서 생략된 대수

THE GENERATIONS OMITTED FROM THE FIRST PERIOD IN THE GENEALOGY OF JESUS CHRIST

제1기의 연대기적 구성은 아브라함의 출생(주전 2166년)부터 시작하여 다윗왕의 헤브론 통치 때(주전 1003년)까지로, 대략 1,163년의 기간입니다.[30] 이 기간에 생략된 부분은 크게 두 곳입니다.

1. 람과 아미나답 사이의 생략(마 1:4) : 애굽 생활 430년 대부분 기간

Omissions between Ram and Amminadab (Matt 1:4)
Most of the 430 years in Egypt

마태복음 1:4 "람은 아미나답을 낳고 아미나답은 나손을 낳고 나손은 살몬을 낳고"

예수 그리스도의 족보 제1기에는 람과 아미나답 사이에 애굽 생활 430년 대부분의 기간이 생략되었습니다. 그 근거는 다음과 같습니다.

먼저, 람은 헤스론의 아들로(마 1:3), 역대상 2:9에는 헤스론이 낳은 아들들의 이름이 '여라므엘과 람과 글루배'라고 정확히 기록되어 있습니다. 이처럼 람은 헤스론의 친아들이므로 헤스론과 람 사이에는 생략된 대수가 없는 것이 확실합니다. 그런데 헤스론은 야곱과 함께 애굽에 들어간 70명의 명단에 그 이름이 기록되어 있습니다(창 46:12). 따라서 헤스론과 그 아들 람은 애굽 생활 430년의 초기 인물입니다.

다음으로, 아미나답은 나손의 아버지이며(마 1:4), 나손은 출애굽 이후 광야 생활 40년 기간 중에 유다 지파의 지도자(두령, 족장, 방백)였습니다(민 2:3, 10:14). 그러므로 나손의 아버지 아미나답은 출애굽할 때 있었던 인물로, 애굽 생활 430년 말기의 인물임을 알 수 있습니다. 또한 아미나답의 딸 엘리세바는 대제사장 아론과 결혼했습니다(출 6:23). 이것 역시 아미나답이 애굽 생활 430년의 말기 인물임을 뒷받침해 줍니다.

이상에서 보듯이 헤스론과 람은 애굽 생활 430년의 초기 인물이요, 아미나답과 나손은 애굽 생활 430년의 말기 인물이므로, 마태복음 1장 족보에서 람과 아미나답 사이에 애굽 생활 대부분의 기간이 생략되어 있는 것입니다.

2. 살몬과 보아스 사이의 생략(마 1:5)
: 사사 시대 340년 대부분 기간

Omissions between Salmon and Boaz (Matt 1:5)
Most of the 340 years during the period of the Judges.

마태복음 1:5 "살몬은 라합에게서 보아스를 낳고 보아스는 룻에게서 오벳을 낳고 오벳은 이새를 낳고"

예수 그리스도의 족보 제1기에 나오는 살몬과 보아스 사이에도, 가나안 정복 및 정착 기간을 포함하여 사사 시대 가운데 약 300여 년의 기간이 대부분 생략되었습니다. 그 근거를 살펴보면 다음과 같습니다.

먼저, 살몬은 기생 라합과 결혼하였습니다(마 1:5).[31] 이스라엘 백성이 가나안에 입성할 때 기생 라합이 여리고성에 살았으므로, 그녀는 가나안 입성 초기의 인물이며, 그녀와 결혼한 살몬 역시 가나안 입성 초기의 인물입니다.

다음으로, 보아스는 사사 시대 말기의 사람입니다. 보아스는 룻과 결혼하여 오벳을 낳았는데, 이 오벳은 '다윗의 할아버지(다윗의 아비인 이새의 아비)'라고 성경이 분명히 증언하고 있기 때문입니다(룻 4:13, 17, 22).

다윗은 주전 1040년에 출생하였습니다. 만약 한 세대를 약 25-30년으로 계산한다면 오벳이 출생한 때는 약 주전 1100-1090년으로 볼 수 있으며, 대략 사사 입다의 시대(주전 1104-1099년)에 해당합니다.[32] 사사 입다는 암몬의 공격에 대하여 300년 동안 이스라엘이 차지한 땅을 이제 와서 암몬이 요구하는 것은 부당하다고 설파했습니다(삿 11:26). 그러므로 살몬과 보아스 사이에는 사사 시대 대부분이 빠져 있는 것입니다.

하나님께서는 이스라엘에 왕이 없으므로 사람들이 각각 그 소견에 옳은 대로 행하던(삿 21:25) 사사 시대를 예수 그리스도의 족보에서 제하여 버리심으로 사사 시대의 영적 암흑상을 입증하신 것입니다(삿 2:7-10).

이상에서 보듯이, 하나님께서는 영적 암흑기인 애굽 생활 430년 기간 대부분과 사사 시대 기간 340년의 대부분을 예수 그리스도의 족보에서 제외하심으로, 예수 그리스도의 족보가 빠짐없이 이어지는 혈통의 기록이 아니라 구속사적 경륜을 기록한 신앙적인 족보임을 나타내셨습니다.

Ⅱ 예수 그리스도의 족보 제2기에서 생략된 대수

THE GENERATIONS OMITTED FROM THE SECOND PERIOD IN THE GENEALOGY OF JESUS CHRIST

예수 그리스도의 족보 제2기에는(마 1:6-11) 다윗왕 이후 솔로몬, 그리고 남조와 북조로 나뉘어진 분열왕국 시대가 기록되어 있습니다. 족보 제2기의 시작은 다윗이 헤브론 통치 7년 6개월을 마치고 예루살렘에서 통치하기 시작할 때(삼하 5:4-5, 왕상 2:11, 대상 3:4)로, 주전 1003년입니다. 족보 제2기의 끝은 바벨론의 제2차 침공으로 여고냐가 바벨론으로 끌려가던 때(왕하 24:8-12, 대하 36:9-10)로, 주전 597년입니다. 그러므로 족보 제2기 전체 기간은 약 406년이 됩니다. 그런데 실제 역사상의 족보와 비교해 보면, 예수 그리스도의 족보에는 남 유다의 왕들 가운데 몇 사람이 빠져 있는 것을 발견할 수 있습니다. 마태복음 1:8에서 "요람은 웃시야를 낳고"라고 말씀하고 있으나, 실제로 웃시야는 요람의 현손(玄孫, 손자의 손자)입니다(대상 3:11-12).

예수 그리스도의 족보 제2기에는 다윗 이후 14대가 기록되고 있으나, 실제 역사에는 17대가 있습니다. 요람(여호람)과 웃시야 사이에 빠진 혈통은 3대로, '아하시야, 요아스, 아마샤'입니다. 여기에 6년간 통치한 여왕 아달랴(왕하 11:3, 대하 22:12)를 넣으면, 4명의 왕이 족보에서 빠져 있는 것입니다.

역대상 3:11-12	요람	아하시야(1년) 왕하 8:26 대하 22:2	아달랴(6년) 왕하 11:3 대하 22:12	요아스(40년) 왕하 12:1 대하 24:1	아마샤(29년) 왕하 14:2 대하 25:1	아사랴 (웃시야)
마태복음 1:8	요람		──── 생략됨 ────→			웃시야

그렇다면 왜 마태복음 1장에서는 네 명의 왕을 생략하고 있을까요? 예수 그리스도의 족보는 그 목적이 혈통의 연속성을 기록하는 데 있지 않고, 순수한 믿음의 계보, 끊어짐이 없는 언약의 흐름을 보여 주려는 데 있습니다. 성경에서는 혈통(육)적으로 이스라엘 사람이라고 해서 무조건 이스라엘이 되는 것이 아니라고 말씀하면서, 같은 아버지 혈통의 자녀라도 육체를 따라 출생한 '육신의 자녀'가 있고, 약속의 말씀대로 출생한 '약속의 자녀'가 있다고 말씀하고 있습니다(롬 9:6-9). 약속의 자녀야말로 하나님의 언약을 이어가는 참 이스라엘이요, 아브라함의 자손입니다.

아브라함의 두 아들 중 이스마엘은 이삭보다 13년 형인데 '육체를 따라 난 자'이고, 이삭은 동생인데도 '언약으로 말미암은 약속의 자녀'였습니다(롬 9:7-9, 갈 4:22-31, 참고-창 21:1-3). 이것은 '택하심을 따라 되는 하나님의 뜻'(롬 9:11)이요, '오직 부르시는 이에게로 말미암은'것입니다(롬 9:11下). 마찬가지로 우리의 구원도 혈통이나 육적으로 되는 것이 아니라, '그리스도께 속한 자면 곧 아브라함의 자손이요 약속대로 유업을 이을 자'가 되는 것입니다(갈 3:29). 이처럼 마태복음에 나타난 예수 그리스도의 족보는 구속사적 경륜 속에서 하나님의 언약을 이어 가는 순수한 믿음의 계보이기 때문에, 하나님의 뜻과 맞지 않는 대수는 생략된 것입니다.

예수 그리스도의 족보 제2기에서 빠진 네 명의 왕들에게는 다음과 같은 공통된 특징이 있습니다.

첫째, 아합왕의 딸 '아달랴'와 관계가 있습니다.

아하시야왕은 여호람(요람)이 아달랴(북 이스라엘 왕 아합의 딸, 오므리의 손녀)에게서 낳은 아들이었습니다(왕하 8:18, 26). 여호람은 그 아버지 여호사밧에 의해, 북 이스라엘 아합의 딸 아달랴를 아내로 맞이했습니다(대하 18:1). 여호람은 아합의 딸이 그 아내가 되었으므로 아합의 집처럼 행하였습니다(왕하 8:18, 대하 21:6). 즉 여호람은 장인 아합, 장모 이세벨, 아내 아달랴의 사주를 받아 바알 숭배를 유다에 퍼뜨린 것입니다.

악한 여호람과 아달랴 사이에서 태어난 아들 아하시야는, 모친 아달랴의 꾐을 받아 악을 행하였는데, 곧 '패망케 하는 아합의 집'을 좇아 하나님을 불신앙하게 만드는 가르침을 좇았고 아합의 집 같이 악을 행하였습니다(대하 22:2-5). 아하시야왕이 죽은 다음에 스스로 왕이 된 아달랴는 다윗 왕조의 씨를 진멸하였는데, 단 한 사람 요아스만 간신히 살아 남았습니다(왕하 11:1-2, 대하 22:10-11).

아달랴 후에 남 유다의 왕이 된 요아스는, 아달랴의 손자로, 아달랴의 6년 통치 후에 왕이 되었는데, 제사장 여호야다가 살아 있을 때는 경건하게 행하다가 여호야다가 향년 130세로 죽었을 때 아세라 목상과 우상을 숭배하기 시작하였습니다(대하 24:15-19). 아달랴 밑에서 우상을 숭배했던 유다 방백들의 영향을 받은 것입니다. 뿐만 아니라, 우상숭배의 죄를 깨우치기 위해 백성 앞에서 하나님의 말씀을 외치는 여호야다의 아들 스가랴를 성전 뜰 안에서 돌로 쳐 죽였습니다(대하 24:20-21, 참고-마 23:35). 요아스는 여호야다의 베푼 은혜를 생각지 않았던 것입니다(대하 24:22).

또 요아스에 이어 왕위에 오른 아마샤는 아달랴의 증손자로, 처음에는 하나님의 말씀대로 정직하게 행하다가 우상을 숭배했는데(대하 25:1-2, 14-16), 이 또한 아달랴 때부터 내려온 불신앙의 영향에서 완전히 벗어나지 못했음을 보여 줍니다.

둘째, 네 왕은 우상을 숭배하는 악한 왕이었습니다.

아하시야는 아합의 길로 행하여 여호와 보시기에 악을 행하였습니다(왕하 8:27). 아달랴는 바알을 숭배하고 단을 세웠습니다(왕하 11:18). 요아스는 처음에 경건하다가, 후에 아세라 목상과 우상을 숭배하였습니다(대하 24:17-19). 아마샤는 세일 자손의 우상을 가져다가 자기의 신으로 세우고 그 앞에 경배하며 분향하였습니다(대하 25:14).

셋째, 네 왕의 죽음은 모두 자연사가 아니었습니다.

아하시야는 북 이스라엘 예후에게 므깃도에서 죽임을 당했습니다(왕하 9:27). 아달랴는 제사장 여호야다의 모반으로 왕궁 마문(馬門) 어귀(말들이 출입하는 문 입구)에서 죽임을 당했습니다(왕하 11:13-16, 대하 23:12-15). 요아스는 전쟁에서 큰 부상을 당하고 그의 신복들의 모반으로 죽임을 당했습니다(왕하 12:20-21, 대하 24:25). 아마샤도 역시 신복들에게 죽임을 당했습니다(왕하 14:19-20, 대하 25:27-28).

아마샤가 우상숭배를 하자 하나님께서 한 선지자를 보내어 그 일을 책망하셨으나, 아마샤는 회개하지 않고 도리어 그 선지자에게 "우리가 너로 왕의 모사를 삼았느냐 그치라"라고 하였습니다(대하 25:16上). 그 선지자는 "왕이 이 일을 행하고 나의 경고를 듣지 아니하니 하나님이 왕을 멸하시기로 결정하신 줄 아노라"하고 마지막으로 담대히 선포하였습니다(대하 25:16下).

이 후 아마샤는 한 선지자의 경고대로 북 이스라엘 요아스와의 전쟁에서 완전히 패하였습니다(대하 25:17-22). 자신만만하던 아마샤는 북 이스라엘에 포로로 끌려갔고, 예루살렘 성벽은 400규빗(182미터)이나 헐리고, 성전 안의 금은과 기명과 재물들을 다 빼앗겼으며, 사람들은 볼모로 잡혀 갔습니다(왕하 14:13-14, 대하 25:23-24).

북조 요아스왕과의 전쟁에서 패한 아마샤는 비참하게 포로로 끌려가서 약 10년간 잡혀 있는 수치를 당한 후 돌아와, 웃시야와 15년간 함께 통치하였으나(왕하 14:17, 대하 26:1), 결국 신복들의 모반으로 죽임을 당하고 말았습니다(왕하 14:19-20).

그 반란자들의 음모가 시작된 시점은 역대하 25:27에서 "아마샤가 돌이켜 여호와를 버린 후로부터"라고 말씀하고 있습니다. 예루살렘에서 무리가 아마샤를 모반하자 저가 라기스(예루살렘에서 남서쪽으로 45㎞)로 도망하였는데, 모반한 무리가 사람을 라기스로 따라 보내어 저를 거기서 죽이게 하고, 그의 시체를 말에 실어다가 예루살렘에서 다윗성에 장사하였습니다(왕하 14:19-20, 대하 25:27-28).

예수님의 족보 제2기에서 빠진 아하시야, 아달랴, 요아스, 아마샤 네 왕들은 그 인생 말로가 하나같이 비참했던 것입니다.

이상에서 살펴보았듯이, 하나님께서는 아달랴와 관계되어 우상을 숭배하며 그 삶이 악하여 마지막이 비참하게 끝났던 네 왕(아하시야, 아달랴, 요아스, 아마샤)을 예수 그리스도의 족보 제2기에서 생략하심으로써, 언약의 등불을 소멸시키려 하는 악에 대하여 반드시 심판을 행하시는 하나님의 구속사적 경륜을 드러내셨습니다(왕하 8:27, 대하 22:3). 이제 예수 그리스도의 두 번째 족보에서는 빠졌지만, 역사상 실제로 활동했던 왕들을 살펴봄으로 거기에 담긴 구속사적 경륜을 자세히 알아보겠습니다.

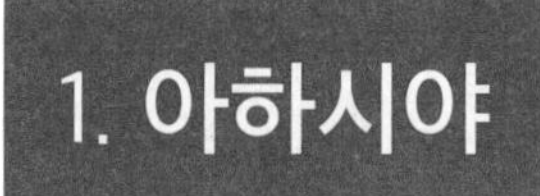

Ahaziah / Οχοζιας / אֲחַזְיָה
여호와께서 붙잡으셨다, 여호와의 소유
the LORD has grasped, the LORD's possession

- 남 유다 제6대 왕(왕하 8:24-9:29, 대하 22:1-9)
- 요람(여호람)의 아들로, 마태복음의 예수 그리스도의 족보에서 제외되었다.

마태복음 1:8 "... 여호사밧은 요람을 낳고 요람은 웃시야를 낳고"

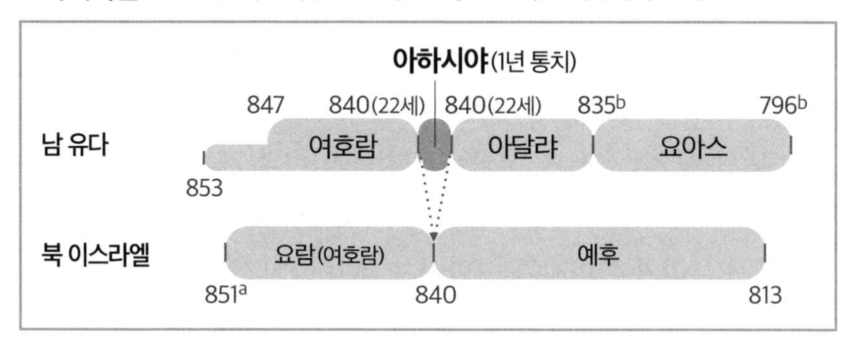

배경
- 부: 여호람(왕하 8:24, 대하 22:1)
- 모: 아달랴(왕하 8:26, 11:1, 대하 22:2)

통치 기간
- 22세에 즉위하여 1년 통치하였다(주전 840년, 왕하 8:26, 대하 22:2).
- 아하시야가 남 유다의 왕이 된 때는 북 이스라엘 '요람 제11년'(왕하 9:29) 혹은 '요람 제12년'(왕하 8:25)이었다.

평가 - 악한 왕(왕하 8:27, 대하 22:3-4)
아하시야는 아합의 집 길로 행하여 아합의 집과 같이 여호와 보시기에 악을 행하였다(왕하 8:27, 대하 22:3-4).

사료(史料) - 역대지략에 기록되지 않았다.

아하시야는 아버지 여호람의 뒤를 이어 남 유다의 여섯 번째 왕이 되었습니다. 여호와께서 블레셋 사람과 아라비아 사람의 마음을 격동시키사 여호람을 치게 하실 때 아하시야를 제외한 모든 아들들을 죽였으므로 여호람의 말째 아들 아하시야가 왕이 된 것입니다(대하 21:16-17, 22:1). 그는 22세에 왕이 되었는데(왕하 8:26), 역대하 22:2에서는 아하시야가 왕이 될 때 42세였다고 기록하고 있습니다.[33)]

아하시야의 다른 이름은 ‘여호아하스’입니다. ‘여호아하스’는 히브리어 ‘예호아하즈’(יְהוֹאָחָז)인데 ‘여호와’를 뜻하는 ‘예호바’(יְהֹוָה)와 ‘붙잡다, 잡다’를 뜻하는 ‘아하즈’(אָחַז)의 합성어로, ‘여호와께서 붙드신다’라는 뜻입니다.

아하시야는 히브리어 ‘아하즈야’(אֲחַזְיָה)로, 역시 ‘여호와께서 붙잡으셨다, 여호와의 소유’라는 뜻입니다. 이것은 ‘붙잡다, 잡다’를 뜻하는 ‘아하즈’(אָחַז)와 ‘여호와’의 단축형 ‘야’(יָהּ)가 합성된 단어입니다.

1. 아하시야는 아합의 집 길로 행하였습니다.

Ahaziah walked in the way of the house of Ahab.

열왕기하 8:27에서 “아하시야가 아합의 집 길로 행하여 아합의 집과 같이 여호와 보시기에 악을 행하였으니 저는 아합의 집의 사위가 되었음이러라”라고 말씀하고 있습니다. 이 말씀은 아합의 실제 사위는 아하시야의 부친인 여호람이지만, 아하시야도 부친 여호람이나 모친 아달랴의 영향을 받아 아합 가문의 길로 행하여 여호와 보시기에 죄를 지었음을 강조한 표현입니다.

역대하 22:3에서도 “아하시야도 아합의 집 길로 행하였으니 이는 그 모친이 꾀어 악을 행하게 하였음이라”라고 말씀하고 있습니다. 여기 ‘꾀어’는 히브리어 ‘야아츠’(יָעַץ)의 분사형으로, ‘충고하다, 조언하다’라는 뜻입니다. 그러므로 아달랴는 아들 아하시야가 왕위에 있는 동안 계속 충고하고 조언하면서, 아합의 집처럼 우상을 숭배하고 악을 행하도록 절대적인 영향력을 끼친 것입니다.

아하시야는 부왕 여호람이 악정을 행하다가 여호와께서 치시므로 창자가 빠져 비참하게 죽어, 아끼는 자 없이 이 세상을 떠나는 것을 보고도(대하 21:18-20), 여전히 어머니(아달랴)의 사주를 받아 아합왕과 이세벨의 길로 행하였던 것입니다.

2. 아하시야는 예후에 의해 죽임을 당하였습니다.

Ahaziah was killed by Jehu.

아하시야는 북 이스라엘 아합의 아들 요람과 연합하여 길르앗 라못에서 아람 왕 하사엘과 전쟁을 하였습니다(왕하 8:28-29, 대하 22:5-6). 아하시야와 요람은 생질과 외숙 사이였습니다. 전쟁 중 요람은 부상을 당하여 이스르엘로 돌아오고 아하시야는 요람을 문병하였습니다. 이때 북 이스라엘의 군대장관이었던 예후(왕하 9:5)가 화살로 요람의 염통을 꿰뚫어서 죽이고(왕하 9:24), 도망가는 아하시야를 예후의 부하들이 쫓아가 치니, 저가 므깃도까지 도망하여 거기서 죽었습니다(왕하 9:27). 아하시야의 죽음은 엘리야의 예언대로 된 것으로(왕상 21:21), 그렇게 아합 왕가를 멸하는 최후의 일은 예후에 의해서 진행되었습니다. 예후는 기름부음을 받으면서 아합 집과 아합에게 속한 모든 남자를 다 멸하라는 특별한 사명을 받은 자입니다(왕하 9:1-10). 역대하 22:7에서는 아합의 사위 아하시야가, '아합의 집을 멸하게 하신 자' 바로 그 예후에 의해 죽임을 당하였다고 말씀하고 있습니다.

아하시야가 죽은 장소에 대하여 열왕기하 9:27에서는 '므깃도'라고 말씀하고 있는 반면, 병행 구절인 역대하 22:9에서는 '사마리아'라고 말씀하고 있습니다. 역대하 22:9에서는 '사마리아'를 북 이스라엘 전체를 상징하는 의미로 사용하였기 때문입니다.

아하시야는 타국에 나갔다가 그곳 반란자의 손에 비참하게 죽었습니다. 사람들은 그의 죽음을 보면서 “저는 전심으로 여호와를 구하던 여호사밧의 아들이라”라고 애도하였습니다(대하 22:9). 이것은 하나님을 전심으로 구하던 여호사밧의 참신앙이 그의 손자에게 전수되지 못한 것을 몹시 가슴 아프게 한탄한 표현입니다. 겨우 1년을 통치하고 비참하게 죽은 아하시야의 삶은, 하나님께서 붙잡아 주시지 않는 사람의 결국이 어떠한지를 극명하게 보여 주고 있습니다.

‘아하시야’라는 이름의 뜻처럼 우리는 ‘하나님의 소유’입니다(레 20:26, 슥 2:12). 그것도 아주 특별한 소유입니다(출 19:5, 시 135:4, 말 3:17). 하나님께서는 그의 소유 된 자들을 보호하시고 끝까지 붙들어 주십니다. 이사야 43:1-2에서 “... 너는 내 것이라 [2]네가 물 가운데로 지날 때에 내가 함께할 것이라 강을 건널 때에 물이 너를 침몰치 못할 것이며 네가 불 가운데로 행할 때에 타지도 아니할 것이요 불꽃이 너를 사르지도 못하리니”라고 말씀하고 있습니다.

그러나 아하시야는 악한 어머니 아달랴의 사주를 받아 악을 행하였을 뿐 아니라, 뜻과 상관없이 북 이스라엘의 아합의 아들인 요람(외삼촌)과 손을 잡고 전쟁에 참여하였습니다. 그는 ‘하나님의 소유’에서 벗어나 악인과 손을 잡았습니다. 하나님께서는 악인 요람과 그와 가까이한 아하시야를 동시에 땅에 엎드러뜨리셨습니다. 시편 147:6에서 “여호와께서 겸손한 자는 붙드시고 악인은 땅에 엎드러뜨리시는도다”라고 말씀하고 있습니다. 교만하여 하나님을 멀리하는 악인은 반드시 땅에 엎드러지고 마는 것입니다. 따라서 성도는 하나님께서 오른팔로 굳세게 붙잡아 주시는 그의 소유 된 자로 겸손하게 살아가야 할 것입니다.

2. 아달랴

Athaliah / Γοθολία / עֲתַלְיָה
여호와께서 괴롭히시는 자
afflicted by the Lord

- 남 유다 제7대 왕(왕하 11:1-21, 대하 22:10-23:21)

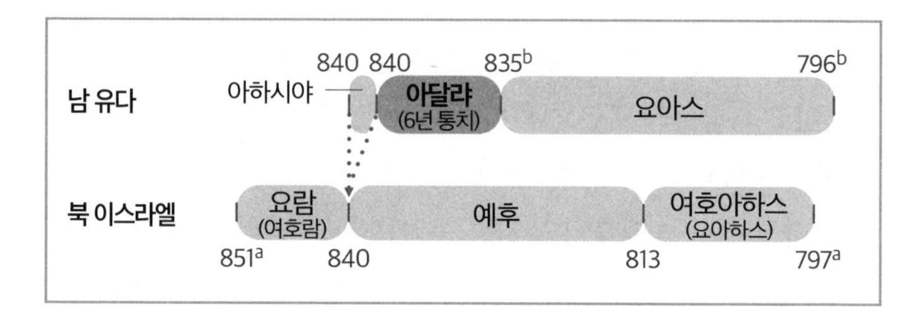

배경

- 부: 아합(왕하 8:18, 대하 21:6)
- 모: 이세벨(시돈 사람의 왕 엣바알의 딸-왕상 16:31)

*아달랴

- 오므리의 손녀(왕하 8:26)
- 남 유다 제4대 왕 여호사밧의 며느리(대하 18:1)
- 제5대 왕 여호람의 아내(대하 21:5-6)
- 제6대 왕 아하시야의 어머니(왕하 8:26, 11:1, 대하 22:2, 10)

통치 기간

- 6년(주전 840-835[b]년, 왕하 11:3-4, 대하 22:12, 23:1)
- 남 유다의 아달랴와 북 이스라엘의 예후는 같은 해(주전 840년)에 즉위하였다(왕하 11:3-4, 12:1). 성경에서 아달랴의 대조 연대는 나타나지 않으므로 요아스의 대조 연대 '예후 제7년'(왕하 12:1)에 맞추어 아달랴의 통치 기간을 계산한다.

평가 - 극악한 여왕(왕하 11:1, 대하 22:3, 10)

아달랴는 아들인 아하시야를 꾀어 악을 행하게 하였으며(대하 22:3), 아들이 죽은 후에는 유다 집의 왕의 씨를 진멸하였다(왕하 11:1, 대하 22:10).

사료(史料) - 역대지략에 기록되지 않았다.

아달랴는 아하시야왕이 죽은 후에 아들을 대신하여 자신이 왕위에 올랐습니다. '아달랴'(עֲתַלְיָה)는 '아틀라이'(עַתְלַי)와 '야흐'(יָהּ: 여호와의 단축형)의 합성어이며, '아틀라이'(עַתְלַי)는 '압축하다'라는 어근에서 유래되었습니다. 그러므로 아달랴는 '여호와께서 괴롭히시다, 여호와께서 괴롭히시는 자'를 의미합니다.

1. 아달랴는 유다 집의 왕의 씨를 진멸하였습니다.

Athaliah destroyed all the royal seed from the house of Judah.

아하시야가 북 이스라엘에 가서 갑자기 피살되자, 아달랴는 남 유다 왕권의 공백기를 이용하여 자신이 왕이 되려고 마음을 먹었습니다. 그리고 그 계획을 따라 유다 집의 '왕의 씨'를 진멸하였습니다(왕하 11:1, 대하 22:10). '왕의 씨'는 '왕위를 계승할 자격이 있는 아하시야의 모든 아들과 친척'을 가리킵니다. 아달랴는 아하시야의 친아들, 즉 자기의 친손자들까지도 살살이 제거했던 것입니다. 아달랴는 이들만 제거하면 유다 집의 왕의 씨는 전체가 진멸될 것이라 생각했습니다.

왜냐하면 아하시야의 형제들은 여호람의 통치 말기에 블레셋 사람과 구스에서 가까운 아라비아 사람들에 의해 아하시야를 제외하고 모조리 사로잡혀 갔으며(대하 21:11-17), 남아 있던 아하시야의 형제의 자손들은 하나님께서 예후를 들어 아합 왕가를 징벌할 때 42명 모두 죽었기 때문입니다(왕하 10:13-14, 대하 22:8). 아달랴가 왕의 씨를 진멸할 때 '자손 계승'의 의미를 가지고 있는 '씨'(제라, זֶרַע) 라는 단어가 사용된 것은, 다윗 왕가를 완전히 멸망시켜 아합 왕가를 이루고자 했던 아달랴의 사악한 의도를 드러내고 있습니다. 이것은 한 개인의 욕심이었지만, 하나님의 크신 뜻을 가로막는 사악한 행위였습니다.

아달랴가 모든 왕손들을 죽이고 하나님의 섭리에 도전했을 때, 여호람의 딸, 아하시야의 누이 여호사브앗(여호세바)이 아하시야의 아들 요아스(한 살)를 도적하여(גָּנַב, 가나브: 살그머니 훔치다, 몰래 가져가다) 내고, 요아스와 그 유모를 침실에 숨겨, 죽이지 못하게 하였습니다(왕하 11:2, 대하 22:11). 여호사브앗은 제사장 여호야다의 아내였습니다(대하 22:11).

그리고 요아스는 6년간 여호와의 전에서 숨어 지내었습니다(왕하 11:3, 대하 22:12). 하나님께서는 요아스를 숨기심으로 다윗의 왕손이 보존되게 섭리하셨습니다(왕하 11:2, 대하 22:11-12). 아달랴는 사악한 야심으로 다윗 왕가를 진멸하려 했으나 하나님의 구속 섭리를 막을 수는 없었습니다. 사단의 세력이 잠시 승리하는 듯 보였지만, 결국에는 하나님의 구속 경륜이 반드시 승리함을 보여 주신 것입니다.

2. 아달랴는 여호야다의 개혁으로 죽임을 당하였습니다.

Athaliah was put to death as part of Jehoiada's reformation.

아달랴의 악정에 시달린 지 6년이 지난 후에 제사장 여호야다는 드디어 결단을 내리고, 가리 사람(כָּרִי, 카리: 왕실을 경호하는 용병들)의 백부장들과 호위병의 백부장들을 불러 데리고 여호와의 전으로 들어가서, 저희와 언약을 세우고 저희로 여호와의 전에서 맹세케 한 후에 7세 된 왕자 요아스를 보였습니다(왕하 11:4, 대하 23:1). 다윗의 씨는 6년 전 아달랴에 의해 모조리 진멸된 줄만 알았는데, 여호야다가 극비리에 요아스를 보이는 순간 얼마나 놀라고 얼마나 기뻐했겠습니까? 비록 7세 된 어린아이에 불과했지만 다윗의 혈통 요아스가 남아 있다는 그 사실은, 하나님의 언약을 굳게 붙잡고 사모하는 모든 이들에게 더할 수 없는 큰 소망과 위로와 기쁨이었을 것입니다. 역대하 23:1에서는 이때 모인 백부장 다섯 명의 이름을 낱낱이 밝히고 있습니다. 다섯 명의 백부장은 여로함의 아들 아사랴(עֲזַרְיָה: 여호와께서 도우셨다)와 여호하난의 아들 이스마엘(יִשְׁמָעֵאל: 여호와께서 들으실 것이다)과 오벳의 아들 아사랴(עֲזַרְיָה: 여호와께서 도우셨다)와 아다야의 아들 마아세야(מַעֲשֵׂיָה: 여호와의 일)와 시그리의 아들 엘리사밧(אֱלִישָׁפָט: 심판의 하나님)입니다. 그들이 유다로 두루 다니며 유다 모든 고을로서 레위 사람과 이스라엘 족장들을 모아 예루살렘에 이르렀습니다(대하 23:2).

6년이라는 오랜 세월 동안 노심초사하며 다윗의 자손 요아스를 보호해 온 제사장 여호야다는 목숨을 걸고 혁명을 결단하였습니다. 여호야다는 "여호와께서 다윗의 자손에게 대하여 말씀하신 대로 왕자가 즉위하여야 할찌니"(대하 23:3)라고 하면서, 다윗의 자손으로 유일하게 남아 있던 한 씨, 요아스를 마침내 왕위에 올렸던 것입니다(왕하 11:4-21, 대하 23:3-11). 참으로 여호야다는 하나님의 언약을 사모하며 다윗왕을 그리워하는 그 시대의 참된 종교 지도자였습니다.

제사장 여호야다는 혁명을 일으키되 아달랴 몰래 진행해야 했으므로 안식일을 그 거사일로 잡았습니다. 안식일에 입번*한 병사들을 세 부대로 나누어, 한 부대는 왕궁을, 한 부대는 수르문(기초문)을, 마지막 부대는 호위대 뒤에 있는 문을 지키게 하였습니다(왕하 11:5-7, 대하 23:4-5). 레위 자손은 병기를 잡고 왕을 호위하였고(대하 23:7), 백성도 병기를 잡고 왕을 호위하되 전 우편에서 좌편까지 단과 전 곁에 서게 하였습니다(대하 23:10). 왕자에게 면류관을 씌우고 율법책을 주고 기름을 부어 왕을 삼으매 무리가 박수하며 왕의 만세를 불렀습니다(왕하 11:12, 대하 23:11).

요아스왕이 장관들과 나팔수의 호위를 받으며 여호와의 전 안에서 기둥 곁에 서 있고, 백성이 기뻐 뛰며 즐거워하여 나팔을 불고 노래하는 자는 주악하며 찬양을 인도하자, 아달랴가 옷을 찢으며 "반역이로다, 반역이로다"라고 외쳤습니다(왕하 11:13-14, 대하 23:12-13). 아달랴는 자신이 다윗의 왕통을 찬탈하였음에도 불구하고 오히려 요아스가 왕이 된 것을 반역이라고 외치며 최후의 발악을 하였습니다. 여호야다는 아달랴가 여호와의 전 밖으로 나간 후에 왕의 마문(馬門, 왕족들의 말이 출입하는 문) 어귀에서 그녀를 죽이도록 명령하고 그를 따르는 자도 칼로 죽이라고 명령하였습니다(왕하 11:15-16, 대하 23:14-15). 아달랴는 왕궁 마문 어귀에 이를 때에 무리의 칼에 죽임을 당하였습니다(왕하 11:16, 20下, 대하 23:15, 21下). 온 국민이 바알 당을 훼파하고 우상을 깨뜨리고, 그 단 앞에서 '바알의 제사장 맛단'도 죽였습니다(왕하 11:18).

여호람 통치 8년, 그 아들 아하시야 통치 1년, 아달랴 통치 6년 등

***입번**: 들 입(入), 차례 번(番)-차례를 따라 근무하는 데 들어가다, 자기 차례가 되어 일을 맡아 본다(왕하 11:5).

무려 만 13년 동안(주전 847-835[b]년)이나, 아합왕의 딸 아달랴의 악영향으로 온 나라가 우상숭배로 들끓고 흉악한 범죄가 난무하여 선량한 백성은 숨을 죽이며, 실로 남 유다는 암흑 천지의 절망 상태에 빠져 있었습니다. 아달랴는 시집온 이후로 평생 동안 사단의 하수인 노릇을 하면서, 남 유다의 거룩한 등불을 꺼뜨려 흑암의 역사로 바꾸어 버리려 했던 것입니다. 아달랴에 의한 다윗 왕가의 대대적인 학살로 나라가 완전히 존폐의 위기에 처했을 때, 하나님께서는 제사장 여호야다를 통해 다윗 언약을 재다짐하시고(왕하 11:4), 다윗의 후손 요아스를 즉위시키심으로 유다에는 다시 평온함이 깃들며 새로운 소망이 주어졌습니다. 아달랴가 죽었을 때 온 국민이 즐거워하고 성중이 평온하였습니다(왕하 11:20上, 대하 23:21上).

하나님께 대적하는 자는 결국 하나님의 괴롭히심을 받아 비참한 최후를 맞게 됩니다. 마지막 때도 만왕의 왕이신 예수 그리스도께서 오시므로 세상의 거짓 통치자인 마귀와 그 하수인들이 멸망을 받게 될 것입니다.

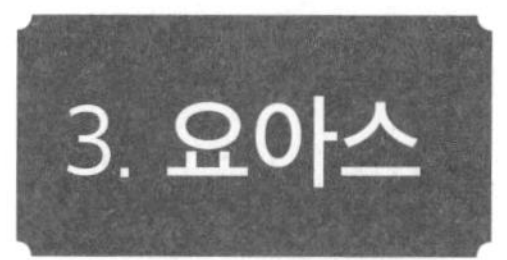

Joash / Ἰωάς / יוֹאָשׁ
여호와께서는 강하시다 / the Lord is strong

- 남 유다 제8대 왕(왕하 11:21-12:21, 대하 24:1-27)
- 요람의 손자 아하시야의 아들로 남 유다를 40년간 통치한 왕이었으나, 마태복음의 예수 그리스도의 족보에서 제외되었다.

마태복음 1:8 "... 여호사밧은 요람을 낳고 요람은 웃시야를 낳고"

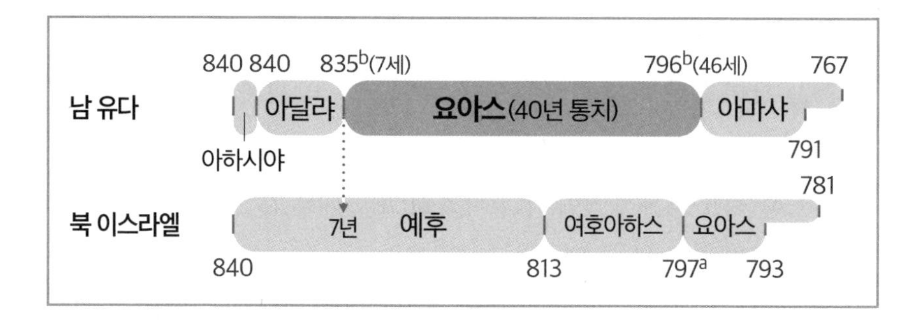

배경
- 부: 아하시야(왕하 11:2, 대하 22:11)
- 모: 시비아(브엘세바 사람 - 왕하 12:1, 대하 24:1)

통치 기간
- 7세에 즉위하여 40년 통치하였다(주전 835b-796b년, 왕하 12:1, 대하 24:1).
- 요아스가 남 유다의 왕이 된 때는 북 이스라엘 '예후 제7년'이었다(왕하 12:1).

평가 - 선했다가 극악해진 왕(왕하 12:2, 대하 24:2, 17-18)
요아스는 제사장 여호야다의 교훈을 받을 동안에 여호와 보시기에 정직히 행하였으나(왕하 12:2, 대하 24:2), 여호야다가 죽은 후에 유다 방백들의 말을 듣고 그 열조의 하나님 여호와의 전을 버리고 아세라 목상과 우상을 섬겨 이 죄로 인한 진노를 유다와 예루살렘에 임하게 하였다

(대하 24:17-18).

사료(史料)

- 유다 왕 역대지략(왕하 12:19)
- 열왕기 주석(註釋)(대하 24:27)
  - ·요아스 아들들의 사적(事蹟)
  - ·요아스가 중대한 경책(警責)을 받은 것
  - ·하나님의 전 중수(重修)한 사적

제사장 여호야다가 아달랴를 죽이고 요아스를 남 유다의 여덟 번째 왕으로 세웠습니다. 여호야다는 아버지 된 심정으로 요아스에게 두 아내를 선택하여 장가들게 하였고 요아스는 자녀를 낳았습니다(대하 24:3). 요아스는 히브리어로 '요아쉬'(יוֹאָשׁ)이며 이것은 '예호아쉬'(יְהוֹאָשׁ)의 다른 형태로, '여호와께서는 강하시다'라는 뜻입니다.

1. 요아스는 여호와의 전을 중수(重修)하였습니다.

Joash restored the house of the Lord.

예루살렘 성전은 솔로몬왕 때 건축된 이후에 오랜 세월이 지나면서 낡아졌으며, 아달랴의 학정 기간을 거치면서 많이 파괴되었습니다. 심지어 하나님께 바쳐져야 할 성물이 바알에게 바쳐지기까지 하였습니다(대하 24:7).

이에 요아스는 성전의 퇴락한 것을 수리하도록 제사장들에게 명령하였습니다. 그러나 요아스왕 이십삼 년에 이르도록 제사장들은 성전 중수를 하지 않았습니다(왕하 12:5-6). 그 이유는 제사장들이, 백성이 바친 물질을 성전 중수보다 다른 용도로 먼저 사용하였기 때문입니다. 이에 요아스왕은, 제사장들이 백성에게 은을 받는 것과 성전 중수하는 것을 금지하였습니다(왕하 12:7-8).

그리고 요아스는 한 궤를 여호와의 전 문 밖에 두고(왕하 12:9, 대하 24:8) 백성이 성전에 가져오는 물질을 거기에 모아서 그 물질은 오직 성전 중수에만 사용되게 조치했습니다. 이어, 제사장 대신 성전 중수를 담당할 전문적인 사람들을 세워서 석수나 미장이, 목수, 철공장, 놋공장 등 성전을 수리하는 일꾼들에게 직접 돈을 주고 수리에 필요한 물건을 사도록 하였습니다(왕하 12:9-15, 대하 24:8-12).

그 결과 성전을 수리하는 역사가 점점 진취(進就)되고 하나님의 성전은 이전 모양대로 견고하게 중수되었으며(대하 24:13), 성전 필역(畢役) 후에 남은 돈은 성전의 여러 그릇들을 만드는 데 사용되었습니다. 그 후 요아스왕 곁에 여호야다가 살아 있는 동안에는 성전에서 항상 번제가 끊어지지 않았습니다(대하 24:14). 아달랴의 학정 시대를 거치는 동안 무참하게 더럽혀진 성전이 마침내 아름답게 수리되었을 때 하나님께서는 크게 기뻐하셨을 것입니다.

2. 요아스는 은혜를 저버리고 우상을 섬겼습니다.
Joash forsook God's grace and worshipped idols.

대제사장 여호야다는 130세에 나이 많아 늙어 죽었으며, 왕이 아닌데도 다윗성 열왕의 묘실 중에 장사되는 영광을 누렸습니다(대하 24:15-16). 그런데 그가 죽은 후에 유다 방백들이 와서 왕에게 우상숭배를 하도록 유혹하였고, 왕은 이들의 말을 듣고 아세라 목상과 우상을 숭배하였습니다(대하 24:17-18). 요아스를 우상숭배의 길로 인도한 유다 방백들은 대제사장 여호야다가 살아 있을 때는 가만히 있다가, 여호야다가 죽자 요아스왕을 유혹하여 우상을 숭배하게 하였습니다. 이들은 요아스 이전에 아달랴가 통치할 때 우상숭배에 앞장섰던 자들로서, 여호야다가 죽자 기다렸다는 듯이 자신들의 불신앙을 다시 드러낸 것입니다.

하나님께서는 요아스의 죄를 깨닫게 하기 위하여 먼저 선지자를 보내 경계하셨지만, 요아스는 선지자의 말을 듣지 않았습니다(대하 24:19). 이어서 여호야다의 아들 스가랴가 백성 앞에서 "너희가 어찌하여 여호와의 명령을 거역하여 스스로 형통치 못하게 하느냐 하셨나니 너희가 여호와를 버린 고로 여호와께서도 너희를 버리셨느니라"(대하 24:20)라고 책망하였습니다. 그러나 백성은 요아스의 명령을 좇아 스가랴를 여호와의 뜰 안에서 돌로 쳐 죽였습니다. 스가랴는 처참하게 피 흘리며 죽는 순간에도 "여호와는 감찰하시고 신원하여 주옵소서"(대하 24:22)라고 기도하였습니다.

요아스는 회개하기는커녕 자신을 아끼고 사랑해 주었던 은인의 아들을 죽였으니, 실로 은혜를 배반한 악인이었습니다. 여호야다는(왕하 11:1-21, 12:2) 아내 여호사브앗과 함께 목숨을 걸고 그를 죽음의 위경에서 건져 보호하고, 마침내 왕으로 세워 하나님 앞에 정직하게 살도록 인도해 주었는데도 여호야다가 죽자 방백들의 말을 듣고 우상을 숭배하고 그 아들 스가랴를 돌로 쳐서 죽였던 것입니다.

3. 요아스는 아람 왕 하사엘의 예루살렘 공격을 막대한 돈으로 막았습니다.

Joash fended off the attack of Hazael king of Aram upon Jerusalem with great amounts of money.

당시 큰 세력을 떨치며 패권을 장악한 나라는 아람(시리아)이었습니다. 북 이스라엘 왕 예후 통치 말년(주전 813년)에 요단 동편 모든 땅을 아람에게 빼앗겼습니다(왕하 10:32-33). 또한 그의 아들 여

약 주전 796년, 유다 왕 요아스 통치 말년, 아람 왕 하사엘의 침공 (왕하 12:17–21, 대하 24:23–26)

Circa 796 BC - The invasion of Hazael king of Aram in the latter years of the reign of Joash king of Judah (2 Kgs 12:17-21, 2 Chr 24:23-26)

대제사장 여호야다가 죽은 후, 요아스가 그의 은혜를 저버리고 여호야다의 아들 스가랴 선지자를 무리와 함께 꾀하여 성전 뜰 안에서 돌로 쳐죽였다(대하 24:17, 20–22). 일주년 후에, 하나님께서 아람 사람을 통해 전쟁을 일으키셨는데, 아람 군대가 적은 무리로 쳐들어 왔으나, 여호와께서 심히 큰 이스라엘 군대를 그 손에 붙여 요아스를 징벌하셨다(대하 24:23–25).

After the death of high priest Jehoiada, Joash forgot the favor bestowed on him and stoned to death Jehoiada's son Zechariah, a prophet, in the court of the house of the Lord (2 Chr 24:17, 20-22). At the turn of the year, God moved the Arameans to start a war. The army of the Arameans came with a small number of men, but the Lord delivered the great army into their hands; and thus God executed judgment against Joash (2 Chr 24:23-25).

1 아람 왕 하사엘이 블레셋에 있는 **가드**를 쳐서 취하고 **예루살렘**을 향하여 올라오려고 하였다(왕하 12:17).

Hazael king of Aram fought against Gath of Philistia and captured it, then he set his face to go up to Jerusalem (2 Kgs 12:17).

2 하사엘이 **예루살렘**으로 올라오려고 하자, 요아스는 하나님의 성전에 구별하여 드린 모든 성물과 성전 곳간과 여호와의 전 곳간과 왕궁에 있는 금을 다 취하여 내어 주었고, 하사엘은 예루살렘에서 떠나갔다(왕하 12:18).

As Hazael was set to come up to Jerusalem, Joash took all the sacred things that had been dedicated for the temple and all the gold that was in the treasuries of the house of the Lord and the king's house and gave them to Hazael (2 Kgs 12:18).

3 아람 군대가 요아스를 치려 하여 올라와서 백성 중에서 방백(우상 숭배를 부추긴 자들 대하 24:17)을 멸절하고, 노략한 물건을 다메섹 왕에게로 보내었다(대하 24:23).

The Aramean army came up against Joash and destroyed all the officials (the ones who had instigated the idolatry, 2 Chr 24:17); then, they sent all their spoil to the king of Damascus (2 Chr 24:23).

4 이 전쟁에서 요아스가 크게 상하였으며, 적군이 그를 버리고 간 후에 그 신복들이 여호야다의 아들들의 피로 인하여 모반하여, 실라로 내려가는 길 가의 밀로궁 침상에서 그를 쳐죽였다(왕하 12:20–21, 대하 24:25–26).

Joash was severely wounded in the battle. When the enemies had departed from him, his servants arose in conspiracy because of the blood of the sons of Jehoiada and struck Joash down at the house of Millo which is on the way that goes down to Silla (2 Kgs 12:20-21, 2 Chr 24:25-26).

하사엘의 침공 / 하사엘의 후퇴 / 아람 군대의 침공 / 국경선 / 전투 장소호아하스 시대(주전 813년-797년, 17년 통치)에, 왕이 불신앙과 우상숭배에 깊이 빠져 죄를 떠나지 않자, 하나님께서 아람을 통해 그 백성을 진멸하여 "타작마당의 티끌"같이 되게 하셨습니다(왕하 13:7上). 이렇게 강대한 아람 나라에 의해 제압을 당한 후 이스라엘의 군사력은 고작 마병 50과 병거 10승과 보병 1만 밖에는 남지 않았습니다(왕하 13:7下).

북 이스라엘을 점령하고 기세등등한 아람은 그 무렵 블레셋 성읍 가드도 점령했습니다(왕하 12:17上).

또한 아람 왕 하사엘은 그 위세를 떨치며 요아스 통치 말년(주전 796년), 유다 예루살렘으로 가려 했습니다(왕하 12:17下). 이때 요아스는 "그 열조 유다 왕 여호사밧과 여호람과 아하시야가 구별하여 드린 모든 성물과 자기가 구별하여 드린 성물과 여호와의 전 곳간과 왕궁에 있는 금을 다 취하여" 아람 왕 하사엘에게 보내었고, 하사엘이 예루살렘을 공격하지 못하도록 겨우 막을 수 있었습니다(왕하 12:18).

요아스는 하나님을 의지하지 않고 아람 왕 하사엘을 두려워한 나머지 인간적 방법으로 성전과 왕실에서 막대한 돈을 퍼 주었습니다. 그러나 상황은 더욱 악화되어 아람 군대가 더 큰 물질을 노리며 유다와 예루살렘을 공격하기에 이르렀습니다(대하 24:23). 요아스 말년, 하나님께서 아람 왕 하사엘을 보내심으로 그에게 회개할 기회를 주시려 했지만, 그는 과거에 받은 은혜를 기억하지 않고, 하나님께 묻지도 않았으며, 오히려 하나님의 성물을 제멋대로 꺼내어 악용하였습니다.

4. 아람 군대가 예루살렘에 이르러 모든 방백을 멸하고, 요아스는 전투 중에 크게 상하였습니다.

The Aramean army came to Jerusalem and destroyed all the officials; Joash was severely wounded in the battle.

아람 왕 하사엘은 요아스로부터 엄청난 재물을 취해 갔음에도 거기서 만족하지 않아, 또다시 아람 군대가 요아스를 치기 위해 유다와 예루살렘에 이르렀습니다(대하 24:23上). 처음에는 아람 왕 하사엘이 직접 전투에 왔었으나, 이번에는 왕은 다메섹에 남아 있고 아람 군대가 왔습니다. 그들은 예루살렘에 이르러 백성 중에서 그 모든 방백을 멸절하고, 물건을 노략하여 다메섹 왕에게 보내었습니다(대하 24:23下). 그리고 아람 군대와 요아스의 전투가 치열하여 요아스왕은 크게 부상을 입었습니다(대하 24:25).

아람의 침공은 우연히 일어난 것이 아니고, 무죄한 스가랴의 피를 흘리게 한 요아스의 죄악을 심판하기 위한 하나님의 징계였습니다. 역대하 24:23에서 "일 주년 후에 아람 군대가 요아스를 치려 하여 올라와서 유다와 예루살렘에 이르러 백성 중에서 그 모든 방백을 멸절하고 노략한 물건을 다메섹 왕에게로 보내니라"라고 말씀하고 있습니다.

여기 '일 주년 후에'는 히브리어 '리트쿠파트 하샤나'(לִתְקוּפַת הַשָּׁנָה)로, '그해의 마지막에, 그해가 지나기 전에'라는 뜻입니다. 그러므로 여호야다의 아들 스가랴가 죽은 해가 바뀌기 전(주전 796년)에, 하나님께서 아람 군대를 동원하여 남 유다를 치게 하신 것입니다. 이때 하나님께서 멸절하신 '그 모든 방백'은 바로 요아스로 하여금 우상숭배를 하도록 유혹한 방백들입니다(대하 24:17-18).

아람 군대는 수적으로 남 유다보다 훨씬 적었지만, '강하신 하나님'께서 들어 쓰셨으므로 남 유다의 심히 큰 군대를 이길 수 있었습니다. 역대하 24:24에서는 "아람 군대가 적은 무리로 왔으나 여호와께서 심히 큰 군대를 그 손에 붙이셨으니 이는 유다 사람이 그 열조의 하나님 여호와를 버렸음이라 이와 같이 아람 사람이 요아스를 징벌하였더라"라고 말씀하고 있습니다. 여기 '징벌'은 히브리어 '쉐페트'(שֶׁפֶט)로, '심판하다, 재판하다'라는 뜻입니다. 하나님께서는 요아스가 은혜를 모르고 배반하자 아람 군대를 통하여 심판하셨던 것입니다.

5. 요아스는 신복들에게 모반을 당하여 비참하게 죽었습니다.

Joash died miserably through the conspiracy of his servants.

요아스가 큰 부상을 입고 침상에 누워 있는 동안, 곧이어 그의 신복들이 모반하여 요아스를 쳐서 죽이고 말았습니다(왕하 12:17-20, 대하 24:25). 모반자는 암몬 여인 시므앗의 아들 사밧(요사갈)과 모압 여인 시므릿(소멜)의 아들 여호사밧이었습니다(왕하 12:21, 대하 24:26).

요아스가 모반을 당하여 처참하게 죽은 것을 볼 때, 그는 심은 대로 거둔 것입니다. 요아스가 죽임을 당했을 때 사용된 "쳐죽인지라"(대하 24:25)의 '쳐'는 히브리어 '하라그'(הָרַג)로, 이것은 사람을 잔인하게 때려죽일 때 사용되는 단어입니다. 놀라운 사실은 요아스가 스가랴를 죽였을 때에도 이 '하라그'라는 단어가 사용되었다는 것입니다(대하 24:21). 요아스가 은혜를 배반하고 하나님께 도전하여 스가랴를 돌로 쳐 죽였듯이, 요아스 자신도 그의 신복들에게 똑같은 방법으로 쳐죽임을 당한 것입니다.

사람이 무엇으로 심든지 그대로 거두게 되는 것입니다(갈 6:7). 요아스는 열왕의 묘실에 장사되지 못하고 겨우 다윗성에 장사되었습니다(대하 24:25). 반면에, 제사장 여호야다는 열왕의 묘실에 장사되었습니다(대하 24:16上). 그것은 여호야다가 이스라엘과 하나님과 성전에 대하여 선을 행하였기 때문입니다(대하 24:16下).

다윗 왕가의 씨가 아달랴에 의해 진멸당하고 오직 하나의 씨로 남았던 요아스는 그의 이름대로 하나님께서 강하게 역사하실 수 있는 믿음의 발판이요, 하나님의 뜻을 강력하게 이루실 무대가 되어야 했습니다. 그러나 요아스는 대제사장 여호야다가 죽은 후 유다 방백들(아달랴 통치 때 우상숭배에 앞장섰던 자들)의 유혹에 빠지는 순간, 하나님의 은혜를 저버리고 강하신 하나님께 도전하는 어리석은 왕이 되고 말았습니다. 오늘날 우리도 항상 하나님의 은혜를 기억하여 감사하고, 더 나아가 그 은혜를 어찌하든지 보답하려는 산 믿음의 행함이 있어야 할 것입니다(시 116:12, 약 2:22). 그리하면 그 행한 일에 반드시 복을 받게 될 것입니다(약 1:25).

4. 아마샤

Amaziah / Αμεσσιας / אֲמַצְיָה
여호와께서는 강하시다, 여호와께는 힘이 있다
the Lord is mighty, the Lord has strength

- 남 유다 제9대 왕(왕하 14:1-22, 대하 25:1-28)
- 요람의 증손자, 아하시야의 손자, 요아스의 아들로 남 유다를 29년간 통치한 왕이었으나, 마태복음의 예수 그리스도의 족보에서 제외되었다.

마태복음 1:8 "... 여호사밧은 요람을 낳고 요람은 웃시야를 낳고"

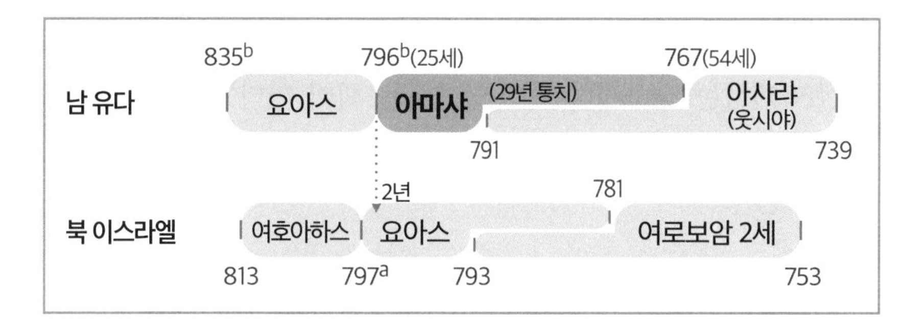

배경
- 부: 요아스(왕하 14:1, 대하 24:27)
- 모: 여호앗단(예루살렘 사람 - 왕하 14:2, 대하 25:1)

통치 기간
- 25세에 즉위하여 29년 통치하였다(주전 796b-767년, 왕하 14:1-2, 대하 25:1).
- 아마샤가 남 유다의 왕이 된 때는 북 이스라엘 '요아스 제2년'이었다(왕하 14:1).

평가 - 선했다가 극악해진 왕(왕하 14:3-4, 대하 25:2, 14-16, 27)
아마샤는 처음에 여호와 보시기에 정직히 행하였으나 그 조상 다윗과 같이 온전한 마음으로 행치 아니하였으며(왕하 14:3-4, 대하 25:2), 나중에는 여호와를 버렸다(대하 25:27上). 아마샤가 여호와를 버리고 세일 자손의 우상들을 가져다가 숭배를 하며 선지자를 멸시하였다(대하 25:14-16).

사료(史料)
- 유다 왕 역대지략(왕하 14:18)
- 유다와 이스라엘 열왕기(대하 25:26)

아마샤는 요아스의 뒤를 이어 남 유다의 아홉 번째 왕이 되었습니다. 아마샤는 히브리어 '아마츠야'(אֲמַצְיָה)로, '아마츠'(אָמַץ)와 '야'(יָהּ)가 합성된 것입니다. '아마츠'(אָמַץ)는 '강하다, 용기 있다, 용감하다'라는 뜻이고, '야'(יָהּ)는 '여호와'의 단축형으로, 아마샤는 '여호와께서는 강하시다, 여호와께서는 힘이 있다'라는 뜻입니다. 아마샤는 그의 부친 요아스와 히브리어로 의미상 같은 뜻을 가지고 있습니다.

1. 아마샤는 처음에는 하나님의 말씀대로 살았습니다.
At first, Amaziah lived according to God's Word.

아마샤는 왕이 된 후 왕권을 확실하게 장악하고 부왕 요아스를 죽인 신복들을 죽였습니다(왕하 14:5, 대하 25:3). 그러나 그는 신복들만 죽이고 그의 자녀들은 죽이지 않았습니다(왕하 14:6, 대하 25:4). 이것은 모세의 율법에 "자녀로 인하여 아비를 죽이지 말 것이요 아비로 인하여 자녀를 죽이지 말 것이라 오직 각 사람은 자기의 죄로 인하여 죽을 것이니라"라고 기록하고 있기 때문입니다(신 24:16, 겔 18:4, 20).

아마샤는 부왕을 죽이고 모반한 사람들의 전체 가족을 진멸하고 싶었을 것입니다. 그러나 그는 하나님의 말씀대로 살려고 노력하였으며, 아마샤의 이런 모습은 여호와 보시기에 정직히 행한 것이었습니다(왕하 14:3, 대하 25:2).

2. 아마샤는 돈과 군사력을 의지했습니다.
Amaziah relied on money and military power.

아마샤는 부친 요아스 통치 말년에 아람 군대에 의해 무참하게 무너진 군사력을 다시 강화하고 조직화하기 위해 여러 족속을 따라 많은 천부장들과 백부장들을 세웠습니다(대하 25:5上). 이때 아마샤가 20세 이상으로 창과 방패를 잡고 능히 전쟁에 나갈 만한 자를 계수하였더니 30만 명이었습니다(대하 25:5下). 이는 아사의 군사 58만(대하 14:8), 여호사밧의 군사 116만(대하 17:14-19)과 비교해 볼 때, 매우 약한 군사력입니다. 이는 부친 요아스 말년에 아람 왕 하사엘과 그 군대의 침공을 받았을 때 수많은 군사들이 희생되었기 때문입니다. 당시 요아스는 '적은 무리'의 아람 군사를 '심히 큰 군대'로 맞섰는데도 패배하였고, 요아스왕도 전투 중에 크게 부상을 당했습니다(대하 24:24-25). 이처럼 미약해진 군사력을 보강하기 위해 아마샤는 은 100달란트를 주고 북 이스라엘로부터 용병 10만을 고용하였습니다(대하 25:6).

그러나 아무리 돈이 많고, 군사력이 강할지라도 하나님 앞에는 추풍낙엽과 같은 것입니다. 이 세상에서 가장 강하신 분은 하나님이십니다. 아마샤는 강하신 하나님을 의지하기보다는 세상의 돈과 군사력을 의지했습니다. 그것은 아마샤가 은 1백 달란트로 북 이스라엘에서 군사 10만 명을 빌어 온 것에서 확인됩니다(대하 25:5-6). 은 1달란트가 34kg이므로 은 1백 달란트는 3.4톤이며, 당시 성전과 왕궁에 돈이 바닥이 나 버린 유다 입장에서 볼 때는 엄청난 액수였습니다.[34] 부친 요아스 말년에, 아람 왕 하사엘의 공격을 받아 성전에 구별하여 드린 모든 성물과 성전 곳간과 왕궁에 있는 금을 다 취하여 보내었기 때문입니다(왕하 12:17-18).

이때 어떤 하나님의 사람이 아마샤에게 와서 북 이스라엘 군대를 그냥 돌려보내라고 하면서, "왕이 만일 가시거든 힘써 싸우소서 하나님이 왕을 대적 앞에 엎드러지게 하시리이다 하나님은 능히 돕기도 하시고 능히 패하게도 하시나이다"라고 경고하였습니다(대하 25:7-8). 아마샤가 이미 지불한 돈이 아까워서 "내가 일백 달란트를 이스라엘 군대에게 주었으니 어찌할꼬..."라고 걱정하자, 하나님의 사람은 "여호와께서 능히 이보다 많은 것으로 왕에게 주실 수 있나이다"라고 확신을 주었습니다(대하 25:9). 아마샤는 이 말씀에 순종하여 에브라임에서 자기에게 나왔던 군대를 구별하여 본곳으로 돌아가게 했습니다(대하 25:10).

이 후 아마샤는 담력을 내어 유다 군사로만 구성된 병력을 이끌고 염곡(소금 골짜기)에 가서 세일 자손 1만을 죽였습니다(대하 25:11). 또한 유다 군대는 1만을 사로잡아 가지고 바위 꼭대기에 올라가서 거기서 밀쳐 내려뜨려서 그 몸이 부숴지게 하였습니다(대하 25:12).

엄청난 물질적 손실을 감수하더라도 하나님의 말씀에 순종할 때, 놀라운 승리의 축복이 있습니다. 아마샤는 처음에 북 이스라엘 군대를 빌어 올 때 하나님께 묻지 않았습니다. 그가 세상의 군사력과 돈을 의지하지 않고 처음부터 하나님을 의지하였다면 어떤 손해도 없었을 것입니다.

3. 아마샤는 우상을 숭배하고 선지자를 핍박했습니다.

Amaziah worshipped idols and persecuted God's prophet.

아마샤는 자신이 100달란트를 주고 고용했던 이스라엘 큰 용사 10만을 하나님 사람의 말씀에 따라 사마리아로 돌려보내었습니다(대하 25:8-10). 이때 이스라엘 큰 용사 10만은 "유다 사람을 심히 노하여 분연히 본곳으로" 돌아갔습니다(대하 25:10下). '저희 무리가... 심히 노하여 분연히'는 히브리어로 '바이하르 압팜 메오드 바호리 아프'(וַיִּחַר אַפָּם מְאֹד... בָּחֳרִי־אָף)입니다. 이는 '콧구멍에 불이 붙다'라는 뜻의 관용구인 '하라 아프'(חָרָה אַף)가 두 번 반복된 표현이며, '대단히, 열렬하게'라는 뜻의 '메오드'(מְאֹד)가 함께 쓰여서, 그들의 분노가 참을 수 없을 정도로 매우 극에 달했음을 보여 줍니다. 그들이 격렬하게 분노한 이유는, 유다 군과 차별 당하는 무시를 당한 데다 전쟁에 나가 전리품을 취할 기회까지 박탈당하였기 때문입니다. 10만 명이 받은 100달란트는 유다 입장에서는 대단히 큰 돈이었지만, 10만 명 각 사람이 나누어 가지면 실제로 3세겔씩(1달란트는 3,000세겔) 돌아갈 뿐입니다. 노예 한 사람의 몸값이 30세겔(출 21:32)인 것에 비하면, 목숨을 걸고 출전한 큰 용사들에게 3세겔은 매우 적은 듯합니다. 그럼에도 불구하고 그들이 출전한 것은 아마도 전쟁에서 얻을 전리품에 큰 기대를 걸었기 때문입니다.

이스라엘 10만 군사는 분이 가득하여 사마리아로 돌아갔다가 다시 '사마리아에서부터' 나왔습니다(대하 25:13上). 그들은 벧호론까지 유다 성읍을 엄습(掩襲: 불시에 습격함)하여 사람 삼천을 죽이고 물건을 많이 노략하여 갔습니다(대하 25:13下). 벧호론(Beth-horon)은 국경선에 있는 성읍이었는데, 그 당시에는 이스라엘이 아닌 유다에 속했던 것으로 추정됩니다.[35] 이들은 아마샤가 에돔에서 전쟁을 하고 돌아올 때 즈음, 방비가 허술해진 틈을 타 기습 공격을 했던 것입니다.

한편, 하나님의 말씀에 순종하여 유다 군만 이끌고 나갔던 아마샤는 하나님의 절대적인 도우심으로 에돔을 치고 대승을 거두었습니다(대하 25:11-12). 그런데 그가 돌아올 때에 세일 자손의 우상을 가져다가 자기의 신으로 세우고 그 앞에 경배하며 분향하는 엄청난

주전 791년, 유다 왕 아마샤와 이스라엘 왕 요아스의 전쟁 (왕하 14:7-17, 대하 25:5-25)

791 BC - The war between Amaziah of Judah and Jehoash of Israel (2 Kgs 14:7-17, 2 Chr 25:5-25)

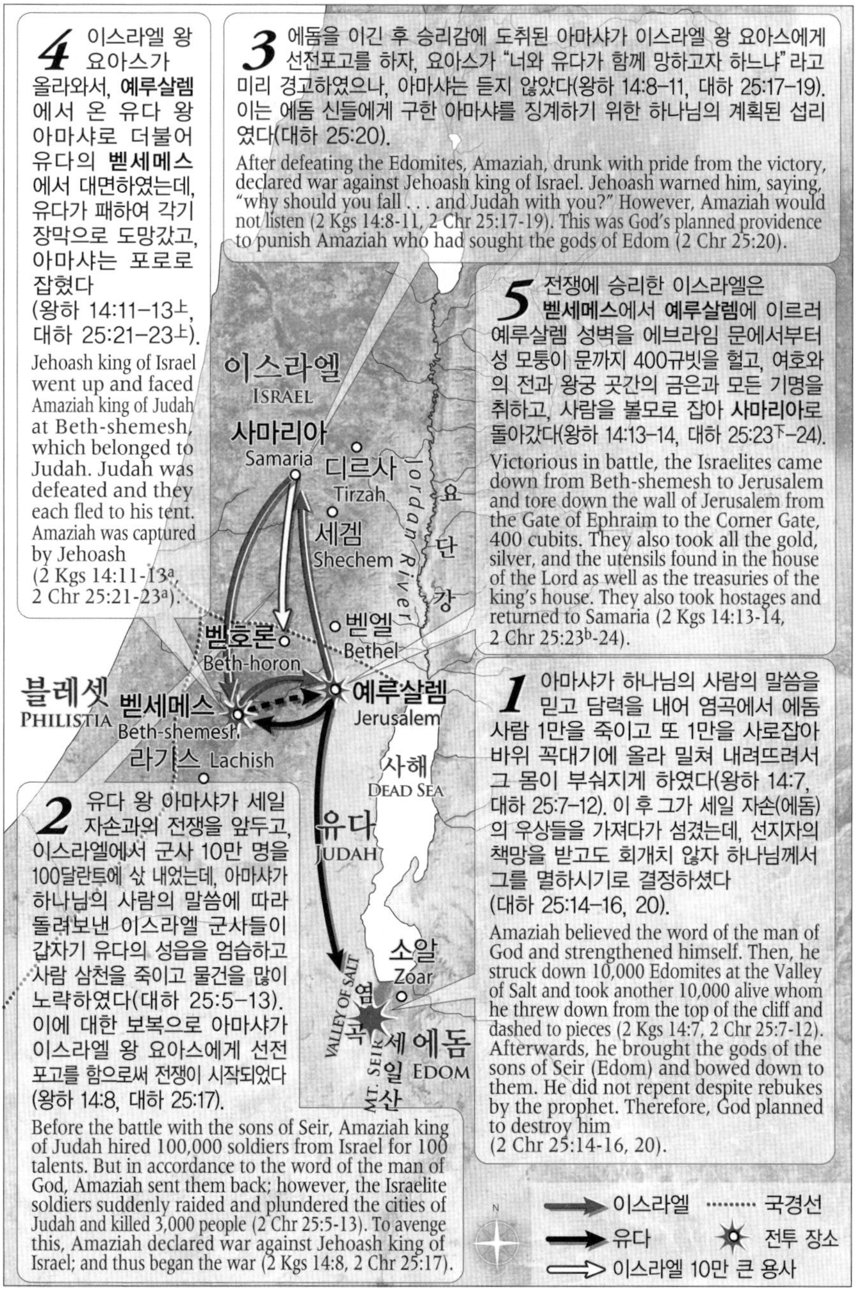

4 이스라엘 왕 요아스가 올라와서, **예루살렘**에서 온 유다 왕 아마샤로 더불어 유다의 **벧세메스**에서 대면하였는데, 유다가 패하여 각기 장막으로 도망갔고, 아마샤는 포로로 잡혔다 (왕하 14:11-13上, 대하 25:21-23上).

Jehoash king of Israel went up and faced Amaziah king of Judah at Beth-shemesh, which belonged to Judah. Judah was defeated and they each fled to his tent. Amaziah was captured by Jehoash (2 Kgs 14:11-13a, 2 Chr 25:21-23a).

3 에돔을 이긴 후 승리감에 도취된 아마샤가 이스라엘 왕 요아스에게 선전포고를 하자, 요아스가 "너와 유다가 함께 망하고자 하느냐"라고 미리 경고하였으나, 아마샤는 듣지 않았다(왕하 14:8-11, 대하 25:17-19). 이는 에돔 신들에게 구한 아마샤를 징계하기 위한 하나님의 계획된 섭리였다(대하 25:20).

After defeating the Edomites, Amaziah, drunk with pride from the victory, declared war against Jehoash king of Israel. Jehoash warned him, saying, "why should you fall . . . and Judah with you?" However, Amaziah would not listen (2 Kgs 14:8-11, 2 Chr 25:17-19). This was God's planned providence to punish Amaziah who had sought the gods of Edom (2 Chr 25:20).

5 전쟁에 승리한 이스라엘은 **벧세메스**에서 **예루살렘**에 이르러 예루살렘 성벽을 에브라임 문에서부터 성 모퉁이 문까지 400규빗을 헐고, 여호와의 전과 왕궁 곳간의 금은과 모든 기명을 취하고, 사람을 볼모로 잡아 **사마리아**로 돌아갔다(왕하 14:13-14, 대하 25:23下-24).

Victorious in battle, the Israelites came down from Beth-shemesh to Jerusalem and tore down the wall of Jerusalem from the Gate of Ephraim to the Corner Gate, 400 cubits. They also took all the gold, silver, and the utensils found in the house of the Lord as well as the treasuries of the king's house. They also took hostages and returned to Samaria (2 Kgs 14:13-14, 2 Chr 25:23b-24).

1 아마샤가 하나님의 사람의 말씀을 믿고 담력을 내어 염곡에서 에돔 사람 1만을 죽이고 또 1만을 사로잡아 바위 꼭대기에 올라 밀쳐 내려뜨려서 그 몸이 부숴지게 하였다(왕하 14:7, 대하 25:7-12). 이 후 그가 세일 자손(에돔)의 우상들을 가져다가 섬겼는데, 선지자의 책망을 받고도 회개치 않자 하나님께서 그를 멸하시기로 결정하셨다 (대하 25:14-16, 20).

Amaziah believed the word of the man of God and strengthened himself. Then, he struck down 10,000 Edomites at the Valley of Salt and took another 10,000 alive whom he threw down from the top of the cliff and dashed to pieces (2 Kgs 14:7, 2 Chr 25:7-12). Afterwards, he brought the gods of the sons of Seir (Edom) and bowed down to them. He did not repent despite rebukes by the prophet. Therefore, God planned to destroy him (2 Chr 25:14-16, 20).

2 유다 왕 아마샤가 세일 자손과의 전쟁을 앞두고, 이스라엘에서 군사 10만 명을 100달란트에 삯 내었는데, 아마샤가 하나님의 사람의 말씀에 따라 돌려보낸 이스라엘 군사들이 갑자기 유다의 성읍을 엄습하고 사람 삼천을 죽이고 물건을 많이 노략하였다(대하 25:5-13). 이에 대한 보복으로 아마샤가 이스라엘 왕 요아스에게 선전포고를 함으로써 전쟁이 시작되었다 (왕하 14:8, 대하 25:17).

Before the battle with the sons of Seir, Amaziah king of Judah hired 100,000 soldiers from Israel for 100 talents. But in accordance to the word of the man of God, Amaziah sent them back; however, the Israelite soldiers suddenly raided and plundered the cities of Judah and killed 3,000 people (2 Chr 25:5-13). To avenge this, Amaziah declared war against Jehoash king of Israel; and thus began the war (2 Kgs 14:8, 2 Chr 25:17).

죄를 저질렀습니다(대하 25:14). 이에 하나님께서 진노하시고 한 선지자를 보내셔서, "저 백성의 신들이 자기 백성을 왕의 손에서 능히 구원하지 못하였거늘 왕은 어찌하여 그 신들에게 구하나이까"라고 책망하셨습니다(대하 25:15). 그러나 아마샤는 이 책망을 듣고 회개하기는커녕 오히려 "우리가 너로 왕의 모사를 삼았느냐 그치라 어찌하여 맞으려 하느냐"라고 하였습니다(대하 25:16上). 선지자는 말을 그치면서 마지막으로 "왕이 이 일을 행하고 나의 경고를 듣지 아니하니 하나님이 왕을 멸하시기로 결정하신 줄 아노라"라고 담대히 선포하였습니다(대하 25:16下). 아마샤는 전쟁에 나가기 전에는 선지자가 전하는 말씀을 달게 듣고 하나님을 의지했지만, 승리한 후에는 교만하여 선지자를 무시하고 하나님의 말씀을 들으려 하지 않았습니다.

아마샤가 이스라엘 10만 군사를 돌려보낼 때 하나님의 사람의 말씀에 순종한 것이므로, 만일 아마샤가 초지일관 하나님의 말씀을 의지하고 우상숭배를 하지 않았다면 그들이 공격하지 않도록 분명히 막아 주셨을 것입니다. 그러나 아마샤가 승리한 후 교만하여 하나님의 은혜를 저버리고 에돔 우상을 가져와 섬기는 순간, 하나님께서 사마리아로 돌아간 그들을 사마리아에서 다시 나오게 하여 유다 성읍들을 엄습하여 국가적으로 엄청난 참상을 당하게 하신 것입니다.

4. 주전 791년, 아마샤는 자긍하여 북 이스라엘의 요아스와 전쟁을 하다가 포로로 끌려갔습니다.

791 BC - In his arrogance, Amaziah fought against King Joash of Israel, the northern kingdom, and was taken captive.

교만한 아마샤의 귀에는 이제 하나님의 뜻을 전하는 선지자의 말보다 자기를 추종하는 신하들의 충고가 더 심각하고 진지하게 들렸습니다. 역대하 25:15-16에서 선지자의 충고를 거부한 후, 17절 상반절에서 "유다 왕 아마샤가 상의하고"라고 기록하고 있습니다. '상의하다'의 원형 '야아츠'(יָעַץ)는 '충고하다, 조언하다'라는 뜻인데, 여기서는 니팔(수동)형으로 쓰여 '충고를 받다, 진지하게 숙고하다'라는 의미입니다. 아마샤는 신하들의 충고를 받고 승리욕과 명예욕에 사로잡혀 격분하였고, 곧바로 이스라엘에게 당한 일을 보복하려고 요아스왕에게 선전포고를 했습니다(왕하 14:8, 대하 25:17下). 자기 동족을 죽이고 땅을 차지하기 위한 아마샤의 경거망동한 행동은 참으로 어리석은 짓이었습니다. 아마샤는 교만해진 순간 하나님께 등을 돌리고 하나님의 사람을 대적하고, 어리석은 신하들의 말을 믿다가 스스로 무서운 화를 자초하여, 개인적·국가적으로 크나큰 참상을 당했습니다.

이스라엘 왕 요아스는 아마샤에게 "레바논 가시나무가 레바논 백향목에게 보내어 이르기를 네 딸을 내 아들에게 주어 아내를 삼게 하라 하였더니 레바논 짐승이 지나가다가 그 가시나무를 짓밟았느니라 [10]네가 에돔을 쳐서 파하였으므로 마음이 교만하였으니 스스로 영광을 삼아 궁에나 거하라 어찌하여 화를 자취하여 너와 유다가 함께 망하고자 하느냐"(왕하 14:9-10, 대하 25:18-19)라고 경고하였습니다. 이스라엘 왕 자신은 고귀한 백향목이고 유다 왕 아마샤는 보잘것없는 가시나무라는 뜻입니다. 가시나무가 백향목에게 사돈을 맺자는 것이 자기 분수를 모르는 일인 것처럼, 전혀 상대할 가치가 없는 아마샤가 선전포고한 것은 자기 분수를 모르고 날뛰는 어리석은 행위라고 조롱한 것입니다. 그러나 아마샤는 그 마음이 강퍅하여 듣지 않았습니다(왕하 14:11上, 대하 25:20). 이스라엘 왕 요아스는 유다의 벧세메스에서 아마샤를 대면하였고, 마치 짐승이 지나가다가 가시나무를 밟듯이 아마샤를 인정사정없이 짓밟았습니다(왕하 14:11下-12, 대하 25:21-22).

선지자가 전한 하나님의 말씀을 듣고 회개하였으면 아마샤왕과 유다 땅에 사는 길이 열렸을 것이나, 자기가 의지하는 사람의 말을 듣고 나아간 결과, 예루살렘 성이 에브라임 문에서 성 모퉁이 문까지 400규빗(182.4m)이나 헐리고, 성전 안의 모든 금은과 기명과 왕궁 재물들을 탈취 당하고, 많은 사람이 볼모로 잡혀 사마리아로 가고, 아마샤 자신도 포로로 잡혀갔습니다(왕하 14:13-14, 대하 25:23-24).

실로 이 모든 과정은 아마샤를 대적의 손에 붙여 멸하기로 작정하신 하나님의 섭리였습니다. 역대하 25:20에서 "아마샤가 듣지 아니하였으니 이는 하나님께로 말미암은 것이라 저희가 에돔 신들에게 구하였으므로 그 대적의 손에 붙이려 하심이더라"라고 말씀하고 있습니다. 하나님의 분명한 뜻이 드러났는데도 교만하여 그것을 거역하면 스스로 자기 꾀에 빠져서 패망을 자초하게 됩니다(잠 1:31, 16:18).

아마샤는 이스라엘 왕 요아스가 죽은 후, 약 10년간의 긴 포로 생활을 마치고 돌아와 약 15년간 아들 웃시야와 함께 통치하였습니다(왕하 14:17, 대하 25:25). 그러므로 아마샤와 요아스의 전쟁은 대략 주전 791년에 일어났음을 알 수 있습니다.

5. 아마샤는 통치 말년에 부왕 요아스처럼 신하의 모반으로 죽임을 당하였습니다.

In the latter years of his reign, Amaziah died miserably through the conspiracy of his servants just as his father King Joash had died.

아마샤에 대한 반란자들의 모반 음모는 아마샤가 여호와를 버리고 우상을 숭배하기 시작한 때부터 진행된 것이었습니다(대하

25:27). 열왕기하 14:19-20에서 "예루살렘에서 무리가 저를 모반한 고로 저가 라기스로 도망하였더니 모반한 무리가 사람을 라기스로 따라 보내어 저를 거기서 죽이게 하고 [20]그 시체를 말에 실어다가 예루살렘에서 그 열조와 함께 다윗성에 장사하니라"라고 말씀하고 있습니다. 아마샤는 예루살렘에서 남서쪽으로 45㎞ 떨어진 라기스까지 도망갔다가 살해되고 말았습니다.

마태복음 1장의 예수 그리스도의 족보 제2기에서 요람과 웃시야 사이에 빠진 네 왕들(아하시야, 아달랴, 요아스, 아마샤)은 그 인생 말로가 하나같이 이처럼 비참했습니다. 아마샤는 아버지 요아스가 말년에 하나님의 은혜를 배반하므로 비참하게 죽는 것을 다 목격하였습니다. 그러나 안타까운 것은 아버지가 걸어갔던 길을 아들이 그대로 답습했다는 것입니다. 처음에는 하나님의 마음을 시원하게 해드릴 만큼 정직하게 행하였으나, 나중에는 은혜를 배반하고 전에는 생각지도 못했던 악을 서슴지 않고 행하였습니다. 아무리 과거에 하나님을 잘 믿고 선한 일에 열심을 내며 주의 일에 동참했을지라도 믿음의 변질이 온다면 하나님의 족보에서 지워질 수밖에 없습니다.

또한 요아스와 아마샤 부자(父子)는 둘 다 '여호와는 강하시다'라는 뜻의 이름을 가졌으면서도, 하나님께서 강하게 역사하실 수 있는 선한 믿음의 발판이 되어 드리지 못하고, 도리어 강하신 하나님께 도전하다가 신하들에게 모반 당하고 말았습니다. 강하신 하나님께 도전하는 인생은 반드시 하나님의 심판을 받아 비참한 종말을 맞게 되지만(사 3:1, 겔 29:7), 강하신 하나님께 전적으로 의지하면 전 생애를 하나님께서 반드시 책임져 주십니다(시 28:7, 37:5, 잠 16:20).

제 5 장

북 이스라엘 열왕들의 역사

The History of the Kings of Israel, the Northern Kingdom

1 여로보암
2 나답
3 바아사
4 엘라
5 시므리
6 오므리
7 아합
8 아하시야
9 요람(여호람)
10 예후
11 여호아하스
12 요아스
13 여로보암 2세
14 스가랴
15 살룸
16 므나헴
17 브가히야
18 베가
19 호세아

북 이스라엘 열왕들의 역사

THE HISTORY OF THE KINGS OF ISRAEL, THE NORTHERN KINGDOM

솔로몬왕의 사후에 다윗 왕국은 아히야 선지자의 예언대로(왕상 11:29-33) 남 유다와 북 이스라엘로 분열되었습니다. 이렇게 나라가 둘로 쪼개진 직접적인 원인은, 솔로몬이 이방 여인들을 통해 들어온 사신 우상을 섬기며 여호와의 눈앞에서 악을 행하여 그 앞에 온전치 못하였고(왕상 11:1-8), 하나님께서 그에게 두 번이나 나타나 경고하셨음에도 불구하고 끝까지 돌이키지 않았기 때문입니다(왕상 11:9-13).

남 유다는 하나님의 언약대로 다윗 왕조의 한 혈통으로 왕권이 지속되었습니다. 그러나 북 이스라엘은 처음부터 다윗 혈통이 아닌 자가 왕위에 올랐고, 아홉 왕조가 왕위 찬탈을 위해 피비린내 나는 보복과 살인의 역사를 반복하면서, 나라는 한시도 안정되지 못한 채 극심한 혼란에 빠졌습니다.

악한 왕에게 빌붙은 방백들은 밤낮으로 행음을 일삼고, 사리사욕을 채우는 데 눈이 멀어 있었습니다(호 4:12-14, 5:1-4). 저들은 앗수르의 침공 위협 속에서도 음란과 사치와 우상숭배의 깊은 영적 간음에 빠져 중심을 잃고 비틀거렸습니다(호 4:12, 5:4). 무지하고 무력한 백성은 도탄에 빠져 가난과 굶주림에 한숨짓고 허덕일 수밖에 없었습니다(암 2:6-8). 이에 하나님께서는 "저희가 왕들을 세웠으나 내게서 말미암지 아니하였고 저희가 방백들을 세웠으나 나의 모르는 바며 저희가 또 그 은, 금으로 자기를 위하여 우상을 만들었나니 파멸을 이루리라"(호 8:4)라고 탄식하시며 심판을 선고하셨습니다.

그러나 하나님께서는 북 이스라엘 초기에 그들을 외면치 않으시고 언약 아래 있는 선민으로 여기셔서, 초대 왕 여로보암에게 이르시기를, "내 종 다윗의 행함같이 내 율례와 명령을 지키면 내가 너와 함께 있어 내가 다윗을 위하여 세운 것같이 너를 위하여 견고한 집을 세우고 이스라엘을 네게 주리라"라고 약속하셨습니다(왕상 11:38). 하나님께서는 이 약속대로 끝까지 북 이스라엘을 품으시며 끊임없이 선지자를 보내어 사랑의 줄로 이끄셨습니다(호 11:1-4). 집을 나가서 다시 창부가 된 아내를 찾는 호세아 선지자의 심정, 그리고 더러워진 아내를 향해 집에 가자고 손을 내미는 그의 행동은, 이스라엘을 향하여 포기하지 않으시는 하나님의 절대적인 아가페 사랑을 보여 줍니다(호 3:1-3).

그러나 북 이스라엘 왕들은 그토록 손을 내미시는 사랑의 하나님을 대적하며 배신하였고, 그 언약을 망각하였습니다(왕하 17:15, 35-41, 18:12). 그리고 자신들의 왕권 강화를 위해 힘 없는 백성을 억압하고, 예루살렘에서 예배드리는 것을 단절하여 국가적 차원에서 하나님을 아주 떠나게 만들었습니다(왕상 12:28-33). 이처럼 하나님을 격노케 함이 극심했던 북 이스라엘은 마침내 주전 722년, 앗수르에게 나라를 송두리째 빼앗기고 역사 속으로 완전히 사라지고 말았습니다(왕하 17:1-18, 18:9-12).[36)]

1. 여로보암

Jeroboam / Ἰεροβοὰμ / יָרָבְעָם
백성의 수가 번성케 하소서,
백성의 수가 많아지게 하소서
the people prosper, the people increase

- 북 이스라엘 제1왕조 1대 왕, 전체적으로 제1대 왕(왕상 11:26-14:20, 대하 9:31-10:19, 13:1-20)

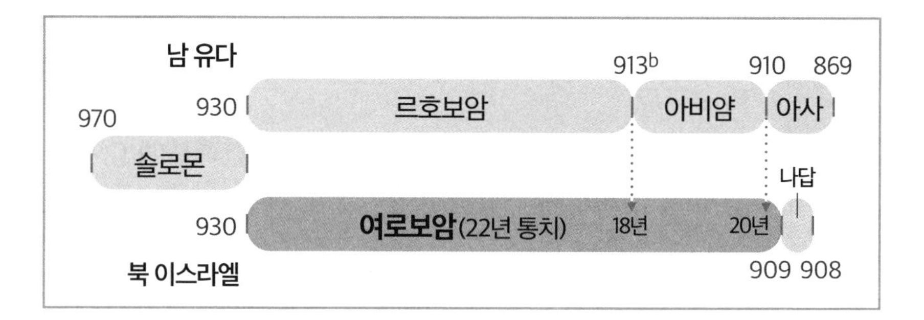

배경
- 부: 느밧(에브라임 지파 - 왕상 11:26)
- 모: 스루아(왕상 11:26)

통치 기간
- 22년 통치하였다(주전 930-909년, 왕상 14:20).
- 남 유다는 르호보암이 제1대 왕으로 즉위하였다(주전 930년, 왕상 11:43, 대하 9:31, 10:17).

평가 - 극악한 왕(왕상 15:30)
여로보암은 벧엘과 단에 금송아지를 세우고, 산당을 짓고, 보통 백성으로 제사장을 삼고, 7월 15일이었던 장막절(레 23:34)을 자기 마음대로 8월 15일로 바꾸었다(왕상 12:25-33). 그는 범죄하고 또 이스라엘로 죄를 범하게 하였으며, 또 하나님 여호와의 노를 격동시켰다(왕상 15:30).

활동 선지자
① 아히야: 여로보암이 열 지파의 왕이 될 것과 여로보암 집의 파멸을

예언하였다(왕상 11:29-40, 14:1-18).

② 유다 출신의 무명 선지자: '하나님의 사람'이라 불렸으며, 300년 후에 요시야 왕이 나타나 금송아지 제단과 왕의 뼈를 불사를 것을 예언하였다(왕상 13:1-10). 한편 말씀을 선포한 이후에 하나님의 사람은 말씀을 어기고 늙은 선지자의 대접을 받았는데, 하나님의 명령을 지키지 않은 결과 하나님의 책망을 받고 사자가 길에서 저를 만나 죽이고 그의 시체는 길에 버린바 되었다(왕상 13:11-32).

사료(史料) - 이스라엘 왕 역대지략(왕상 14:19)

여로보암은 본래 큰 용사로서, 솔로몬이 밀로를 건축하며 다윗성의 무너진 부분을 수축할 때 그 부지런함을 보고 감독자로 선발했던, 솔로몬의 신복이었습니다(왕상 11:26-28, 참고-왕상 9:23). 솔로몬 말기에 이방 여인들을 들여온 문제로 국운이 기울어졌을 때, 아히야 선지자를 통해 왕이 될 것이라는 예언을 들었습니다(왕상 11:29-31).

아히야 선지자는 자신이 입고 있던 옷을 열두 조각으로 찢어서 그 중에 열 조각을 여로보암이 취하게 하였습니다(왕상 11:30-31). 이것은 앞으로 여로보암이 열 지파를 지배하는 왕이 될 것이라는 예언이었습니다. 아히야 선지자의 예언을 듣고 승리를 확신한 여로보암은 손을 들어 솔로몬왕을 죽이기 위해 성급히 반란을 일으켰고(왕상 11:26), 이에 솔로몬이 여로보암을 죽이려 하자 애굽 왕 시삭에게로 도피하여 솔로몬이 죽기까지 애굽에 거하였습니다(왕상 11:40).

'여로보암'(יָרָבְעָם)은 히브리어 '라바브'(רָבַב)와 '암'(עַם)이 합성된 단어입니다. 여기에서 '라바브'는 '증가하다, 많다(삼상 25:10), 번성하다(창 6:1)'라는 뜻이며, '암'은 '백성'이라는 뜻입니다. 그러므로 여로보암은 '백성의 수가 많아지고 번성한다'라는 뜻이 됩니다.

여로보암은 왕이 된 다음에 백성이 남 유다로 가는 것을 막고자 여러 가지 조치들을 취하였습니다. 그의 관심은 오직 '백성의 수가 많아지고 번성하는 것'이었습니다. 그는 자신의 백성이 많아지는 것을 위해서 남은 인생을 살았을 뿐, 하나님의 백성이 많아지는 것에 대해서는 아무런 관심이 없었기 때문에 결국 비참하게 생을 마감하게 되었습니다.

1. 여로보암은 하나님의 약속보다 인간의 생각을 붙잡았습니다.

Jeroboam held on to human thoughts instead of God's promise.

솔로몬이 죽은 다음에 그 아들 르호보암이 대신하여 왕이 되었습니다(왕상 11:43). 백성은 르호보암에게 고역과 무거운 멍에를 가볍게 해 달라고 요구하였습니다. 여기 '멍에'는 히브리어 '올'(עֹל)로, 짐승을 통제하기 위하여 목에 끼워 넣는 쇠나 나무를 가리키며, 이것은 솔로몬 시대에 백성이 엄청난 국가 노역에 시달렸음을 보여 줍니다. 그러나 르호보암이 백성의 제의를 거절하자, 10지파는 여로보암을 왕으로 추대하여 북 이스라엘을 세웠습니다(왕상 12:1-20). 결국 나라는 남 유다와 북 이스라엘로 분열되고 말았습니다.

하나님께서는 아히야 선지자를 통하여 열왕기상 11:38에서 "네가 만일 내가 명한 모든 일에 순종하고 내 길로 행하며 내 눈에 합당한 일을 하며 내 종 다윗의 행함같이 내 율례와 명령을 지키면 내가 너와 함께 있어 내가 다윗을 위하여 세운 것같이 너를 위하여 견고한 집을 세우고 이스라엘을 네게 주리라"라고 여로보암에게 약속하셨습니다.

그러나 왕이 된 여로보암은 왕권 강화를 위해 세겜과 부느엘을 건축하고(왕상 12:25), 인간적인 생각에 사로잡혀, 이스라엘 백성이 제사를 드리기 위하여 예루살렘으로 가는 것을 막으려고 벧엘과 단에 두 금송아지를 만들었습니다(왕상 12:26-29).

여로보암은 백성을 남 유다와 완전히 단절시키고, 정치적·종교적 기득권을 유지하기 위하여 금송아지를 그들의 새로운 신앙의 구심점으로 세웠던 것입니다. 그러나 이것은 자신의 이기적인 탐욕을 채우기 위한 행동으로, 결국 온 이스라엘을 비참한 역사 속에 빠뜨린 엄청난 죄악이었습니다(왕상 12:30).

이러한 여로보암의 우상화 정책에 반대한 경건한 제사장들과 레위인들은 그들의 향리(땅)와 산업을 떠나 예루살렘으로 이주하였습니다(대하 11:13-16). 이에 여로보암은 산당들을 짓고 레위 자손을 내쫓고 레위 자손이 아닌 보통 백성으로 제사장을 삼았습니다(왕상 12: 31, 13:33, 대하 13:9). 이것은 아론의 자손들에게 제사장의 직분을 맡기라고 하신 하나님의 말씀을 거역하는 큰 죄악이었습니다(출 29: 9). 여로보암은 제사장 장립을 받고자 하는 자마다 수송아지 하나와 숫양 일곱을 끌고 오면 다 제사장의 직분을 주었습니다(대하 13:9).

또한 여로보암은 7월 15일에 지키던 장막절(초막절, 레 23:34)을 자기 마음대로 8월 15일로 옮겨 절기를 삼아 지키게 하였습니다(왕상 12:32-33).

만약 여로보암이 하나님의 약속을 믿고 하나님의 눈에 합당한 일을 하며 하나님의 율례와 명령을 지켰으면, 하나님께서 함께하심으로 여로보암의 집을 견고하게 해 주셨을 것입니다(왕상 11:38). 그러나 여로보암은 하나님을 등지고 인간의 생각을 붙잡고 행하다가 결국 패망하고 말았던 것입니다(롬 8:5-8).

2. 여로보암은 하나님의 사람의 경고를 듣고도 무시하였습니다.

Jeroboam ignored the warning of the man of God.

하나님의 언약을 무시하고 패역을 일삼던 여로보암은 제사장들이 해야 할 분향을 자신이 직접 행하는 죄까지 범하였습니다(왕상 13:1). 하나님께서는 여러 모양으로 여로보암에게 경고하셨습니다.

첫째, 무명의 하나님의 사람을 보냈습니다(왕상 13:1-10).

'하나님의 사람'이라는 호칭은 열왕기상 13장에서만 16번 반복되고 있는데(1, 2, 4, 5, 6[2회], 7, 8, 11, 12, 14[2회], 21, 26, 29, 31절), 1절에서는 "하나님의 사람이 여호와의 말씀으로 인하여"(왕상 13:1)라고 말씀하고 있습니다. 이것은 지금 여로보암왕을 회개시키기 위하여 하나님께서 그의 종을 통하여 친히 말씀으로 찾아오셨음을 강조한 것입니다. 이 무명의 선지자는 목숨을 걸고 우상숭배의 진원지인 북 이스라엘의 벧엘로 올라가, 그것도 북 이스라엘의 최고 권력자인 여로보암에게, 그가 망할 것이라는 하나님의 말씀을 담대히 선포하였습니다. 무명의 선지자는 여로보암이 단 곁에 서서 분향할 때 "단아 단아 여호와께서 말씀하시기를 다윗의 집에 요시야라 이름하는 아들을 낳으리니 저가 네 위에 분향하는 산당 제사장을 네 위에 제사할 것이요 또 사람의 뼈를 네 위에 사르리라 하셨느니라"(왕상 13:2)라고 외쳤습니다.

여로보암이 제사장을 무시하고 자기가 분향하려는 찰나에, 마침 남조 유다에서부터 올라온 하나님의 사람이 등장하여 심판을 선포한 것입니다(왕상 13:1-3). 북 이스라엘에는 우상숭배를 조장하는 여로보암의 악한 종교 정책을 책망하여 바르게 고쳐 주고, 하나님의 말씀을 담대하게 전할 참선지자가 없었습니다.

노도와 같은 이 심판의 말씀을 듣고도, 여로보암이 기세등등하게 자기 손을 펴며 "저를 잡으라!"라고 체포령을 내리자 그의 손이 허공에 들린 채 말라서 움직이지 못하였고(왕상 13:4), 하나님의 사람이 전한 예조대로 단이 갈라지며 단에서 재가 쏟아지는 무서운 광경이 벌어졌습니다(왕상 13:5). 이때 비로소 정신을 차린 여로보암은 "청컨대 너는 나를 위하여 네 하나님 여호와께 구하여 내 손으로 다시 성하게 기도하라"라고 다급하게 요청하였고, 하나님의 사람이 은혜를 구하니 그 마른 손이 회복되었습니다(왕상 13:6).

실로, 여로보암은 회개할 기회로 삼기에 충분한 충격적인 사건을 겪었으나, '이 일 후에도 여로보암은 그 악한 길에서 떠나 돌이키지 않았다'라고 말씀하고 있습니다(왕상 13:33上). 전에 지었던 죄악을 그대로 답습하여 "다시 보통 백성으로 산당의 제사장을 삼되 누구든지 자원하면 그 사람으로 산당의 제사장을 삼았다"라고 말씀하고 있습니다(왕상 13:33下). 이와 같이 그가 하나님의 말씀을 듣고도 그 말씀을 무시하고 도무지 마음을 돌이키지 않자, 그 죄악이 여로보암 집에 죄(罪)가 되어 그 집이 지면에서 끊어져 멸망케 되었습니다(왕상 13:34). 여로보암 왕조는 그의 아들 나답의 즉위 2년 만에 바아사로부터 모반을 당하였는데(왕상 15:25-30), 그 결과 여로보암의 온 집은 생명 있는 자가 하나도 남지 아니하고 다 멸망하였습니다(왕상 15:29上).

둘째, 남 유다와의 전쟁에서 대패하게 하셨습니다(대하 13:1-20).

여로보암왕 18년에, 아비야가 유다 왕이 되어 예루살렘에서 3년을 치리하였습니다(대하 13:1-2). 남조 아비야는 군사 40만 명을 거느리고, 북조 여로보암은 그의 두 배 되는 군사 80만 명을 거느리고 전쟁을 하게 됩니다(대하 13:3). 실로, 남 유다와 북 이스라엘의 모든 군대가 총동원될 정도의 큰 전쟁이었습니다. 그러나 여로보암은 이 전쟁에서 오로지 자신의 군대만 의지하고 전혀 하나님을 의지하지 않으므로 자그마치 50만 명이 죽임을 당할 만큼 대패하였습니다(대하 13:17). 이것은 하나님께서 여로보암과 온 이스라엘을 치신 결과입니다(대하 13:15). 여로보암은 이 사건을 계기로 다시 강성하지 못하게 되었습니다(대하 13:20).

셋째, 여로보암의 아들 아비야를 병들어 죽게 하셨습니다(왕상 14:1-18).

여로보암이 자신의 손이 회복된 후에도 악한 길에서 돌이키지 않으므로(왕상 13:33), 하나님은 그의 맏아들 아비야를 병들게 하심으로 최후의 경고를 보내셨습니다.

여로보암왕은 아들 '아비야'가 병들자 자기 아내를 변장시켜 실로에 있는 하나님의 사람 아히야를 찾도록 했는데, 그는 여로보암이 왕이 될 것을 예언한 선지자였습니다(왕상 11:29-31). 이때 아히야는 나이로 인하여 눈이 어두워 보지 못하였습니다(왕상 14:4下). 변장한 여로보암의 아내가 아히야의 집 문에 당도하자마자, 이미 하나님의 지시를 받고 있던 아히야는 "여로보암의 처여 들어오라 네가 어찌하여 다른 사람인 체하느뇨 내가 명령을 받아 흉한 일로 네게 고하리니 [7]가서 여로보암에게 고하라"(왕상 14:6-7上)라고 말하였습니다.

아히야 선지자는 하나님께서 주신 날카로운 통찰력으로, 하나님을 속인 여로보암의 교만하며 기만적인 행동을 질책하였습니다. 여로보암은 참선지자 아히야를 오랫동안 찾지 않다가 자기 아들이 병에 걸리자 갑자기 그 선지자를 떠올린 것입니다. 그리고 그는 금송아지를 섬기며 하나님의 율법을 어기고 있었으므로, 아히야의 책망을 염려하여 신분을 드러내지 않으려 했습니다. 하나님의 징계로 아들이 병든 것이 분명한데도 회개할 생각은 하지 않고, 하나님의 선지자를 속이면서 그 선지자의 혜택만 받으려 했던 것입니다. 이와 같이 전능하신 역사의 주관자이신 하나님 앞에서 위선적인 행동을 한 여로보암과 그의 아내는 '흉한 일'로 그 보응을 받았습니다.

아히야 선지자가 그 아내에게 '가서 여로보암에게 고하라'라고 하면서 전했던 '흉한 일'은 다음과 같습니다(왕상 14:6下-7).

첫째, 다윗의 집을 찢어 주었거늘 정직하게 행하지 아니하였다(왕상 14:8).

둘째, 이전 사람들보다도 더 악을 행하였다(왕상 14:9).

셋째, 다른 신을 만들며 우상을 부어 만들어 나의 노를 격발하고 나를 네 등 뒤에 버렸도다(왕상 14:9).

넷째, 여로보암에게 속한 사내는 이스라엘 가운데 매인 자나 놓인 자나 다 끊어 버리겠다(왕상 14:10).

아히야 선지자의 책망과 예언은 여기서 그치지 않고, 하나님께서 여로보암 집(가문, 왕가 전체)을 쳐, 거름(똥)을 쓸어 버림같이 말갛게 쓸어 버리실 것이라고 예언했습니다(왕상 14:10下). 하나님은 "여로보암에게 속한 자가 성에서 죽은즉 개가 먹고 들에서 죽은즉 공중의 새가 먹을 것이라"(왕상 14:11)라고 하여, 그 집안이 완전히 망하는 마지막 순간까지 크나큰 수치를 당할 것을 말씀하셨습니다.

여로보암 왕가의 모든 사내가 들판에서 개와 새의 먹이가 될 것이라는 심판 속에서도 여로보암의 아들 아비야는 온 이스라엘의 애도 속에서 묘실에 장사되었습니다(왕상 14:13). 여로보암의 아들 아비야의 종말이 수치스럽지 않게 된 근거는 "저가 ... 선한 뜻을 품었음이니라"(왕상 14:13下)라는 말씀입니다. 여로보암왕의 가문 중에 오직 한 사람, 아비야만이 하나님을 기쁘시게 하는 선한 뜻을 품고 행하였던 것입니다. 그 선한 일에 대하여 어떤 랍비는 '그는 자신의 자리를 버리고 예루살렘에 절기를 지키러 올라갔다', 또 다른 랍비는 '그는, 이스라엘 백성이 예루살렘으로 절기를 지키러 가는 길을 막으려고 그의 아비 여로보암이 세워 놓은 보초들을 철수시켰다'라고 말합니다.[37] 이처럼 아비야는 하나님 앞에 드리는 참된 예배를 기뻐하고 북 이스라엘이 섬기는 송아지 숭배를 싫어했습니다.[38]

과연 하나님의 종 아히야 선지자가 전한 말씀대로, 여로보암의 아내가 돌아와서 문지방에 들어설 때 맏아들 아비야는 죽었고, 온 이스라엘이 저를 장사하고 저를 위하여 슬퍼하였습니다(왕상 14:17-18). 여로보암과 관계된 모든 자들이 끔찍하게 살육을 당하고 죽어서도 묘실에 들어가지도 못하고 길가에 방치되어 짐승들의 먹이가 되었지만, 그 가족 중에 단 한 사람 아비야만은 병으로 죽게 하여 묘실에 들어가도록 하셨습니다. 그러므로 지금 여로보암의 아들 아비야가 병으로 죽은 것은 수치나 저주가 아니라 오히려 축복이었던 것입니다.

여로보암은 왕이 된 지 22년에 하나님의 징계를 받아 죽었습니다(왕상 14:20, 대하 13:20). 또 그 아들 나답이 왕위를 계승하였으나 곧 죽임을 당하여(왕상 15:25-28), 여로보암의 집안은 2대 만에 이 땅에서 자취도 없이 사라졌습니다(왕상 15:29, 참고-왕상 13:34, 14:14).

이처럼 하나님의 경고를 무시하고 회개하지 않는 사람은 왕이라도 비참하게 멸망합니다. 여로보암은 솔로몬왕의 신하라는 신분에서 북 이스라엘의 왕이 되는 큰 은혜를 받은 사람입니다. 하나님께서는, 그가 심각한 죄악에 빠져 있을 때에도 돌이켜 회개하여 사는 길을 열어 주시려고 두 번이나 남 유다의 선지자를 통하여 책망하셨습니다. 그러나 여로보암은 하나님의 은혜와 축복을 무시하고, 오히려 하나님께 도전하며 우상숭배를 주도하므로 집안 전체가 순식간에 망하고 말았던 것입니다.

그의 일생은 자기만 범죄할 뿐만 아니라 백성도 범죄케 하여 하나님의 노를 격동시킨 삶이었습니다. 열왕기상 15:30에서 "이는 여로보암이 범죄하고 또 이스라엘로 범하게 한 죄로 인함이며 또 저가 이스라엘 하나님 여호와의 노를 격동시킨 일을 인함이었더라"라고 말씀하고 있습니다. '격동시킨'은 히브리어 '카아스'(כַּעַס)의 히필형으로, '하나님을 분노하시게 만들다, 하나님을 자극하여 성나시게 만들다'라는 뜻입니다. 하나님을 분노하게 하는 자들의 결국은 여로보암처럼 비참한 최후를 맞게 되는 것입니다.

하나님께서는 여로보암에게 여러 차례에 걸쳐서 회개할 수 있는 기회를 주셨습니다. 하나님께서는 오래 참으사 아무도 멸망치 않고 회개하기를 원하시는 분이십니다(벧후 3:9). 그러나 여로보암은 완악하여 하나님의 자비를 거부하고 죄악을 거듭하므로, 북 이스라엘 전체를 죄악으로 인도한 패역자의 대명사가 되었습니다. 그리하여 '여로보암의 길'은 하나님의 노를 격발시키고 온 이스라엘로 범죄케 하는 길을 나타내는 관용어가 되고 말았습니다(왕상 13:33, 15:26, 34, 16:2, 19, 26, 22:52, 왕하 3:3, 15:9, 18, 24).

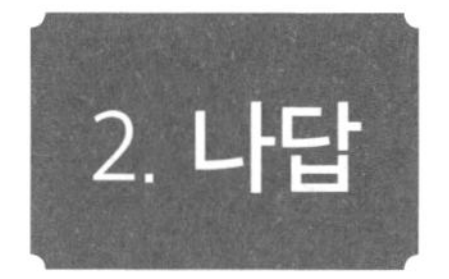

Nadab / Ναδαβ / נָדָב

고귀함, 관대함, 활수(滑手)함
exaltation, generosity, liberality

- 북 이스라엘 제1왕조 2대 왕, 전체적으로 제2대 왕(왕상 15:25-32)

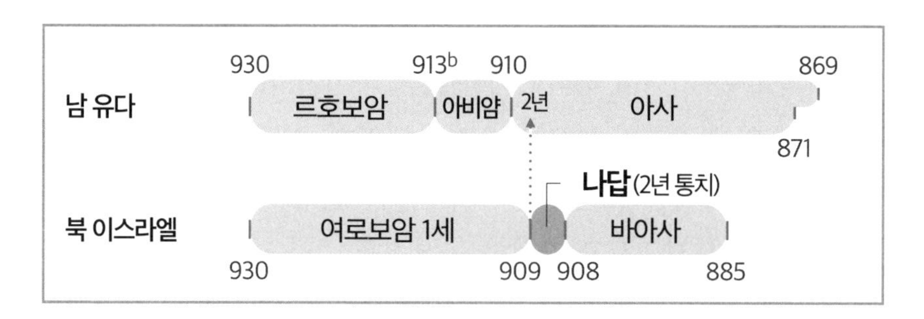

배경
- 부: 여로보암 1세(왕상 15:25)

통치 기간
- 2년 통치하였다(주전 909-908년, 왕상 15:25).
- 남 유다의 '아사 제2년'(왕상 15:25)에 즉위하였다. 즉위년 방식을 따르는 남 유다 입장에서 보면 나답이 즉위한 '아사 제2년'은 아사 통치 제1년에 해당한다(대략 주전 909년).

평가 - 악한 왕(왕상 15:26)
나답은 여호와 보시기에 악을 행하되 그 아비 여로보암의 길로 행하며 그가 이스라엘로 범하게 한 그 죄 중에 행하였다(왕상 15:26).

활동 선지자 - 예후
예후가 나답의 다음 왕인 바아사의 파멸을 예언한 것을 볼 때, 나답왕 시대에도 활동한 것으로 보인다(왕상 16:12).

사료(史料) - 이스라엘 왕 역대지략(왕상 15:31)

나답은 여로보암 1세의 뒤를 이어 왕이 되었습니다(왕상 15:25). 나답은 히브리어 '나다브'(נָדָב)로, '관대함, 활수(滑手)함'이라는 뜻입니다. 여기 '활수함'이란 '무엇이든지 아끼지 않고 쓰는 솜씨가 시원스러움'을 의미합니다. 또한 '나다브'(נָדָב)는 히브리어 동사 '나다브'(נָדַב)에서 유래했으며, '기꺼이 하다, 즐겨 하다'라는 의미입니다. '나다브'는 기꺼이 하나님께 예물을 바치거나(출 25:2, 35:21, 29), 하나님의 일에 즐거이 헌신할 때 사용되었습니다(삿 5:2, 9).

다윗왕은 밧세바와 간음한 죄를 회개하면서 "주의 구원의 즐거움을 내게 회복시키시고 자원하는 심령을 주사 나를 붙드소서"(시 51:12)라고 기도하였는데, '자원하는'이라는 단어가 히브리어 '나디브'(נָדִיב)로, 역시 '자발적인, 고귀한, 관대한, 마음이 내키는'이란 뜻을 가지고 있습니다.

나답이 자신의 이름에 담긴 뜻대로 과연 선한 일에 자발적으로 헌신하는 열심을 가졌으면, 아마도 여로보암이 받은 저주를 씻고 집안을 일으켜 회복시킬 수 있었을 것입니다. 그러나 나답은 선한 일에 관대하거나 활수하지 않고 오히려 아비 여로보암의 전철을 그대로 밟아, 짧은 통치 기간 동안 죄를 그치지 않고 악한 일에만 몰두하였습니다.

1. 나답은 여호와 보시기에 악을 행하였습니다.

Nadab did evil in the sight of the Lord.

열왕기상 15:26에서 "저가 여호와 보시기에 악을 행하되 그 아비의 길로 행하며 그가 이스라엘로 범하게 한 그 죄 중에 행한지라"라고 말씀하고 있습니다. '여호와 보시기에 악을 행하되'라는 표현은 하나님을 대적했던 북 이스라엘 왕들에게 공통적으로 쓰이는 표현입니다(왕상 15:34, 16:19, 25, 30, 21:20). 그러나 반대로, 여호와 보시기에 정직히 행한 왕들은 다윗(왕상 15:5), 아사(왕상 15:11), 여호사밧(왕상 22:43)이 있습니다.

'보시기에'라는 단어는 히브리어로 '눈'의 뜻을 가진 '아인'(עַיִן)과 영어로 'in'이라는 뜻을 가진 '베'(בְּ)가 합성된 것으로, '눈 속에서(in the eyes)'라는 뜻입니다. 하나님의 눈은 세초부터 세말까지 항상 있는 눈입니다(신 11:12). 하나님의 눈은 온 땅을 두루 감찰하십니다(대하 16:9, 슥 4:10). 하나님의 눈은 악인과 선인을 감찰하십니다(잠 15:3). 하나님의 눈은 정결하시므로 악을 차마 보지 못하십니다(합 1:13). 하나님의 눈 속에는 거짓이 설 수 없으므로, 사람이 죄를 짓고 하나님의 눈을 속일 수 없는 것입니다.

2. 나답은 아비 여로보암의 길로 행하였습니다.

Nadab walked in the way of Jeroboam his father.

열왕기상 15:26에서 나답에 대하여 "그 아비의 길로 행하며 그가 이스라엘로 범하게 한 그 죄 중에 행한지라"라고 말씀하고 있습니다. 여기 '그 아비의 길'이란 바로 '여로보암의 길'입니다. '행하며'는 히브리어 '할라크'(הָלַךְ)로, '걷다, 따르다'라는 뜻입니다. 그러므로 나답은 선친 여로보암이 행한 우상숭배의 길을 그대로 따라 걸어간 것입니다.

또한 '그 죄 중에 행한지라'는 히브리어로 '하타아'(חַטָּאָה)라는 한 단어입니다. 이 단어는 '하나님의 뜻에 대한 불순종과 타인의 권리에 대한 착취'를 나타낼 때 사용되곤 하였습니다. 이것은 나답이 여로보암의 길을 따라 하나님께 불순종하고 백성을 착취하는 불의한 길을 걸었음을 나타냅니다.

이처럼 죄를 강력하게 물리치지 못하고 죄에 대하여 관대했던 나답은 결국 잇사갈 족속 아히야의 아들 바아사에게 죽임을 당하고 말았습니다. 이때 나답은 깁브돈에서 블레셋과 전쟁 중에 있었으며, 자신을 죽이려는 모반이 있음을 깨닫지 못하고 있다가 바아사에게 죽임을 당하였습니다(왕상 15:27-28).

열왕기상 15:27에서 '모반하여'라는 단어는 히브리어 '카샤르'(קָשַׁר)로, '묶다, 공모하다, 동맹하다'라는 뜻을 가지고 있습니다. 나답의 정치에 반감을 품는 사람들이 많았으며 그들이 결속하여 나답을 살해한 것입니다. 바아사는 나답을 죽이고 왕위에 오른 뒤 여로보암의 온 집을 쳐서 생명 있는 자는 하나도 남기지 않고 모두 멸하였습니다(왕상 15:29). 이것은 아히야 선지자가 예언한 그대로 이루어진 것입니다(왕상 14:14, 15:29). 이처럼 여로보암의 죄악의 결과는 결국 아들 대에 와서 가문의 씨가 마르는 끔찍한 재앙을 부르고 말았습니다.

오늘 우리는 선한 일에 힘쓰고(엡 2:10, 딛 2:14) 마음이 관대하되, 악한 일에 마음이 관대한 사람이 되어서는 안 될 것입니다. 악을 일삼는 자는 반드시 그 죄에 대한 대가를 통해 비참한 종말을 맞게 됩니다. 철저하게 패역하여 죄악을 즐기며 살았던 나답은 2년도 채 통치하지 못하고 갑작스럽게 죽었으며, 그 집안까지도 철저히 멸절되고 말았습니다(왕상 15:29).

3. 바아사

Baasha / Βαασα / בַּעְשָׁא

비위에 거슬림, 사악함 / offense, wickedness

- 북 이스라엘 제2왕조 1대 왕, 전체적으로 제3대 왕(왕상 15:28, 15:33-16:7, 대하 16:1-6)

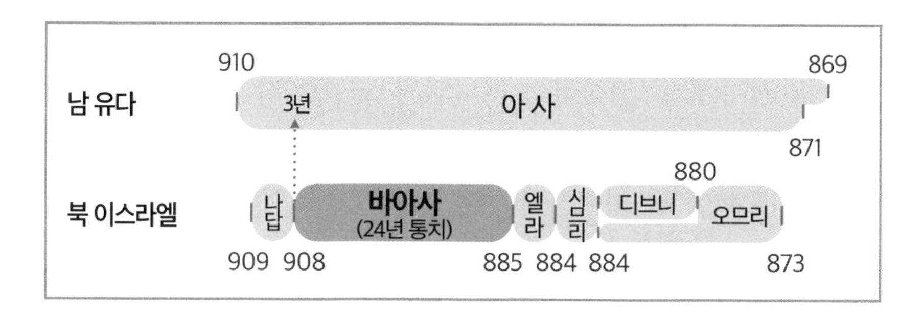

배경

- 부: 아히야(잇사갈 족속-왕상 15:27)

통치 기간

- 24년 통치하였다(주전 908-885년, 왕상 15:28, 33).
- 남 유다의 '아사 제3년'(왕상 15:28, 33)에 즉위하였다. 즉위년 방식을 따르는 남 유다 입장에서 보면, 바아사가 즉위한 '아사왕 제3년'은 아사 통치 제2년에 해당한다(대략 주전 908년).

평가 - 악한 왕(왕상 16:7)

바아사는 여로보암의 길로 행하며 여로보암이 이스라엘로 범하게 한 그 죄 중에 행하였다(왕상 15:34, 16:7). 그 결과 하나님께서는 바아사와 그 집 전체를 쓸어 버리겠다고 선언하셨다(왕상 16:3).

활동 선지자 - 예후

선지자 예후는 바아사가 여로보암의 집처럼 비참하게 멸망할 것을 예언하였다(왕상 16:1-4, 11-13).

사료(史料) - 이스라엘 왕 역대지략(왕상 16:5)

바아사는 나답을 죽이고 북 이스라엘 제2왕조의 첫 번째 왕이 되었습니다. 바아사의 히브리어 '바샤'(בַּעְשָׁא)는 '비위에 거슬림, 사악함'이란 뜻을 가지고 있으며, '고약한 냄새가 나다'라는 의미의 어근에서 유래되었습니다.

바아사는 디르사에서 온 이스라엘의 왕이 되었습니다(왕상 15:33). 바아사는, 여로보암의 길을 따라 범죄한 나답과 여로보암 집안을 씨도 남기지 않고 멸절하는 하나님의 도구로 사용되었음에도 불구하고, 나답과 여로보암이 걸었던 길을 그대로 답습했습니다. 열왕기상 15:34에서 "바아사가 여호와 보시기에 악을 행하되 여로보암의 길로 행하며 그가 이스라엘로 범하게 한 그 죄 중에 행하였더라"라고 말씀하고 있습니다. 이것은 나답에 대하여 말씀하신 열왕기상 15:26과 똑같은 표현입니다. 실로, 바아사는 누구보다도 하나님의 비위를 거스르는 삶을 살았습니다.

1. 바아사는 진토에서 이스라엘의 주권자가 되었습니다.

Baasha was made a leader of Israel from the dust.

여호와의 말씀이 하나니의 아들 예후에게 임하여 바아사를 꾸짖었습니다. 열왕기상 16:2에서 "내가 너를 진토에서 들어 나의 백성 이스라엘 위에 주권자가 되게 하였거늘..."이라고 말씀하고 있습니다. 여기 '진토'는 히브리어 '아파르'(עָפָר)로서 '진토, 흙, 먼지'를 뜻하며, 사람의 신분을 나타낼 때는 세상의 티끌처럼 너무나 흔하고 무가치한 비천한 신분을 가리킵니다(시 103:14-15). 바아사는 하나님의 강권적인 역사로 왕이 되게 하신 것이지, 결코 왕이 될 만한 인물이 아니었던 것입니다.

그런데 바아사는, 비천한 자를 왕으로 세워 주신 하나님의 은혜를 잊어버리고 사신 우상을 숭배하며 하나님의 노를 격동시켰으니, 그 이름처럼 하나님의 비위를 거스르는 배은망덕한 자였습니다.

우리는 모두 진토와 같이 비천한 중에서 하나님께서 베풀어 주신 은혜로 살아가는 존재입니다. 그러므로 그 은혜에 감사하며 보답하고자 하는 마음을 가져야 할 것입니다. 과거에 주신 하나님의 은혜를 잊어버리면 감사가 사라지고 교만이 싹트며, 그 교만이 자라면 반드시 패망하게 됩니다(대하 32:25, 잠 16:18).

2. 바아사의 범죄로 그와 그 집안이 쓸어 버림을 당하였습니다.

Baasha and his house were consumed because of his sins.

하나님께서는 바아사와 바아사의 집을 쓸어 버리시겠다고 하셨습니다(왕상 16:3-4). 여기 '쓸어 버려'는 히브리어 '바아르'(בָּעַר)로, '태우다, 소멸하다'라는 뜻을 가지고 있습니다. 특히 분사형이 사용되어, 모두 소멸되어 없어지기까지 하나님께서 계속 태우시겠다는 강한 의지를 나타냅니다.

바아사의 죽음을 나타내는 표현 가운데 독특한 것이 있습니다. 열왕기상 16:5에서는 "바아사의 남은 사적과 무릇 행한 일과 권세는 이스라엘 왕 역대지략에 기록되지 아니하였느냐"라고 말씀하고 있습니다.

여기 '권세'라는 단어는 보통, 왕의 행적을 마감할 때 잘 쓰이지 않는 표현으로(왕상 14:29, 15:7, 31, 16:14 등), 바아사에게만 사용되고 있어 특이합니다. '권세'는 히브리어 '게부라'(גְּבוּרָה)로서 '힘, 권능, 능력'이라는 뜻을 가지며, 바아사왕이 다른 왕들과는 비교할 수 없을 정도로 강력한 권세를 가졌던 사실을 짐작케 합니다.

바아사왕의 악정을 견디다 못해, 경건한 북 이스라엘 백성 가운데 많은 사람들이 하나님께서 남조의 아사왕에게 함께하신다는 소문을 듣고 남 유다로 이주하였습니다(대하 15:9). 이에 바아사왕은 북조의 백성이 유다 왕 아사에게 자유로이 왕래하는 것을 아주 끊어 버리기 위해 라마성 건축을 계획하였습니다(왕상 15:17).

'라마'(רָמָה)는 '높은 곳, 우뚝 솟은 곳'이란 뜻으로, 예루살렘 북방 6㎞ 지점에 위치한 전략적 요충지로서 남조와 북조의 접경지였습니다(수 18:25, 삿 19:13). 이렇게 바아사왕이 라마성을 건축하여 남 유다 정복의 중심 기지로 삼고자 하였을 때, 유다 왕 아사는 여호와의 전 곳간과 왕궁 곳간에 남은 은금을 몰수히 취하여 벤하닷에게 보내어 원군을 청하였습니다(왕상 15:18-19). 그리하여 바아사왕은 라마성 건축을 중단할 수밖에 없었습니다(왕상 15:20-21, 대하 16:1-5). 바아사는 강력한 권세를 가지고 24년 동안 나라를 통치하였지만, 하나님이 보시기에 악을 행하여 하나님의 노를 격동시켜서 집안 전체가 순식간에 멸망하고 말았습니다. 후에 '시므리'라는 사람이 바아사의 아들 엘라를 죽이고 왕이 되어, 바아사 집의 모든 남자를 하나도 남기지 않고 다 죽였습니다(왕상 16:11-13).

하나님께서는 나답왕을 심판하시기 위하여 바아사를 심판의 도구로 사용하셨습니다. 그렇게 하나님의 심판의 도구가 되어 극악한 우상숭배자인 나답을 쳐죽이고 여로보암의 집안을 완전히 멸하면서 북 이스라엘의 제3대 왕이 되었음에도 불구하고, 자신이 죽인 나답과 같이 사악한 우상숭배를 서슴없이 자행하다, 결국 "그 손의 소위로 여호와의 노를 격동하였음이며 또 그 집을 쳤음이더라"(왕상 16:7)라는 말씀대로 하나님의 심판을 받아 망하고 말았습니다.

4. 엘라

Elah / Ηλα / אֵלָה
참나무(상수리나무) / oak (terebinth)

- 북 이스라엘 제2왕조 2대 왕, 전체적으로 제4대 왕(왕상 16:6-14)

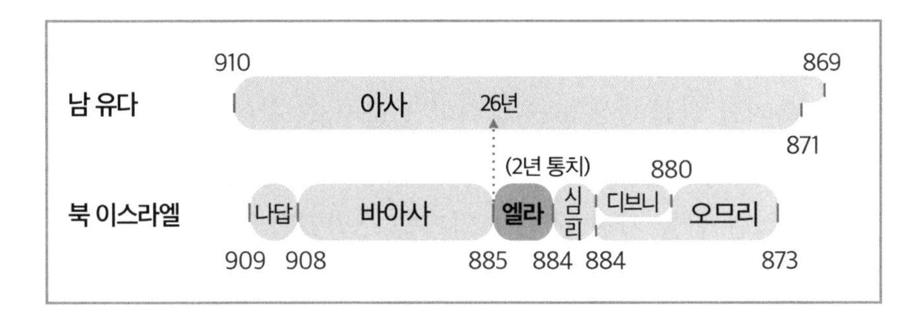

배경
- 부: 바아사(왕상 16:6)

통치 기간
- 2년 통치하였다(주전 885-884년, 왕상 16:8).
- 남 유다의 '아사 제26년'(왕상 16:8)에 즉위하였다. 즉위년 방식을 따르는 남 유다 입장에서 보면, 엘라가 즉위한 '아사 제26년'은 아사 통치 제25년에 해당한다(대략 주전 885년).

평가 - 악한 왕(왕상 16:13)
엘라는 그 부친 바아사의 모든 죄와 자신의 죄로 범죄하고 또 이스라엘로 범죄케 하여 그 헛된 것으로 이스라엘 하나님 여호와의 노를 격발하였다(왕상 16:13).

**사료(史料) - **이스라엘 왕 역대지략(왕상 16:14)

엘라는 바아사의 아들로, 바아사가 죽은 후에 왕이 되어 2년을 통치하였습니다. '엘라'(אֵלָה)는 히브리어의 의미를 볼 때 '상수리나무'라는 뜻입니다. 이 단어는 히브리어 '아일'(אַיִל)에서 유래되었으며, '기둥, 영웅, 지도자, 능한 자'를 의미합니다(출 15:15, 겔 17:13, 31:11). 상수리나무가 강력한 힘을 상징하는 데 쓰이는 것은, 상수리나무는 보통 10-13m로 자라며 그 굵직하고 튼튼한 줄기가 큰 능력을 비유하기에 적합하기 때문입니다(암 2:9).

엘라의 아버지 바아사는 24년이나 통치한 행적 중에 그의 '권세'를 특기할 만큼(왕상 16:5) 강력한 힘을 가진 왕이었습니다. 따라서 바아사가 그 아들 이름을 '엘라'라고 지은 것은 상수리나무와 같이 강력한 힘을 가진 군주가 되기를 소원했던 것으로 보입니다. 또한 엘라는 바아사가 나답을 죽이고 그 왕조를 창건한 깁브돈(왕상 15:27-28)과 인접 지역에 위치한 계곡의 이름이기도 합니다(삼상 17:2, 19). 엘라는 그 이름처럼 강력한 힘을 떨치기도 전에, 하나니의 아들 예후의 예언대로 2년이라는 짧은 통치로 그의 생을 마감하였습니다.

1. 엘라는 만취한 상태에서 시므리에게 살해당했습니다.

While completely drunk, Elah was killed by Zimri.

엘라는 시므리가 모반했을 때 궁내대신 아르사의 집에서 술을 마시고 취해 있었습니다. 열왕기상 16:9에서 "엘라가 디르사에 있어 궁내대신 아르사의 집에서 마시고 취할 때에 그 신복 곧 병거 절반을 통솔한 장관 시므리가 왕을 모반하여"라고 말씀하고 있습니다. 여기 '마시고'는 '(술을) 마시다'라는 뜻을 가진 히브리어 '샤타'(שָׁתָה)의 분사형으로, 엘라가 계속적으로 술을 마신 것을 의미합니다. 결국 엘라는 완전히 인사불성이 될 정도로 취한 상태에서 시므리에게 죽임을 당한 것입니다(왕상 16:9-10).

사람이 술에 취하면 영적 분별력을 잃게 되며, 신앙의 무기력에 빠지게 됩니다. 잠언 23:21에서 "술 취하고 탐식하는 자는 가난하여질 것이요"라고 말씀하고 있습니다. 술 취함은 이방인의 뜻을 좇아 행하는 것으로(벧전 4:3), 갈라디아서 5:21에서는 하나님의 나라를 유업으로 받지 못하는 자들이 일삼는 일 가운데 하나가 '술 취함'이라고 말씀하고 있습니다(고전 6:10). 그것은 비단 알콜이 담긴 술뿐만 아니라 세상의 오락과 재미, 쾌락에 취하는 일에 대한 경계입니다(엡 5:18). 하나님의 말씀과 성령으로 충만하지 않으면 세상 재미에 마음이 쏠리고, 세상 염려가 들어와 마음이 둔하게 되어 결국 큰 화를 자초하게 됩니다(눅 21:34).

2. 엘라는 맡겨진 임무에 충실하지 못했습니다.
Elah was not faithful in his appointed duties.

엘라가 모반을 당할 때 군사들은 깁브돈에서 블레셋과 전쟁을 하고 있었습니다. 엘라는 왕으로서 당연히 전쟁을 진두지휘해야 했습니다. 그러나 그는 전쟁터에는 나가지 않고, 북 이스라엘의 수도 디르사에 머물면서 신하의 집에서 잔치를 배설하고 술에 취해 있었습니다. 엘라는 백성의 생명이나 나라의 안위를 전혀 생각하지 않았던 것입니다.

엘라는 블레셋과 전쟁할 정도의 강력한 힘을 소유하고 있는 왕이었지만, 세상 연락(宴樂)에 빠져 왕으로서의 임무를 다하지 못하였습니다.

야고보서 5:5에서 "너희가 땅에서 사치하고 연락하여 도살의 날에 너희 마음을 살지게 하였도다"라고 말씀하고 있습니다. 이것을 현대인의성경에서는 "여러분은 이 세상에서 사치와 쾌락을 누리며 잡혀 죽을 날을 눈 앞에 두고도 욕심만을 채워 왔습니다"라고 번역하고 있습니다. 연락에 빠진 자의 종국은 비참한 멸망입니다. 베드로후서 2:12-13에서 "연락을 기쁘게 여기는 자들(대낮에 흥청대는 자들: 표준새번역)"은 연락 가운데서 멸망을 당한다고 말씀하고 있습니다. 엘라는 눈앞에 당도한 자신의 죽음을 조금도 의식하지 못한 채 연락에 빠져 있다가 시므리에게 비참하게 죽임을 당했습니다.

엘라의 죽음은 개인의 갑작스러운 죽음에 그치지 않고 그 왕가의 비참한 몰락으로 이어졌습니다. 시므리는 바아사의 온 집을 죽이되 남자는 그 족속이든지 그 친구든지 하나도 남기지 아니하고 멸하였습니다(왕상 16:9-12). 그것은 여호와께서 선지자 예후로 바아사를 꾸짖어 하신 말씀 그대로 이루어진 것입니다(왕상 16:1-4, 12下).

엘라와 그 집안이 완전히 몰락한 가장 큰 이유는 그가 하나님께 범죄하였을 뿐 아니라 온 백성을 범죄케 만들어 하나님의 노를 격발했기 때문입니다(왕상 16:13). '노를 격발하였더라'라는 표현은 히브리어 '카아스'(כַּעַס)라는 단어가 사용되었는데, '슬퍼하다, 분개하다, 격분하다, 비탄에 젖다'라는 뜻입니다. 여기에는 바아사의 모든 죄와 그 아들 엘라의 죄악이 극에 달하여 하나님을 격노케 하므로, 회복될 가능성이 전혀 없었다는 의미가 담겨 있습니다. 그래서 하나님께서는 선지자 예후를 통해 이미 바아사 왕가에 내려졌던 심판 예언을 더 이상 지체하지 않고 곧바로 실행하신 것입니다. 바아사는 여로보암의 가문을 모조리 살육했었는데, 바아사의 집안이 똑같은 방법으로 학살되었습니다. 이처럼 아무리 강력한 힘을 가진 자일지라도 세상에 취하여 하나님을 슬프게 하고 격노케 하는 자는 온 집안이 한순간에 모조리 망할 수밖에 없는 것입니다.

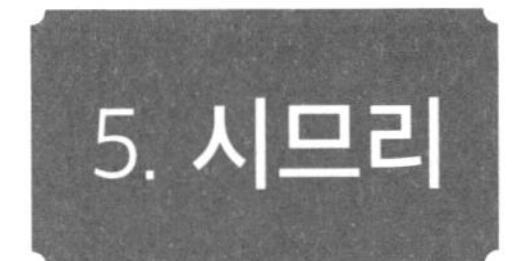

Zimri / Ζαμβρι / זִמְרִי
노래로 찬양하는, 나의 노래
praising with songs, my song

- 북 이스라엘 제3왕조 1대 왕, 전체적으로 제5대 왕(왕상 16:8-20)

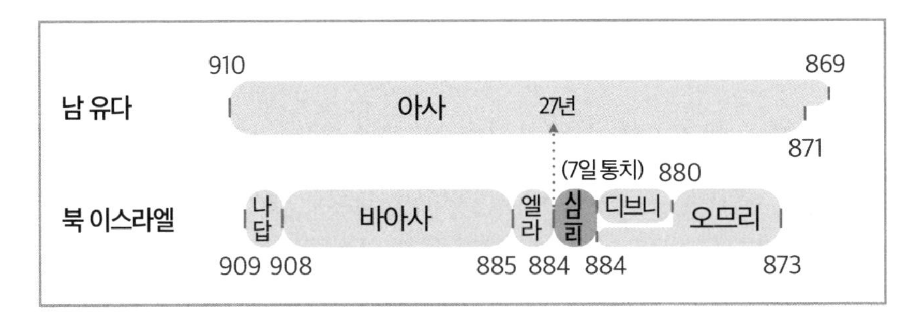

배경
엘라왕의 군대 장관으로 왕의 병거의 절반을 통솔하였던 자(왕상 16:9)

통치 기간
- 7일 통치하였다(주전 884년, 왕상 16:9-10, 15).
- 남 유다의 '아사 제27년'(왕상 16:15)에 즉위하였다. 즉위년 방식을 따르는 남 유다 입장에서 보면, 시므리가 즉위한 '아사 제27년'은 아사 통치 제26년에 해당한다(대략 주전 884년).

평가 - 악한 왕(왕상 16:19)
시므리는 여호와 보시기에 악을 행하여 범죄하였으며, 여로보암의 길로 행하며 이스라엘로 죄를 범하게 한 그 죄 중에 행하였다(왕상 16:19).

사료(史料) - 이스라엘 왕 역대지략(왕상 16:20)

시므리는 엘라를 살해하고 왕이 되었으나 단 7일밖에 통치하지 못하고 자살한 왕입니다(왕상 16:18). 시므리는 히브리어 '지므리'(זִמְרִי)로, '노래로 찬양하는, 나의 노래'라는 뜻입니다. 이것은 '자마르'(זָמַר)에서 유래되었으며 '노래하다, 찬양하다'라는 뜻입니다. 이 단어는 구약성경에 45회 사용되었으며, 주로 여호와를 찬양하는 데 사용되었습니다(출 15:2, 삿 5:3, 시 68:4, 32). 그러나 시므리의 생애는 그의 이름과 달리, 하나님을 대적하므로 비참한 종말을 맞고 말았습니다.

1. 시므리는 극도로 이기적이고 포악한 사람이었습니다.

Zimri was an extremely selfish and violent man.

시므리는 이스라엘의 병거 절반을 통솔하는 장관이었습니다(왕상 16:9). 그런데 그는 이스라엘 백성이 깁브돈에서 블레셋과 생사가 걸린 전쟁을 하고 있을 때, 전쟁에 참여하지 않고 후방 디르사에 남아 독자적으로 움직였습니다. 그는 나라가 전쟁을 하고 있는 풍전등화(風前燈火)의 상황에서 욕심에 사로잡혀 군대라는 힘을 이용하여 모반을 일으키고 엘라왕을 죽인 후 스스로 왕이 된, 극도로 이기적인 자였습니다.

시므리는 엘라의 신복이었습니다(왕상 16:9). 신복은 히브리어 '에베드'(עֶבֶד)로, '노예, 종'이란 뜻입니다. 시므리는 주인인 왕에게 절대 복종했어야 함에도 왕을 쳐죽이는 하극상을 저지른 것입니다.

시므리는 왕이 된 후에 "바아사의 온 집을 죽이되 남자는 그 족속이든지 그 친구든지 하나도 남기지 아니하고 [12]바아사의 온 집"을 멸하는 대량 학살을 서슴지 않았습니다(왕상 16:11-12). 그는 자신의 왕권을 유지하기 위하여 자신에게 복수할 가능성이 있는 남자들을 다 죽이는 매우 잔인하고 포악한 자였습니다.

그러나 이렇게 기세등등하였던 시므리는 불과 7일 만에 왕위를 빼앗겼습니다. 인간이 아무리 강한 권력으로 자신을 보호하려 할지라도 그 배후에서 하나님께서 붙들어 주시지 않으면 그는 안개와 같이 허무하게 사라지고 마는 것입니다(시 127:1).

2. 시므리는 왕궁에 불을 지르고 자살하였습니다.

Zimri burned the king's house and killed himself.

시므리가 엘라를 죽이고 왕이 되었다는 소식이 깁브돈에서 블레셋과 싸우고 있는 백성에게 전해졌습니다. 백성은 시므리를 인정하지 않고, 군대 장관 오므리로 이스라엘 왕을 삼았습니다. 오므리는 군사를 이끌고 디르사에 돌아와 성을 함락시켰습니다. 시므리는 성이 함락됨을 보고 왕궁의 위소(요새)로 돌아가서 궁에 불을 놓고 그 속에서 죽었습니다(왕상 16:16-18).

시므리가 이렇게 죽은 이유에 대하여 열왕기상 16:19에서는 "이는 저가 여호와 보시기에 악을 행하여 범죄함을 인함이라 저가 여로보암의 길로 행하며 그가 이스라엘로 죄를 범하게 한 그 죄 중에 행하였더라"라고 말씀하고 있습니다. 실제로 시므리는 7일밖에 통치하지 않았는데, 성경은 왜 시므리가 여로보암의 길로 행하였다고 말씀하고 있을까요? 이것은 시므리가 엘라의 신복으로 있을 때를 포함하여 왕이 되기 전부터 그의 일생 동안 여로보암의 길을 따라 죄를 지었음을 나타냅니다. 시므리는 동족 이스라엘 군사들이 깁브돈에서 블레셋과 전쟁을 하고 있을 때, 그것을 이용하여 왕이 된 용의주도한 자였습니다. 아무리 빈틈없이 준비한 계획일지라도 하나님과 상관없이 자신의 욕심을 채우는 것이라면 이처럼 순식간에 망하게 됩니다.

후에 '시므리'라는 이름은 '주인을 죽인 자'의 의미로 사용이 되었습니다. 열왕기하 9:31에서 요람왕을 죽인 예후에게 이세벨이 "주인을 죽인 너 시므리여 평안하냐"라고 말하는 것을 볼 수 있습니다. 시므리의 이름은 본래 '(하나님을 찬양하는) 노래'라는 좋은 뜻이었습니다. 그런데 시므리가 엘라를 죽인 후 그의 이름은 '주인을 죽인 자'라는 불명예스러운 대명사가 되고 말았던 것입니다.

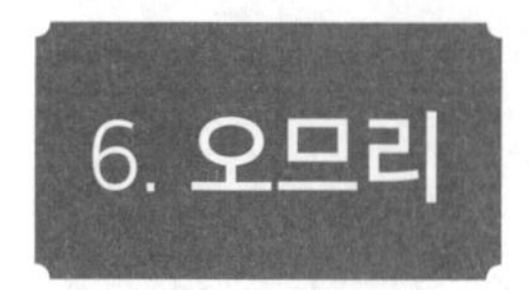

Omri / Αμβρι / עָמְרִי

쌓아 올리는, 여호와를 섬기는 자, 여호와의 종
pile up sheaves, one who serves the Lord, servant of the Lord

- 북 이스라엘 제4왕조 1대 왕, 전체적으로 제6대 왕(왕상 16:15-28)

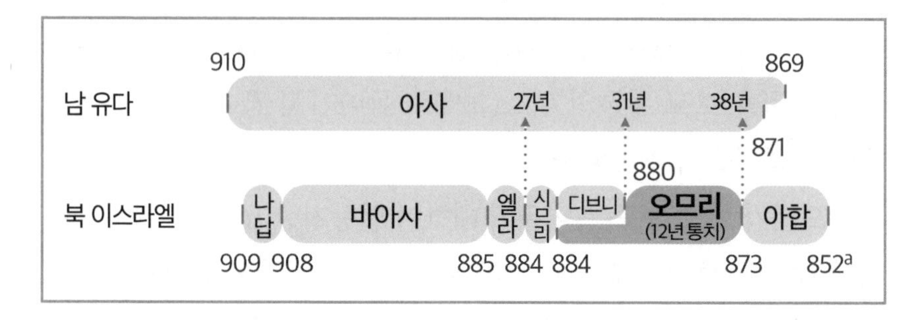

배경

오므리의 부친에 대해 성경에 기록이 없으며, 그의 신분은 엘라의 군대 장관이었다(왕상 16:16).

통치 기간

- 12년 통치(주전 884-873년, 왕상 16:23), 디브니와의 전쟁에서 승리한 시점부터 단독으로 8년 통치하였다(왕상 16:21-23).
- 남 유다의 '아사 제31년'(왕상 16:23)에 단독으로 통치하기 시작했다. 즉위년 방식을 따르는 남 유다의 입장에서 보면, 오므리가 단독으로 통치하기 시작한 '아사 제31년'은 아사 통치 제30년에 해당한다(대략 주전 880년).

평가 - 극악한 왕(왕상 16:25-26)

오므리는 여호와 보시기에 악을 행하되 그 전의 모든 사람보다 더욱 악하였다. 그는 여로보암의 모든 길로 행하며 그가 이스라엘로 죄를 범하게 한 그 죄 중에 행하여 그 헛된 것으로 이스라엘 하나님 여호와의 노를 격발케 하였다(왕상 16:25-26).

사료(史料) - 이스라엘 왕 역대지략(왕상 16:27)

오므리는 유다 왕 아사 제27년(왕상 16:15)에 시므리를 이어서 이스라엘 왕이 되었습니다. 그러나 이스라엘 백성이 자기를 좇는 자와 디브니를 좇는 자로 나뉘어지므로 반쪽짜리 왕으로 있다가, 유다 왕 아사 제31년에 디브니를 완전히 물리치고 4년 만에 명실상부한 이스라엘의 왕이 되었습니다(왕상 16:21-22). 아사왕 31년(왕상 16:23)에 오므리가 왕이 되고, 아사왕 38년(왕상 16:29)에 오므리의 아들 아합이 왕이 된 것을 볼 때, 오므리는 약 5년간의 디브니와의 전쟁에서 승리한 후 약 8년 동안 단독으로 통치하였으며, 그 가운데 디르사에서 통치한 것은 6년입니다(왕상 16:23).

'오므리'(עָמְרִי)는 히브리어로 '쌓아 올리는'이라는 뜻입니다. 이것은 히브리어 '아마르'(עָמַר)에서 유래되어, '쌓아 올리다, 곡식을 모으다'의 의미입니다. 오므리는 왕으로서 총 12년의 통치 가운데, 자그마치 5년 동안이나 완전한 왕권을 쌓아 올리기 위하여 디브니와 피비린내 나는 전쟁을 치렀던 것입니다.

1. 오므리는 사마리아산에 성을 쌓았습니다.

Omri built a city on the hill of Samaria.

시므리가 죽은 후에 이스라엘이 디브니를 따르는 무리와 오므리를 따르는 무리로 나뉘었으나, 오므리를 따르는 무리가 이기고 디브니는 죽었습니다. 오므리는 자신의 왕권을 확립한 후에 은 두 달란트로 세멜에게서 사마리아산을 구입하고 그 산 위에 성을 건축하였으며, 세멜의 이름을 따라 그 성 이름을 사마리아라고 하였습니다(왕상 16:24). 은 두 달란트는 약 68kg(1달란트=34kg)으로서 사마리아산을 구입할 수 없는 적은 돈입니다. 본래 율법에는 토지 매매를 금지하고 있는데도 불구하고(레 25:23), 오므리는 자신의 강한 권력을 이용하여 거의 빼앗다시피 사마리아산을 구입한 것입니다.

사마리아는 예루살렘 북방 약 56km, 지중해 내륙으로 약 33km에 위치한 팔레스틴의 중앙 지역으로, 지정학적으로 천연의 요새지였습니다. 사마리아는 히브리어로 '쇼므론'(שֹׁמְרוֹן)이며, 그 지형에 걸맞게 '파수대, 망루'라는 뜻을 가지고 있습니다.

오므리는 사마리아를 난공불락의 성으로 만들고, 이스라엘의 수도를 디르사에서 사마리아로 옮김으로써 강력한 왕권을 쌓아 올리고자 했습니다. 그러나 사마리아는 후에 오므리의 아들 아합이 바알과 아세라 우상을 세우는 등 국가적인 범죄의 온상지가 되었습니다.

하나님께서는 바벨탑과 같은 자기의 성을 쌓는 자들을 온 지면에 흩어 버리십니다(창 11:9). 오늘 우리의 삶은 자신의 성을 쌓는 인생이 아니라, 하나님의 영광을 쌓는 생애가 되어야 할 것입니다(고전 10:31).

2. 오므리는 이전의 왕들보다 더욱 악하게 행하였습니다.

Omri acted more wickedly than all the kings before him.

열왕기상 16:25에서 "오므리가 여호와 보시기에 악을 행하되 그 전의 모든 사람보다 더욱 악하게 행하여"라고 말씀하고 있습니다. 이것을 표준새번역에서는 "오므리가 주께서 보시기에 악한 일을 하였는데, 그 일의 악한 정도는 그의 이전에 있던 왕들보다 더 심하였다"라고 말씀하고 있습니다. 그리하여 여호와를 철저히 외면하고 반역하고, 우상숭배하는 죄악을 '오므리의 율례'라고 할 정도였습니다(미 6:16).

첫째, **오므리는 세상 사람들에게 인정받았으나 하나님께는 인정받지 못했습니다.**

시므리가 엘라와 그 가족을 죽이고 왕위를 찬탈했을 때, 이에 분개한 백성은 오므리를 왕으로 세웠습니다(왕상 16:8-16). 그러나 그는 사람들에게는 인정을 받았지만, 이전의 왕들보다 더 악한 삶으로 인하여 하나님께는 전혀 인정받지 못한 자가 되었습니다.

둘째, **오므리는 그 베푼 권세로 유명한 자였습니다.**

오므리왕의 경우에도 바아사와 마찬가지로, '베푼 권세가 역대지략에 기록되었다'(왕상 16:27)고 기록하고 있습니다. 오므리가 '베푼 권세'에 관한 내용은 성경에 자세히 기록되어 있지 않으나, 그가 매우 강력한 정치적·군사적 통치권을 행사했음을 짐작케 합니다.

고고학적 발견에 의하면 주전 850년 경의 모압 비문에 '오므리 이스라엘의 왕'이라고 씌어져 있습니다. 또 앗수르 왕 살만에셀 2세의 기록에는 오므리의 사후에도 이스라엘을 '오므리의 집'으로 부르고 있습니다. 이처럼 오므리의 이름은 멀리 떨어진 지역까지 널리 알려졌습니다. 자기 아들 아합을 멀리 '시돈 사람의 왕 엣바알의 딸 이세벨'(왕상 16:31)과 결혼시킨 것만 보아도, 이방과의 외교 활동이 활발했음을 알 수 있습니다.

그러나 그렇게 오므리가 쌓아 올린 강력한 성 사마리아도, 역사가들이 인정할 정도로 화려했던 외교 정책과 막강한 군사적·정치적 권세도, 주전 880년부터 158년 후인 주전 722년에 앗수르에 의해 무너지고 말았습니다. 이 땅에서 인간의 욕심을 따라 쌓아 올린 것들은 경각간에 무너지고 맙니다(사 30:13, 애 1:6). 오직 믿음으로 행한 일과 하늘에 쌓아 둔 것들만 영원토록 사라지지 않습니다.

7. 아합

Ahab / Αχααβ / אַחְאָב
아버지의 형제 / father's brother

- 북 이스라엘 제4왕조 2대 왕, 전체적으로 제7대 왕(왕상 16:28-22:40, 대하 18:1-34)

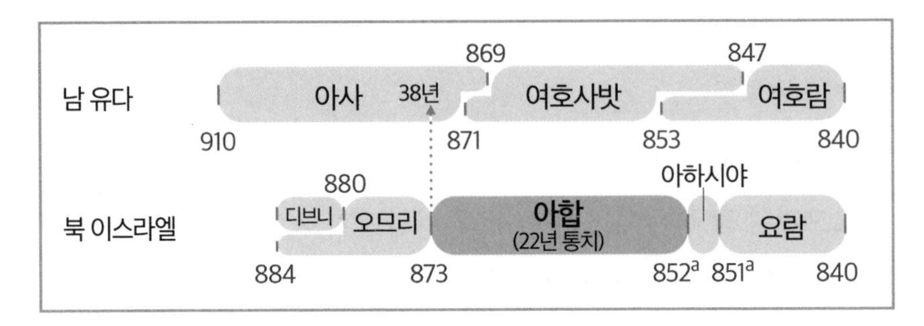

배경
- 부: 오므리(왕상 16:28-29)

통치 기간
- 22년 통치하였다(주전 873-852[a]년, 왕상 16:29).
- 남 유다의 '아사 제38년'(왕상 16:29)에 즉위하였다. 즉위년 방식을 따르는 남 유다의 입장에서 보면, 아합이 즉위한 '아사 제38년'은 아사 통치 제37년에 해당한다(대략 주전 873년).

평가 - 매우 극악한 왕
아합은 시돈 사람의 왕 엣바알의 딸 이세벨과 결혼하여 바알과 아세라 목상을 세우고 섬겼다(왕상 16:31-32). 저는 스스로 팔려 여호와 보시기에 악을 행하였으며(왕상 21:25), 그 전의 모든 이스라엘 왕보다 심히 이스라엘 하나님 여호와의 노를 격발하였다(왕상 16:33).

활동 선지자
- 엘리야(왕상 17:1-왕하 2:11)
- 미가야(왕상 22:13-28)

사료(史料) - 이스라엘 왕 역대지략(왕상 22:39)

아합은 오므리의 아들로, 왕이 되어 22년을 통치하였습니다. 그의 행적은 많은 분량으로 기록되었는데(왕상 16-22장), 이것은 아합의 때가 북 이스라엘의 가장 어두운 시대임을 나타내는 동시에, 엘리야 선지자를 중심으로 하나님의 강한 빛의 역사가 나타났음을 보여 줍니다. 아합(אַחְאָב, 아흐아브)은, '아흐'(אָח: 형제)와 '아브'(אָב: 아버지)가 합성된 것으로, '아버지의 형제'라는 뜻입니다.

1. 아합은 이세벨과 결혼하여 우상을 들여왔습니다.

Ahab married Jezebel and brought in idols.

아합은 시돈 사람의 왕 엣바알의 딸 이세벨과 결혼하고, 바알을 위해 산당을 세우고 거기에 바알과 아세라 목상을 세워 섬기기 시작하였습니다(왕상 16:31-33). 아합은 아버지 오므리의 영향을 받아 죄를 지었지만, 아내 이세벨에게 더 큰 영향을 받았습니다. 열왕기상 21:25-26에서는 아합의 심히 가증한 죄가 아내 이세벨의 충동 때문이었다고 말씀하고 있습니다. 이 말씀을 현대인의성경에서는 "일찍이 아합처럼 여호와 앞에서 악을 행하는 데만 정신이 팔린 사람도 없었다. 이것은 그의 아내 이세벨이 그를 충동하여 온갖 악을 행하도록 하였기 때문이었다. [26]아합은 이스라엘 백성이 가나안 땅으로 들어갈 때 여호와께서 쫓아내신 아모리 사람들이 행한 것처럼 우상을 섬기고 온갖 더러운 짓을 하였다"라고 번역하고 있습니다.

이세벨은 '시돈 사람의 왕 엣바알의 딸'(왕상 16:31)이었습니다. 엣바알은 '에트'(אֵת: ~와 함께)와 '바알'(בַּעַל)의 합성어로, '바알과 함께 생활하는 자'라는 뜻입니다. 오므리가 아들 아합을 위하여 이세벨을 며느리로 얻으므로, '바알' 신이 들어와 바알을 위하여 단을 쌓고(왕상16:32) 또 아세라 목상을 만들게 하였습니다(왕상 16:33上).

이세벨 한 사람으로 말미암아 "그 전의 모든 이스라엘 왕보다 심히 이스라엘 하나님 여호와의 노를 격발"하였습니다(왕상 16:33下). 심지어 이세벨은 여호와의 선지자를 살해하기까지 했습니다(왕상 18:4, 19:10, 14). '엣바알의 딸 이세벨' 한 여인 때문에 극에 달한 무자비, 소름 끼치는 횡포가 만연하여 북 이스라엘은 무법천지로 혼란이 계속되었습니다.

북 이스라엘은 이세벨이 들여온 우상 바알과 아세라를 숭배하기 시작하면서 더욱 하나님을 두려워하지 않게 되고, 말씀의 권위가 땅에 떨어지고 말았습니다. 대표적 사건으로, 벧엘 사람 히엘이 여리고성을 건축한 일입니다(왕상 16:34上). 히엘은, 약 500여 년 전 여호수아를 통해 재건이 금지된 여리고성을 건축하다가, 여호수아가 맹세로 경계했던 말씀대로(수 6:26), 그 터를 쌓을 때 맏아들 아비람을 잃었고, 그 문을 세울 때 말째 아들 스굽을 잃었습니다(왕상 16:34下). 하나님의 말씀을 무시하다가 큰 파멸을 당한 것입니다.

2. 아합은 엘리야 선지자와 대결하였습니다.

Ahab contested against Elijah the prophet.

엘리야 선지자는 아합왕에게 "나의 섬기는 이스라엘 하나님 여호와의 사심을 가리켜 맹세하노니 내 말이 없으면 수년 동안 우로가 있지 아니하리라"라고 선포하였습니다(왕상 17:1). 아합의 통치 기간 중 극심한 기근이 3년 6개월 동안 지속되었습니다(왕상 18:1-2, 약 5:17). 이것은 바알 신을 숭배하는 아합왕과 당시 사람들에 대한 하나님의 징계였습니다. 당시 사람들은 바알 신이 모든 기후와 농경을 주장한다고 믿고 있었기 때문입니다.

하나님께서는, 가뭄이 들어 수많은 날이 지나고 제3년에 다시 엘리야 선지자를 아합에게 보내셨습니다(왕상 18:1). 아합은 엘리야를 향하여 '이스라엘을 괴롭게 하는 자'(왕상 18:17)라고 비난하였습니다. 아합은 이스라엘의 기근의 원인이 자신의 죄악이 아니라 엘리야 때문이라고 생각하고, 모든 책임을 하나님의 사람에게 전가한 것입니다. 이에 엘리야 선지자는 아합에게 바알의 선지자 450인과 아세라의 선지자 400인을 갈멜산에 모으라고 말하였습니다(왕상 18:19). 갈멜산에서, 하나님께서는 엘리야 선지자의 제단에 불을 내리시어 승리하게 하시고, 엘리야는 바알 선지자를 한 사람도 남김없이 잡아 기손 시내에서 죽였습니다(왕상 18:40). 아합왕은 엘리야와의 싸움에서 패한 후에도 회개하기는커녕, 이세벨을 통하여 더욱 폭력적이고 극악한 종교적 탄압 정책을 시행하였습니다. 극심한 탄압 속에 선지자 엘리야도 이세벨을 피하여 호렙산까지 도망가야 했습니다(왕상 19:1-18). 엘리야 선지자의 승리는 곧 거짓된 신 '바알과 아세라'에 대한 하나님의 승리였습니다. '바알과 아세라'라는 거짓 선지자들의 광란의 의식에도 불구하고 일언반구(一言半句)도 응답하지 않는 거짓 신, 침묵하는 신, 잠자는 신이었습니다(왕상 18:27). 그러나 엘리야가 믿는 하나님은 엘리야의 기도에 불로 응답하시는 살아 계신 하나님이셨습니다(왕상 18:38).

3. 아합은 아람 왕 벤하닷 2세와 전쟁을 하였습니다.

Ahab battled against Ben-hadad II, king of Aram.

아람 왕 벤하닷 2세는 사마리아를 포위하고, 아합왕에게 "네 은금은 내 것이요 네 처들과 네 자녀들의 아름다운 자도 내 것이니라"라고 말했습니다(왕상 20:1-3). 하나님께서는 무명의 한 선지자를 보내어 이스라엘이 승리할 것을 예언하시고, 어떻게 전쟁에 대비해야 하는지를 알려 주셨습니다(왕상 20:13-15, 22). 하나님의 예언대로 아합왕은 아람과의 1,2차 전쟁에서 모두 승리하였는데, 이것은 전적으로 하나님의 도우심 때문이었습니다(왕상 20:16-21, 26-30). 하나님께서는 아람 나라를 패배시키심으로써 역사를 주관하시는 분이 하나님이심을 만천하에 공포하셨습니다.

1차 전쟁에서 아합왕이 각 도의 방백의 소년들 232명과 일반 백성 7천 명만으로, 32명의 왕들과 함께 대군을 이끈 벤하닷과의 전쟁에서 크게 승리한 것은 기적적인 하나님의 역사였습니다(왕상 20:15-21).

2차 전쟁에서도 아합왕은 엄청난 군사적 열세에 있었습니다. 이스라엘은 '염소 새끼의 두 적은 떼'와 같고, 아람 사람은 '그 땅에 가득'하였습니다(왕상 20:27). 그러나 하나님의 역사로, 적군 10만을 단 하루에 아합의 군대가 이겼습니다(왕상 20:28-30). 비록 우상숭배에 빠진 아합과 북 이스라엘 백성이지만, 아람과의 전쟁을 통하여 하나님의 능력을 체험하고 회개하기를 원하신 하나님의 큰 사랑이었습니다. 열왕기상 20:13에서 "... 내가 오늘 저희를 네 손에 붙이리니 너는 내가 여호와인 줄 알리라 하셨나이다"라고 말씀하였고, 열왕기상 20:28에서도 "... 내가 이 큰 군대를 다 네 손에 붙이리니 너희는 내가 여호와인 줄 알리라 하셨나이다"라고 말씀하였습니다.

그러나 아합왕은 아람 왕 벤하닷을 응징하시려는 하나님의 뜻을 거역하고, 우쭐하여 벤하닷과 약조를 체결하고 그냥 살려 보냅니다. 이로 말미암아 하나님께서 벤하닷을 대신하여 아합을 죽이시겠다고 하는 예언을 듣게 됩니다(왕상 20:42). 이 예언은 약 3년 후인 주전 852년에 아람 왕 벤하닷과의 제3차 전쟁에서 그대로 이루어져, 아합왕은 비참하게 죽게 됩니다(왕상 22:29-38).

아합은 한 무명의 선지자로부터 아람 왕 벤하닷을 살려 준 행위

주전 856-855년, 아람 왕 벤하닷의 1,2차 침략과 아합의 승리 (왕상 20:1-21, 22-43)

856-855 BC - The first and second invasions of Ben-hadad, king of Aram, and Ahab's victories (1 Kgs 20:1-21, 22-43)

2 무명의 한 선지자가 아합에게 이스라엘이 승리할 것을 예언했고, 전쟁 대비책을 알려주었다(왕상 20:13-14). 아합이 각 도의 소년병 232명과 일반 백성 7천 명을 계수하였고, 벤하닷은 장막에서 돕는 왕 32명과 취한 상태였다. 이때 아합의 군대가 적군을 쳐죽이고 크게 도륙하였다(왕상 20:15-21).

An anonymous prophet prophesied to Ahab of Israel's victory and told him how to prepare for battle (1 Kgs 20:13-14). Ahab mustered 232 young men from the provinces as well as 7,000 from the people of Israel while Ben-hadad was getting drunk in a temporary shelter with 32 kings who helped him. At that time, Ahab's army smote the enemy and slaughtered them (1 Kgs 20:15-21).

아람
ARAM

주전 856년
1차 침입
(왕상 20:1-21)
1st invasion in 856 BC
(1 Kgs 20:1-21)

주전 855년
2차 침입
(왕상 20:22-43)
2nd invasion in 855 BC
(1 Kgs 20:22-43)

5 3년 후 (주전 852년), 아합과 여호사밧 연합군이 길르앗 라못을 탈환하기 위해 아람을 침공하였으나, 참패하였다(왕상 22:1-40).

Three years later (852 BC), the allied forces of Ahab and Jehoshaphat attacked Aram in order to recapture Ramoth-gilead; however, they were completely defeated (1 Kgs 22:1-40).

갈릴리 바다
SEA OF GALILEE

1 아람 왕 벤하닷이 사마리아를 포위하였다(왕상 20:1-12).

Ben-hadad king of Aram besieged Samaria (1 Kgs 20:1-12).

이스라엘
ISRAEL

Jordan River
요단강

사마리아
Samaria

길르앗 라못
Ramoth-gilead

대해(지중해)
THE GREAT SEA
(MEDITERRANEAN SEA)

아벡 Aphek

블레셋
PHILISTIA

주전 852년,
길르앗 라못 탈환 전투
(왕상 22:1-40, 대하 18:1-34)
Battle to recapture Ramoth-gilead in 852 BC (1 Kgs 22:1-40, 2 Chr 18:1-34)

3 무명의 한 선지자가, 해가 돌아오면 아람 왕이 또다시 아합을 치러 올 것을 예고하면서, 힘을 기르고 왕의 행할 일을 알고 준비하라고 일렀고 아합은 그대로 행했다(왕상 20:22).

The anonymous prophet forewarned that the king of Aram will attack again at the turn of the year. He told King Ahab to strengthen himself and do what a king needs to do (1 Kgs 20:22).

유다
JUDAH

예루살렘
Jerusalem

4 벤하닷은 1차 전쟁에서 참패하고 도망한 후 아람 사람을 점고하고 아벡으로 올라와서 2차 전쟁을 시도했다(왕상 20:26). 이때 "이스라엘은 염소새끼의 두 적은 떼와 같고 아람 사람은 그 땅에 가득"하였다(왕상 20:27). 그러나 염소새끼의 두 적은 떼와 같은 아합의 군대가 여호와를 멸시한 아람 보병 10만을 하루에 죽이고 승리하였다(왕상 20:28-29). 그 남은 자 2만 7천 위에 성이 무너졌으며, 벤하닷은 도망하여 골방으로 들어갔다(왕상 20:30).

Ben-hadad was totally defeated in the first battle. He fled, mustered the Arameans, and came to Aphek for a second battle (1 Kgs 20:26). In the battle, the Israelites were "like two little flocks of goats, but the Arameans filled the country" (1 Kgs 20:27). However, the two little flocks of Ahab's army defeated the 100,000 foot soldiers of the Arameans who had despised the Lord God (1 Kgs 20:28-30). The wall fell on the 27,000 men who were left. And Ben-hadad fled and went into the inner chamber (1 Kgs 20:30).

전투 장소  포위 ········ 국경선

가 자신의 목숨을 바꾸는 실수였다는 말씀을 듣자, '근심하고 답답하여' 그 궁으로 돌아가려고 사마리아에 이르렀습니다(왕상 20:43). 여기 '답답하여'(זָעֵף, 자에프: 끓어오르다)는 물이 부글부글 끓듯이 맹렬하게 격분한 상태를 나타냅니다(잠 19:12, 미 7:9). 자신의 생명이 하나님의 심판 가운데 놓여 있다는 예언을 듣고 회개하기보다는 오히려 화를 냄으로써 그의 불신앙을 드러냈습니다. 하나님의 말씀을 온전히 순종하지 않고 불의와 타협하여 인간적인 유익을 얻으려는 육신의 생각이 스스로를 불안과 분노로 가득 메웠으며, 회개하지 않은 결과 마침내 자신의 목숨까지 잃어버리고 말았습니다(왕상 22:37).

4. 아합은 나봇의 포도원을 빼앗았습니다.

Ahab took away Naboth's vineyard.

아합은 왕궁 곁에 가까이 있던 나봇의 포도원을 빼앗아 자신의 나물밭을 삼으려고 하였습니다(왕상 21:1-2). 여기 '나물'은 히브리어 '야라크'(יָרָק)로서 '푸르름, (정원의) 풀, 채소' 등을 의미합니다. 그러므로 나물밭은 정원을 의미하며, 아합은 그의 궁에서 가까운 곳에 휴식할 수 있는 정원을 만들고자 했던 것입니다.

가나안 땅은 하나님께서 주신 약속의 기업으로서 매매가 금지되었으며(레 25:23, 민 36:6-9, 겔 46:18), 율법에서는 그 지계석조차도 강제로 옮기는 것을 금하였습니다(신 27:17, 욥 24:2, 잠 15:25, 22:28-29, 23:10-11, 호 5:10). 그러나 아합은 자신의 권력을 이용하여 개인적인 욕심을 이루고자 했습니다. 나봇은 담대하게 "내 열조의 유업을 왕에게 주기를 여호와께서 금하실지로다"(왕상 21:3)라고 하면서 아합의 제안을 거절하였습니다. 나봇(뜻 열매들)은 서슬이 시퍼런 막강한 권력 앞에서 하나님의 말씀을 지키기 위하여 조금도 요동하지 않는 담대한 믿음의 소유자였습니다. 권력에 아부하면서 하나님의 말씀을 거역하는 자들의 우유부단(優柔不斷)함과는 너무나 대조적인 모습이 아닐 수 없습니다.

나봇이 거절하자, 아합은 근심하고 답답하여 침상에 누워 얼굴을 돌이키고 식사를 하지 않았습니다(왕상 21:4). 이것은 나봇의 포도원을 빼앗기 위한 유도 작전이었습니다. 이세벨은 아합에게 찾아가 고민하는 이유를 듣고, 왕권으로 강력하게 다스려 그 포도원을 빼앗을 수 있다고 충동질하였습니다(왕상 21:5-7). 이세벨은 나봇이 사는 성의 장로와 귀인들에게 편지를 보내어, "금식을 선포하고 나봇을 백성 가운데 높이 앉힌 후에 [10]비류 두 사람을 그 앞에 마주 앉히고 저에게 대하여 증거하기를 네가 하나님과 왕을 저주하였다 하게 하고 곧 저를 끌고 나가서 돌로 쳐죽이라"라고 명령했습니다(왕상 21:8-10). 이세벨의 분부, 곧 이세벨이 보낸 편지에 쓴 대로 나봇은 성 밖으로 끌려 나가서 돌에 맞아 죽었습니다(왕상 21:11-16). 이때 그들은 나봇만 아니라 그 포도원을 이어갈 후손, 즉 나봇의 아들들도 함께 죽였습니다(왕하 9:26).

그러나 하나님께서는 나봇의 포도원을 취하러 가는 아합왕에게 엘리야 선지자를 보내어 "... 개들이 나봇의 피를 핥은 곳에서 개들이 네 피 곧 네 몸의 피도 핥으리라"(왕상 21:19)라고 예언하시고, 개들이 이스르엘성 곁에서 이세벨도 먹으리라고 예언하셨습니다(왕상 21:23). 아합은 이 경고를 듣고 겸비하여 옷을 찢고 굵은 베로 몸을 동이고 회개하므로 하나님의 진노가 아들의 시대로 연기되었지만, 아합의 회개는 일시적인 것이었습니다(왕상 21:27-29).

그러나 하나님께서는 아합이 많은 죄 가운데서도 잠시나마 겸손하게 회개하는 모습을 보시고, 그의 집안에 대한 징벌만은 연기해 주셨습니다(참고-출 34:6, 민 14:18, 시 86:15, 103:8, 145:8).

그럼에도 아합은 하나님께서 주신 권력을 사리사욕을 취하는데 사용하고 하나님의 말씀을 거역하여, 결국에는 그가 죽었을 때 개들이 그 피를 핥게 되는 비참한 인생이 되고 말았습니다(왕상 22:38). 또한 훗날 예후가 반란을 일으켜 아합의 아들 요람과 아합의 아내 이세벨을 죽이고 아합 가문을 멸절시킴으로 엘리야의 예언은 적중하였습니다(왕하 9:24-37). 아합은 '스스로 팔려'(왕상 21:20, 25) 하나님 앞에 안하무인(眼下無人)격으로 거짓과 살인을 저질렀고, 결국 하나님의 공의롭고 준엄한 심판과 악에 대한 보응을 받았습니다. 어떤 은밀한 행위도 하나님의 불꽃 같은 눈동자 앞에서는 피할 수 없습니다(전 12:14, 롬 2:16, 계 1:14, 2:18, 19:12).

5. 아합은 길르앗 라못 전투에서 화살에 맞아 죽었습니다.

Ahab was struck and killed by an arrow in the battle at Ramoth-Gilead.

아람과 이스라엘 사이에 전쟁이 없이 3년을 지낸 후에 아합왕은 유다 왕 여호사밧에게 연합하여 길르앗 라못을 공격하자고 제안하였습니다(왕상 22:1-4). 여호사밧은 먼저 하나님께 묻기를 청하였는데, 이에 400명의 거짓 선지자들은 "올라가소서 주께서 그 성을 왕의 손에 붙이시리이다"라고 대답하였으며(왕상 22:6), 그 중에 시드기야는 철로 뿔들을 만들어 "여호와의 말씀이 왕이 이것들로 아람 사람을 찔러 진멸하리라 하셨다"라고 거짓 예언을 했습니다(왕상 22:11).

그러나 미가야 선지자는 '하나님께서 거짓말하는 영을 거짓 선지자들의 입에 넣어 전쟁에 나가 싸우라고 하였으며, 아합은 죽고 온 이스라엘은 목자 없는 양같이 흩어질 것'이라고 예언하였습니다(왕상 22:14-23). 이 말을 들은 시드기야는 미가야의 뺨을 때렸고,

아합왕은 미가야 선지자를 감옥에 가두고 고생의 떡과 고생의 물을 먹이게 하였습니다(왕상 22:24, 27).

아합왕은 하나님의 예언을 무시하고 전쟁에 나갔습니다. 그는 갑옷으로 무장하고 변장을 하고 전쟁터에 나갔습니다. 그는 적의 표적이 되지 않아 안전할 것이라고 생각하였으나, 한 사람이 우연히 쏜 화살에 맞아 피를 흘리며 싸우다가 죽었는데 그 피가 병거 바닥에 고였습니다(왕상 22:34-35). 죽은 아합왕은 사마리아에 장사되고, 그 병거를 창기들이 목욕하던 사마리아 못에 씻으매 개들이 그것을 핥았습니다. 하나님의 말씀 그대로입니다(왕상 21:19, 22:37-40). 하나님께서는 말씀하신 모든 것을 꼭 그대로 이루시는 분이시며, 인간처럼 실수하시지 않고, 착각하시는 분이 결코 아니십니다(시 33:9, 애 2:17, 겔 12:28). 아합은 하나님 앞에 극악무도한 죄를 지었음에도 불구하고, '아버지의 형제(자손)'라는 이름의 뜻대로 하나님의 무궁한 사랑을 통해 여러 번 회개의 기회를 받았습니다. 그러나 그는 끝까지 죄짓는 것을 가볍게 여기고 그 말씀을 무시했습니다. 열왕기상 16:31에는 "느밧의 아들 여로보암의 죄를 따라 행하는 것을 오히려 가볍게 여기며"라고 말씀하였습니다. 죄를 가볍게 여기는 것은 결국 하나님을 멸시하는 태도입니다. 하나님께서는 각 사람이 행한 대로 보응하시며, 각각 행위대로 갚아 주십니다(욥 34:11). 하나님을 멸시하는 죄에는 반드시 형벌이 따르며(벧후 2:10), 아합왕은 결국 하나님으로부터 버림받았습니다(삼상 2:30).

천지는 없어져도 하나님의 말씀은 일점 일획도 없어지지 않고, 말씀하신 그대로 이루어집니다(마 24:34-35). 그러므로 우리는 하나님을 경외하고, 그 말씀을 끝까지 두렵게 받고 믿으며 순종하는 백성이 되어야 할 것입니다.

주전 852년, 길르앗 라못 탈환 전투(왕상 22:1–40, 대하 18:1–34)

852 BC - The battle to take back Ramoth-gilead
(1 Kgs 22:1-40, 2 Chr 18:1-34)

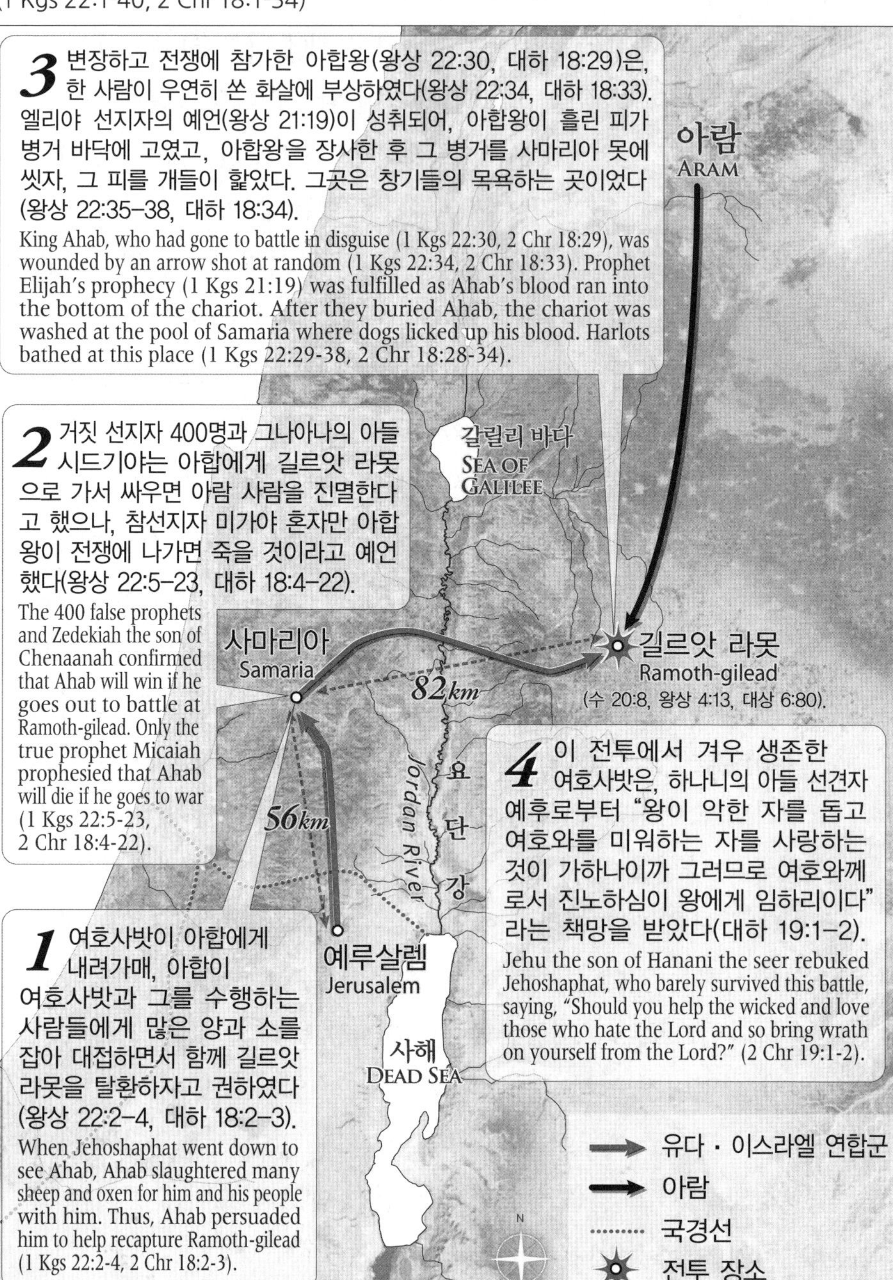

8. 아하시야

Ahaziah / Οχοζιας / אֲחַזְיָה

여호와께서 붙잡으셨다, 여호와의 소유

the Lord has grasped, the Lord's possession

- 북 이스라엘 제4왕조 3대 왕, 전체적으로 제8대 왕(왕상 22:40, 51-53, 왕하 1:1-18, 대하 20:35-37)

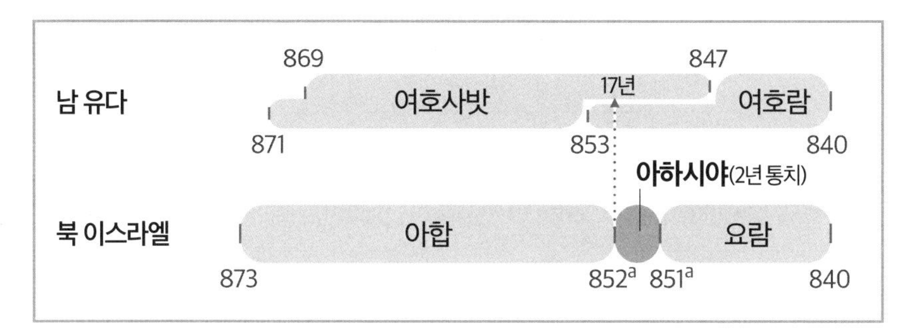

배경

- 부: 아합(왕상 22:40, 51)
- 모: 이세벨(왕상 22:52)

통치 기간

- 2년 통치하였다(주전 852[a]-851[a]년, 왕상 22:51).
- 남 유다의 '여호사밧 제17년'(왕상 22:51)에 아하시야가 즉위하였다. '여호사밧 제17년'은 총통치가 아닌 단독으로 통치한 기간을 기준한 것이다.

평가 - 극악한 왕(왕상 22:52-53)

아하시야는 여호와 보시기에 악을 행하여, 그 아비의 길과 그 어미의 길과 이스라엘로 범죄케 한 느밧의 아들 여로보암의 길로 행하며 바알을 섬겨 숭배하여, 이스라엘 하나님 여호와의 노를 격동하기를 그 아비의 온갖 행위같이 하였다(왕상 22:52-53).

활동 선지자 - 엘리야(왕하 1:3-18)

사료(史料) - 이스라엘 왕 역대지략(왕하 1:18)

아하시야는 가장 악한 왕이었던 아합왕의 뒤를 이어 이스라엘의 왕이 되었습니다. '아하시야'(אֲחַזְיָה)는 히브리어 '아하즈'(אָחַז: 붙잡다, 움켜잡다)와 '야흐'(יָהּ: 여호와의 축약형)가 합성된 것으로, 그 뜻은 '여호와께서 붙잡으신다'라는 뜻입니다. 그 이름의 뜻대로 하나님께서는 아하시야를 여러 번 붙잡아 주셨습니다. 그러나 아하시야는 하나님의 경고를 거부하여 왕이 된 지 2년 만에 죽고 말았습니다.

1. 아하시야는 부모의 죄를 그대로 답습하였습니다.

Ahaziah walked in the sinful ways of his parents.

아하시야는 아버지 아합이 바알을 숭배하고 하나님께 도전적인 삶을 살다가 얼마나 비참하게 죽었는지 잘 알고 있었습니다. 그러나 그는 부모가 걸어간 불신앙의 길을 버리지 못하고 그대로 따라, 바알을 숭배하며 온갖 죄악을 저질렀습니다(왕상 22:52-53). 열왕기상 22:53에서 "바알을 섬겨 숭배하여 이스라엘 하나님 여호와의 노를 격동하기를 그 아비의 온갖 행위같이 하였더라"라고 말씀하고 있습니다.

열왕기상 22:53에 나오는 '숭배하여'는 히브리어 '샤하'(שָׁחָה)로서 그 뜻은 '엎드리다, 경배하다, 복종하다'입니다. 이것은 동사의 히트파엘형으로, 아하시야가 바알 숭배하기를 자발적이고 적극적으로 하였음을 나타냅니다. 그러므로 아하시야가 하나님의 심판을 받은 것은 부모의 영향뿐만 아니라 본인 스스로의 죄악 때문이었음을 알 수 있습니다.

2. 아하시야는 여호사밧과 동맹하여 배를 건조하였습니다.

Ahaziah allied with Jehoshaphat to build ships.

아하시야왕은 경건한 유다 왕 여호사밧과 동맹하여 아카바만의 에시온게벨에서 다시스로 보낼 배를 만들었습니다. 그런데 하나님께서는 마레사 사람 도다와후의 아들 엘리에셀로 하여금 여호사밧 왕에게 "왕이 아하시야와 교제하는 고로 여호와께서 왕의 지은 것을 파하시리라"라고 예언하게 하셨습니다(대하 20:36-37). 그런데 놀라운 것은 이 하나님의 예언이 나온 직후에 배가 파상(破傷)하여 다시스로 가지 못하게 된 것입니다. 여기 '파하시리라'는 히브리어 '파라츠'(פָּרַץ)로, '(갑자기) 부수다, 깨뜨리다, 터치고 나오다'라는 뜻을 가지고 있습니다. 하나님께서 예언하신 그 순간에 배가 깨지고 말았던 것입니다. 인간이 자신의 돈과 권력을 이용하여 아무리 큰 인생의 배를 건조할지라도, 하나님께서 말씀하시면 순식간에 깨진다는 것을 명심해야 합니다.

하나님께서 여호사밧이 아하시야와 교제하는 것을 막으신 것은, 그가 '심히 악한 자'였기 때문입니다. 역대하 20:35에서는 "유다 왕 여호사밧이 나중에 이스라엘 왕 아하시야와 교제하였는데 아하시야는 심히 악을 행하는 자이었더라"라고 말씀하고 있습니다. 여기 '교제하였는데'는 히브리어 '하바르'(חָבַר)로, '둘을 하나로 묶다(bind)'라는 뜻입니다. 특히 여기에서는 동사의 히트파엘형이 사용되어, 여호사밧이 스스로 적극적으로 아하시야와 연합하였음을 나타내고 있습니다. 경건한 하나님의 사람들이 심히 악을 행하는 자와 적극적으로 교제하는 것은 결코 옳지 못한 태도입니다.

3. 아하시야는 다락 난간에서 떨어져 병이 들었습니다.

Ahaziah fell through the lattice in his upper chamber and became ill.

아하시야는 안팎으로 두 가지 큰 우환을 당하게 되는데, 밖으로는 모압이 아하시야에 대해 반기를 들었고, 안으로는 그가 사마리아에 있는 다락 난간에서 떨어져 병들게 된 것입니다(왕하 1:1-2). 모세 율법에서 '지붕에 난간을 만든 것은 사람으로 떨어지지 않게'(신 22:8) 한 것인데 아하시야는 오히려 그 난간에 걸려 떨어졌고, 마침내 병이 들어 중하여졌습니다. 그러나 아하시야는 이렇게 생사가 달린 중대한 문제가 생겼을 때 그것이 하나님의 징계의 채찍인 줄 알고 하나님께 물어야 했으나, 오히려 사자들을 에그론의 신 바알세붑에게 보내어 묻게 하였습니다(왕하 1:2). '바알세붑'(בַּעַל זְבוּב)은 '파리 떼의 대왕'이라는 뜻으로, 신약성경에서도 마귀를 지칭하는 대표적인 명칭 가운데 하나로 사용되었습니다(마 10:25, 12:24).

이에 노하신 하나님께서는 엘리야 선지자를 보내셔서 "이스라엘에 하나님이 없어서 너희가 에그론의 신 바알세붑에게 물으러 가느냐?"라고 책망하신 후, "네가 올라간 침상에서 내려오지 못할지라 네가 반드시 죽으리라"라고 준엄하게 심판을 선포하셨습니다(왕하 1:3-4). 아하시야는 이 말씀을 듣고도 여전히 강퍅하여, 엘리야를 붙잡아 오도록 군인 한 소대(50명)를 보내었습니다(왕하 1:9). 실로 아하시야는 하나님께서 붙잡아 주고 싶어도 도저히 붙잡아 줄 수 없는 도전적인 행동만을 계속하였습니다.

하나님께서는 하늘에서 불을 내려 아하시야가 보낸 군대를 모두 사르셨습니다. 그럼에도 불구하고 아하시야는 또 50명의 군대를 보냈으며, 하나님께서는 동일하게 다시 아하시야가 보낸 군대를 불사르셨습니다. 아하시야는 세 번째로 또 50명의 군대를 보냈습니다(왕하 1: 10-13). 다행히 세 번째로 갔던 군대의 오십부장은 겸손하게 엘리야 앞에 꿇어 엎드려 간구함으로 목숨을 보전하였습니다(왕하 1:13-14).

하나님께서 하늘에서 내리신 불은, 이스라엘에 하나님께서 계시다는 것과, 엘리야가 하나님의 사람이라는 것과, 하나님의 사람의 입에 두신 여호와의 말씀은 반드시 성취되는 진실한 말씀이라는 것을 증거하는 확실한 표징이었습니다.

세 번째로 군대가 왔을 때, 엘리야는 "두려워 말고 함께 내려가라"(왕하 1:15)라는 하나님의 명령을 따라 일어나 저들과 함께 내려가 아하시야왕 앞에 서서, "네가 그 올라간 침상에서 내려오지 못할지라 네가 반드시 죽으리라 하셨다"(왕하 1:16)라고 직접 담대하게 선포하였습니다.

하나님께서는 병을 통해서 아하시야를 다시 붙잡아 주시기를 원하셨지만, 그는 회개하지 않고 하나님 앞에 계속 도전적인 행동을 하여, 왕위에 오른 지 2년 만에 아들이 없는 상태에서 요절하고 말았습니다(왕하 1:17). 아하시야가 아들이 없이 죽자, 그 동생 여호람(아합의 아들-왕하 3:1)이 왕이 되었습니다.

아하시야의 삶은, 하나님의 계속되는 경고를 무시하고 하나님께 도전하는 인생은 반드시 비참한 종말을 맞게 됨을 가르쳐 줍니다.

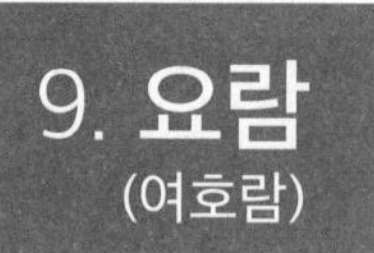

Joram (Jehoram) / Ἰωραμ / יוֹרָם (יְהוֹרָם)

여호와께서 찬양을 받으시다, 여호와께서 높아지시다
the LORD is praised, the LORD is exalted

- 북 이스라엘 제4왕조 4대 왕, 전체적으로 제9대 왕(왕하 1:17, 3:1-9:29, 대하 22:1-9)

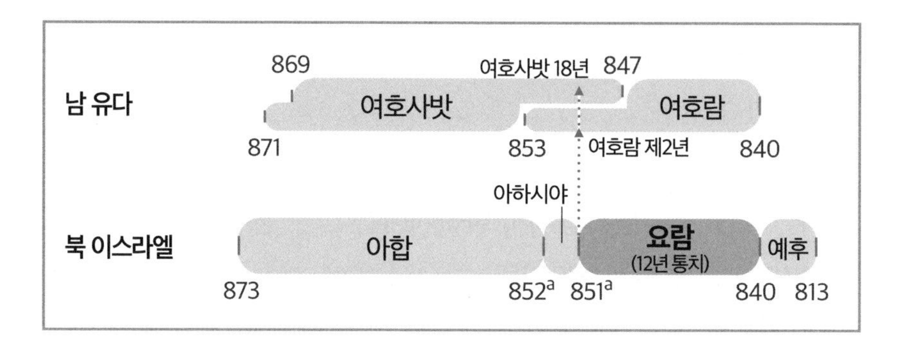

배경

- 부: 아합(왕하 3:1, 대하 22:5)
- 형 아하시야가 아들이 없이 죽자 동생 요람이 왕이 되었다(왕하 1:17).

통치 기간

- 12년 통치하였다(주전 851[a]-840년, 왕하 3:1).
- 남 유다의 '여호사밧 제18년'(왕하 3:1)에 요람이 즉위하였다. '여호사밧 제18년'은 여호사밧의 총통치가 아닌 단독으로 통치한 해(주전 869년)를 기준한 것이다.

평가 - 악한 왕(왕하 3:2-3)

요람은 비록 여호와 보시기에 악을 행하였으나, 그의 부모 아합과 이세벨과 같이 하지는 아니하였으니, 아버지 아합이 만든 바알의 주상을 제거했다(왕하 3:2). 그러나 여전히 여로보암이 이스라엘로 범하게 한 그 죄를 따라 행하고 죄에서 떠나지 않았다(왕하 3:3).

활동 선지자 - 엘리야, 엘리사(왕상 19:16-왕하 13:21)
엘리사는 북 이스라엘 열두 번째 요아스왕까지 활동을 하였다.

사료(史料) - 역대지략에 요람에 관한 기록이 없다.

요람은 아합왕의 아들로, 형 아하시야왕을 이어 왕이 되었습니다. 요람은 여호람의 단축형입니다. 여호람은 히브리어로 '예호람'(יְהוֹרָם)으로서, '예호바'(יְהוָֹה: 여호와)와 '룸'(רוּם: 올리다, 높이다)이 합성된 단어입니다. 그러므로 '예호람'(יְהוֹרָם)의 뜻은 '여호와께서 높으심, 여호와께서 존귀하심'입니다.

1. 요람이 왕이 된 해는 아하시야가 죽은 해인 주전 851년입니다.

Joram became king in 851 BC, the year of Ahaziah's death.

아합의 아들 요람(여호람)이 왕이 된 시기에 대해서, 성경에는 서로 모순되게 보이는 두 가지 기록이 있습니다.

열왕기하 8:16을 보면, 이스라엘 왕 아합의 아들 요람(여호람) 제 오년에 "유다 왕 여호사밧이 오히려 위에 있을 때에" 여호사밧의 아들 남 유다 여호람이 왕이 되었습니다. 여기에서는 북 이스라엘 여호람이 남 유다 여호람보다 먼저 왕이 되었습니다.

그런데 열왕기하 1:17에서는 "(북 이스라엘) 여호람이 대신하여 왕이 되니 유다 왕 여호사밧의 아들 여호람의 제 이년이었더라"라고 말씀하고 있습니다. 여기에서는 열왕기하 8:16의 기록과는 반대로, 남 유다 여호람이 북 이스라엘 여호람보다 먼저 왕이 되었습니다.

이것은 어떻게 된 것일까요?

유다 왕 여호사밧은 길르앗 라못을 탈환하려는 이스라엘 왕 아합의 전쟁에 참전하기 전인 주전 853년에 자기 아들 여호람을 미리 유다의 섭정 왕으로 취임시켜, 이때부터 자신과 함께 통치하게 했습니다.

한편 북 이스라엘 아합이 길르앗 라못 탈환 전쟁에서 죽자, 그의 아들 아하시야가 이스라엘 왕으로 즉위하여(주전 852년) 2년 통치 후에 후손 없이 죽었습니다. 이에 그의 동생 요람(아합의 아들)이 뒤를 이어 이스라엘 왕이 되었습니다(주전 851년). 이때는 남 유다 여호사밧의 아들 여호람이 섭정 왕이 되어 통치를 시작한 지 2년째 되던 해였습니다(왕하 1:17). 그러나 여호사밧왕이 길르앗 라못 전투에서 살아 돌아오므로, 비록 아들 여호람과 아버지 여호사밧이 공동 통치를 하였으나, 남 유다의 실권은 여호사밧이 쥐고 있었습니다. 주전 847년에 여호사밧이 죽자, 남 유다의 여호람은 비로소 단독으로 통치하기 시작하였습니다. 결국 열왕기하 8:16에서는 여호람이 단독으로 통치하기 시작한 것을 왕이 되었다고 표현한 것이며, 이때는 북 이스라엘의 여호람이 왕 된 지 5년째 되는 해였습니다.

2. 요람은 모압 정벌을 나갔을 때 물의 기적을 체험하였습니다.

Joram experienced the miracle of water on his way to punish Moab.

아합왕이 죽은 후, 새끼 양 10만의 털과 숫양 10만의 털로 조공을 바쳐 오던 모압 왕이 이스라엘을 배반하였습니다(왕하 1:1, 3:4-5). 아합의 뒤를 이은 아하시야는 병중에 있었고, 그의 뒤를 이은 요람은 왕위에 오르자 곧바로 요단 동편에 대한 그의 영향력을 회복하려고 모압 정벌에 나섰습니다.[39] 이때 요람이 제일 먼저 취한 조치는 '온 이스라엘을 점고'(왕하 3:6)하는 것이었습니다. 여기 '점고하

주전 851년, 이스라엘 왕 여호람(요람)과 유다 왕 여호사밧과 에돔 왕 연합군의 모압 공격(왕하 3:4-27)

851 BC - The allied forces of Jehoram (Joram) of Israel, Jehoshaphat of Judah, and the king of Edom attack Moab (2 Kgs 3:4-27).

아합이 죽은(주전 852년) 후에 모압 왕이 이스라엘을 배반하므로(왕하 1:1, 3:5) 시작된 전투이다. 모압은 다윗 왕 이래로 이스라엘의 속국이었으며(삼하 8:2), 아합 당시 새끼 양 10만의 털과 숫양 10만의 털로 조공을 바쳤었다(왕하 3:4).

This battle began when the king of Moab rebelled against the northern kingdom of Israel after the death of Ahab (852 BC; 2 Kgs 1:1, 3:5). Moab was Israel's vassal state since the days of King David (2 Sam 8:2) and used to pay the king of Israel 100,000 lambs and the wool of 100,000 rams (2 Kgs 3:4).

1 여호람 왕이 온 이스라엘을 점고하였고, 유다 여호사밧 왕에게 모압을 치는 일에 도움을 요청하였다(왕하 3:6-7).

King Jehoram mustered all Israel and also requested help from Jehoshaphat king of Judah (2 Kgs 3:6-7).

2 여호람 왕이 에돔 왕에게 도움을 요청하고 에돔 광야 길로 지나갔다(왕하 3:8-9).

King Jehoram sought the help of the king of Edom; then they passed through the way of the wilderness of Edom (2 Kgs 3:8-9).

3 원정 7일에 군대와 생축을 먹일 물이 없자, 여호사밧의 요청으로 엘리사 선지자에게 나아갔고, 그는 거문고 타는 소리를 듣고 하나님의 감동을 받아 "이 골짜기에 개천을 많이 파라"라는 여호와의 말씀을 전하였다(왕하 3:9-16). 엘리사의 예언대로 아침에 소제 드릴 때에 물이 에돔 편에서부터 흘러와서 그 땅에 가득하였다(왕하 3:17-20).

After a circuit of seven-days' journey, there was no water for the army and the cattle. At the request of Jehoshaphat, they went to Prophet Elisha. When Elisha heard the sound of the minstrel playing, he was moved by God and delivered God's message, saying, "make this valley full of trenches!" (2 Kgs 3:9-16). In exact accordance to Elisha's prophecy, the water flowed from the way of Edom and filled the country at the time of the morning sacrifice (2 Kgs 3:17-20).

4 아침에 모압 사람이 일찍이 일어나서 해가 물에 비취므로 맞은편 물이 붉어 피와 같음을 보고, 필연 연합군측 왕들이 서로 싸워 죽인 것이라고 판단, 이스라엘 진에 노략하러 왔다가 이스라엘 사람에게 참패를 당하였다(왕하 3:21-24). 이스라엘이 모압 사람을 치고 그 지경에 들어가 성읍을 쳐서 헐고 모압의 수도 **길하레셋**의 돌들만 남겼는데, 그곳도 물맷군이 포위하고 공격하였다(왕하 3:24-25).

The Moabites woke up early in the morning, and the sun shone on the water. The water opposite the Moabites seemed as red as blood; they thought the kings had fought against each other and slain one another. So the Moabites went into the Israelite camp for the spoil and they were slaughtered by the Israelites (2 Kgs 3:21-24). The Israelites struck the Moabites and destroyed their cities. They only left the stones of Kir-hareseth, the capital; but the slingers went about it and struck it also (2 Kgs 3:24-25).

5 모압 왕은 풍전등화의 위기에 처하자, 칼 찬 군사 700명을 거느리고 가장 약한 에돔 왕에게 가고자 했으나 이루지 못하고, 그모스 신에게 자기 맏아들을 취하여 성 위에서 번제를 드렸다. 이스라엘 연합군은 각기 고국으로 돌아갔다(왕하 3:26-27).

When the king of Moab saw that they were at the brink of destruction, he took 700 that drew the sword and tried to break through to the king of Edom, the weakest link in the alliance; but he could not. So he took his firstborn son and offered him as a burnt offering to his god Chemosh. Then the allied forces of Israel went back to their own land (2 Kgs 3:26-27).

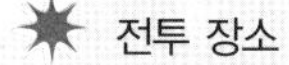

고'는 히브리어 '파카드'(פָּקַד)로, '숫자를 세다, 계산하다, 방문하다' 라는 뜻을 가지고 있습니다. 요람은 이스라엘을 배반한 모압을 응징하기 위하여 제일 먼저 군사의 숫자를 세었던 것입니다. 이어서 남유다의 여호사밧왕과 에돔 왕으로 더불어 동맹을 맺고, 모압 징벌의 길에 나섰습니다(왕하 3:7-12).

모압에 이르는 길은 두 가지인데, 사해 윗 지방을 통해 요단강과 아르논 강을 지나 모압 북쪽 지방으로 들어가는 길과 사해 남단을 돌아서 에돔 북편을 지나 모압 남쪽 지방에 이르는 길이 있습니다. 두 가지 길 가운데 사해 남단으로 돌아간 것은, 많은 병력이 이동하기에 험준한 산들이 많았으므로 모압이 방비를 소홀히 할 것을 알았으므로, 여호람은 전략적인 허점을 이용하여 모압을 공격하려 했던 것입니다.

그러나 동맹군이 모압 정벌에 나선 지 7일 만에 극심한 가뭄 때문에 먹을 물이 없어 뜻밖에 큰 위경에 빠졌습니다. 전쟁에서 패할 위기요, 순식간에 몰사하게 될 절대 위기였습니다. 이것은 분명 인간적인 방법만을 의지한 여호람과 여호사밧에 대한 하나님의 징계였습니다. 그 순간 여호람은 전혀 믿음이 없이 "아 슬프다, 어찌 하나님께서 우리 세 왕을 모압의 손에 붙여 죽인단 말인가"(왕하 3:10)라고 하나님을 원망하였으나, 여호사밧은 "우리가 여호와께 물을 만한 여호와의 선지자가 여기 없느냐"(왕하 3:11)라고 하나님을 찾았습니다. 이때 엘리사 선지자는 "이제 내게로 거문고 탈 자를 불러 오소서"라고 요청하였으며, 거문고 타는 자가 거문고를 탈 때에 여호와께서 엘리사를 감동시키셨습니다(왕하 3:15). 열왕기하 3:15의 "여호와께서 엘리사를 감동하시니"는 히브리어로 'וַתְּהִי עָלָיו יַד־יְהוָה'(바테히 알라이우 야드 예흐바)입니다. 이것을 원문대로 직역하면 '그리고 여호와의 손이 엘리사 위에 있었다'라는 뜻입니다. 여기 손(יָד, 야드)

은 힘(strength)과 능력(power)을 나타내는 것으로(출 9:3, 신 8:17, 대하 20:6, 시 89:13, 21), 엘리사 위에 하나님의 능력이 임하였음을 표현한 것입니다. 이처럼 하나님의 사람의 명령에 순종하여 거문고를 탈 때 엘리사에게 하나님의 능력이 임하고, 엘리사는 하나님의 말씀을 받아 전하게 되었습니다(왕하 3:16). 엘리사는 하나님의 감동을 받은 후에 크게 세 가지 말씀을 예언했습니다. 첫째, "이 골짜기에 개천을 많이 파라"라는 말씀입니다(왕하 3:16). 둘째, 바람과 비를 보지 못해도 이 골짜기에 물이 가득하게 될 것이라는 말씀입니다(왕하 3:17). 셋째, 모압 사람들이 패전하게 되고 이스라엘이 승리하게 될 것이라는 말씀입니다(왕하 3:18-19).

다음날 아침 소제를 드릴 때 엘리사의 예언대로, 분명히 바람도 불지 않고 비도 내리지 않았는데 물이 에돔 편에서부터 흘러와서 골짜기의 개천을 가득 채웠습니다(왕하 3:16-20). 모압 군대는 이 물이 아침에 떠오른 태양의 빛에 반사되어 붉게 물든 것을 보고 이스라엘에 내분이 일어난 것으로 착각하여, 방심한 상태로 이스라엘로 쳐들어오다가 기습 공격을 당하여 대패하였습니다(왕하 3:21-27).

이 모든 과정은 실로 하나님의 놀라운 기적이었습니다. 하나님께서는 그 백성 이스라엘의 승리를 위하여 전능하신 능력으로 섭리하신 것입니다.

3. 요람은 아람의 군대 장관 나아만이 왔을 때 겁을 먹고 옷을 찢었습니다.

Joram tore his clothes in fear when Naaman, the captain of the Aramean army, came to him.

아람의 군대 장관 나아만은 이스라엘에서 포로로 잡은 계집종의 말을 듣고, 문둥병을 고치기 위하여 아람 왕의 편지를 가지고 이스라엘로 왔습니다. 요람왕은 아람 왕으로부터 "내가 내 신하 나아만을 당신에게 보내오니 이 글이 당신에게 이르거든 당신은 그 문둥병을 고쳐 주소서"(왕하 5:6)라는 편지를 받고서, 자기 옷을 찢고 "내가 어찌 하나님이관대 능히 사람을 죽이며 살릴 수 있으랴 저가 어찌하여 사람을 내게 보내어 그 문둥병을 고치라 하느냐"라고 말하면서, 아람 왕이 이스라엘을 공격할 빌미를 만들기 위한 계략이라고 걱정하였습니다(왕하 5:7).

이 소식을 들은 엘리사는 왕이 옷을 찢은 것을 책망하면서, 저(나아만)를 자기에게 보내면 이스라엘 중에 선지자가 있는 줄을 알게 될 것이라고 하였습니다(왕하 5:8). 이 말씀은 요람왕이 마땅히 취했어야 할 신앙의 자세를 날카롭게 지적한 것입니다. '지금도 선지자를 통해 이스라엘 중에 하나님의 역사가 일어나고 있는데, 왜 당신은 이다지도 겁을 먹고 있는가'라는 반문이기도 합니다.

아람의 군대 장관 나아만은 멀리서 소문만 듣고 병을 고치러 왔는데, 요람왕은 엘리사의 기적을 여러 번 몸으로 체험했음에도 불구하고 위기의 상황에서 하나님과 하나님의 사람을 찾지 않았습니다. 이것은 하나님의 은혜를 무시하고 배신하는 악한 불신앙적 태도였습니다. 지금 멀리서 온 아람 나라의 나아만은 "내가 이제 이스라엘 외에는 온 천하에 신이 없는 줄을 아나이다... 예물을 받으소서"(왕하 5:15)라고 고백하고 있는데, 정작 요람은 기도하는 하나님의 사람이라는 값진 보화를 지척에 두고도, 눈앞에 보이는 아람 나라의 침공이 두려워 옷을 찢는 참으로 어리석은 자였던 것입니다. 나아만은 엘리사 선지자의 지시대로 요단강에 일곱 번 몸을 잠그므로 문둥병이 깨끗이 나음을 입었습니다(왕하 5:14).

4. 요람은 아람 제1차 침공 때 아람 군사들의 눈이 닫히고 열리는 것을 체험하였습니다.

Joram witnessed God blinding and opening the eyes of the Aramean soldiers during their first attack.

아람과 이스라엘 간에 전쟁이 끊이지 않았습니다. 그러나 아람은 번번이 패배하였는데, 그 이유는 엘리사 선지자가 아람 왕의 계책을 미리 알아 대비시켰기 때문입니다(왕하 6:8-13). 아무리 큰 군대도 하나님과 교통하는 경건한 하나님의 사람을 이길 수는 없습니다. 그러자 아람 왕은 대군을 동원하여 엘리사 선지자가 있는 도단성을 포위하였습니다.

하나님께서는 엘리사 선지자의 기도를 들으시고, 온 아람 군대의 눈을 순식간에 어둡게 했습니다. 그들은 앞이 보이지 않아서 엘리사의 인도 하에 도단에서 19㎞나 떨어진 사마리아성으로 갔습니다. 하나님께서 다시 아람 군대의 눈을 여시매 저희가 사마리아 가운데 있는 것을 알게 하셨습니다(왕하 6:18-20). 이때 이스라엘 왕 요람은 엘리사 선지자의 지시대로 아람 군대를 잘 먹여 돌려보냈습니다(왕하 6:21-23). 요람은 이러한 기적적인 일들을 몸소 체험하고도, 하나님의 권능을 진정으로 믿고 의지하며 높이는 삶을 살지 않았습니다.

5. 요람은 아람 제2차 침공 때 아람 군대가 갑자기 모든 것을 버리고 도망가는 것을 체험하였습니다.

Joram witnessed the Aramean army suddenly leaving everything behind and fleeing on their second attack.

아람 군대가 이스라엘의 후한 대접을 받고 돌아간 이래 한동안 계속되던 평화가 깨어지고, 아람 군대가 다시 북 이스라엘을 침공하였습니다. 그들이 사마리아성을 포위하여 북 이스라엘은 극심한 기아에 빠지게 되었습니다. 열왕기하 6:25에서 "아람 사람이 사마리아를 에워싸므로 성중이 크게 주려서 나귀 머리 하나에 은 팔십 세겔이요 합분태 사분 일 갑(cab)에 은 다섯 세겔이라"라고 말씀하고 있습니다.

원래 나귀는 부정한 짐승이라 먹을 수가 없었으며(레 11:4), 은 한 세겔은 일반 노동자의 4일 품값이었습니다. 그런데 나귀 머리가 은 팔십 세겔에 팔렸다는 것은, 당시 사마리아성에 식량난이 얼마나 극심했는지를 보여 줍니다. 또한 합분태는 문자적으로 '비둘기 똥'처럼 생긴 콩인데, 합분태 사분 일 갑이 은 다섯 세겔에 팔렸다는 것 역시 당시의 기아 상태가 극심했음을 보여 줍니다. 합분태는 가장 비참하고 불쾌한 식료품을 상징합니다.

사마리아 성중이 크게 주려서 나중에는 여인들이 제 아이를 잡아 삶아 먹고 '네 아이를 내라' 하면서 다투는, 아주 비참한 지경에 이르렀습니다(왕하 6:28-29). 요람왕은 자기 옷을 찢고, 속에 굵은 베옷을 입었습니다(왕하 6:30). 신명기 28:53-57에서 모세가 예언한 그대로 이루어졌습니다. 요람왕을 비롯한 북 이스라엘 전체가 하나님을 불신한 결과, 주리고 목마르고, 헐벗고 핍절하여 멸망케 된 것입니다(신 28:47-48, 참고-레 26:26-29, 겔 5:10, 애 2:20, 4:10, 사 9:20).

그런데 요람왕은 격분하여 당시 백성이 당하는 참상의 책임을 하나님의 사람 엘리사에게 돌리며, 신하를 엘리사에게 보내었고 그의 목을 베라고 명령하였습니다(왕하 6:31). 엘리사 선지자가 아람의 제1차 침공 때 아람 군대를 죽이지 않고 그냥 놓아주었기 때문에 오늘과 같은 고통을 겪게 되었다고 생각한 것입니다.

급기야는 엘리사를 죽이기 위해 사람을 보내고 자기도 뒤따라왔습니다. 엘리사는 집 안에 있었으나 자기를 죽이려는 사람이 오는 것과 요람이 뒤따라오는 것까지 훤히 알고는, 요람을 가리켜 "살인한 자의 자식이 내 머리를 취하려고 사람을 보내는 것을 보느냐..." 라고 말하였습니다(왕하 6:32). 이어 엘리사는 "... 내일 이맘 때에 사마리아 성문에서 고운 가루 한 스아에 한 세겔을 하고 보리 두 스아에 한 세겔을 하리라"라고 하면서 모든 식량난이 해결될 것을 선포하였습니다(왕하 7:1).

그때 요람왕의 한 장관은 "여호와께서 하늘에 창을 내신들 어찌 이런 일이 있으리요"라고 불신의 말을 했으며, 엘리사 선지자는 "네가 네 눈으로 보리라 그러나 그것을 먹지는 못하리라"라고 하면서 그 장관의 죽음까지 예언했습니다(왕하 7:2).

이러한 기근의 상황에, 성문 어귀에 네 문둥이가 있었습니다. 이들은 문둥병자로서 성 안에 들어갈 수 없는 사람들이었습니다(레 13:45-46, 민 12:10, 15). 그러나 성 안에 들어가도 먹을 것이 없는 사정이라, 네 문둥이는 차라리 아람 군대에게 항복하자고 결심하였습니다. 굶어 죽으나 아람 군대에게 잡혀서 죽으나 마찬가지라고 생각한 것입니다.

그런데 그들이 아람 진에 가려고 황혼에 일어나서 가 보니 한 사람도 없었습니다(왕하 7:5). 그 이유는 네 문둥이가 일어나 걸어가는 순간에, 하나님께서 아람 군대로 하여금 병거 소리와 말 소리와 큰 군대의 소리를 듣게 하셨던 것입니다. 아람 군대는 이 소리를 듣고 이스라엘 왕이 자신들을 치려고 헷 사람과 애굽의 군대를 돈을 주고 사서 치러 오게 한 줄로 착각하였습니다(왕하 7:6). 그리하여 아람 군대는 두려움에 사로잡혀 황혼에 일어나서 장막과 말과 나귀를 버리고 도망갔던 것입니다(왕하 7:7). 얼마나 급히 도망갔는지 장막과 말과 나귀와 은, 금, 의복과 식량을 그대로 두고 갔습니다(왕하 7:7-8, 10). 이는 하나님의 주권적인 섭리로, 하나님께서 아람 군대에게 크게 두려워하는 마음을 주셨기 때문에 일어난 일입니다.

네 문둥이는 아람 군대의 진에 도착하여 처음에는 은과 금과 의복을 감추기에 급급했지만, 자신들의 소위가 선하지 못하다는 것을 깨닫고 기쁨의 소식을 왕궁에 가서 전했습니다(왕하 7:8-15). 네 문둥이는 극심한 기근에 시달리고 있던 사마리아성의 백성에게 구원의 기쁨을 전하였습니다. 오늘 우리도 영적 기근에 시달리고 있는 사람들에게, 예수 그리스도를 통한 구원의 기쁨과 풍요의 소식을 전해야 할 것입니다.

구원의 소식을 듣고 백성이 나가서 아람 사람의 진을 노략하므로 고운 가루 한 스아에 한 세겔이 되고, 보리 두 스아에 한 세겔이 되어 하나님이 말씀하신 대로 이루어졌습니다. 그러나 '내일 이맘 때에 모든 식량난이 해결될 것'이라는 엘리사 선지자의 예언을 무시했던 한 장관은 왕의 명령대로 성문을 지키고 있다가, 양식을 구하러 가는 백성에게 밀려 넘어져 밟혀 죽고 말았습니다(왕하 7:17-20).

당시로서는 도저히 믿기 어려웠던 '내일 이맘 때에 이루리라'(왕하 7:1)라는 엘리사 선지자의 예언은 그대로 적중하였습니다.

열왕기하 7:16 "... 여호와의 말씀과 같이 되었고"
열왕기하 7:17 "하나님의 사람의 말대로 죽었으니..."
열왕기하 7:20 "그 장관에게 그대로 이루었으되..."

하나님의 말씀은 폐하지 못합니다(요 10:35). 하나님께서는 한 번 약속하신 것은 그대로 지키시는 미쁘신 분이십니다(민 23:19, 사 55:11, 마 5:18, 24:34-35).

요람이 통치하는 동안 한 가지 주목할 것은 북 이스라엘 백성이 가난과 굶주림으로 생활고에 허덕이고 있었다는 점입니다. 굶주리고 헐벗은 백성이 늘어 가고, 가난하고 억울한 자들의 호소가 하늘에 사무치던 때였습니다. 심지어 선지자의 생도의 아내가 남편이 죽은 뒤 빚을 갚지 못하여 두 아들을 종으로 팔아야 할 지경까지 이르렀습니다(왕하 4:1-7). 그 땅에 흉년이 심하여 선지자의 생도들이 너무 먹을 것이 없어서 야등 덩굴이라도 끓여 먹어야 할만큼 배고픈 설움이 극에 달할 정도였습니다(왕하 4:38-41). 당시 엘리사 선지자는 바알 살리사에서부터 온 한 사람이 처음 익은 열매 곧 보리떡 20개와 자루에 담은 채소를 가져와 바쳤을 때, 하나님의 말씀을 따라 100명의 생도들에게 베풀어 배불리 먹이고도 남는 기적을 체험하기도 했습니다(왕하 4:42-44). 그러나 요람이 굶주리는 백성을 구제하였다는 기록은 찾을 수 없습니다.

참으로 요람의 생애는 수많은 기사와 이적을 통하여 하나님의 높으심을 체험한 생애였습니다. 그러나 그는 지독한 불신앙 속에서 하나님을 높이는 일 없이 끝까지 인간적인 방법만을 추구하였습니다. 그는 말년에 자신의 생질인 유다 왕 아하시야(아달랴의 아들)와 동맹하여 길르앗 라못에서 아람 왕 하사엘과 싸우다가 상처를 입어 이스르엘로 돌아왔습니다(왕하 8:28-29). 그러나 모반을 일으킨 예후의 화살에 염통을 맞아 죽임을 당하고 그 시체는 나봇의 밭에 던져졌습니다(왕하 9:23-26). 이것은 엘리야 선지자가 아합왕에게 예언한 그대로 이루어진 것입니다(왕상 21:24). 요람의 생애는, 하나님을 높이지 않고 하나님의 사람을 원망하고 죽이려 하는 자의 마지막이 얼마나 비참한지를 극명하게 보여 주고 있습니다.

10. 예후

Jehu / Iου / יֵהוּא
그는 여호와시다, 여호와께서 그 분이시다
He is the Lord, the Lord is He

- 북 이스라엘 제5왕조 1대 왕, 전체적으로 제10대 왕(왕하 9:1-10:36, 대하 22:7-9)

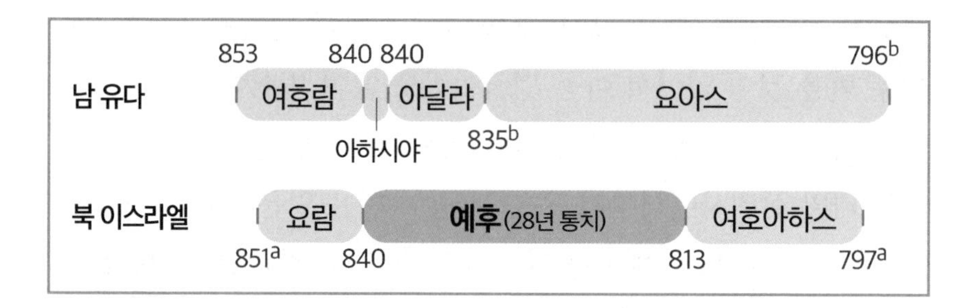

배경
- 부: 님시(임시)(왕상 19:16, 대하 22:7)
- 예후는 님시의 손자, 여호사밧의 아들로도 나온다(왕하 9:2, 14).
- 예후는 아합 때부터 왕을 호위하던 자였다(왕하 9:25).

통치 기간
- 28년 통치하였다(주전 840-813년, 왕하 10:36).
- 남 유다 아하시야와 같은 해에 즉위하였다(주전 840년, 왕하 9:29).

평가 - 선했다가 악해진 왕
예후는 처음에는 하나님 보시기에 정직한 일을 잘 행하여 하나님의 마음에 있는 대로 아합 집에 다 행하였으나(왕하 10:28, 30), 그가 이스라엘로 범죄케 한 여로보암의 죄 곧 벧엘과 단에 있는 금송아지를 섬기는 죄에서 떠나지 않았으며, 전심으로 하나님의 율법을 지키지 않고 여로보암이 이스라엘로 범하게 한 그 죄에서 떠나지 않았다(왕하 10:29, 31).

활동 선지자 - 엘리사(왕상 19:16, 왕하 13:21)

사료(史料) - 이스라엘 왕 역대지략(왕하 10:34)

예후는 아합왕 때부터 신하로 있었지만, 요람왕을 죽인 후 오므리 왕조를 멸망시키고 새로운 왕조의 초대 왕이 되었습니다. 하나님께서는 예후가 왕이 되기 전에 엘리사 선지자의 생도 중 하나를 예후에게 보내어 기름을 부어 북 이스라엘의 새로운 왕이 되게 하셨습니다(왕하 9:1-13). 이것은 이미 엘리야 선지자를 통하여 예언한 말씀의 성취였습니다(왕상 19:16).

'예후'(יֵהוּא)는 히브리어 '예호바'(יְהוָה)와 '후'(הוּא)가 합성된 단어입니다. '예호바'는 '여호와'라는 뜻이며, '후'는 '그 (남자, 여자)'라는 뜻입니다. 그러므로 '예후'는 '여호와께서 그분이시다, 그는 여호와이시다'라는 뜻입니다. 예후는 하나님의 명령에 따라 아합의 가문을 완전 진멸함으로 '한 번 말씀하신 것을 이루시는 그분은 여호와시다, 죄악에 대하여 반드시 심판하시는 그분은 여호와시다'라는 것을 나타내었습니다.

1. 예후는 아합의 집을 완전히 멸하였습니다.

Jehu completely destroyed the house of Ahab.

예후는 요람왕이 길르앗 라못 전투에서 아람 왕 하사엘과 싸우다 부상을 당해 이스르엘에서 치료를 받고 있을 때, 길르앗 라못을 지키고 있었습니다. 이때 예후는 엘리사가 보낸 사자로부터 자신이 왕이 될 것이라는 예언과 함께, 기름 부음을 받고 아합의 가문을 진멸하라는 사명을 받았습니다(왕하 9:6-10).

예후는 자신이 이스라엘의 왕으로 기름 부음 받은 사실을 절대 비밀로 지키라고 엄명을 한 다음에, 이스르엘로 진격하여 요람(여호람)을 죽이고 왕이 되었습니다. 예후는 엘리야 선지자가 아합 왕조의 멸망을 선포한 예언을 기억하고(왕상 21:17-26), 하나님의 말씀대로 아합 왕가를 완전히 진멸하였습니다.

예후에게 멸망 받은, 아합에게 속한 자는 다음과 같습니다.

(1) 북 이스라엘 9대 왕 요람(왕하 9:21-26)

요람왕은 예후가 쏜 화살에 염통이 꿰뚫려 죽고, 그 시체가 이스르엘 사람 나봇의 밭에 던져졌습니다.

(2) 아합왕의 아내 이세벨(왕하 9:30-37)

이세벨은 내시들에 의해 높은 왕궁에서 던져졌고 그 피가 담과 말에게 튈 정도였으며, 예후는 처참한 이세벨의 시체를 다시 밟았습니다. 그 후에 예후가 식사를 마치고 이세벨의 시체를 장사시키려고 했을 때, 이미 개들이 이세벨의 시체를 다 먹어 치워서 두골과 발과 손바닥 외에는 찾지 못했습니다. 이것은 열왕기상 21:23에 "이세벨에게 대하여도 여호와께서 말씀하여 가라사대 개들이 이스르엘성 곁에서 이세벨을 먹을지라" 하신 말씀이 그대로 이루어진 것입니다.

이세벨은 마지막 때 우상숭배하는 자들의 종말을 보여 주기도 합니다(계 2:20-23). 이세벨의 비참한 죽음은 우상숭배하는 자들의 마지막을 엄중하게 경고하고 있습니다(참고-계 20:12-14).

(3) 아합왕의 아들 70명과 그에게 속한 존귀한 자와 가까운 친구, 제사장 등 그 집에 속한 모든 자(왕하 10:1-11)

예후는 이스라엘 방백들에게 편지를 보내 자신에 대한 충성을 확인하고, 두 번째 편지를 보내 아합의 아들 70명의 머리를 베어 오게 하였습니다. 이에 방백들은 왕자 70명을 잡아 몰수이 죽이고 그 머리를 광주리에 담아 예후에게로 보냈으며, 예후는 두 무더기로 쌓아 다음날 아침까지 문 어귀에 두었습니다(왕하 10:7-8).

예후는 아합의 아들 70명뿐만 아니라 아합에게 속한 자 곧, '그 존귀한 자와 가까운 친구와 제사장들'을 죽이되 저에게 속한 자를 하나도 남기지 아니하였습니다(왕하 10:11). "여호와의 말씀이 내가 재앙을 네게 내려 너를 쓸어 버리되 네게 속한 남자는 이스라엘 가운데 매인 자나 놓인 자를 다 멸할 것이요"(왕상 21:21)라고 했던 엘리야의 예언대로 된 것입니다. 그래서 예후는 열왕기하 10:10에서 "그런즉 너희는 알라 곧 여호와께서 아합의 집에 대하여 하신 말씀은 하나도 땅에 떨어지지 아니하리라 여호와께서 그 종 엘리야로 하신 말씀을 이제 이루셨도다"라고 선언하였습니다.

(4) 남 유다 아하시야왕(왕하 9:27, 대하 22:7-9)과 그의 형제42인과 유다 방백들(왕하 10:12-14, 대하 22:8)

예후가 북 이스라엘 요람왕을 문병하기 위해 이스르엘에 온 남 유다의 왕 아하시야를 구르 비탈에서 치니, 아하시야가 므깃도까지 도망하여 거기서 죽었습니다(왕하 9:27, 대하 22:6-9). 그리고 예후는 아합의 집에 문안하러 사마리아로 가던 아하시야의 형제42인을 모두 죽였습니다(왕하 10:12-14). 왜냐하면 이들은 아합에게 속한 자들이기 때문입니다.

역대하 22:8에서는 "유다 방백들과 아하시야의 형제의 아들들(아하시야의 조카들), 곧 아하시야를 섬기는 자들"이 죽임을 당했다고 구체적으로 기록하고 있습니다.

(5) 바알 숭배자(왕하 10:18-27)

예후는 자기도 바알을 섬긴다고 속여 바알 숭배자들을 바알의

당에 모두 모아 몰살하였습니다. 그는 바알의 목상을 헐며, 바알의 당을 훼파하여 변소(便所)를 만들었습니다(왕하 10:27). 열왕기상 18:19에서 바알의 선지자(지도자)가 450인이었던 것으로 보아, 아마도 예후가 죽인 바알 숭배자의 수(일반 신도)는 수천에 가까웠을 것으로 추정됩니다. 참으로 예후에 의한 극렬한 피의 숙청은 그 유례를 찾아보기 드물 만큼 잔인하고 철저한 것이었습니다.

이와 같은 개혁은 북 이스라엘에서는 유일하게 시도되었던 일종의 종교개혁으로, 여호와를 위한 예후의 열심에서 비롯된 것이라고 할 수 있습니다(왕하 10:16). 그리하여 하나님께서는 예후에게 "네 자손이 이스라엘 왕위를 이어 사대를 지나리라"라고 말씀하셨습니다(왕하 10:30). 이 말씀대로 예후 왕조는 예후 다음으로 여호아하스, 요아스, 여로보암 2세, 스가랴 등 4대가 지속되었습니다.

실로, 예후에 의한 아합의 집에 대한 진멸은 궁극적으로 하나님 말씀의 성취였습니다.

열왕기하 9:26 "여호와께서 말씀하시기를... 또 말씀하시기를 ... 그런즉 여호와의 말씀대로 그 시체를 취하여 이 밭에 던질지니라"

열왕기하 9:36 "... 예후가 가로되 이는 여호와께서 그 종 디셉 사람 엘리야로 말씀하신 바라..."

열왕기하 10:10 "... 여호와께서 그 종 엘리야로 하신 말씀을 이제 이루셨도다"

열왕기하 10:17 "... 여호와께서 엘리야에게 이르신 말씀과 같이 되었더라"

2. 예후는 여로보암의 죄악의 길을 떠나지 못했습니다.

Jehu was unable to depart from the sinful ways of Jeroboam.

예후의 종교개혁은 바알 우상에 대해서만 철저했으며, 다른 것에 대해서는 철저하지 못했습니다. 그는 하나님으로부터 아합의 집에 대하여 정직하게 일을 잘 해 냈다는 칭찬은 들었으나, 다른 여러 가지 죄에 대하여는 책망을 받았습니다.

첫째, 예후는 벧엘과 단에 있는 금송아지를 섬기는 죄에서 떠나지 않았습니다(왕하 10:29).

둘째, 예후는 이스라엘 하나님 여호와의 율법을 전심으로는 지켜 행하지 않았습니다(왕하 10:31).

셋째, 예후는 여로보암이 이스라엘로 범하게 한 그 죄에서 떠나지 않았습니다(왕하 10:31).

이렇게 예후가 죄악을 떠나지 않을 '이때에' 여호와께서 비로소 이스라엘을 찢으시매 하사엘이 이스라엘의 사방을 쳤다고 말씀하고 있습니다(왕하 10:32). 여기 '찢으시매'는 히브리어로 '베어내다, 잘라내다'라는 뜻을 가진 '카차'(קָצָה)의 피엘(강조)형으로, 이것은 하나님께서 북 이스라엘의 영토를 확실하게 잘라 내어 줄어들게 하셨다는 뜻입니다. 그 결과 예후는 요단 동편의 가장 비옥한 땅들을 하사엘에게 빼앗기고 말았습니다(왕하 10:33).

지금까지 예후는 아합의 집을 심판하는 도구로 사용되었지만, 이제는 자신이 하나님의 심판의 대상이 되고 말았습니다. 하나님께서는, 비록 심판의 도구로 사용된 자일지라도 그가 하나님의 말씀을 떠나 죄의 길에 지속적으로 행할 때는 예외 없이 심판하시는 분입니다. 아합의 집을 심판하신 분이나 예후를 심판하신 분이나 똑같은 '여호와 하나님 바로 그분'이셨습니다. 훗날 예후 왕조는 마지막 왕인 스가랴가 살룸에게 살해당하여서(왕하 15:10), 죄에 대한 하나님의 엄중한 심판을 받고 예후의 자손 4대 만에 종말을 고하게 됩니다.

약 주전 813년, 예후 통치 말년, 아람 왕 하사엘의 침공 (왕하 10:28-33, 12:17)

Circa 813 BC - The invasion of Hazael, king of Aram, in the latter years of Jehu's reign (2 Kgs 10:28-33, 12:17)

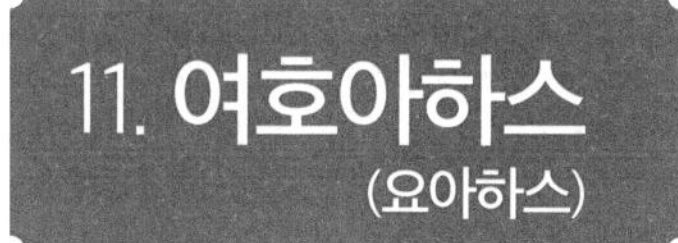

Jehoahaz / Ιωαχαζ / יְהוֹאָחָז
여호와께서 붙잡아 주신다,
여호와께서 지탱하신다
the LORD has grasped, the LORD sustains

- 북 이스라엘 제5왕조 2대 왕, 전체적으로 제11대 왕(왕하 13:1-9, 대하 25:25)

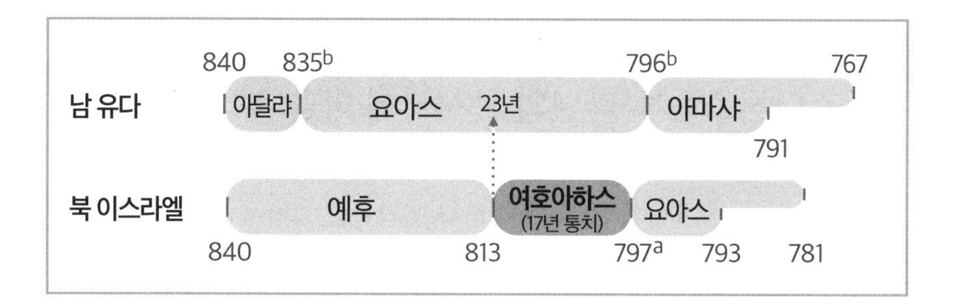

배경
- 부: 예후(왕하 10:35, 13:1)

통치 기간
- 17년 통치하였다(주전 813-797[a]년, 왕하 13:1).
- 남 유다의 '요아스 제23년'(왕하 13:1)에 즉위하였다.

평가 - 악한 왕(왕하 13:2)
여호아하스는 여호와 보시기에 악을 행하여 이스라엘로 범죄케 한 느밧의 아들 여로보암의 죄를 좇고 떠나지 아니하였다(왕하 13:2).

활동 선지자 - 엘리사(왕상 19:16-왕하 13:21)

사료(史料) - 이스라엘 왕 역대지략(왕하 13:8)

여호아하스는 예후에 이어 예후 왕조의 두 번째 왕이 되었습니다. 여호아하스는 히브리어로 '예호아하즈'(יְהוֹאָחָז)이며, 역대하 25:25에서는 '요아하스'라고 기록되었습니다. 이것은 '예호바'(יְהֹוָה)와

'아하즈'(אָחַז)가 합성된 것입니다. '예호바'는 '여호와'를, '아하즈'는 '붙잡다, 잡다, 연합하다'를 뜻하므로, 여호아하스는 '여호와께서 붙잡아 주셨다'라는 뜻입니다. 열왕기하 13:4의 "아람 왕이 이스라엘을 학대하므로 여호아하스가 여호와께 간구하매 여호와께서 들으셨으니 이는 저희의 학대 받음을 보셨음이라"하는 말씀은 하나님께서 진노 중에도 여호아하스를 붙잡아 주셨음을 보여 줍니다.

1. 여호아하스는 하나님의 보시기에 악을 행하여, 하나님의 노를 받았습니다.

Jehoahaz did evil in the sight of the LORD and received God's wrath.

여호아하스는 여호와 보시기에 악을 행하여 여로보암의 죄를 좇고, 떠나지 않았습니다. 그래서 하나님께서는 이스라엘을 향하여 노를 발하셨습니다(왕하 13:3). 여기 '노'는 히브리어 '아프'(אַף)로서 이것은 본래 '코'라는 의미입니다. '코'가 노(anger)라는 의미로 확대된 이유는, 화가 날 때 코가 팽창될 뿐만 아니라 코로 내쉬는 숨이 거칠어지기 때문입니다. '발하사'는 히브리어 '하라'(חָרָה)로서 '불붙다, 뜨거워지다, 진노하다'라는 뜻입니다. 그러므로 하나님께서 노를 발하셨다는 것은, 죄에 대해 도저히 참으실 수 없어 하나님의 불붙는 진노가 폭발하게 되었음을 나타냅니다.

이렇듯 하나님의 불붙는 진노는, 북 이스라엘을 아람 왕 하사엘과 그 아들 벤하닷의 손에 붙이심으로 나타났습니다. 열왕기하 13:3에서 "여호와께서 이스라엘을 향하여 노를 발하사 늘 아람 왕 하사엘의 손과 그 아들 벤하닷의 손에 붙이셨더니"라고 말씀하고 있습니다.

여기 '늘'이라는 단어는 히브리어로 '콜 하야밈'(כָּל־הַיָּמִים)으로, 문자적으로 '그날들 동안, 내내(all their days, continually)'라는 뜻입니다. 그러므로 하나님의 진노는 여호아하스의 통치 기간 내내 아람의 탄압을 받게 하였던 것입니다. 이러한 상태를 열왕기하 13:4에서는 "아람 왕이 이스라엘을 학대하므로"라고 표현하고 있습니다.

하나님께서는 북 이스라엘 주변의 이방 국가들을 이스라엘의 심판 도구로 사용하셨습니다. 외형적으로 볼 때는 이방 국가들이 이스라엘을 침공한 것이지만, 그 이면에는 이스라엘을 징계하시는 하나님의 섭리가 있었던 것입니다.

2. 여호아하스는 하나님께 간구함으로 아람의 손에서 벗어났습니다.

Jehoahaz entreated to God and was delivered from the hand of Aram.

여호아하스는 아람 왕의 계속되는 학대에 견디다 못하여 하나님을 찾았습니다(왕하 13:4).

하나님께서는 여호아하스의 기도를 들으시고 구원자를 이스라엘에 보내시어, 북 이스라엘이 아람 사람의 손에서 벗어나게 하셨습니다(왕하 13:5). 여기 구원자는 역사적으로 앗수르의 '아닷 니라리 3세'(Adad-nirari III, 주전 810-783)입니다. 그는 주전 803년경에 아람의 수도 다메섹을 공격하여 아람의 국력을 약화시켰으며, 이 틈을 타서 북 이스라엘은 아람의 손에서 벗어날 수 있었던 것입니다.

하나님께서 여호아하스를 구원해 주신 것에는 몇 가지 큰 의미가 있습니다. 첫째, 하나님께서는 비록 죄악된 길을 가던 자라도, 순간 회개하고 하나님의 도우심을 바라며 간절히 구하면 붙잡아 주신다는 것을 보여 주셨습니다. 둘째, 하나님께서는 예후에게 하신, 그의 자손들이 4대에 걸쳐서 북 이스라엘을 통치한다는 약속을 지키시기 위하여 여호아하스를 붙잡아 주셨습니다. 셋째, 하나님께서는 아브라함과 이삭과 야곱에게 세우신 언약에 근거하여 북 이스라엘을 아람으로부터 보호해 주셨습니다. 열왕기하 13:23에서 "여호와께서 아브라함과 이삭과 야곱으로 더불어 세우신 언약을 인하여 이스라엘에게 은혜를 베풀어 긍휼히 여기시며 권고하사 멸하기를 즐겨 아니하시고 이때까지 자기 앞에서 쫓아내지 아니하셨더라"라고 말씀하고 있습니다.

북 이스라엘은 계속하여 우상을 숭배하며 여로보암의 길을 좇아 하나님의 노를 격발하였습니다. 그럼에도 불구하고 하나님께서 북 이스라엘이 망하지 않도록 인도하신 이유는, 아브라함에게 "내가 너와 네 후손에게 너의 우거하는 이 땅 곧 가나안 일경으로 주어 영원한 기업이 되게 하고 나는 그들의 하나님이 되리라"(창 17:8)라고 약속하셨기 때문입니다. 하나님께서 진노 중에도 긍휼과 사랑을 베푸시고 은혜 받을 자격이 없는 이스라엘을 도우신 것은, 전적으로 아브라함과 이삭과 야곱에게 하신 언약에 근거한 것이었습니다.

3. 하나님께서 여호아하스를 붙잡아 주셨으나, 동일한 죄를 반복하자 아람을 통해 철저하게 심판하셨습니다.

Although God took a hold of Jehoahaz, he repeated the same sin many times over; therefore, he was thoroughly judged by the Arameans.

여호아하스는 하나님께서 붙잡아 주시므로 아람의 학대에서 기적적으로 구원을 받았습니다(왕하 13:4-5). 그러나 여호아하스는 하나님께서 붙잡아 주시는 사랑을 저버리고 여전히 불신앙에 깊이 빠져 떠나지 않고 계속해서 범죄하며, 또 이스라엘의 수도 사마리아에 아세라 목상을 두고 계속해서 섬겼습니다. 열왕기하 13:6에서

"저희가 이스라엘로 범죄케 한 여로보암 집의 죄에서 떠나지 아니하고 좇아 행하며 또 사마리아에 아세라 목상을 그저 두었더라"라고 말씀하고 있습니다.

이것은 실로 배은망덕(背恩忘德)한 행위였으며, 하나님께서는 다시 아람 왕을 보내셔서 여호아하스를 심판하셨습니다. 아람 나라의 잔혹함이 너무도 극심하여 북 이스라엘 여호아하스의 백성은 "타작마당의 티끌같이" 진멸되고 말았습니다(왕하 13:7). 티끌이 바람에 날려 흔적없이 사라지는 것처럼 온 이스라엘이 아람에 의해 철저하게 짓밟힘을 당한 것입니다(참고-암 1:3).

그리고 아람 나라는 이스라엘의 병력을 최소한의 수로 제한하였습니다. 한 나라의 왕인 여호아하스에게 남아 있는 군대는 고작 10대의 전차와 50명의 기마병, 그리고 보병 만 명뿐이었습니다(왕하 13:7). 여호아하스가 아람 왕 하사엘의 봉신으로서 국내 치안만 유지할 수 있도록 최소한의 군사력만 남겨둔 것입니다. 참으로 하나님의 진노를 알면서도 고의적으로 그 명령을 무시하고 동일한 죄를 반복하자 하나님의 심판이 이토록 엄중했던 것입니다.

여호아하스가 아람의 압제 속에서 하나님을 찾을 때, 하나님께서는 그를 구원해 주셨습니다. 그러나 붙잡아 주시는 하나님의 사랑을 저버리고 그가 다시 아세라 목상을 섬길 때, 하나님께서는 여호아하스에게 더 극심한 고통을 주셨습니다. 하나님 앞에 회개한 자가 다시 죄를 지으면 이전보다 더 큰 고통을 받게 되는 것입니다(벧후 2:20).

우리는 하나님께서 관심을 가지고 붙잡아 주실 때, 그 은혜를 놓치지 않고 끝까지 붙잡고 간직해야 할 것입니다(고후 6:1).

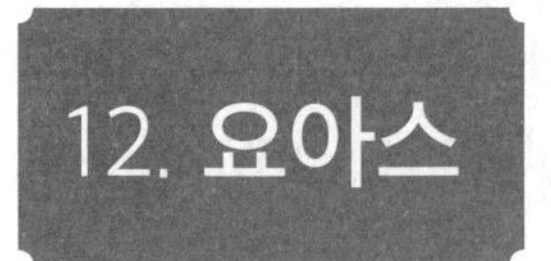

Joash / Ἰωας / יוֹאָשׁ
여호와께서는 강하시다, 여호와께서 주신다
the LORD is strong, given by the LORD

- 북 이스라엘 제5왕조 3대 왕, 전체적으로 제12대 왕(왕하 13:9-25, 14:8-16, 대하 25:17-25)

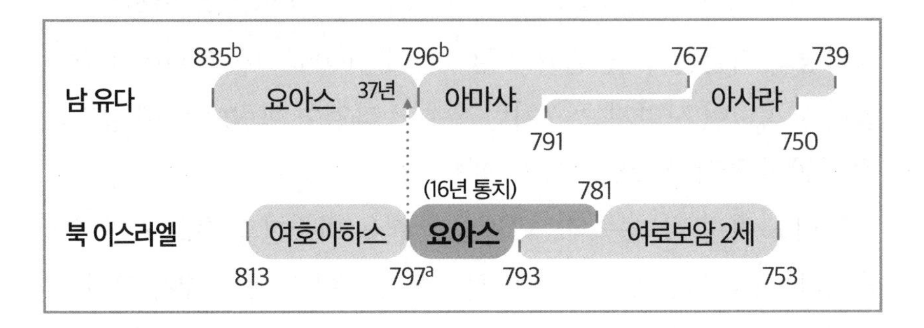

배경
- 부: 여호아하스(왕하 13:9-10)

통치 기간
- 16년 통치하였다(주전 797[a]-781년, 왕하 13:10).
- 남 유다의 '요아스 제37년'(왕하 13:10)에 즉위하였다. 북 이스라엘은 요아스 때부터 마지막 왕 호세아까지 남 유다와 마찬가지로 즉위년 방식을 사용하였다.

평가 - 악한 왕(왕하 13:11)
요아스는 여호와 보시기에 악을 행하여 이스라엘로 범죄케 한 느밧의 아들 여로보암의 모든 죄에서 떠나지 아니하고 좇아 행하였다(왕하 13:11).

활동 선지자 - 엘리사(요아스 시대까지 활동)(왕상 19:16-왕하 13:21)

사료(史料) - 이스라엘 왕 역대지략(왕하 13:12)

요아스는 여호아하스의 왕위를 계승하여 북 이스라엘의 왕이 되었습니다. 요아스는 히브리어 '요아쉬'(יוֹאָשׁ)로, 때로는 '예호아쉬'(יְהוֹאָשׁ)로 표기되기도 하였습니다(왕하 13:10). '예호아쉬'는 '예호바'(יְהוָה: 여호와)와 '에쉬'(אֵשׁ: 불)의 합성어로, 문자적으로 '불 같으신 여호와'를 뜻하며 여기에서 '여호와께서는 강하시다'라는 의미가 나온 것입니다.

1. 요아스는 병상에 누운 엘리사를 찾아갔습니다.

Joash visited Elisha, who was on his deathbed.

엘리사가 죽을병이 들었을 때 요아스왕은 엘리사에게 내려가 "내 아버지여 내 아버지여 이스라엘의 병거와 마병이여"라고 하면서 눈물을 흘렸습니다(왕하 13:14). 이 눈물은 나라의 국방력이었던 엘리사를 잃게 될지도 모르는 상황에서 국가의 장래를 걱정하는 눈물이었습니다.

엘리사는 요아스에게 활과 살을 취하게 하고 활을 잡은 왕의 손에 안찰한 다음에, 요아스로 하여금 동편 창을 열고 쏘도록 명령하였습니다. 이것은 하나님의 강하신 능력으로 북 이스라엘이 오히려 아람을 쳐서 승리할 것을 예언한 상징적 행동이었습니다(왕하 13:15-17).

엘리사 선지자는 열왕기하 13:17에서 "... 이는 여호와의 구원의 살 곧 아람에 대한 구원의 살이니 왕이 아람 사람을 진멸하도록 아벡에서 치리이다"라고 말했습니다. 여기 '진멸하도록'은 히브리어 '아드칼레'(עַד־כַּלֵּה)로서, 이것은 '완성이 될 때까지, 끝장이 날 때까지'라는 뜻입니다. '칼레'(כַּלֵּה)는 '칼라'(כָּלָה: 끝내다, 완성하다)의 피엘 절대형으로, 완전히 승리하는 것을 의미합니다. 그러므로 하나님께서는 아람과의 전쟁에서 완전히 승리할 때까지 도와주시겠다고 말씀하신 것입니다.

이어서 엘리사는 왕에게 다시 살을 취하여 땅을 치게 하였습니다. 이때 왕은 엘리사가 멈추라고 할 때까지 계속 땅을 쳤어야 했습니다. 그러나 그는 세 번 치고 그쳤습니다. 이것을 본 엘리사 선지자는 크게 화가 나서 "왕이 오륙 번을 칠 것이니이다 그리하였더면 왕이 아람을 진멸하도록 쳤으리이다 그런즉 이제는 왕이 아람을 세 번만 치리이다"라고 예언했습니다(왕하 13:19).

화살이 '북 이스라엘을 아람의 손으로부터 구원하시는 하나님의 도우심'을 의미한다는 것을 앞서 들은 요아스왕은 당연히, 엘리사가 멈추라고 할 때까지 화살로 땅을 쳤어야 했습니다. 그러나 그는 여전히 인간적인 생각에 사로잡혀 세 번 정도면 될 것으로 생각한 것입니다.

이것은 요아스왕에게 적을 향하여 반드시 승리하겠다는 적극적인 전투 의식이 부족하였음을 의미합니다. 요아스에게 반드시 이기겠다는 생각, 아람을 완전히 진멸하겠다는 생각이 충만했다면, 그는 계속적으로 화살로 땅을 쳤을 것입니다. 화살로 땅을 치는 것은 상징적으로 아람 나라를 치는 것을 의미했기 때문입니다. 그래서 열왕기하 13:17의 "왕이 아람 사람을 진멸하도록 아벡에서 치리이다"에 나오는 '친다'나, 열왕기하 13:18에서 "땅을 치소서"에 나오는 '친다'라는 똑같이 히브리어 '나카'(נָכָה)라는 단어를 사용하고 있는 것입니다.

하나님께서는 강하신 분이요, 하나님께서는 모든 것을 주시는 분입니다. 그러므로 우리가 하나님의 강하신 능력을 믿고 열 번이고 백 번이고 화살로 땅을 칠 때(참고-시 81:1), 하나님께서는 완전한 승리로 우리에게 채워 주실 것입니다.

2. 요아스는 부친 여호아하스가 빼앗겼던 성읍을 회복하였습니다.

Joash recovered the cities that his father Jehoahaz had lost.

아람은 주전 798년 경에 하사엘왕이 죽고 그 아들 벤하닷 3세가 왕이 되었습니다. 요아스는 벤하닷 3세를 세 번이나 공격하여 부친 여호아하스가 빼앗겼던 이스라엘 성읍을 회복하였습니다. 열왕기하 13:25에서는 "여호아하스의 아들 요아스가 하사엘의 아들 벤하닷의 손에서 두어 성읍을 회복하였으니 이 성읍들은 자기 부친 여호아하스가 전쟁 중에 빼앗겼던 것이라 요아스가 벤하닷을 세 번 쳐서 파하고 이스라엘 성읍들을 회복하였더라"라고 말씀하고 있습니다.

여기에서 '세 번 쳐서 파하고'라는 표현은, 열왕기하 13:19에서 "이제는 왕이 아람을 세 번만 치리이다"라고 말했던 엘리사 선지자의 예언이 그대로 적중한 것을 말씀합니다. 그러므로 요아스가 벤하닷 3세로부터 잃어버린 땅을 회복한 것은 그가 강한 힘을 가지고 있었기 때문이 아니라, 전적으로 '모든 것보다도 강하신 하나님'께서 북 이스라엘과 요아스왕을 도와주셨기 때문입니다. 요아스는 이 과정에서 '하나님께서는 강하신 분'이라는 사실을 체험하였을 것입니다.

3. 요아스는 남 유다의 아마샤왕과의 전쟁에서 승리하였습니다.

Joash triumphed against King Amaziah of Judah, the southern kingdom.

남 유다의 아마샤는 주전 796년 왕이 된 후에 여호와의 보시기에 정직하게 행하였으나, 에돔과의 전쟁에서 승리한 후 교만해져(왕하 14:10, 대하 25:19) 에돔의 우상을 섬기기까지 하였습니다(대하 25:14).

아마샤는 북 이스라엘 요아스에게 선전포고를 하고 전쟁을 일으켰습니다(왕하 14:8-11, 대하 25:17-21). 이때 요아스는 "레바논 가시나무가 레바논 백향목에게 보내어 이르기를 네 딸을 내 아들에게 주어 아내를 삼게 하라 하였더니 레바논 들짐승이 지나가다가 그 가시나무를 짓밟았느니라"(왕하 14:9) 하면서 아마샤의 교만함을 꾸짖었습니다. 여기서 레바논의 가시나무는 아마샤왕을 가리키고, 레바논의 백향목은 요아스왕을 가리키며, 들짐승에게 짓밟히는 것은 갑작스러운 멸망을 가리킵니다. '짓밟았느니라'는 히브리어 '라마스'(רָמַס)로, '밟아 뭉개다'라는 뜻입니다. 그러므로 이것은 아마샤왕이 처참하게 전쟁에서 패배할 것을 말합니다. 이 말대로 아마샤는 참혹한 패배를 당하고 포로로 끌려가는 수치를 당했고, 북 이스라엘의 요아스가 대승을 거두었습니다(왕하 14:12-14, 대하 25:22-24).

요아스는 아마샤를 사로잡고, 예루살렘 성벽을 에브라임 문에서부터 성 모퉁이 문까지 400규빗(약 182.4m)을 헐어 버렸습니다. 또 하나님의 전 안의 모든 금은과 기명과 왕궁의 재물을 취하고 인질들을 잡아 사마리아로 돌아왔습니다(왕하 14:13-14, 대하 25:23-24). 이것은 남 유다 아마샤가 에돔 신들에게 구하자, 이를 징계하시기 위하여 북 이스라엘 요아스에게 거저 주신 승리의 축복이었습니다(대하 25:20).

이처럼 요아스는 강하신 하나님의 은혜를 평생동안 많이 받았습니다. 그러나 열왕기하 13:11에서는 "여호와 보시기에 악을 행하여 이스라엘로 범죄케 한 느밧의 아들 여로보암의 모든 죄에서 떠나지 아니하고 좇아 행하였더라"라고 말씀하고 있습니다. 요아스의 삶은, 강하신 하나님의 크신 은혜를 받았음에도 불구하고 여전히 죄의 길에서 떠나지 못한 자의 비참한 결말을 보여 줍니다.

13. 여로보암 2세

Jeroboam II / Ἰεροβοαμ / יָרָבְעָם
백성의 수가 번성케 하소서,
백성의 수가 많아지게 하소서
the people prosper, the people increase

- 북 이스라엘 제5왕조 4대 왕, 전체적으로 제13대 왕(왕하 14:16-29)

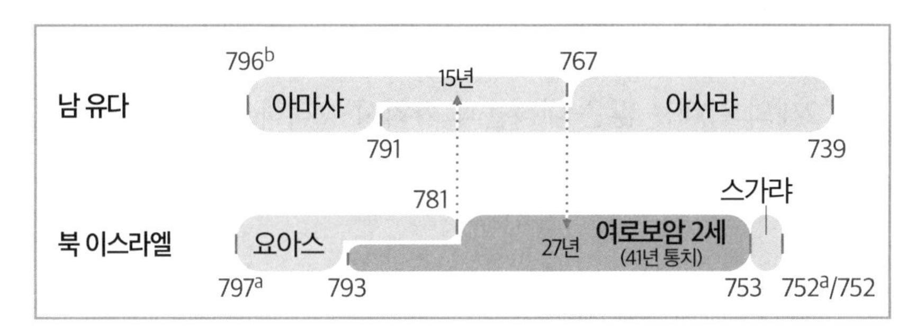

배경

- 부: 요아스(왕하 14:23)

통치 기간

- 41년 통치하였다(주전 793-753년, 왕하 14:23).
- 남 유다 아사랴는 '여로보암 2세 제27년'에 단독으로 즉위하였는데(왕하 15:1), 그해에 아사랴의 부친 아마샤가 죽었고, 또 북 이스라엘의 요아스가 죽은 지 15년 되던 해였다(왕하 14:17-22, 대하 25:25). 그렇다면 여로보암 2세는 요아스가 죽기 12년 전부터 이미 왕위에 있으면서 섭정으로 요아스와 함께 통치했고, 남 유다의 '아마샤 제15년'(왕하 14:23)에 단독으로 즉위한 것이 된다.

평가 - 악한 왕(왕하 14:24)

여로보암 2세는 여호와 보시기에 악을 행하여 이스라엘로 범죄케 한 느밧의 아들 여로보암의 모든 죄에서 떠나지 아니하였다(왕하 14:24).

활동 선지자 - 호세아, 아모스, 요나(왕하 14:25, 호 1:1, 암 1:1)

사료(史料) - 이스라엘 왕 역대지략(왕하 14:28)

'여로보암'(יָרָבְעָם)은 히브리어 '라바브'(רָבַב: 증가하다, 많아지다)와 '암'(עַם: 백성)이 합성된 단어입니다. 그러므로 여로보암은 '백성의 수가 많아지고 번성해진다'라는 뜻입니다. 한편, '여로보암'(יָרָבְעָם)은 히브리어 '루브'(רוּב: 싸우다, 다투다)와 '암'(עַם: 백성)이 합성된 것이라고 볼 수도 있습니다. 이렇게 보면 여로보암은 '백성이 다툴 것이라, 백성이 대적하여 싸운다'라는 뜻이 됩니다. 여로보암 2세의 시대는 많은 대적들과 싸워서 승리하므로 북 이스라엘 역대 왕들 중에 가장 오랜 기간 통치하면서 번성한 시대였습니다.

1. 여로보암 2세는 최대 영토를 확보했습니다.

Jeroboam II expanded Israel's territory to its largest.

여로보암 2세 시대의 주변 정세를 보면, 수리아 지방을 차지하면서 그동안 이스라엘을 괴롭힌 아람 나라가 신흥 제국 앗수르의 침략을 받아 수도 다메섹을 빼앗겼습니다. 자연히 아람 군대의 세력은 약해졌고, 북 이스라엘은 아람 군대의 그늘에서 벗어나 오히려 많은 영토를 회복하게 되었습니다.

열왕기하 14:25에서는 '여로보암이 이스라엘 지경을 회복하되 하맛 어귀에서부터 아라바 바다까지' 회복했다고 말씀하고 있습니다. 하맛은 수리아 중부의 성읍으로 북 이스라엘의 최북단 경계를 가리키고, 아라바 바다는 사해로서 북 이스라엘의 최남단 경계를 가리킵니다. 이것은 솔로몬왕 때 이스라엘이 확보했던 최대의 영토에 해당되는 경계입니다(대하 8:4). 그러므로 여로보암 2세는 북 이스라엘의 최대 영토를 회복하고 전성기를 누렸던 것입니다.

여로보암 2세 시대에 활동했던 아모스 선지자도 아모스 6:14에서 '하맛 어귀에서부터 아라바 시내까지'라는 표현을 사용함으로써 북 이스라엘의 땅이 여로보암 2세 시대에 하맛과 아라바까지 회복되었음을 뒷받침하고 있습니다.

열왕기하 14:28에서도 여로보암 2세의 일생을 정리하면서, "그 권력으로 싸운 일과 다메섹을 회복한 일과 이전에 유다에 속하였던 하맛을 이스라엘에 돌린 일은 이스라엘 왕 역대지략에 기록되지 아니하였느냐"라고 말씀하고 있습니다. 여기 다메섹은 하맛과 마찬가지로 수리아에 속한 도시였습니다.

이처럼 여로보암 2세 때는 넓은 영토와 거기에서 들어오는 갖가지 수입으로 인하여 풍요로운 시대가 되었습니다.

2. 여로보암 2세의 풍요는 전적으로 하나님의 도우심의 결과였습니다.

The abundance that Jeroboam II enjoyed was entirely due to God's help.

여로보암 2세 시대의 풍요의 원인을 살펴보면 다음과 같습니다.

첫째, 하나님께서 이스라엘의 고난을 보셨기 때문입니다.

열왕기하 14:26 "이는 여호와께서 이스라엘의 고난이 심하여 매인 자도 없고 놓인 자도 없고 이스라엘을 도울 자도 없음을 보셨고"

여기 '이스라엘의 고난이 심하여 매인 자도 없고 놓인 자도 없고'를 영어 성경 NIV에서는 "how bitterly everyone in Israel, whether slave or free, was suffering (노예나 자유자나 이스라엘의 모든 사람이 얼마나 혹독히 고생하는지)"라고 표현하였습니다.

또 '보셨고'라는 단어는 히브리어로 '라아'(רָאָה)인데, 이것은 '숙고하다, 조사하다'라는 뜻입니다. 하나님께서 북 이스라엘의 고통과 도울 자가 없음을 깊이 헤아리시고 구원하기로 마음먹으셨던 것입니다. 옛날 이스라엘 백성이 애굽 생활 430년 동안 고통을 당할 때도 하나님께서 그 고통소리를 들으시고 그들을 권념하사 애굽의 압제에서 건져 주셨습니다(출 2:24, 3:7). 긍휼이 많으신 하나님께서 오늘날 우리의 고통을 권념하신다면 반드시 그 고통에서 건져 주실 것입니다.

둘째, 하나님께서 언약을 기억하셨기 때문입니다.

열왕기하 14:27 "여호와께서 또 이스라엘의 이름을 도말하여 천하에 없이하겠다고도 아니하셨으므로 요아스의 아들 여로보암의 손으로 구원하심이었더라"

여기 '이스라엘의 이름을 도말하여 천하에 없이하겠다고도 아니하셨으므로'라는 표현은 하나님께서 이스라엘의 조상에게 주신 언약을 기억하셨다는 의미입니다. 열왕기하 13:23에서도 "여호와께서 아브라함과 이삭과 야곱으로 더불어 세우신 언약을 인하여 이스라엘에게 은혜를 베풀어 긍휼히 여기시며 권고하사 멸하기를 즐겨 아니하시고 이때까지 자기 앞에서 쫓아내지 아니하셨더라"라고 말씀하고 있습니다.

현재 북 이스라엘의 상태는 죄악으로 가득 차 있지만 하나님께서 그들의 고통을 보시고, 과거의 언약을 기억하사 지금은 구원해 주시기로 마음먹으셨다는 것입니다. 또한 하나님께서 아람을 치신 것은, 엘리사를 통하여 이스라엘이 아람 나라를 칠 것이라는 예언이 있었기 때문입니다(왕하 13:17-19). 그러므로 여로보암 2세 시대의 전성기는 전적으로 언약에 신실하신 하나님의 은혜요 강권적인 사랑 때문이었습니다.

호세아 선지자는 여로보암 2세 때 하나님의 말씀을 받았습니다. 호세아 1:1에서 "... 요아스의 아들 여로보암이 이스라엘 왕이 된 시대에 브에리의 아들 호세아에게 임한 여호와의 말씀이라"라고 말씀하고 있습니다. 아모스 선지자도 여로보암 2세 때 활동한 선지자입니다. 아모스 1:1에서 "... 여로보암의 시대의 지진 전 이년에 드고아 목자 중 아모스가 이스라엘에 대하여 묵시 받은 말씀이라"라고 말씀하고 있습니다. 요나 선지자도 여로보암 2세 시대에 활동하였습니다(왕하 14:25).

이처럼 하나님께서는 여로보암 2세 시대에 가장 많은 축복을 주시고 가장 많은 선지자들을 보내어, 기울어가는 북 이스라엘을 붙잡아 주시며 끊임없이 회개의 기회를 주셨습니다.

그러나 우리는 '요아스의 아들 여로보암 시대'의 선지자 아모스(암 1:1)와 같은 시대에 활동했던 선지자 호세아(호 1:1)가 외친 말씀을 통해서 여로보암 2세 당시 북 이스라엘의 심각한 타락상을 알 수 있습니다. 여로보암 2세 당시 외부적으로는 풍요와 평화를 누린 것 같으나, 사실상 그것을 향유하는 사람은 극소수의 지도층에 불과했습니다.

'신 한 켤레를 받고 궁핍한 자를 팔며 가난한 자의 머리에 있는 티끌을 탐하는 지도자'의 억압과 착취에 가난한 자들의 한숨 소리가 하늘에 사무쳤습니다(암 2:6-7上, 4:1, 8:4). 지도자들은 뇌물을 받아 사치와 방탕의 생활을 하였습니다. 겨울 궁과 여름 궁(별장), 상아궁, 큰 궁을 짓고(암 3:15), 상아궁에 누워 기지개를 켜며 비싼 향수를 바르고 비싼 포도주에 취해 잔치하였습니다(암 6:4-6).

폭력과 압제가 난무하여 정직하게 말하는 것을 싫어하니 지혜자들이 입을 열지 못하고(암 5:10, 13), 공평과 정의는 사라지고 불법만 이 판을 쳤습니다(암 5:7). 진실도 없고 인애도 없고 하나님을 아는 지식도 없고 오직 저주와 사위(詐僞)와 살인과 투절과 간음뿐이요 강포하여 피가 피를 뒤대이며(살육과 학살이 그칠 사이가 없음), 북 이스라엘의 타락으로 인해 땅과 거기 사는 사람이 슬퍼하고, 들짐승과 공중의 새가 다 쇠잔하고 바다의 고기도 씨가 말라 갔습니다(호 4:1-3).

게다가 성적으로 문란하여 부자(父子)가 한 젊은 여인에게 습관적으로 다녔습니다(암 2:7下). 하나님께서는 그들이 하나님의 품을 떠나 행음하는 데만 열중하였다고 질책하셨습니다(호 4:12-14).

정의를 거스르며 범죄하여 번 돈으로 제물을 드리니, 하나님께서 어찌 받으시겠습니까(암 4:4-5, 참고-호 6:6, 8:13)? 급기야 하나님께서는 '제사 드리기 위해 벧엘을 찾지 말고 길갈로 가지 말고 브엘세바로도 가지 말라'고 탄식하셨습니다(암 5:5).

이처럼 여로보암 2세가 통치하는 41년 동안, 북 이스라엘은 구석구석 성한 곳 하나 없이 썩고 곪아 심각하게 병들고 있었습니다.

하나님께서는 여로보암 2세에 대하여 오래 참으시고 무한하신 사랑으로 자비의 손길을 베풀어 주셨음에도 불구하고, 그는 여전히 패역한 길을 걸었습니다(왕하 14:24). 그 결과 그가 죽고, 그의 아들 스가랴의 시대에 예후 왕조는 완전히 멸망하고 말았습니다. 여로보암 2세 시대의 번성은 한마디로 '거짓된 번성'이었습니다. 겉으로는 북 이스라엘 역사상 최대의 전성기였지만, 속으로는 구석구석 방탕과 사치와 불의와 음란이 가득하였습니다. 오늘 우리도 마음속에 남이 알지 못하는 온갖 죄악이 가득하면서도 겉으로 나타나는 '거짓된 번성'에 만족하며 안주하고 있지는 않은지 깊이 점검해야 할 것입니다.

14. 스가랴

Zechariah / Ζαχαρίας / זְכַרְיָה
여호와께서 기억하셨다,
여호와께서 기억하고 계신다
the LORD remembered, the LORD remembers

- 북 이스라엘 제5왕조 5대 왕, 전체적으로 제14대 왕(왕하 14:29, 15:8-12)

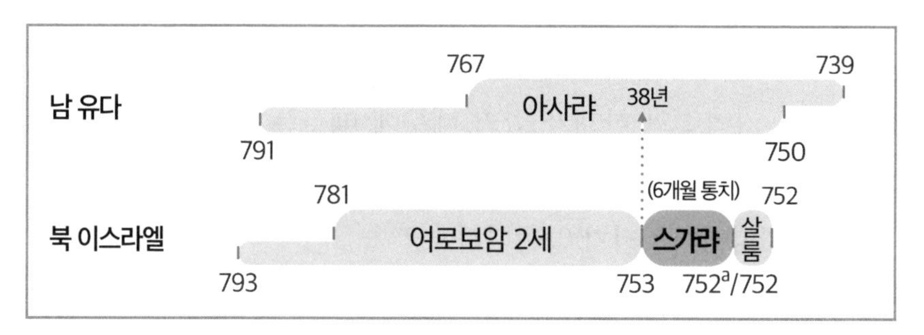

배경
- 부: 여로보암 2세(왕하 14:29)

통치 기간
- 6개월 통치하였다(주전 753-752[a] / 752년, 왕하 15:8).
- 스가랴는 남 유다의 '아사랴 제38년'(왕하 15:8)에 즉위하였으며, 이 때는 여로보암 2세의 41년 통치가 마치는 해로 주전 753년이다. 주전 753년은, 아마샤의 통치 끝(남조 아사랴의 단독 통치 시작)에 대한 대조 연대 '여로보암 제27년'(왕하 15:1)과 스가랴의 대조 연대 '아사랴 제38년'(왕하 15:8)을 조화시켜 계산한 것이다. 주전 753년을 기준으로, 아사랴가 즉위한 주전 791년과 여로보암 2세가 즉위한 주전 793년 등 남조와 북조의 여러 연대들이 계산 가능하다.

평가 - 악한 왕(왕하 15:9)
스가랴는 그 열조의 행위대로 여호와 보시기에 악을 행하여 이스라엘로 범죄케 한 느밧의 아들 여로보암의 죄에서 떠나지 아니하였다(왕하 15:9).

활동 선지자 - 호세아

사료(史料) - 이스라엘 왕 역대지략(왕하 15:11)

스가랴는 여로보암 2세의 뒤를 이어 북 이스라엘의 왕이 되었습니다. 스가랴는 예후 왕조의 마지막 왕이었습니다. 스가랴는 히브리어로 '제카르야'(זְכַרְיָה)입니다. 이것은 히브리어 '자카르'(זָכַר)와 '야'(יָה)가 합성된 단어입니다. '자카르'(זָכַר)는 '기억하다, 상기하다'라는 뜻이며, '야'(יָה)는 '여호와의 단축형'입니다. 그러므로 스가랴는 '여호와께서 기억하셨다'라는 뜻입니다.

사람은 기억력의 한계가 있기 때문에 때로는 착각할 수도 있고 제대로 기억하지 못할 때도 있으나, 하나님께서는 정확히 기억하시며 절대로 잊어버리시지 않습니다.

1. 스가랴는 예후 왕조 가운데 가장 짧게 통치하였습니다.

Zechariah had the shortest reign in the house of Jehu.

스가랴는 북 이스라엘의 왕이 되어 짧은 6개월을 치리하였습니다(왕하 15:8). 스가랴는 야베스의 아들 살룸에게 살해당했습니다.

열왕기하 15:10 "야베스의 아들 살룸이 저를 모반하여 백성 앞에서 쳐죽이고 대신하여 왕이 되니라"

여기에서 '쳐'는 히브리어 '나카'(נָכָה)로서 '(세게) 때리다'라는 의미를 가지고 있습니다. 그런데 여기에서는 '나카'의 히필형이 사용되어 '학살하다, 때려 죽이다'라는 뜻입니다. 또한 '쳐' 다음에 나오는 '죽이고'라는 단어는 히브리어 '무트'(מוּת)로서 '죽다'라는 뜻이며, 특히 무트의 히필(사역)형이 사용되어 '학살하다'라는 뜻입니다. 그러므로 '쳐죽이고'는 살룸이 스가랴를 아주 잔인하게 폭력적으로 학살하였음을 의미하는 것입니다.

또한 스가랴는 '백성 앞에서' 죽임을 당하였습니다. 이것은 스가랴가 국정에 대한 책임을 지고 공개적으로 비참하게 죽임을 당하였음을 나타냅니다. 짧은 기간 통치하였음에도 백성 앞에서 공개 처형을 당한 것을 볼 때, 그가 왕으로서 통치를 제대로 하지 않았다는 것을 알 수 있습니다. 살룸이 백성 앞에서 스가랴를 죽이려고 했을 때 스가랴를 도와주는 백성이 아무도 없었습니다. 스가랴의 죽음은 자신의 죄악과 실정(失政)에 대한 당연한 결과였습니다.

2. 스가랴의 멸망은 하나님의 말씀대로 된 것입니다.

The destruction of Zechariah occurred according to God's prophecy.

하나님께서는 아합 왕가를 진멸한 예후에게 왕하 10:30에서 "... 네 자손이 이스라엘 왕위를 이어 사대를 지나리라"라고 분명하게 말씀하셨습니다. 이 예언대로 예후 왕조는, 예후 다음으로 여호아하스, 요아스, 여로보암 2세 그리고 스가랴를 포함하여 4대 만에 멸망하였습니다.

열왕기하 15:12에서도 "여호와께서 예후에게 말씀하여 이르시기를 네 자손이 이스라엘 위를 이어 사대까지 이르리라 하신 그 말씀대로 과연 그렇게 되니라"라고 말씀하고 있습니다. 하나님께서는 예후에게 예언하신 이 말씀을 그대로 기억하시고 스가랴의 시대에 성취하셨던 것입니다. 이처럼 하나님의 말씀은 반드시 성취됩니다(수 23:14, 마 5:18, 24:34-35). 아직 성취되지 않은 성경의 예언들도 하나님께서 말씀하신 그대로 반드시 이루어질 것입니다.

스가랴는 북 이스라엘의 가장 전성기였던 여로보암 2세의 뒤를 이어 왕이 되었습니다. 그에게는 부와 권력이 보장되어 있었습니다. 그러나 그는 여호와 보시기에 악을 행하고 느밧의 아들 여로보암의 죄에서 떠나지 않으므로 잔인하게 죽임을 당하고 말았습니다(왕하 15:9-10).

하나님께서는 언약을 기억하시는 분이요(창 9:15-16, 출 2:24, 6:5, 시 105:8, 106:45, 111:5, 렘 14:21, 겔 16:60, 눅 1:72), 우리의 모든 행위를 기억하시는 분입니다(겔 20:43).

하나님께서는 우리의 앉고 일어섬을 아시며, 우리의 생각을 아시며, 우리의 길과 눕는 것을 아시며, 우리의 모든 행위를 익히 아십니다. 우리의 혀가 말한 모든 것까지도 다 아십니다(시 139:2-4).

비록 하나님께서 예후에게 앞으로 4대 만에 왕조가 끝난다고 말씀하셨을지라도, 스가랴가 하나님 보시기에 선한 행위를 하였으면 그의 종말이 그렇게 비참하지는 않았을 것입니다. 오늘도 나의 모든 것을 기억하시는 하나님 앞에 거룩과 경건으로 기억되는 삶을 살아야 할 것입니다.

예후 왕가는 북 이스라엘 아홉 왕조 가운데 통치 기간이 가장 길었습니다(89년). 그러므로 예후 왕가가 몰락한 것은 결국 북 이스라엘의 몰락을 예고한 것이나 다름없었습니다. 스가랴가 죽고 예후 왕조가 역사의 무대에서 사라진 이후 약 30년이 지난 주전 722년에 북 이스라엘은 역사의 무대에서 완전히 사라지게 되었습니다.

15. 살룸

Shallum / Σελλουμ / שַׁלּוּם
보상(보응), 평화 / reward(retribution), peace

- 북 이스라엘 제6왕조 1대 왕, 전체적으로 제15대 왕(왕하 15:10-15)

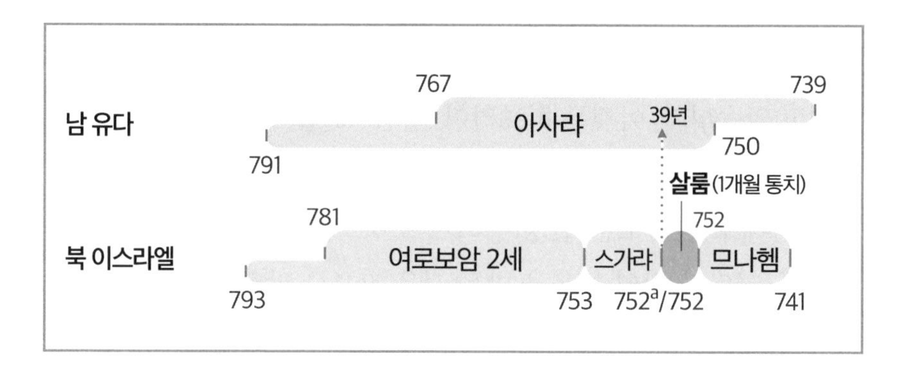

배경
- 부: 야베스(왕하 15:13)

통치 기간
- 1개월 통치하였다(주전 752년, 왕하 15:13).
- 남 유다의 '웃시야 제39년'(왕하 15:13)에 즉위하였다.
- 여로보암 2세의 41년 통치가 끝난 후(왕하 14:29), 스가랴가 남 유다 '아사랴 제38년'에 즉위하여 6개월 통치하였다(왕하 15:8). 그리고 살룸이 스가랴를 모반하여 백성 앞에서 그를 쳐죽이고(왕하 15:10), 남 유다 '아사랴 제39년'에 즉위하여 1개월간 통치하였다(왕하 15:13). 스가랴의 6개월 통치와 살룸의 1개월 통치 사이에 남 유다 아사랴의 대조 연도가 38년에서 39년으로 바뀐 것을 감안할 때, 살룸의 통치 1개월은 752년에 해당되는 것으로 추정된다.

평가 - 악한 왕
살룸은 선·악에 관한 문자적 평가는 없으나, 그의 행적 가운데는 선한 일이 없고 '모반한 일'(왕하 15:15)뿐이므로 악한 왕으로 분류한다.

- **활동 선지자** - 호세아
- **사료(史料)** - 이스라엘 왕 역대지략(왕하 15:15)

살룸은 스가랴를 죽여 예후 왕조를 무너뜨리고 북 이스라엘의 왕이 되었습니다. '살룸'(שַׁלּוּם)은 히브리어로 '보상, 평화'라는 뜻을 가지고 있습니다. 이것은 히브리어 '샬람'(שָׁלַם)에서 유래된 단어로, '완성하다, 평화롭다, 보답하다'라는 뜻을 가지고 있습니다. 살룸이 그 이름대로 평화로운 인생이 되지 못하고, 욕망과 살인으로 점철된 삶을 살다가 죄의 보응을 받은 것은 참으로 안타까운 일입니다.

1. 살룸은 아무 일도 남기지 못하였습니다.
Shallum left no accomplishments.

북 이스라엘의 역대 왕들은 대부분 '남은 사적'이라는 표현 다음에 '행한 일'이라는 단어가 연속하여 등장합니다(참고-왕상 15:31, 16:5, 14, 왕하 10:34, 13:8, 12, 14:28, 15:21, 26, 31). 그러나 살룸의 경우에는 '행한 일'이라는 표현 대신에 '그 모반한 일'이라는 표현이 들어가 있습니다(왕하 15:15).

이것은 살룸이 왕으로서 한 일이라고는 모반한 일 외에는 아무것도 없다는 뜻으로, 그가 권력욕에 사로잡혀 스가랴를 죽이고 모반하였음을 강조한 것입니다. 모반(謀叛)은 나라나 임금을 뒤엎고 정권을 잡으려고 꾀하는 것입니다.

하나님께서는 우리가 일한 대로 보응해 주시는 분입니다. 요한계시록 22:12에서 "보라 내가 속히 오리니 내가 줄 상이 내게 있어 각 사람에게 그의 일한 대로 갚아 주리라"라고 말씀하고 있습니다. 하나님의 뜻을 위해 일할 때, 그에 대한 보상이 반드시 따르는 것입니다(고전 3:8, 고후 5:10, 히 11:6, 계 2:23).

2. 살룸은 살인에 대한 보응을 그대로 받았습니다.

Shallum received rightful retribution for his murder.

스가랴를 모반한 살룸은 자신도 므나헴에게 쳐죽임을 당하여 비참하게 죽었습니다(왕하 15:14). 살룸이 스가랴를 죽일 때 "쳐죽이고 대신하여 왕이 되니라"(왕하 15:10)고 말씀하고 있습니다. '쳐죽이고'는 앞에서 살펴본 대로 잔인하게 죽인 것입니다. 그런데 므나헴이 살룸을 죽일 때에도 역시 "쳐죽이고 대신하여 왕이 되니라"(왕하 15:14)고 말씀하고 있습니다. 이것은 살룸이 스가랴를 살해한 것에 대해서 그대로 보응을 받은 것입니다.

하나님께서는 우리가 행한 대로 보응해 주시는 분입니다. 욥기 34:11에서 "사람의 일을 따라 보응하사 각각 그 행위대로 얻게 하시나니"라고 말씀하고 있으며, 마태복음 16:27에서 "인자가 아버지의 영광으로 그 천사들과 함께 오리니 그때에 각 사람의 행한 대로 갚으리라"라고 말씀하고 있습니다. 호세아 4:9에서는 "장차(將次)는 백성이나 제사장이나 일반이라 내가 그 소행대로 벌하며 그 소위대로 갚으리라"라고 말씀하고 있습니다. 사람은 무엇으로 심든지 그대로 거두게 되어 있습니다(갈 6:7). 살인을 심은 자는 살인을 거두게 되어 있는 것입니다. 예수님도 "네 검을 도로 집에 꽂으라 검을 가지는 자는 다 검으로 망하느니라"(마 26:52)라고 말씀하셨습니다. 성도는 화평케 하는 자들로, 화평으로 심어 의의 열매를 거두는 자가 되어야 합니다(약 3:18).

16. 므나헴

Menahem / Μαναημ / מְנַחֵם
안위자, 위로자 / the consoler, the comforter

- 북 이스라엘 제7왕조 1대 왕, 전체적으로 제16대 왕(왕하 15:14-22)

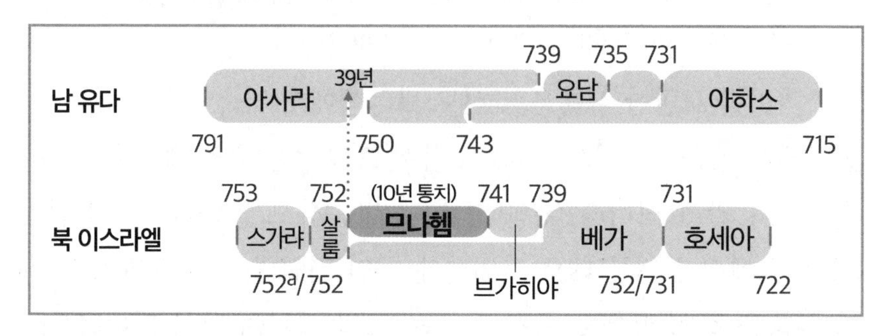

배경

- 부: 가디(왕하 15:14)

통치 기간

- 주전 752년에 왕이 되어 딥사에서의 저항이 있은 후(왕하 15:14-16), 10년간 통치하였다(주전 751-741년, 왕하 15:17).
- 남 유다의 '아사랴 제39년'(왕하 15:17)에 즉위하였다. 므나헴이 살룸의 1개월 통치가 끝나고 남 유다 '아사랴 제39년'에 즉위한 것을 볼 때, 므나헴의 즉위년은 주전 752년에 해당한다.

평가 - 악한 왕(왕하 15:18)

므나헴은 여호와 보시기에 악을 행하여 이스라엘로 범죄케 한 느밧의 아들 여로보암의 죄에서 평생 떠나지 아니하였다(왕하 15:18).

활동 선지자 - 호세아

사료(史料) - 이스라엘 왕 역대지략(왕하 15:21)

살룸이 예후 왕조를 무너뜨리고 왕이 된 지 한 달 만에, 므나헴이 살룸을 죽이고 왕이 되었습니다. 이제 피비린내 나는 살인으로 왕위를 빼앗는 모반이 계속적으로 일어나는 북 이스라엘은 점점 멸망을 향하여 내닫게 되었습니다.

므나헴은 히브리어 '메나헴'(מְנַחֵם)으로, '위로자'라는 뜻입니다. 이 단어는 '뉘우치다, 후회하다, 위로하다'라는 뜻을 가진 히브리어 '나함'(נָחַם)에서 유래되었습니다. 그러나 므나헴은 하나님의 위로를 세상에 전하는 자가 되지 못하였습니다. 그는 잔인한 살인과 통치로 백성의 원성을 사는 포악한 왕이었습니다.

***유구한 역사 속에서 세계 최초로 성경적 체계화 정리**

1. 므나헴은 왕이 된 것이 두 번 기록되어 있습니다.

In the Bible, there are two accounts of Menahem becoming king.

므나헴은 디르사[40]를 장악하고 있던 군사 지도자로서, 북 이스라엘의 수도 사마리아에 올라와서 살룸을 '쳐죽이고' 왕이 되었습니다(왕하 15:14). 이어 므나헴은 다시 디르사에서 와서 딥사 지역을 공격하였습니다. 열왕기하 15:16에서 "그때에 므나헴이 디르사에서 와서 딥사와 그 가운데 있는 모든 사람과 그 사방을 쳤으니 ..."라고 말씀하고 있습니다. 여기 '쳤으니'(יַכֶּה, 야케)는 히브리어 '나카'(נָכָה)의 피엘 미완료형으로서, 므나헴이 딥사와 그 가운데 있는 사람과 그 사방을 공격한 것이 잔혹하였으며, 한동안 계속되었음을 의미합니다.

그런데 딥사 지역의 사람들은 완강하게 저항하며 성문을 열어 주지 않았습니다. 마침내 므나헴은 딥사 지역을 정복한 후에 "아이 밴 부녀를 갈랐더라"라고 열왕기하 15:16에서 말씀하고 있습니다. 여기 '갈랐더라'는 히브리어 '바카'(בָּקַע)인데, 이것은 '찢다, 쪼개다'라는 뜻입니다. 특별히 여기에서는 동사의 강조형이 사용되었으며, 한글 개역성경에는 기록되어 있지 않으나 히브리 원문에는 '콜'(כֹּל: 모든)이 기록되어 있습니다. 이것은 므나헴이 아이 밴 모든 부녀들을 갈기 갈기 난도질했음을 나타냅니다. 실로 므나헴의 극에 달한 잔학성을 생생하게 보여 줍니다. 므나헴은 백성을 잔인하게 통치하면서도 그것이 잘못인 줄을 깨닫지 못하는 자로, 양심에 화인을 맞은 사람이었습니다(딤전 4:2). 참으로 잠언 11:17에서 "인자한 자는 자기의 영혼을 이롭게 하고 잔인한 자는 자기의 몸을 해롭게 하느니라"라는 말씀 그대로 이루어진 것입니다.

성경에서는 특이하게도 므나헴이 왕이 된 것을 열왕기하 15:14과 15:17에서 두 번이나 기록하고 있습니다. 므나헴이 왕이 된 후에(왕하 15:14), 딥사에서 그의 왕권 찬탈을 인정하지 않는 백성의 저항이 있었습니다(왕하 15:16). 그러므로 므나헴은 주전 752년에 살룸을 죽이고 왕이 된 후에도 한동안 딥사 지역의 백성과 전쟁을 하였으며, 그 후 딥사와 그 사방을 완전히 점령하고 주전 751년부터 741년까지 10년 동안 공식 통치를 한 것입니다(왕하 15:17).

2. 므나헴은 하나님 대신 앗수르 왕을 의지했습니다.

Menahem did not rely on God but on the king of Assyria.

열왕기하 15:19에서 "앗수르 왕 불이 와서 그 땅을 치려 하매 므나헴이 은 일천 달란트를 불에게 주어서 저로 자기를 도와주게 함으로 나라를 자기 손에 굳게 세우고자 하여"라고 말씀하고 있습니다. 여기 앗수르 왕 '불'은 '디글랏 빌레셀'('내 능력은 곧 신'이라는 뜻)인데, 당시에 앗수르를 세계 최대의 강대국으로 만든 가장 강력한 왕이었습니다(주전 745-727년 앗수르 통치). 당시 앗수르는 서부 지역으로 진출하기 위한 군사 작전을 자주 벌였는데, 그 이유는 그곳의 임목과 광물 자원을 노렸을 뿐 아니라 팔레스타인이 애굽이나 서남 소아시아로 가는 길목이고, 또 지중해 지역의 주요 통상로

주전 743년,
앗수르 왕 디글랏 빌레셀(불)을 의지한 이스라엘 왕 므나헴
(왕하 15:19-20)

743 BC - Menahem king of Israel relied on Tiglath-pileser (Pul) king of Assyria (2 Kgs 15:19-20)

였기 때문입니다.[41]

므나헴은 앗수르 왕의 능력을 의지하여 자신의 권력을 유지하려고 은 일천 달란트를 바쳤습니다. 은 1달란트는 은 6천 드라크마이며, 은 1천 달란트는 은 6백만 드라크마입니다. 1드라크마가 노동자 하루 품삯이므로, 만약 하루 품삯을 5만 원으로 계산한다면 은 1천 달란트는 3천억 원이 넘는 엄청난 돈입니다.

므나헴은 이 엄청난 돈을 확보하기 위하여 이스라엘의 모든 큰 부자에게 은 오십 세겔씩 내게 하였습니다. 은 1세겔은 노동자의 4일 품삯에 해당되는 금액으로 은 50세겔은 노동자의 200일 품삯입니다. 만약 하루 품삯을 5만 원으로 계산한다면 은 50세겔은 천만 원에 해당하는 큰 돈입니다. 므나헴은 이렇게 자신의 권력을 유지하기 위하여 백성으로부터 엄청난 돈을 수탈하면서 백성의 허리를 굽게 만들었던 것입니다. 므나헴은 그의 삶을 통하여 백성에게 위로자가 되지 못하고, 오히려 거짓 목자(삯꾼)(요 10:12), 포악한 억압자가 되었습니다. 그는 여호와의 보시기에 악을 행하였으며 여로보암의 죄에서 평생 떠나지 않았습니다(왕하 15:18). 므나헴에 대한 평가 중에 북 이스라엘 역대 왕들에 대한 평가와 다른 것은 '평생'이라는 단어가 추가되었다는 점입니다. 이것은 므나헴의 악함이 다른 북 이스라엘의 역대 왕들보다 심각하고 10년 통치 내내 지속된 것임을 나타냅니다.

결국 므나헴은 앗수르를 의지하여 자신의 권력을 유지하려고 했지만, 북 이스라엘은 이 앗수르에게 멸망당하는 비운을 겪게 되었습니다. 호세아 선지자는 수차에 걸쳐, 앗수르를 의지하면 비참한 결과를 가져온다고 경고하였지만(호 5:13, 7:11, 10:6), 므나헴은 이 경고를 귀담아 듣지 않았습니다. 결국 므나헴의 일생은, 세상 권력을 의지하는 결과가 얼마나 비참한가를 깨닫게 해 주는 준엄한 교훈이 되고 있습니다(시 146:3-5).

17. 브가히야

Pekahiah / Φακεϊας / פְּקַחְיָה
여호와께서 열어 주셨다,
여호와께서 눈을 뜨게 하셨다
the LORD has opened
the LORD has opened the eyes

- 북 이스라엘 제7왕조 2대 왕, 전체적으로 제17대 왕(왕하 15:22-26)

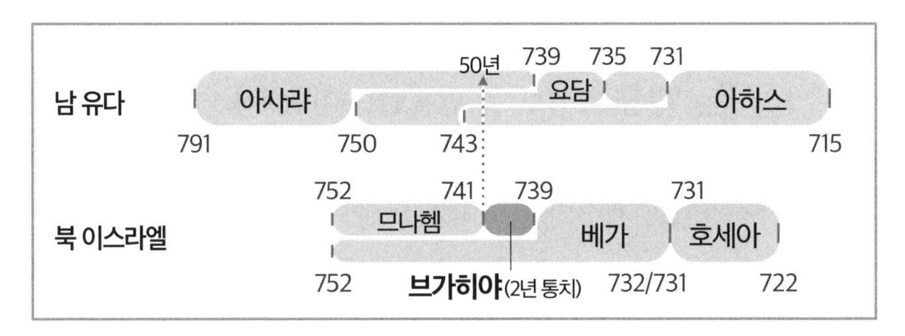

배경
- 부: 므나헴(왕하 15:23)

통치 기간
- 2년 통치하였다(주전 741-739년, 왕하 15:23).
- 므나헴의 10년 통치가 끝나고, 남 유다의 '아사랴 제50년'에 브가히야가 즉위하였다(왕하 15:23).

평가 - 악한 왕(왕하 15:24)
브가히야는 여호와 보시기에 악을 행하여 이스라엘로 범죄케 한 느밧의 아들 여로보암의 죄에서 떠나지 아니하였다(왕하 15:24).

활동 선지자 - 호세아, 이사야(사 1:1)

사료(史料) - 이스라엘 왕 역대지략(왕하 15:26)

브가히야는 므나헴의 아들로, 그 뒤를 이어서 북 이스라엘의 왕이 되었습니다. 브가히야는 히브리어 '페카흐야'(פְּקַחְיָה)로, 이것은 '파카흐'(פָּקַח)와 '야'(יָה)가 합성된 것입니다. '파카흐'는 '열다,

(눈을)뜨다'라는 뜻이며, '야'라는 '여호와'의 단축형입니다. 그러므로 브가히야는 '여호와께서 열어 주신다, 여호와께서 눈을 뜨게 하신다'라는 뜻을 가지고 있습니다.

1. 브가히야는 '왕궁 호위소'를 마련하였습니다.
Pekahiah built a citadel of the king's house.

브가히야는 '왕궁 호위소'를 만들었습니다(왕하 15:25). '왕궁 호위소'는 왕궁을 보호하기 위하여 세운 높은 망대나 요새를 뜻합니다. 북 이스라엘의 계속되는 반역과 모반의 역사를 익히 알고 있던 브가히야는 자신의 목숨을 지키기 위하여 '왕궁 호위소'라는 피난처를 만들어 자신을 보호한 것입니다. 또 자기 옆에 자기를 보호하는 신복들을 두었습니다. 그들의 이름은 '아르곱'과 '아리에'였습니다. 그런데 아이러니하게도 브가히야는 자신이 만든 피난처 '왕궁 호위소'에서 자기를 보호하던 신복들과 함께 죽임을 당하였습니다. 열왕기하 15:25에서 "그 장관 르말랴의 아들 베가가 반역하여 사마리아 왕궁 호위소에서 왕과 아르곱과 아리에를 죽이되 길르앗 사람 오십 명으로 더불어 죽이고 대신하여 왕이 되었더라"라고 말씀하고 있습니다. 이것은 사람이 만든 피난처, 사람이 만든 요새는 아무런 소용이 없음을 보여 줍니다. 우리의 진정한 피난처요 요새가 되시는 분은 바로 하나님이십니다. 하나님께서 지키시지 않으면 파수꾼의 경성함도 허사입니다(시 127:1).

요한계시록의 여섯 번째 재앙 때, 땅의 임금들과 왕족들과 장군들과 부자들과 강한 자들과 각 종과 자주자(自主者)가 "굴과 산 바위틈에 숨어 [16]산과 바위에게 이르되 우리 위에 떨어져 보좌에 앉으신 이의 낯에서와 어린 양의 진노에서 우리를 가리우라"라고 말합니다(계 6:15-16). 그러나 산과 바위는 인생들의 피난처가 결코 될 수 없습니다. 어떤 형편에서든지 하나님께 피하는 자가 복이 있습니다(시 34:8). 하나님을 나의 영원히 거할 피난처로 삼고 절대 믿고 의지하시기 바랍니다(시 46:1, 61:3, 73:28, 91:2, 144:2). 인생의 막다른 골목에서 다른 것은 다 내버리고 포기해도 하나님을 포기해서는 안 됩니다. 하나님께 피하면 어떤 위경 중에서도 반드시 건짐을 받게 됩니다(시 7:1, 31:1, 143:9).

2. 브가히야는 사람을 의지했습니다.

Pekahiah relied on man.

브가히야를 죽인 사람은 '베가'였습니다. 그는 "그 장관 르말랴의 아들 베가"라고 열왕기하 15:25에 기록하고 있습니다. 여기 '장관'은 히브리어 '샬리쉬'(שָׁלִישׁ)로, 이것은 본래 '세 번째'라는 뜻이지만 군사 용어로 사용될 때는 '세 번째로 높은 사람, 왕의 전속부관인 고위 군인'을 뜻합니다. 베가가 '왕궁 호위소'에 들어갈 수 있었던 것을 볼 때, 브가히야가 베가를 굉장히 신임하였음을 알 수 있습니다. 그런데 브가히야는 자기가 가장 신임하였던 부하에게 죽임을 당하고 말았습니다. 브가히야는 인간적인 관점에서 베가가 자기를 지켜 주고 절대로 배반하지 않을 것이라고 생각하여 그를 전속부관으로 세웠을 것입니다.

보이는 현실만 보고 판단하는 눈은 불확실합니다. 일시적이고, 제한적입니다. 하나님께서 눈을 열어 주시기 전에는 날마다 속는 생활입니다. 우리의 불완전한 눈으로 판단해서도 안 되고, 그렇게 불완전한 사람을 의지해서도 안 됩니다(사 2:22). 우리의 모든 판단은 하나님의 눈에 맡기며, 하나님만을 전적으로 의지해야 합니다.

Pekah / Φακεε / פֶּקַח
눈을 뜸, 열린 곳
opened eyes, an opening

- 북 이스라엘 제8왕조 1대 왕, 전체적으로 제18대 왕(왕하 15:25-31, 대하 28:5-8)

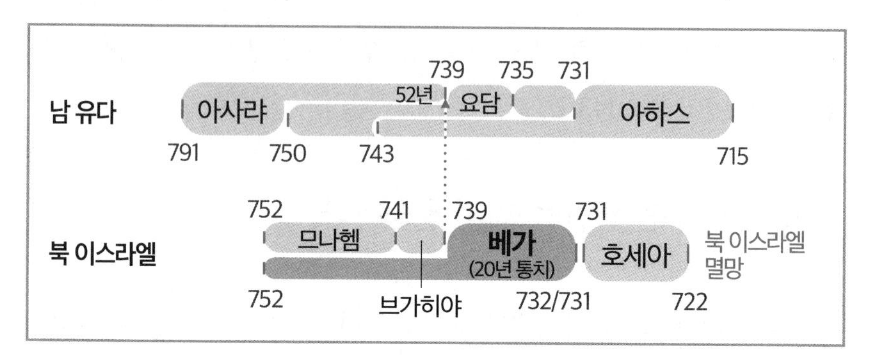

배경

- 부: 르말랴(왕하 15:25, 27)
- 브가히야의 군대 장관(왕하 15:25)

통치 기간

- 20년 통치하였다(주전 752-732/731년, 왕하 15:27).
- 베가는 남 유다의 '아사랴 제52년'(왕하 15:27)에 단독으로 즉위하여 8년을 통치하였다. 베가가 20년을 통치했다는 열왕기하 15:27의 기록은 맞지 않는 것처럼 보일 수도 있다. 베가의 20년 중 전반부는 베가 앞에서 북 이스라엘을 다스렸던 브가히야의 통치 기간과 겹치며, 또 그 앞서 다스렸던 므나헴의 통치 기간에 겹친다. 그러나 여기 앞의 왕들과 겹치는 기간 동안 베가는 그의 출신 지역인 길르앗의 국지적(局地的) 지도자였다. 그러므로 베가가 실제로 북 이스라엘 전체를 다스린 것은 브가히야 통치 이후 주전 739년부터이다.

평가 - 악한 왕(왕하 15:28)

베가는 여호와 보시기에 악을 행하여 이스라엘로 범죄케 한 느밧의 아들 여로보암의 죄에서 떠나지 아니하였다(왕하 15:28).

> **활동 선지자** - 오뎃
> 그는 남 유다와 북 이스라엘의 전쟁에서, 북 이스라엘의 잔혹한 행위를 비난하고 남 유다의 포로들을 귀환시키도록 촉구했다(대하 28:8-11).
>
> **사료(史料)** - 이스라엘 왕 역대지략(왕하 15:31)

베가는 브가히야의 신임을 받던 신복이었는데, 브가히야를 왕궁 호위소에서 죽이고 북 이스라엘의 왕이 되었습니다. 베가는 히브리어로 '페카흐'(פֶּקַח)인데 이것은 '파카흐'(פָּקַח)에서 유래된 말입니다. '파카흐'는 '열다, (눈을) 뜨다'라는 뜻을 가지고 있습니다. 그러므로 '페카흐'는 '눈을 뜸, 열림'이라는 뜻입니다.

1. 베가는 권력욕에 눈을 뜬 사람입니다.

Pekah's eyes were open to the greed for power.

베가는 브가히야의 왕궁 호위소에 출입할 수 있었던 핵심 신복이었으므로(왕하 15:25) 브가히야의 많은 사랑과 신임을 받은 자였을 것입니다. 그런데 베가는 권력에 대한 욕망에 눈을 뜬 후 자신을 따르는 길르앗 사람 50명을 동원하여 브가히야를 잔인하게 죽이고 북 이스라엘 왕이 되었습니다(왕하 15:25).

그러나 훗날 베가 역시 자기가 브가히야를 죽인 것처럼 잔인하게 호세아에게 죽임을 당하고 말았습니다(왕하 15:30). 그는 결국 권력에 대한 욕망을 심은 대로 거두고 비참하게 죽임을 당하는 인생이 되고 말았습니다. 그는 욕심을 잉태하여 사망을 낳은 것입니다(약 1:15).

2. 베가는 국제 역학 관계에 눈을 뜬 사람입니다.

Pekah's eyes were open to international politics.

베가가 통치하던 시대를 보면 앗수르가 급속하게 성장할 때입니다. 이제 북 이스라엘 왕 베가는 아람 왕 르신과 연합하여 반(反)앗수르 정책을 펴서 앗수르에 대항하였습니다(사 7:1-9). 베가는 나름대로 국제 역학 관계에 눈을 뜨고 능숙한 외교 정책을 폈던 것입니다.

북 이스라엘 왕 베가는 아람 왕 르신과 함께 앗수르에 대항하고자 주위 나라와 더불어 연합군을 형성하고 유다 왕 아하스에게 연합군에 가담할 것을 강요하였습니다. 그러나 남 유다의 아하스왕은 친(親)앗수르 정책을 펼쳤습니다. 이에 베가는 남 유다를 공격하였으며, 예루살렘을 무너뜨리지는 못했지만(왕하 16:5), 하루 동안 남 유다의 용사 12만 명을 죽이고, 부녀자를 포함하여 20만 명을 포로로 끌고 사마리아로 왔습니다. 이 일로 그는 오뎃 선지자로부터 '포로를 놓아 돌아가게 하라'라는 책망을 받았습니다. 이때 '에브라임 자손의 두목', 곧 아사랴, 베레갸, 여히스기야, 아마사가 일어나서 전장에서 돌아오는 자를 막고 포로들을 다시 남 유다로 돌려보내게 했습니다(대하 28:6-15).

베가의 외교 정책은 얼핏 보기에 성공한 것처럼 보였습니다. 그러나 베가와 르신의 공격을 받은 남 유다의 아하스왕이 대경실색하여 앗수르에게 원군을 요청하였으며, 쾌히 승락하고 출전한 앗수르 왕 디글랏 빌레셀은 북 이스라엘을 공격하였습니다(왕하 16:5-9). 그 결과 북 이스라엘은 이욘과 아벨벳마아가와 야노아와 게데스와 하솔과 길르앗과 갈릴리와 납달리 온 땅을 모조리 빼앗기고 많은 백성이 포로가 되어 잡혀 갔습니다(왕하 15:29). 이때 이사야 선지자는 그의 교만을 책망했고, 사마리아의 죄를 심판하시겠다는 메세지를 전하였습니다(사 9:9-17). 베가왕은 끝까지 교만하여 회개하지 않다가 신하 호세아에게 죽임을 당하였습니다(왕하 15:30).

주전 732년, 베가의 유다 공격과 앗수르 왕 디글랏 빌레셀(불)의 이스라엘 침입

(왕하 15:29-30, 37, 16:5-9, 대하 28:5-15)

732 BC - Pekah's attack on Judah and Tiglath-pileser's (Pul, king of Assyria) attack on Israel (2 Kgs 15:29-30, 37, 16:5-9, 2 Chr 28:5-15)

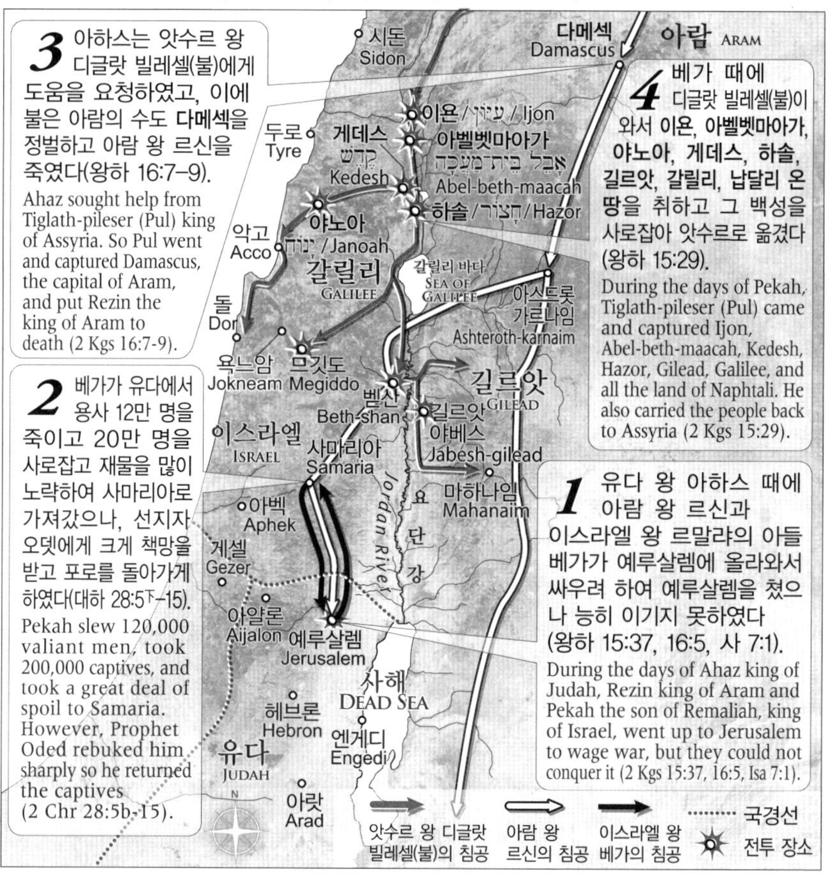

19. 호세아

Hoshea / Ωσηε / הוֹשֵׁעַ
여호와여 구원하소서
Lord, save us

- 북 이스라엘 제9왕조 1대 왕, 전체적으로 제19대 왕(왕하 15:30, 17:1-41, 18:9-12)

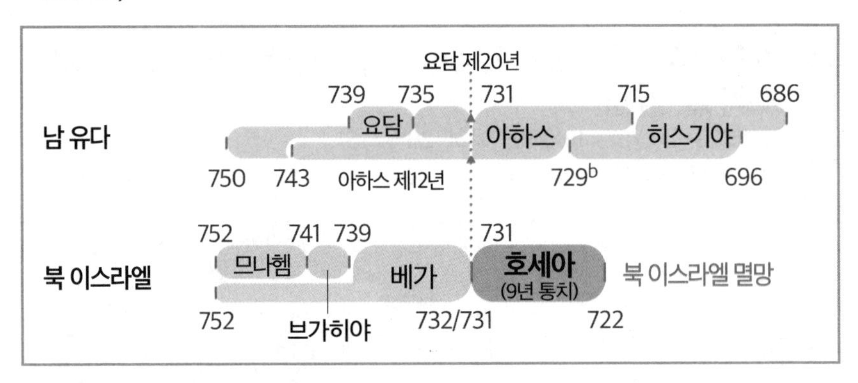

배경
- 부: 엘라(왕하 15:30)

통치 기간
- 9년 통치하였다(주전 731-722년, 왕하 17:1).
- 남 유다의 '아하스 제12년'(왕하 17:1), '요담 제20년'(왕하 15:30)에 즉위하였다(주전 731년).

평가 - 악한 왕(왕하 17:2)
호세아는 여호와 보시기에 악을 행하였으나 그 전 이스라엘 여러 왕들과 같이 하지는 아니하였다(왕하 17:2).

활동 선지자 - 호세아(호 1:1)
호세아 선지자는 북 이스라엘이 멸망한 주전 722년까지 생존했던 것으로 알려진다.

사료(史料)
호세아는 북 이스라엘의 마지막 왕으로서 나라가 망하였기 때문에, 역대지략에 그 기록이 없다.

호세아왕은 북 이스라엘의 마지막 왕입니다. 그는 애굽과 동맹을 맺고 반(反)앗수르 정책을 펼치다가 앗수르에게 나라가 완전히 멸망당하는 비운을 맞은 왕이었습니다.

'호세아'(הוֹשֵׁעַ)는 '구원자'라는 뜻으로, '구원하다, 구출하다, 구조하다'라는 뜻을 가진 히브리어 '야샤'(יָשַׁע)에서 유래되었습니다. 호세아왕은 자신의 이름대로 위기 속에 있던 북 이스라엘을 구원한 왕이 아니라, 오히려 나라를 완전히 멸망시켜 구원의 여망을 송두리째 빼앗겨 버린 왕이 되었으니 참으로 안타까운 일입니다.

1. 호세아는 앗수르를 배반하고 애굽을 의지하였습니다.

Hoshea betrayed Assyria and relied on Egypt.

호세아는 본래 친(親)앗수르파로서, 반(反)앗수르파인 베가를 죽이고 왕이 되었습니다(왕하 15:30). 이때 앗수르 왕 디글랏 빌레셀 3세가 호세아를 도와서 왕이 되게 하였습니다.

앗수르에 나타난 공식 문서들에는 디글랏 빌레셀이 북 이스라엘의 내정에 간섭하여 베가를 죽이고 호세아를 왕위에 앉힌 것으로 기록되어 있습니다. 이것은 디글랏 빌레셀이 호세아를 조종하여 반란을 일으키게 하고 그 후에 호세아를 왕으로 앉혔다는 것을 의미합니다.[42] 이러한 역사적 정황을 고려할 때, 호세아의 즉위 연도는 주전 732년을 지나서 주전 731년에 이루어진 것으로 추정됩니다.[43]

그러나 디글랏 빌레셀이 죽은 후에 호세아는 앗수르를 배반하고 친애굽 정책으로 기울었습니다. 이에 앗수르 왕 살만에셀 5세(디글랏 빌레셀 3세의 아들)가 호세아를 공격하여 자신에게 신복(臣服)케 하고 조공을 드리게 했습니다(왕하 17:3). 그러나 얼마 후에 호세아는 애굽의 힘을 등에 업고 다시 반앗수르 정책으로 전환하였습니다

(왕하 17:4, 호 7:11). 그러나 이것은 호세아의 잘못된 판단이었습니다. 당시 호세아가 도움을 청했던 애굽 왕 소(So)는 힘이 없었으며, 애굽은 사분오열되어 여러 군소 왕들이 난립한 상태였습니다.

앗수르 왕은 호세아의 배반을 보고 북 이스라엘을 공격하였습니다. 호세아가 앗수르 대신 애굽을 의지한 것은 외교적인 큰 잘못이었으나, 더 큰 잘못은 하나님을 의지하지 않고 세상 나라를 의지한 것입니다(호 7:10). 우리의 구원은 오직 하나님으로부터 오는 것입니다(시 3:8, 사 12:2). 수에 칠 가치조차 없는 사람에게 도움을 구하는 것은 가장 어리석은 일입니다(사 2:22). 사람에게는 도울 힘이 없습니다. 영원히 살아 계시며 전능하신 하나님 한 분만이 우리의 도움이요 의지할 피난처입니다(시 146:3-10).

2. 호세아 시대에 북 이스라엘은 완전히 멸망했습니다.

Israel, the northern kingdom, perished completely during Hoshea's reign.

호세아 시대에 북 이스라엘을 공격했던 앗수르의 왕은 디글랏 빌레셀 3세의 아들인 살만에셀 5세입니다. 그는 북 이스라엘 전역을 공격하여 초토화했습니다. 이것을 열왕기하 17:5에서는 "올라와서 그 온 땅에 두루 다니고"라고 말씀하고 있습니다.

살만에셀 5세(주전 727-722년)는 호세아 왕 7년에 사마리아를 포위하였고, 북 이스라엘은 사마리아에서 3년 동안 격렬히 저항하였습니다. 살만에셀 5세는 사마리아 성읍을 포위하고 있던 중 갑자기 죽었지만 그 뒤를 사르곤 2세(주전 722-705년)가 계승하였고, 결국 그는 호세아 왕 9년에 사마리아성을 완전히 함락하고 말았습니다(왕하 17:5-6, 18:9-12).

북 이스라엘의 수도 사마리아성의 외부는 튼튼하고 강력한 성벽

주전 724–722년, 앗수르(살만에셀 5세, 사르곤 2세)의 이스라엘(호세아) 침입 경로와 추방 경로 (왕하 17:3–6, 18:9–12)

724-722 BC - The route taken by Assyria (Shalmaneser V, Sargon II) during his invasion into the northern kingdom of Israel (Hoshea) (2 Kgs 17:3-6, 18:9-12)

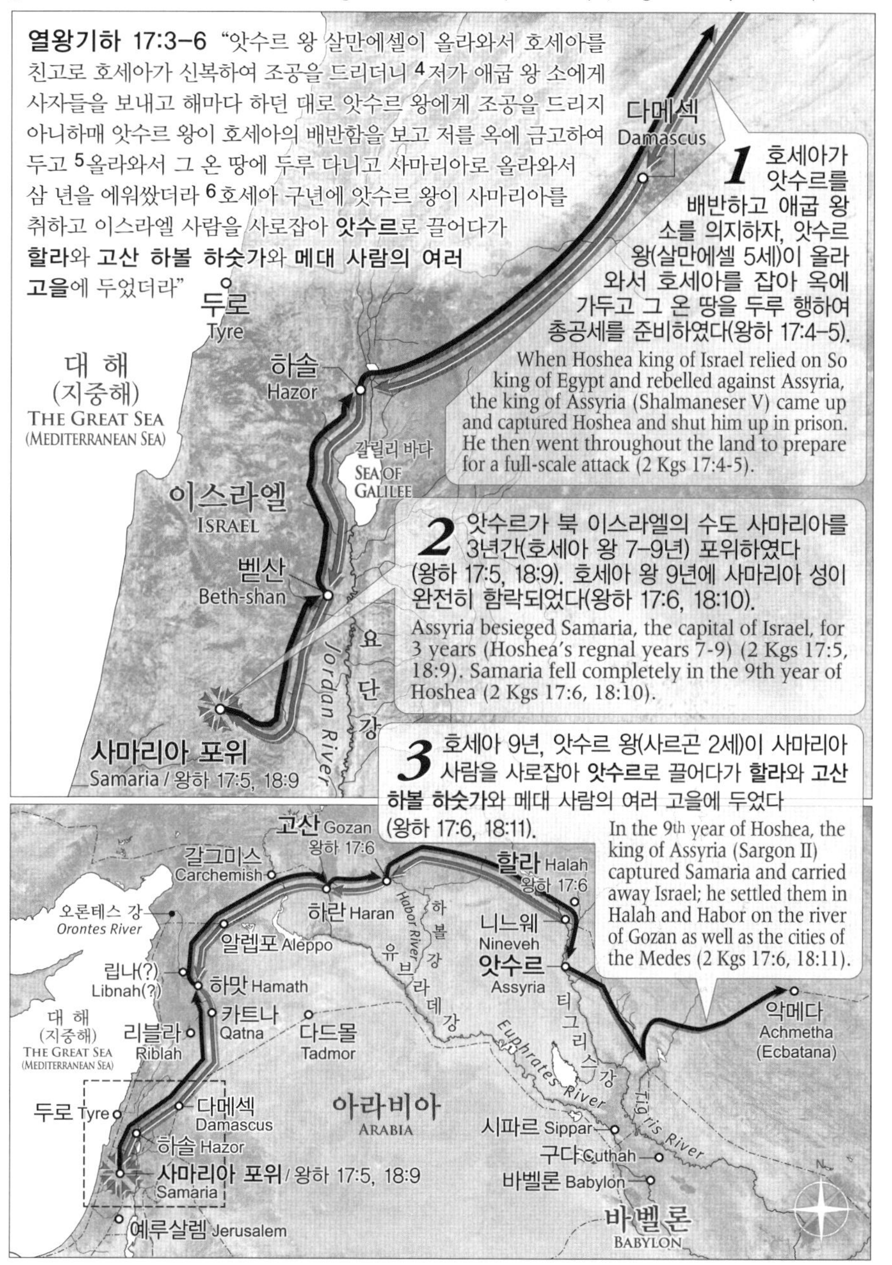

으로 이루어져 있으며, 왕궁과 성채 주변은 천연 암벽으로 막혀 있고 거기에 내벽이 있었습니다. 그러나 이렇게 견고한 성도 결국은 앗수르의 끈질긴 공격에 무너지고 말았습니다. 하나님께서는 죄악으로 가득 차서 회개하지 않는 북 이스라엘을 더 이상 구원하지 않으시고 앗수르의 손에 내버려두신 것입니다.

앗수르는 북 이스라엘을 멸망시키고 많은 포로들을 끌고 갔습니다. 살만에셀 5세의 아들이었던 사르곤 2세의 연대기에 의하면, "짐은 치세 초 1년에 사마리아를 포위하여 그 성을 점령하였다. 그리고 그 곳 주민 27,290명을 잡아갔고 50대의 전차도 왕국의 전력으로 몰수하였다. 또한 짐의 심복을 총독으로 임명하여 그들 위에 두었으며 앗수르인과 한가지로 조세와 조공을 바치게 하였다"라고 기록되었습니다.

앗수르는 북 이스라엘에 이방 족속들을 강제로 이주시켜서 살게 하였습니다. 그리하여 북 이스라엘에서는 여호와의 신앙과 이방 족속들이 가지고 온 '지역 신'에 대한 숭배가 혼합됨으로써 진정한 여호와의 신앙은 점점 퇴색해 갔고(왕하 17:24-41), 북 이스라엘의 신앙과 정체성은 역사의 무대에서 완전히 사라지고 말았습니다.

우리의 참구원자이신 하나님과 그 언약을 배반하는 것은 곧 처참한 멸망뿐입니다(레 26:14-20). 호세아는 하나님을 의지하지 않고 세상 나라를 의지함으로, 멸망으로 내리닫던 나라를 구원하지 못하고 완전히 멸망케 한 비운의 왕이 되고 말았습니다. 결국 북 이스라엘 왕국은 모두 아홉 왕조 열아홉 명의 왕을 통하여 208년간(주전 930-722) 지속되었지만, 주전 722년 앗수르에게 멸망하여 역사 속으로 완전히 사라지고 말았습니다.

결언: 북 이스라엘의 역사 속에 나타난 구속사적 경륜

Conclusion: The adminstration in the history of redemption revealed in the history of Israel, the northern kingdom.

북 이스라엘은 솔로몬왕 사후에 나라가 둘로 분열되는 상황에서, 여로보암이 열 지파를 중심으로 세운 나라입니다. 하나님께서는 여로보암에게 열왕기상 11:38에서 "... 내 율례와 명령을 지키면 내가 너와 함께 있어 내가 다윗을 위하여 세운 것같이 너를 위하여 견고한 집을 세우고 이스라엘을 네게 주리라"라고 약속하셨습니다. 이것은 비록 나라가 둘로 분열되었어도 북 이스라엘을 다윗 언약에 근거한 하나님의 백성으로 인정하신다는 의미를 담고 있습니다. 그러나 북 이스라엘은 초대 왕 여로보암 때부터 벧엘과 단에 금송아지를 만들고, 산당을 세우며, 바알과 아세라 우상을 섬기기 시작했습니다(왕상 12:28-33).

하나님께서는 이러한 북 이스라엘의 죄악에 대하여 여러 선지자들을 통하여 끊이지 않고 충분히 경고하셨습니다(왕하 17:13, 렘 32:32-35). 이스라엘의 패역함을 생각하면, 하나님께서는 진작 그들을 완전히 멸절하실 수도 있었습니다. 그러나 하나님께서는 그들이 돌아오기만을 꾸준히 기다리셨습니다(호 5:15). 왜냐하면 그것은 "아브라함과 이삭과 야곱으로 더불어 세우신 언약을 인하여 이스라엘에게 은혜를 베풀어 긍휼히 여기시며 권고하사 멸하기를 즐겨 아니하시고 이때까지 자기 앞에서 쫓아내지 아니하셨더라"(왕하 13:23)고 하신 말씀과 같이, 열조와 세우신 언약 때문이었습니다. 그래서 열왕기하 14:27에서도, "여호와께서 또 이스라엘의 이름을 도말하여 천하에 없이하겠다고도 아니하셨으므로 요아스의 아들 여로보암의 손으로 구원하심이었더라"라고 말씀하고 있습니다.

주전 722년,
사마리아 함락 후 이스라엘 백성을 강제 추방(왕하 17:6, 23, 18:11) 그리고 이방 민족을 사마리아로 이주시킴(왕하 17:24-26)

722 BC,
The forced deportation of the Israelites after the fall of Samaria (2 Kgs 17:6, 23, 18:11) and the immigration of the Gentiles into Samaria (2 Kgs 17:24-26)

하나님께서는 영원한 언약을 세우시고 그 언약을 이루시기 위하여, 타락하고 부패한 북 이스라엘의 역사 속에서도 하나님의 섭리가 끊어지지 않도록 역사하셨습니다. 이것은 마치 아주 오염된 시궁창에 생명수의 맑은 물을 계속적으로 공급하는 것과 같았습니다.

그러나 북 이스라엘은 하나님의 오래 참으심과 자비하심을 도리어 모독하고 여로보암의 길을 좇아, 하나님의 말씀을 대적하는 패역한 길을 끊임없이 걸어가서 결국 앗수르에게 멸망을 당하고 말았습니다(왕하 17:22-23).

북 이스라엘이 멸망할 수밖에 없었던 구체적인 원인은 다음과 같습니다.

첫째, 모든 산당에서 분향하며, 우상을 섬겼기 때문입니다.

열왕기하 17:11-12에서 "또 여호와께서 저희 앞에서 물리치신 이방 사람같이 그곳 모든 산당에서 분향하며 또 악을 행하여 여호와를 격노케 하였으며 [12]또 우상을 섬겼으니 이는 여호와께서 행치 말라 명하신 일이라"라고 말씀하고 있습니다.

열왕기하 17:9에서는 "이스라엘 자손이 가만히 불의를 행하여 그 하나님 여호와를 배역하여 모든 성읍에 망대로부터 견고한 성에 이르도록 산당을 세우고"라고 말씀하고 있습니다. 여기 '망대'는 사람이 거의 없는 한적한 곳을 뜻하고, '견고한 성'은 많은 사람이 모여 사는 곳을 뜻합니다. 따라서 '망대로부터 견고한 성에 이르도록'은 나라 전체를 가리키는 관용어로, 북 이스라엘 나라 전체가 어디든지 빠짐없이 우상을 숭배하는 산당으로 가득 채워져 있었던 것입니다. 그리하여 산당은 우상숭배의 온상이요, 모든 악을 산출해 내는 본거지로서 '여호와의 노를 격발케' 한 곳이 되었던 것입니다(대하 28: 24-25, 왕하 23:19, 참고-렘 7:31, 19:5, 겔 16:16).

둘째, 선견자와 선지자들의 경고를 듣지 않았기 때문입니다.

열왕기하 17:13-14에서 '여호와께서 각 선지자와 각 선견자로 이스라엘과 유다를 경계하여 이르시기를 너희는 돌이켜 너희 악한 길에서 떠나 나의 명령과 율례를 지키되 내가 너희 열조에게 명하고 또 나의 종 선지자들로 너희에게 전한 모든 율법대로 행하라 하셨으나 [14]저희가 듣지 아니하고 그 목을 굳게 하였다'라고 말씀하고 있습니다.

하나님께서는 각 왕마다 끊이지 않고 여러 선지자들을 보내 충분히 경고하셨습니다(왕하 17:13, 렘 32:32-35). 이것은 자기 백성을 버리지 않고 계속적으로 보호하시고 인도하시려는 하나님의 은혜였습니다. 그러나 북 이스라엘 백성은 선지자들이 그들을 부를수록 하나님으로부터 점점 멀어지며, 심지어 선지자들을 돌로 쳐서 죽이기까지 하였습니다(왕상 19:10, 14, 느 9:26, 호 11:2).

셋째, 여호와의 율례와 언약과 말씀을 버렸기 때문입니다.

열왕기하 17:15에서 "여호와의 율례와 여호와께서 그 열조로 더불어 세우신 언약과 경계하신 말씀을 버리고" 여호와 보시기에 악을 행하여 그 노를 격발케 하였다고 말씀하고 있습니다(왕하 17:17). 사마리아 성이 함락되고 북 이스라엘이 멸망한 것에 대하여 열왕기하 18:12에서는 "이는 저희가 그 하나님 여호와의 말씀을 준행치 아니하고 그 언약을 배반하고 여호와의 종 모세의 모든 명한 것을 거스려 듣지도 아니하며 행치도 아니하였음이더라"라고 말씀하고 있습니다.

하나님께서는, 끊임없이 언약을 배반하고 오히려 이방과 계약을 맺는 북 이스라엘의 극악한 소행을 더 이상 내버려두실 수 없었습니다(호 12:1-2). 언약을 버린 결과, 북 이스라엘은 등불이 꺼져 가는 암흑 천지가 되었습니다. 여로보암부터 호세아까지 19명의 왕들이 통치하는 약 208년 동안 그 흑암이 지속되었으며, 마침내 주전 722년에 멸망과 함께 북 이스라엘의 등불은 완전히 꺼지고 말았습니다.

북 이스라엘의 멸망은 결코 가혹한 것이 아니었습니다. 그것은 '이스라엘아 네 하나님 여호와께로 돌아오라 너는 말씀을 가지고 여호와께로 돌아오라'라고 수없이 외치시며(호 14:1-2) 끝까지 참으시고, 회개하기를 기다리셨던 하나님의 공의의 폭발이요 의로운 심판이었습니다(왕하 17:22-23).

하나님께서는 북 이스라엘을 멸망시키셨으나, 똑같이 타락한 남 유다는 바로 멸망시키지 않고 남겨 두셨습니다. 하나님께서는 북 이스라엘의 멸망을 통하여, 남 유다도 회개하지 않으면 곧 하나님의 심판이 있을 것을 경고하셨습니다(왕하 17:19-20). 이것은 하나님께서 성실과 맹세로 세우신 언약으로 인하여 남 유다에게 새로운 회개의 기회를 주시고, 또한 그들을 통하여 하나님의 구속사를 중단 없이 지속하시기 위함이었습니다.

하나님께서는 택하신 백성을 징계하시면서도 다른 한편으로, 열조와 세우신 언약 때문에 끝까지 돌보아 주시면서 그들을 통한 구속 역사를 중단 없이 이어 가셨던 것입니다. 실로, 열왕의 역사 속에는 하나님의 구속사적 경륜 가운데 신비롭고도 오묘한 섭리와 사랑이 끊임없이 펼쳐졌던 것입니다.

결론

신앙의 대물림과 영원한 언약의 등불

The Transmission of Faith
and the Lamp of the Eternal Covenant

신앙의 대물림과 영원한 언약의 등불

THE TRANSMISSION OF FAITH AND THE LAMP OF THE ETERNAL COVENANT

예수 그리스도의 족보는 세 시기로 구분됩니다(마 1:17). 제1기는 아브라함부터 다윗까지 14대요, 제2기는 다윗부터 바벨론으로 이거할 때까지 14대요, 제3기는 바벨론으로 이거한 후부터 예수 그리스도까지 14대입니다.

우리는 구속사 시리즈 제3권「영원히 꺼지지 않는 언약의 등불」에서, 예수 그리스도의 족보 제1기에 나타난 하나님의 구속사적 경륜을 자세히 살펴보았습니다. 또한 구속사 시리즈 제4권「영원한 언약 속의 신비롭고 오묘한 섭리」에서는, 예수 그리스도의 족보 제2기에 나타난 하나님의 구속사적 경륜을 살펴보았습니다.

이제 우리는 하나님의 구속 경륜 속에서 제2기에 대한 연구를 마치면서, '신앙의 대물림'이 언약 전수의 통로로서 얼마나 중요한가를 재확인함과 동시에, 영원한 언약을 기억하시는 하나님의 뜨거운 사랑과 그 미래적 전망을 함께 나누고자 합니다.

1. 언약 전수의 통로, 신앙의 대물림

The channel for the inheritance of the covenant: the transmission of faith

모든 구속사는 언약을 세우시고 그것을 성취하시는 하나님의 신비롭고 오묘한 섭리 가운데 진행되어 왔습니다. 하나님의 섭리를 거스르는 사단의 끊임없는 공격은 구속사적 경륜을 이루려는 하나님의 믿음의 계보를 계속적으로 중단시키려 했습니다. 그것은 후손에게 신앙이 전수되지 못하도록 가로막는 것이었습니다. 우리는 지나간 구속사를 돌아보며, 언약을 전수하는 신앙의 대물림의 중요성을 깨닫게 됩니다.

하나님께서 아브라함을 택하신 목적은 그 자손들을 잘 가르쳐서 하나님께 순종하고 의와 공도를 행하게 하여 아브라함에게 약속하신 언약의 축복을 이루려 하심이었습니다.

창세기 18:18-19 "아브라함은 강대한 나라가 되고 천하 만민은 그를 인하여 복을 받게 될 것이 아니냐 [19]내가 그로 그 자식과 권속에게 명하여 여호와의 도를 지켜 의와 공도를 행하게 하려고 그를 택하였나니 이는 나 여호와가 아브라함에게 대하여 말한 일을 이루려 함이니라"

아브라함, 이삭을 지나, 야곱은 70가족을 이끌고 애굽에 들어갔으며, 애굽 생활 430년 후에 이스라엘 백성은 하나님의 권능의 역사를 힘입어 모세의 영도 아래 애굽을 탈출하였습니다. 그 후 시내산에서 모세를 통하여 여호와의 신앙을 정립해 주신 율법을 받았습니다. 그리고 40년 광야 노정을 거쳐, 마침내 여호수아의 지도 아래 가나안 족속들을 물리치고 약속의 땅 가나안을 기업으로 얻었습니다.

모세는 가나안 입성을 눈앞에 둔 이스라엘 백성에게, 언약의 올바른 전수를 위하여 "오늘날 내가 네게 명하는 이 말씀을 너는 마음에 새기고 [7]네 자녀에게 부지런히 가르치며 집에 앉았을 때에든지 길에 행할 때에든지 누웠을 때에든지 일어날 때에든지 이 말씀을 강론할 것이며"(신 6:6-7)라고 단단히 명령했습니다. 이 밖에도 신앙의 대물림에 대한 명령은 신명기 4:9-10, 11:19, 32:7, 46에서 계속 반복되고 있습니다.

그러나 여호수아와 당대에 생존하던 장로들이 모두 세상을 떠나고, 그 후에 일어난 세대는 여호와를 알지 못하고 여호와께서 이스라엘을 위해 행하신 일도 알지 못하였습니다(삿 2:7-10). 이스라엘 백성은 자기 하나님을 버리고 이방 신을 섬기며 악을 행하였습니다(삿 2:11). 마침내 이스라엘은 각자 자기의 소견에 옳은 대로 행하는 사사 시대의 암흑기를 맞고 말았습니다(삿 17:6, 21:25). 이것은 하나님께서 광야에서 그토록 당부하신 신앙 전수가 제대로 이루어지지 않은 결과였습니다.

이 후 사무엘과 다윗을 통하여 신앙 부흥이 일어나고 다윗 왕국이 세워집니다. 다윗은 비록 우리야의 아내 밧세바와 간음하였지만 상한 심령으로 통회의 눈물을 흘려 하나님 앞에 철저히 회개한 후, 하나님을 의지하고 순종하는 믿음으로 이스라엘을 언약의 반석 위에 세워 놓습니다. 그가 닦아 놓은 토대 위에 이스라엘은 전성기를 맞이하였습니다.

그러나 다윗의 그 믿음도 후대의 왕들에게 제대로 전수되지 못하였습니다. 다윗의 뒤를 이어 왕이 된 솔로몬이 이방 여인들과 혼인하여 나라 안에 가증한 우상을 들여오므로, 이스라엘은 남 유다와 북 이스라엘로 분열되고 말았습니다(왕상 11:1-13).

북 이스라엘은 여로보암이 세운 잘못된 신앙 전통을 답습하다가 주전 722년에 앗수르에게 완전히 멸망을 당하고, 남 유다도 북 이스라엘의 멸망에서 교훈을 얻지 못하고 언약을 잊어버리고 말았고, 선지자를 핍박하고 죽이며 패역을 행하다가 주전 586년에 바벨론에게 멸망을 당하여 포로로 잡혀 가는 신세로 전락하였습니다.

남 유다가 멸망한 이유에 대하여 역대하 36:16에서는 "그 백성이 하나님의 사자를 비웃고 말씀을 멸시하며 그 선지자를 욕하여 여호와의 진노로 그 백성에게 미쳐서 만회할 수 없게 하였으므로"라고 말씀하고 있습니다. 여기 '만회'는 한자로 당길 만(挽), 돌 회(回)로, '바로잡아 돌이킨다'라는 뜻입니다. 그러므로 만회할 수 없었다는 것은 더 이상 그 무엇으로도 돌이킬 수 없고, 다시 일으켜 세우기 힘든 지경까지 깊이 떨어졌다는 뜻입니다. 이 모든 비극의 역사는 모세를 통하여 주신 율법과 다윗왕을 통하여 세운 정직한 믿음의 도가 끊어져, 후세 왕들에게 정확하게 계승되지 못한 결과입니다.

신앙 전수가 제대로 되지 않을 때, 하나님께서 약속하신 엄청난 복도 모두 헛것으로 돌아가고, 나라는 치명적인 멸망으로 내닫게 됩니다.

그런 가운데서도 하나님께서는 아브라함에게 주신 약속을 이루기 위해 남 유다를 바벨론 포로에서 돌아오게 하시고, 예수 그리스도가 오시는 거룩한 믿음의 계보가 끊이지 않게 하셨습니다. 그리고 마침내 때가 차매 아브라함과 다윗의 자손으로 메시아를 보내셨습니다(갈 4:4).

그러나 이스라엘 백성은 자기 땅에 오신 메시아를 만왕의 왕으로 영접하기는커녕, 그 마음이 완악하여 구세주를 시기하고 핍박하였으며, 심지어 생명의 주, 영광의 주를 십자가에 못 박아 죽였습니다(요 1:11, 행 3:13-15, 4:10, 7:51-53, 고전 2:8). 그것은 신앙 전수의 공백이 가지고 온 무섭고도 참혹한 결과입니다. 그들은 예수님을 십자가에 못 박는 죄의 값을 "우리와 우리 자손에게 돌릴지어다"(마 27:25)라고 할 만큼 너무도 무지하였고, 자기 후손들에 대하여 무책임하였습니다. 그러나 예수 그리스도께서는 성경에 기록된 대로 십자가를 지시고 보혈을 흘리심으로 택한 백성의 구원 사역을 완성하셨으니, 얼마나 감사한 일입니까?

예수님께서는, 십자가에서 피 흘리게 한 죄의 대가를 자기와 자기 자손들에게 돌리라는 이스라엘 백성의 말 그대로, 민족의 장래에 닥칠 하나님의 심판과 그로 인해 후세대들이 받을 큰 환난을 미리 내다보셨습니다. 이 큰 환난은 주후 70년 로마의 디도(Titus) 장군에 의한 예루살렘의 멸망과 유대인 대학살로 이루어졌습니다. 유대 역사가 요세푸스(Josephus, 주후 37-100)의 기록에 의하면, 로마 군인이 아이 밴 자의 배를 찔러 죽였고, 젖 먹는 어린아이의 머리를 돌에 메어쳐 죽였으며, 자녀 때문에 도망가지 못하는 여자들을 처참하게 죽였습니다. 그 환난이 얼마나 심각하고 극심했던지, 자녀 없는 여인이 복되다 할 정도였습니다(참고-눅 23:29). 로마 군인들에게 완전히 포위되어, 성 안에 있는 사람은 성 밖으로 나갈 수 없었고, 또 예루살렘성 안으로 먹을 것을 들여올 수도 없었습니다. 성과 길바닥에는 어린아이, 여자들, 노인들의 시체로 가득 찼으나 장사할 기력도 없었습니다. 너무도 처참한 지경이었으니, 감정과 정서까지 다 질식되어, 우는 자도 탄식하는 자도 없었습니다. 형제나 남편과 아내, 부모와 자식들을 서로 미워하고 외면하면서, 심지어 아버지와 어머니가 자기 자녀를 삶아 먹는 일까지 생겼습니다. 신명기

28:53-57의 예언 그대로 이루어진 것입니다.

이렇게 될 것을 미리 보신 예수님께서는 채찍에 맞아 온 몸이 피투성이가 되고 만신창이가 된 몸을 이끌고 골고다 언덕을 향해 오르실 때, 주님을 따라오며 하염없이 울고 있는 여인들에게 "나를 위하여 울지 말고 너희와 너희 자녀를 위하여 울라"라고 말씀하셨습니다(참고-눅 13:34, 19:41-44).

누가복음 23:27-28 "또 백성과 및 그를 위하여 가슴을 치며 슬피 우는 여자의 큰 무리가 따라 오는지라 [28]예수께서 돌이켜 그들을 향하여 가라사대 예루살렘의 딸들아 나를 위하여 울지 말고 너희와 너희 자녀를 위하여 울라"

여기 '울라'는 헬라어 '클라이에테'(κλαίετε , cry out loudly)로, '클라이오'(κλαίω)의 2인칭 복수 명령형이며, 이것은 '큰소리로 통곡하라, 한탄하라'라는 뜻입니다.

먼저 '너희를 위하여 울라'라는 말씀은, 그들에게 임박한 예루살렘의 멸망을 피할 수 있도록 각자의 죄를 슬퍼하면서 회개하고 가슴을 치고 통곡해야 한다는 말씀입니다. 그것은 구원 완성을 위해 예정된 십자가를 지시고 골고다 언덕을 오르시는 메시아 예수님을 영접하지 아니하고(요 1:11) 배척하며 그 은혜를 무시하고 저버렸으니, 그 죄를 통곡하며 회개해야 한다는 것입니다.

다음으로 '너희 자녀를 위하여 울라'라는 말씀은, 패역한 죄인들에 대한 심판으로 예루살렘에 큰 환난이 닥칠 것인데, 그것을 피할 수 있도록 너희 자녀를 위해서 기도하며 울어야 한다는 말씀이었습니다.

만일 예수님을 따라가면서 울었던 그 여인들이 주님께서 주신 그 말씀을 귀담아 듣고 자신들의 죄를 회개하고, 또 그 자녀들에게 하나님의 말씀 가르치기를 나라 전체가 대대적으로 실행하여 각성하였다면, 그로부터 41년 후에(주후 70년) 로마에 의해 예루살렘이 멸망 당하지는 않았을 것입니다.

우리는 십자가를 지시고 골고다로 오르시며 선포하신 이 짧은 말씀이 십자가 위에서 하신 일곱 말씀(마 27:46, 눅 23:34, 43, 46, 요 19:26-27, 28, 30)만큼 무겁고 중대한 말씀인 줄 알고 가슴 깊이 새겨야 합니다. 왜냐하면 이 말씀은 '예루살렘의 딸'에게만 하신 말씀이 아니며, 또한 '예루살렘의 심판'만을 가리킨 것도 아니기 때문입니다. 이 말씀은 오늘날 예수님을 믿고 따르는 모든 성도에게 적용되는 말씀이요, 마지막 대심판 때에도 적용되는 말씀인 것입니다.

그러므로 우리는 예루살렘 멸망의 때보다 더 무서운 진노의 큰 날이 이르기 전에(계 6:17), 나 자신과 자녀를 위해 눈물로 기도해야 합니다. 장래를 이끌어 갈 우리 자녀를 위한 신앙 교육, 그것은 그리 쉽게 이루어지는 것이 아닙니다. 사무엘의 어머니 한나와 같이 오랜 눈물의 기도와, 말씀으로 가르치고 양육하는 인내가 필요합니다.

사무엘의 어머니 한나는 사무엘을 위해 간절히 기도했습니다. 사무엘을 위해 울었던 한나의 눈물, 그것으로 훗날 하나님의 영광이 떠나버린 이가봇 시대의 비극을 끝내고 이스라엘에 바야흐로 하나님의 등불이 켜지게 되었습니다(삼상 3:3, 4:21). 신약시대에도 외조모 로이스와 어머니 유니게의 눈물로 그 아들 디모데는 거짓 없는 믿음, 청결한 양심을 갖게 되었고(딤후 1:5), 사도 바울의 뒤를 이을 사랑하는 믿음의 참아들이 되었습니다(딤전 1:2, 딤후 1:2).

지금 역사는 황혼녘 땅거미가 내리는 종말을 향해 달려가고 있습니다.

이러한 시대에 하나님의 구속 역사를 이루기 위해 성도가 해야 할 일은, 때를 얻든지 못 얻든지 복음을 힘써 전파함으로 잃어버린 아브라함의 영적 자손들을 찾는 것입니다(눅 19:9-10, 행 20:22-24, 딤후 4:1-2).

더 나아가 반드시 자녀들에게 의와 공도를 가르쳐, 경건한 믿음의 계보가 끊이지 않도록 하는 일입니다. 그것은 바로 우리 가정에서 신앙의 대물림, 곧 후손과 후손의 후손들에게 신앙을 전수하는 일입니다.

성경에서 신앙의 대물림에 관한 말씀은 여러 번 강조되고 있습니다.

신명기 6:6-7 "오늘날 내가 네게 명하는 이 말씀을 너는 마음에 새기고 [7]네 자녀에게 부지런히 가르치며 집에 앉았을 때에든지 길에 행할 때에든지 누웠을 때에든지 일어날 때에든지 이 말씀을 강론할 것이며"

요엘 1:3 "너희는 이 일을 너희 자녀에게 고하고 너희 자녀는 자기 자녀에게 고하고 그 자녀는 후시대에 고할 것이니라"

시편 78:5-8 "여호와께서 증거를 야곱에게 세우시며 법도를 이스라엘에게 정하시고 우리 열조에게 명하사 저희 자손에게 알게 하라 하셨으니 [6]이는 저희로 후대 곧 후생 자손에게 이를 알게 하고 그들은 일어나 그 자손에게 일러서 [7]저희로 그 소망을 하나님께 두며 하나님의 행사를 잊지 아니하고 오직 그 계명을 지켜서 [8]그 열조 곧 완고하고 패역하여 그 마음이 정직하지 못하며 그 심령은 하나님께 충성치 아니한 세대와 같지 않게 하려 하심이로다"

디모데후서 1:5 "이는 네 속에 거짓이 없는 믿음을 생각함이라 이 믿음은 먼저 네 외조모 로이스와 네 어머니 유니게 속에 있더니 네 속에도 있는 줄을 확신하노라"

하나님께서 아브라함에게 언약을 주신 때부터, 그 언약을 이루기 위해 인간 편에서 해야 할 거룩한 의무가 있다면 자손들이 의와 공도를 행하도록 하는 것입니다(창 18:18-19). 신앙의 대물림으로 언약이 후손들에게 올바로 전수될 수 있고, 그로 말미암아 경건한 자손이 끊어지지 않고 이어질 수 있기 때문입니다(말 2:15).

아브라함에게 명령하신 '신앙의 대물림'은 아브라함에게만 해당되는 의무가 아니라, 바로 오늘날 주의 재림을 사모하는 모든 성도의 마땅한 의무입니다.

나의 후손과 후손의 후손들에게 하나님의 구속사적 경륜의 시작과 진행을 알려 주어 이 시대를 분별케 하고, 오늘날 우리에게 전수되어 온 하나님의 언약이 '우리의 입'(your mouth: NKJV)과 우리 '후손의 입'(the mouth of your descendants: NKJV)에서와 우리 '후손의 후손의 입'(the mouth of your descendants' descendants: NKJV)에서 영원히 떠나지 않게 해야 합니다(사 59:21). 이것이 바로 믿음의 계보를 이어 하나님의 구속사적 경륜을 이루는 우리의 위대한 사명입니다.

하나님께서는 언약을 기억하고 지키는 자에게 인자와 진리로 갚아주십니다(시 25:10). 우리가 하나님의 말씀을 잘 듣고 언약을 잘 지키면 열국 중에서 하나님의 소유가 되게 해 주십니다. 출애굽기 19:5에서 "세계가 다 내게 속하였나니 너희가 내 말을 잘 듣고 내 언약을 지키면 너희는 열국 중에서 내 소유가 되겠고"라고 말씀하고 있습니다. 여기 '소유'는 히브리어 '세굴라'(סְגֻלָּה)로, '특별한 보물, 깊이 감추어 놓은 보화'를 가리킵니다. 그러므로 우리가 하나님의 언약을 지키는 주의 백성이 될 때, 하나님께서는 하나님의 구속사적 경륜을 이루시기 위하여 반드시 우리를 특별히 보호하시고 지켜 주실 것입니다.

2. 언약을 기억하시는 하나님의 사랑

God, in His love, remembers the covenant.

예수 그리스도의 족보에는 위대한 믿음의 사람들만 나오는 것이 아니라, 하나님께 불순종하고 악한 길을 걸었던 인물들도 많이 등장합니다. 이것은 바로, 예수 그리스도가 오시는 길을 막기 위하여 사단이 모든 악의 세력을 총동원하여 공격하고 있음을 보여줍니다. 사단은 예수 그리스도의 계보를 이을 언약의 후손들을 끊임없이 유혹하고 공격하여 하나님을 떠나게 했습니다.

그러나 믿음의 계보가 끊어질 듯 끊어질 듯하면서도 결코 끊어지지 않고 예수 그리스도까지 이어진 것은 영원한 언약을 기억하시는 하나님의 뜨거운 사랑 때문입니다.

언약을 기억하시는 하나님의 사랑은 구속사의 경륜을 이루시는 원동력이요, 믿음의 계보를 잇는 끊어지지 않는 끈이었습니다. 이스라엘을 애굽의 종살이에서 구원하신 것은 언약을 기억하시는 하나님의 사랑이었습니다(출 2:24, 6:5). 바벨론 유수의 고통 가운데 있는 이스라엘을 구원하신 것도 언약을 기억하시는 하나님의 사랑이었습니다. 레위기 26:42에서 "내가 야곱과 맺은 내 언약과 이삭과 맺은 내 언약을 생각하며 아브라함과 맺은 내 언약을 생각하고 그 땅을 권고하리라"라고 말씀하고 있습니다. 하나님께서는 폐하여지지 않는 언약에 의거하여 택하신 하나님의 백성을 영원히 멸망시키지 않으시는 것입니다(레 26:44). 시편 106:45-46에서 "저희를 위하여 그 언약을 기억하시고 그 많은 인자하심을 따라 뜻을 돌이키사 [46]저희로 사로잡은 모든 자에게서 긍휼히 여김을 받게 하셨도다"라고 말씀하고 있습니다.

그렇다면 우리의 원수 마귀에게서 우리를 구원하시는 영원한 구원의 역사도, 영원한 언약을 기억하시는 하나님의 사랑에 의해서 이루어질 것입니다(눅 1:71-73).

언약을 기억하시는 하나님의 사랑의 중심에 서 있는 인물은 아브라함과 다윗입니다. 이런 의미에서 예수 그리스도의 족보는 "아브라함과 다윗의 자손 예수 그리스도의 세계라"(마 1:1)라는 말씀으로 시작되고 있습니다.

하나님께서는 아브라함과 세우신 언약을 기억하시고 이스라엘 백성을 도우셨습니다. 하나님께서는 아브라함과 맺으신 언약을 기억하사 이스라엘 백성을 권념하시고 출애굽 시키셨습니다(출 2:24-25). 이스라엘 백성에게 가나안 땅을 주신 것도 아브라함에게 하신 언약, 천대에 명하신 말씀을 기억하셨기 때문입니다(시 105:8-11). 하나님께서는 열 가지 재앙을 통해서 이스라엘을 출애굽 시키시고(시 105:26-38), 광야 40년 동안 구름기둥과 불기둥으로 인도하시고 만나와 메추라기로 먹이시며 반석에서 물을 내어 강같이 흐르게 하셨습니다(시 105:39-41). 이 모든 기적과 능력의 역사는 그 거룩한 말씀과 그 종 아브라함을 기억하셨기 때문입니다(시 105:42).

가나안 땅에 들어온 이스라엘이 남 유다와 북 이스라엘로 나뉘어 패역을 행할 때 하나님께서 속히 멸망시키지 않으시고, 또 남 유다가 멸망한 후에도 그들을 다시 회복시키신 것은, 영원히 등불을 꺼뜨리지 않으시겠다고 하신 언약을 기억하셨기 때문입니다.

하나님께서는 다윗 왕가의 등불이 꺼지지 않게 해 주시겠다고 세 번이나 약속하셨습니다.

먼저, 솔로몬이 범죄한 후에 나라가 남 유다와 북 이스라엘로 나뉠 것을 예언하시면서 말씀하셨습니다. 열왕기상 11:36에서 "내 종 다윗에게 한 등불이 항상 내 앞에 있게 하리라"라고 약속하셨습니다.

다음으로, 남 유다 왕 아비얌에게 말씀하셨습니다. 아비얌은 부친 르호보암의 행한 모든 죄를 그대로 행하고, 그 마음이 그 조상 다윗의 마음과 같지 아니하여 하나님 앞에 온전치 못하였으며, 단명하여 3년 만에 죽고 말았습니다(왕상 15:3). 그러나 하나님께서는 열왕기상 15:4에서 "그 하나님 여호와께서 다윗을 위하여 예루살렘에서 저에게 등불을 주시되 그 아들을 세워 후사가 되게 하사 예루살렘을 견고케 하셨으니"라고 말씀하셨습니다.

마지막으로, 남 유다 왕 여호람에게 말씀하셨습니다.

여호람은 아합의 딸 아달랴와 결혼하여 여호와의 보시기에 악을 행하였습니다. 그러나 하나님께서 다윗의 집을 멸망시키지 않으신 것은 "다윗과 그 자손에게 항상 등불을 주겠다"라고 약속하셨기 때문입니다(왕하 8:19, 대하 21:7). 이때는 여호람이 여호사밧과 공동 통치를 끝내고 단독으로 왕이 된 지 얼마 후로서, 하나님께서 다윗왕을 '이스라엘의 등불'이라고 부르신 지 약 155년이 지난 때입니다(삼하 21:17). 하나님께서는 다윗을 언약의 등불로 세우시고 약 155년이 지났지만, 다윗과 맺은 언약을 기억하셨습니다. 이것은 이 언약이 완전히 성취될 때까지 하나님께서 결코 잊지 않으실 것을 보장합니다(시 132:17).

하나님께서 다윗에게 등불이 꺼지지 않고 항상 있게 해 주시겠다고 하신 언약을 재확인시켜 주신 경우는 모두, 왕들이 하나님께 범죄하고 악을 행할 때였습니다. 이것은 아무리 사단이 악하게 훼방하며 설사 인간들이 하나님께 불순종할지라도, 하나님께서 영원한 언약을 기억하시고 그 언약의 등불을 영원히 꺼뜨리지 않고 활활 타오르게 하심으로써, 하나님의 구속사적 경륜이 결코 중단되지 않고 계속 전진하여 감을 나타냅니다.

우리는 사단의 집요한 공격과 타락한 인간의 패역 속에서도 영원한 언약을 기억하시고, 하나님의 나라가 이루어지기까지 구속사적 경륜을 중단없이 전진시키는 하나님의 사랑과 신비롭고 오묘한 섭리에 항상 감사와 감격이 넘쳐나야 할 것입니다.

3. 영원히 꺼지지 않는 하나님의 등불

The eternally unquenchable lamp of God

사단은 예수 그리스도의 족보를 중단시키기 위하여 온갖 수단과 방법을 동원하여 발악을 하며, 사람들을 타락시켜 일시적으로 언약의 등불이 꺼져 가게 하였지만, 하나님의 영원한 언약의 등불을 완전히 끌 수는 없었습니다. 영원한 언약 속에 전개되는 하나님의 신비롭고 오묘한 섭리는 결코 중단될 수 없기 때문입니다. 사단의 집요한 공격 속에서도 하나님의 구속사적 경륜은 그 완성을 향하여 계속 전진하였으며, 이제 하나님께서 정하신 때에 그 최후 완성의 날은 반드시 찬란하게 밝아 올 것입니다.

이제 우리는 신비롭고 오묘한 섭리 가운데 구속사를 성취하시는 하나님의 언약의 등불로 쓰임을 받아야 합니다.

사람의 영혼은 여호와의 등불이며(잠 20:27), 하나님의 말씀은 우리의 등불입니다(잠 6:23, 시 119:105).

베드로후서 1:19에서 "또 우리에게 더 확실한 예언이 있어 어두운데 비취는 등불과 같으니 날이 새어 샛별이 너희 마음에 떠오르기까지 너희가 이것을 주의하는 것이 가하니라"라고 말씀하고 있습니다. 여기 '예언'은 헬라어 '프로페티콘 로곤'(προφητικόν λόγον)으로, '예언의 말씀'이란 뜻입니다. 성도에게는 더 확실한 예언의 말씀, 어두운 데 비취는 등불이 있는데, 그것은 바로 하나님의 말씀입니다.

그러므로 성도는 영원토록 찬란히 빛나는 하나님의 태초의 말씀을 받아 그 영혼을 밝힐 때, 하나님의 등불이 되는 것입니다(요 5:35).

하나님의 말씀은 순식간에 무(無)를 유(有)로 바꾸는 창조의 말씀입니다(요 1:3, 10, 히 11:3).

하나님의 말씀은 순식간에 만물을 붙드시는 능력의 말씀입니다(히 1:3).

하나님의 말씀은 순식간에 옛 하늘과 옛 땅을 불사르는 심판의 말씀입니다(벧후 3:7).

하나님의 말씀은 순식간에 위경에서 건지시는 치료의 말씀입니다(시 107:20).

하나님의 말씀은 순식간에 죽은 자를 살리시고 사망을 호령하시는 말씀입니다(요 11:43-44).

하나님의 말씀은 순식간에 온 세상을 덮어 버리는 충만한 말씀입니다(사 11:9, 합 2:14).

그러므로 한 사람에게 말씀의 등불이 불붙으면 그 불은 순식간에 각 나라와 족속과 열방으로 옮겨 붙게 되며, 나아가 도저히 인간의 생각으로 상상할 수조차 없는 광대한 우주 구석 구석까지 불타오르게 될 것입니다.

세상은 바야흐로 어둠이 더욱 깊어져, 소돔과 고모라 때처럼 음란과 불순종과 패역의 길을 걷고 있습니다. 인류는 거세게 휘몰아

치는 죄악의 물결 속에서 헤어나지 못하고 신음하고 있습니다. 죄악의 거센 바람에 모든 영혼들이 흔들리고 있으며 그 등불이 완전히 꺼지기 일보 직전입니다.

우리 영혼의 등불을 밝혀 주실 분은 하나님 한 분이십니다(삼하 22:29, 시 18:28). 태초의 말씀이시요 말씀의 주인이신 예수 그리스도만이 우리 영혼의 등불을 밝히실 수 있습니다(요 1:1-4). 그러므로 우리가 하나님을 온전히 의지할 때 꺼져 가는 등불도 다시 환하게 밝아질 것입니다.

하나님께서는 사단의 강한 훼방 속에서도 하나님의 구속사적 경륜이 끊어지지 않도록 각 시대에 '하나님의 등불'을 세우셨습니다.

이스라엘의 초대 왕 사울의 불순종으로 하나님의 신정 국가가 무너질 위기 속에서, 하나님께서는 다윗을 '하나님의 등불'로 세우셨습니다(삼하 21:17).

구약의 모든 언약의 성취자로 초림하신 예수 그리스도 앞에서 그 분을 증거하는 '하나님의 등불'로 세움 받은 사람이 바로 세례 요한입니다. 요한복음 5:35에서 "요한은 켜서 비취는 등불"이라고 말씀하고 있습니다.

사도 바울은 이방을 담는 그릇으로(행 9:15), 은혜의 복음 증거하는 일을 마치려 함에는 자신의 생명을 조금도 귀한 것으로 여기지 아니하고 사명의 길을 달려갔습니다(행 20:24). 하나님의 말씀이 빛이요 등불일진대(시 119:105, 렘 23:29), 평생 하나님의 말씀을 증거하는 일에 생명을 걸었던 사도 바울은 당시 온 세계를 밝히는 '하나님의 등불'이었습니다.

예수 그리스도의 십자가는 '하나님의 등불'입니다. 왜냐하면 십자가는 하나님의 백성을 구원하려는 모든 언약의 성취요 절정이기 때문입니다. 십자가에서 모든 죄와 사망의 어둠이 완전히 깨어지고, 완전한 구원과 영원한 생명의 등불이 활활 타올랐습니다.

이런 의미에서 예수 그리스도의 십자가가 있는 교회는 이 어둠의 시대를 밝히는 '하나님의 등불'입니다(계 1:12-13, 20, 2:1).

등불은 반드시 높이 올라갑니다. 왜냐하면 높이 올라가야 그 빛을 밝히 비출 수가 있기 때문입니다. 마태복음 5:15에서 "사람이 등불을 켜서 말 아래 두지 아니하고 등경 위에 두나니 이러므로 집안 모든 사람에게 비취느니라"라고 말씀하고 있습니다(눅 8:16, 11:33). 세상 마지막이 가까워져 올수록, 십자가의 등불과 말씀의 등불이 밝은 성도와 교회는 하나님의 주권적인 손 안에서 높이 쓰임을 받을 것입니다.

지금 온 우주의 어둠은 더욱 짙어져 가고 있습니다. 그럴수록 우리는 하나님의 심판이 가까이 오고 있음을 깊이 인식해야 합니다. 하나님께서 심판하시는 때에 인생들의 참과 거짓이 정확하게 밝혀지며, 그 행한 대로 심판을 받게 될 것입니다. 로마서 2:6-9에서 "각 사람에게 그 행한 대로 보응하시되 [7]참고 선을 행하여 영광과 존귀와 썩지 아니함을 구하는 자에게는 영생으로 하시고 [8]오직 당을 지어 진리를 좇지 아니하고 불의를 좇는 자에게는 노와 분으로 하시리라 [9]악을 행하는 각 사람의 영에게 환난과 곤고가 있으리니"라고 말씀하고 있습니다. 요한계시록 20:12-15에서는, 각 사람이 자기의 행위대로 심판을 받되 자기의 행위를 따라 책들에 기록된 대로 심판을 받으며, 생명책에 기록되지 못한 자는 영원히 꺼지지 않는 둘째 사망 곧 불 못에 들어간다고 경고하고 있습니다.

그렇다면 우리는 어떠한 사람이 되어야 마땅합니까(벧후 3:11)?

첫째, 하나님께서 아시는 백성이 되어야 합니다.

고린도전서 8:3에서 "또 누구든지 하나님을 사랑하면 이 사람은 하나님의 아시는 바 되었느니라"라고 말씀하고 있으며, 디모데후서 2:19에서 "... 주께서 자기 백성을 아신다"라고 말씀하고 있습니다(참고-민 16:5). 하나님께서 아시는 백성은, 하나님의 양들이요(요 10:14), 하나님의 음성을 듣고 따르는 자들이요(요 10:27), 하나님을 의뢰하는 자들이요(나 1:7), 어린 양의 피에 그 옷을 씻어 희게 된 자들입니다(계 7:13-14).

그러나 주님께서 "나는 너희가 어디서 왔는지 알지 못하노라"(눅 13:27)라고 선언하시는 행악자들은 하나님 나라 밖에 쫓겨나 거기서 슬피 울며 이를 갊이 있을 것이며(눅 13:27下-29), "내가 너희를 도무지 알지 못하니"라고 선언하시는 불법자들은 주님 곁에서 쫓겨나게 될 것입니다(마 7:23).

둘째, 하나님께만 소망을 두는 백성이 되어야 합니다(시 146:5).

하나님께만 소망을 두는 자는 결코 인생을 의지하지 않습니다. 우리 인생은 결코 영원하지 못합니다. 인생의 호흡은 코에 있으며 수에 칠 가치가 없습니다(사 2:22). 인생은 그 날이 기울어지는 그림자와 같고 풀의 쇠잔함 같습니다(시 102:3, 11). 인생은 헛것 같고 그의 날은 지나가는 그림자 같습니다(시 144:4). 인생의 가는 길은 석양 그림자 같고 또 메뚜기같이 불려 갑니다(시 109:23). 인생은 결코 도울 힘이 없으며(시 146:3), 그 도움은 아무 유익이 없습니다(시 60:11, 108:12, 삼상 14:6). 인생은 호흡이 끊어지면 다 흙으로 돌아가고, 당일에 그 도모가 소멸되는 비천한 존재일 뿐입니다(욥 10:9,

34:14-15, 시 104:29, 146:4, 전 12:7).

그러므로 인생을 의지하지 마시기 바랍니다. 유한한 인생보다 영원하신 하나님께 소망을 두고 그분께 피하는 자가 복이 있습니다(시 118:8-9). 무릇 사람을 믿으며 혈육으로 그 권력을 삼고 마음이 하나님에게서 떠난 사람은 저주를 받게 될 것입니다(렘 17:5).

셋째, 거룩한 행실과 경건함으로 거짓 없는 삶을 살아야 합니다(벧후 3:11-12).

아담의 칠세 손 에녹은, 주께서 수만의 거룩한 자와 함께 임하셔서 뭇사람을 심판하시되 경건치 않은 일과 경건치 않은 말을 심판하신다고 예언하였습니다(유 1:14-16). 그러므로 우리는 경건치 않은 거짓말을 멀리해야 합니다.

작금에 참으로 안타까운 것은, 이 세상에 존재하는 수다한 타종교들은 자기 교파를 중상모략하고 헐뜯는 일이 없는데, 유독히 우리 기독교에서 종교 연구가임을 자처하는 몇몇 분들이 거짓말을 지어내며 사실을 왜곡한 말과 글로 신실한 사람들을 이단시하고, 많은 사람들의 영혼을 사냥하며 죽이고 있다는 것입니다.

구원 역사의 황혼기라고 불리는 이 시대는, 잃어버린 한 마리의 양을 찾아 다니시는 주님의 심정을 가지고(마 18:14, 눅 15:4, 요 6:39), 한 사람이라도 구원의 길로 인도하기 위하여 뜨거운 열심으로 전도하기에도 시간이 부족한 때입니다. 그런데 오히려 거짓말과 중상모략으로 하나님 앞에 나아오는 영혼들을 실족시키고 괴롭힌다면 그 마지막이 어떠하겠습니까? 사람들 앞에서 천국 문을 닫고 자기도 들어가지 않으면서 남들도 들어오지 못하게 하는 자들에게는 큰 화가 있을 뿐입니다(마 23:13).

요한계시록 21:8에서는 모든 거짓말하는 자들은 불과 유황으로 타는 못 곧 둘째 사망에 참예한다고 말씀하고 있으며, 요한계시록 22:15에서는 거짓말을 좋아하며 지어내는 자마다 성 밖에 있다고 준엄하게 말씀하고 있습니다.

이 세상의 삶은 나그네길입니다(대상 29:15, 벧전 2:11). 인생은 마치 석양의 그림자같이 신속히 지나가며, 반드시 한 번 하나님의 심판대 앞에 서게 됩니다. 그때에 지나온 모든 삶의 진실들이 그대로 밝혀질 것입니다. 그러므로 이제 우리는 오직 하나님의 말씀만 듣고 순종해야 합니다. 모든 거짓과 불경건한 어두움의 일을 버리고(롬 13:12), 지혜로운 다섯 처녀처럼 기름을 준비하여 영혼의 등불을 하나님의 말씀의 빛으로 환히 밝혀야 합니다(마 25:1-13, 잠 20:27, 시 119:105). 그때 세상은 평강이 강같이, 의(義)가 바다 물결같이 넘쳐 흐르게 될 것입니다(사 48:17-18).

"어두워 갈 때에 빛이 있으리로다"(슥 14:7) 하신 말씀처럼, 세상이 어두워질수록 하나님께서는 강렬한 말씀의 빛을 온 우주에 비추어 주십니다. 그리고 주님께서 재림하셔서 친히 등불이 되시는 날(계 21:23), 온 우주의 어둠은 완전히 사라지고 하나님의 영광의 빛만이 그가 지으신 모든 세계 가운데 충만하게 될 것입니다.

오늘도 하나님께서 이루실 이 영광스러운 한 날을 믿음으로 바라보면서, 하나님의 신비롭고 오묘한 섭리에 순종하고, 우리의 모든 것을 온 우주의 참보화이신 예수 그리스도께 드리는 헌신이 충만하시기를 간절히 소망합니다(고후 4:7, 골 2:2-3). 할렐루야!

각 장에 대한 주(註)

제 1 장 영원한 언약과 섭리

1) 박윤식, 「영원히 꺼지지 않는 언약의 등불」 (휘선, 2009), 44.
2) 박윤식, 「영원히 꺼지지 않는 언약의 등불」, 400.

제 2 장 예수 그리스도의 족보 제2기(期)의 역사

3) D. J. Wiseman, *Chronicles of Chaldaean Kings* (London, 1956), 33.
4) 다윗 왕조는 다윗이 왕이 된 때부터 즉위년 방식을 사용하였습니다. 성경은 다윗이 헤브론에서 통치한 기간을 "7년" 또는 "7년 6개월"로 다르게 기록하고 있습니다. 이렇게 다르게 기록된 이유는 무엇일까요? 열왕기상 2:11, 역대상 29:27에서는 즉위년을 따로 두어 "7년"이라고 기록한 반면, 사무엘하 5:5, 역대상 3:4에서는 다윗이 즉위한 그해에 통치한 개월수까지 포함하여 "7년 6개월"이라고 기록한 것입니다. 이것은 다윗 시대에 즉위년을 썼다는 단적인 증거가 되며, 이로 볼 때 다윗의 왕통을 이은 남 유다에서도 처음에 즉위년을 사용하였음을 알 수 있습니다.
5) Edwin R. Thiele, *The Mysterious Numbers of the Hebrew Kings* (Grand Rapids: Kregel, 1983), 56-60.
6) 북 이스라엘의 연대를 앗수르 왕 살만에셀 3세의 역사 기록과 비교하면, 아합이 죽을 때가 살만에셀 3세의 6년이었으며, 예후가 왕이 될 때는 살만에셀 3세의 18년이었습니다. 아합이 죽은 후부터 예후가 왕이 될 때까지는 12년이 지났는데, 그 사이에 아하시야 2년과 요람의 12년 통치 기간이 들어가기 위해서는 북 이스라엘이 무즉위년을 사용해야만 합니다. 이것은 북 이스라엘이 예후 때까지도 무즉위년을 계속 사용하였다는 근거가 됩니다[J.I. Packer and M.C. Tenney and W. White Jr, *The World of the*

Old Testament (Nashville, NY: Thomas Nelson Inc. Publishers, 1982), 37.].

7) R. K. Harrison, *Introduction to the Old Testament* (Grand Rapids, Michigan: Eerdmans, 1969), 181.

M. Christine Tetley, *The Reconstructed Chronology of the Divided Kingdom* (Winona Lake, Indiana: Eisenbrauns, 2005), 105-106.

8) 느헤미야가 아닥사스다왕 20년 기슬르월(9월, 느 1:1)에서 4개월이 지난 니산월(1월)을 아닥사스다왕 21년이 아니라 20년(느 2:1)이라고 표현한 것은 왕의 통치 연대를 티쉬리월(7월)부터 계산하는 유대식 방법에 따른 것입니다[F. Charles Fensham, *The Books of Ezra and Nehemiah* (Grand Rapids, Michigan: Eerdmans, 1983), 150.].

9) Edwin R. Thiele, 111.

제 3 장 예수 그리스도의 족보 제2기(期)의 인물

10) 박윤식, 「영원히 꺼지지 않는 언약의 등불」, 419.

11) 박윤식, 「영원히 꺼지지 않는 언약의 등불」, 419.

12) 솔로몬이 가진 외양간의 숫자가 열왕기상 4:26에서는 '사만'으로, 역대하 9:25에서는 '사천'으로 각각 다르게 표기되어 있습니다. 그런데 마병의 숫자가 일만 이천임으로 보아, 외양간의 숫자가 '사천'으로 기록된 역대하 9:25의 기록이 더 타당합니다. 왜냐하면 외양간의 숫자가 마병의 숫자보다 많을 수 없기 때문입니다. 따라서 열왕기상 4:26의 '사만'이라는 숫자는 사본에 필사할 때의 오기(誤記)로 추정됩니다.

13) C.F. Keil & F. Delitzsch, 「열왕기(상)·(하)」, 카일·델리취 주석 구약 시리즈 8, 박수암 역 (기독교문화협회, 1994), 69.

14) 열왕기상 7:15에는 18규빗으로 나와 있는 반면에, 역대하 3:15에는 35

규빗으로 나와 있습니다. 이는 필사자가 '18'을 '35'로 오기한 결과라고 보는 견해도 있습니다[C.F. Keil and F. Delitzsch, *Biblical Commentary on the Old Testament*, vol. 3 (Michigan: Eerdmans Publishing, 1950), 318.].

Curtis는 주장하기를, 역대기 기자가 열왕기상 7:15을 읽었을 때 '고는 각각 18규빗이라 각각 12규빗 되는 줄을 두를 만하며'에서 둘레 12규빗을 높이로 잘못 읽어서 높이를 18+12=30규빗으로 해석했다고도 봅니다. 그럴 경우 기둥 꼭대기의 머리 높이가 5규빗이기 때문에 전체 높이는 35규빗이 되는 셈입니다[E. L. Curtis and A. A. Madsen, *The Books of Chronicles*, Critical and Exegetical Commentary (Edinburgh: T.&T. Clark, 1976), 328-329.].

15) Paul Lawrence, *The Lion Atlas of Bible History* (Oxford: Lion Hudson plc., 2006), 75.

16) Samuel J. Schultz, 「구약 총론」, 송인규 역 (생명의 말씀사, 1997), 207.

17) 율법에서는 레위 지파 가운데 아론의 자손들에게 제사장을 위임할 때 하나님께서 명하신 제사와 그에 필요한 제물이 있었습니다(출 29:1-37, 레 8:1-36). 그러나 여로보암은 그것을 모두 무시하고 수송아지 하나와 숫양 일곱만 끌고 오면 무조건 제사장의 직분을 주었습니다(대하 13:9). 하나님께서 정하신 그 제물은 젊은 수소 하나와 흠 없는 숫양 둘(출 29:1, 레 8:2), 고운 밀가루로 만든 무교병(출 29:2), 고운 밀가루로 만든 기름 섞인 무교 과자(출 29:2), 고운 밀가루로 만든 기름 바른 무교 전병(출 29:2)입니다. 수송아지는 속죄제를 위한 것이고(레 8:14-17), 숫양 두 마리 중 한 마리는 번제로(레 8:18-21), 다른 한 마리는 위임식 제사로(레 8:22-29) 드려졌습니다. 또한 위임식이 진행되는 7일 동안 매일 수송아지 하나로 속죄제를 드리고, 매일 단을 위하여 속죄하여 깨끗케 하고 매일 단에 기름을 부어 거룩하게 했습니다(출 29:35-37).

18) 박윤식, 「영원히 꺼지지 않는 언약의 등불」, 419.

19) 아사왕 35년은 실제로는 아사왕 15년을 가리킵니다(각 장에 대한 주(註) 20번 참조). 역대하 15:19을 한글 개역성경은 "이때부터 아사왕 35년까지 다시는 전쟁이 없으니라"로 번역하였으나, 히브리서 원문을 직역하면 "그리고 아사왕 35년(15년)까지 전쟁이 없었다"가 됩니다. 즉 원문에는 '이때부터'와 '다시는'에 해당하는 단어가 없습니다. 다시 말하면 아사왕 제15년까지 전쟁이 없었으나 제16년에는 바아사가 북 이스라엘 사람들로 하여금 남 유다로 왕래하지 못하도록 남 유다를 침공하여 라마를 요새화하였고 이에 위협을 느낀 아사왕이 인본주의적 방법을 동원하여 이를 좌절시켰던 것입니다[제자원 기획·편집, 「역대하 제1-20장」, 옥스퍼드 원어성경 대전 시리즈 35 (제자원, 2006), 553.].

20) 역대하 16:1의 "아사왕 36년"은 실제 아사의 통치 기간 36년을 의미하는 것이 아닙니다. 역대하 15:19에 나오는 "아사왕 35년"도 마찬가지입니다. 아사 3년에 바아사가 즉위하였고(왕상 15:28, 33), 바아사가 24년을 통치하다가 죽고 그의 아들 엘라가 아사 26년에 왕이 되었습니다(왕상 16:8). 그렇다면 아사왕 36년에 바아사는 이미 죽고 없는 때이므로, 아사와 바아사가 전쟁을 했다는 것은 말이 되지 않습니다.

또한 성경의 문맥을 보아도 바아사가 아사를 침공한 때는 아사 15년 3월(대하 15:10)에 있었던 종교개혁(대하 15:8-15)과 바로 이어지는 사건이므로, 아사 36년이 아닌 아사 16년으로 보는 것이 전체적으로 자연스럽습니다. 바아사가 아사왕을 침공한 이유는, 아사왕이 종교개혁을 일으키자 북 이스라엘 사람들이 아사의 하나님 여호와께서 그와 함께하심을 보고 아사에게로 돌아오는 자가 많았기 때문입니다(대하 15:9). 이에 바아사왕은 이스라엘 백성이 더 이상 아사왕에게 왕래하지 못하도록 유다를 치러 올라와서 라마를 건축하였던 것입니다(대하 16:1).

역대하 16:1 하반절에서는 그 전쟁의 구체적인 이유를, "유다 왕 아사에게 왕래하지 못하게 하려 한지라"라고 기록하고 있습니다. 이처럼 바아사왕은 아사 15년에 있었던 종교개혁 후에 북 이스라엘 백성들이 남 유다에 왕래하게 되자 곧바로 아사 16년에 전쟁을 일으켰던 것입니다.

아사 36년을 실제로는 16년이라고 보는 견해가 두 가지 있습니다. 첫 번째 견해는, 통일 왕국이 남조와 북조로 분열되어(주전 930년) 르호보암이 남조 유다에서 왕이 된 후부터 36년이 지났음을 의미한다고 보는 것입니다. 르호보암이 17년 통치하고 그 아들 아비얌이 3년간 통치했으므로, 여기 36년은 아사왕 제16년[36-(17+3)]을 의미한다는 것입니다. 두 번째 견해는, 히브리 서기관이 성경을 필사하다가 숫자상의 오류를 범한 것으로 보는 것입니다. 히브리 문자에서 30을 뜻하는 첫 글자 라멕(ל)과 10을 뜻하는 첫글자 요드(י)는 형태가 비슷하여 필사자들이 종종 실수로 잘못 쓰곤 했다는 것입니다. 따라서 35, 36이라는 숫자는 15, 16이라는 숫자를 잘못 쓴 것으로 볼 수도 있는 것입니다.

이렇게 "아사 35년"(대하 15:19)은 실제로는 아사 15년으로, "아사 36년"(대하 16:1)은 아사 16년으로 보는 것에 두 가지 견해가 모두 일치하고 있으며, 이로 볼 때 바아사는 확실히 아사 16년에 유다를 치러 올라왔던 것입니다(왕상 15:16-22, 대하 16:1-10).

이 전쟁에서 아사는 하나님을 의지하지 않고 아람 왕 벤하닷을 의지하여 여호와의 전 곳간과 왕궁 곳간의 은금을 취하여 다메섹에 거한 아람 왕에게 보내었습니다(대하 16:2-4). 이로 인하여 아사는 선견자 하나니를 통해 "이후부터는 왕에게 전쟁이 있으리이다"라는 책망을 받았습니다(대하 16:7-9). 이 예언대로 아사는 바아사와 "일생 동안" 전쟁이 있었습니다(왕상 15:16, 32). 곧 아사 16년(즉위년)에서 바아사가 죽은 아사 25년(즉위년)까지 약 10년 동안 전쟁이 계속되었습니다.

21) 조영엽, 「교회론」 (도서출판 미스바, 2001), 270.

옥스퍼드 원어성경 대전 시리즈 77, 42.

22) 앗수르는 오랜 쇠퇴기를 딛고 나라의 경계를 지중해까지 확장해 나갔는데, 특히 디글랏 빌레셀 3세(주전 745-727년)는 주전 743-738년 사이에 북쪽과 서쪽에서 세력을 떨치고 있던 민족들을 통제하기 위한 계획을 세우고 원정길에 올랐습니다. 그 결과 많은 나라들이 앗수르에 합병되었습니다[Hershel Shanks, 「고대 이스라엘」, 김유기 역 (한국신학연구소, 2005), 245-246.]. 이 원정에서 그는 전례 없는 경제적 요구 조건을 제시함으로써 앗수르의 속국들을 공포에 몰아넣었습니다. 그 결과 많은 나라들이 앗수르에 합병되고, 또한 정복된 지방의 주민은 앗수르 제국이 원하는 지역으로 추방당하는 신세가 되고 말았습니다[Israel Finkelstein, Neil Asher Silberman, 「성경: 고고학인가 전설인가」, 오성환 역 (까치글방, 2002), 255-256.].

23) Israel Finkelstein, Neil Asher Silberman, 「성경: 고고학인가 전설인가」, 오성환 역 (까치글방, 2002), 33.

24) Thomas V. Brisco, *Bible Atlas* (Nashville Tennessee: Holman Reference, 1998), 133.

문희석, 「구약성서배경사」 (대한기독교서회, 2006), 218.

25) H. D. M. Spence-Jones, ed., *Isaiah Vol. I*, The Pulpit Commentary (London; New York: Funk & Wagnalls Company, 1910), 126.

26) J. Alec Motyer, *Isaiah*: An Introduction and Commentary, vol. 20, Tyndale Old Testament Commentaries (Downers Grove, IL: InterVarsity Press, 1999), 87.

27) Leon Wood, 「이스라엘의 역사」, 김의원 역 (기독교문서선교회, 1995), 473.

28) Theophilus Gale, *The Court of the Gentiles*, part 2 (London: Thomas Gilbert, 1676), 115.

제 4 장 예수 그리스도의 족보 제2기에서 제외된 왕들의 역사

29) 세계적인 성서 고고학자 원용국 박사는 서평에서 "박 목사님은 그(족보) 사이에 수백 년의 역사적 공백이 있다는 사실을 성경적인 뒷받침을 통해 아주 명쾌하게 밝히고 있습니다. 실로 이것은 그 어떤 신학자도 지금까지 제대로 밝히지 못한 세계적인 업적이라 하지 않을 수 없습니다"라고 평가하였습니다.

30) 박윤식, 「영원히 꺼지지 않는 언약의 등불」, 96.

31) 룻기 4:20(원문)과 역대상 2:11에서 기생 라합과 결혼한 살몬의 이름 대신에 '살마'라는 이름이 나옵니다.

וְנַחְשׁוֹן הוֹלִיד אֶת־שַׂלְמָא וְשַׂלְמָא הוֹלִיד אֶת־בֹּעַז

'살몬'(שַׂלְמוֹן)은 '의복, 겉옷'을 의미하며, '살마'(שַׂלְמָא)는 '강함, 힘'을 의미합니다.

32) 박윤식, 「영원히 꺼지지 않는 언약의 등불」, 216.

33) 아하시야의 아버지 여호람이 죽을 때의 나이는 39세입니다(왕하 8:17). 그러므로 역대하 22:2의 기술대로, 아하시야가 왕이 될 때 아버지 여호람보다 세 살이나 많은 42세였다고 하는 것은 연대적으로 맞지 않아 보입니다. 따라서 학자들은 이러한 차이는 역대기의 필사자가 '카프'(כ, 20을 의미)를 비슷한 글자인 '멤'(מ, 40을 의미)으로 오기한 것으로 봅니다. 분명 역대기의 원본에는 오류가 없었을 것이며, 이것이 사본으로 옮겨지는 과정에서 파피루스가 낡아 희미해지고 닳으면서 '카프'(כ)를 '멤'(מ)으로 잘못 인식했을 가능성이 있습니다.

34) 은 1달란트는 6,000드라크마인데, 1드라크마는 당시 노동자의 하루 품삯에 해당했습니다. 그러므로 하루 품삯을 오늘날 5만 원으로 계산한다면 은 1달란트는 3억 원이며, 은 100달란트는 300억 원에 해당하는 엄청난 금액입니다.

35) H. D. M. Spence-Jones, ed., *2 Chronicles*, The Pulpit Commentary (London; New York: Funk & Wagnalls Company, 1909), 300.

제 5 장 북 이스라엘 열왕들의 역사

36) Anson F. Rainey, R. Steven Notley, *Carta's New Century Handbook and Atlas of the Bible* (Jerusalem: Carta, 2007), 122.

37) Jacob Neusner, *The Babylonian Talmud* : A Translation and Commentary, vol. 7c (Peabody, MA: Hendrickson Publishers, 2011), 155-56.

38) Matthew Henry, *Matthew Henry's Commentary on the Whole Bible:* Complete and Unabridged in One Volume (Peabody: Hendrickson, 1994), 502.

39) Carl Friedrich Keil and Franz Delitzsch, *Commentary on the Old Testament*, 2 Ki 3:5 (Peabody, MA: Hendrickson, 1996).

40) 디르사는 풍부한 샘 근처의 중요한 대로상에 있는, 세겜에서 북동쪽으로 약 7㎞ 떨어져 있는 곳으로, 오랫동안 이스라엘의 중심지였습니다. 히브리어로는 티르차(תִּרְצָה)로서 '기쁨'이라는 뜻을 가지고 있습니다. 디르사는 여로보암의 거주지였으며(왕상 14:17), 바아사는 "디르사에서 온 이스라엘의 왕"(왕상 15:33)이 되었습니다. 바아사의 아들 엘라가 디르사에서 궁내대신 아르사의 집에서 술에 취했을 때 시므리에게 살해되었으며(왕상 16:9-10), 시므리도 디르사에서 7일 동안 왕이 되었습니다(왕상 16:15). 오므리는 디르사에서 6년간 통치한 후(왕상 16:23), 북 이스라엘의 수도를 디르사에서 사마리아로 옮겼습니다(왕상 16:24).

41) James Bennett Pritchard, ed., *The Ancient Near East an Anthology of Texts and Pictures*, 3rd ed. with Supplement (Princeton: Princeton University Press, 1969), 282., A.K. Grayson, "Assyria: Tiglath-pileser III to Sargon II (744-705 B.C.)," *The Cambridge Ancient History*, vol 3, pt. 2 (Cambridge: Cambridge University Press, 1991), 74-77

42) 옥스퍼드 원어성경 대전 시리즈 30, 535.

43) Anson F. Rainey, R. Steven Notley, *The Sacred Bridge* (Jerusalem: Carta, 2006), 232-233.

찾아보기

원어
히브리어·헬라어

숫자

주요단어

ㅁ

ㅂ

ㅈ

ㅊ

ㅌ

ㅍ

ㅎ

수정증보판

하나님의 구속사적 경륜으로 본 예수 그리스도의 족보 II

영원한 언약 속의 신비롭고 오묘한 섭리

초판 1쇄 2009년 10월 3일
2판 13쇄 2019년 9월 1일
2판 14쇄 2022년 7월 10일

저 자 박윤식

발행처 휘선
주 소 08345 서울시 구로구 오류로 8라길 50
전 화 02-2684-6082
팩 스 02-2614-6082
이메일 Huisun@pyungkang.com

저작권 등록번호: 제 C-2009-009916호

등 록 제 25100-2007-000041호
책 값 18,000원

Printed in Korea
ISBN 979-11-89611-12-5
ISBN 979-11-964006-3-7 04230

※ 낙장·파본은 교환해 드립니다.
「이 도서의 국립중앙도서관 출판예정도서목록(CIP)은 서지정보유통지원시스템 홈페이지(http://seoji.nl.go.kr)와 국가자료공동목록시스템(http://www.nl.go.kr/kolisnet)에서 이용하실 수 있습니다.

휘선은 '사단법인 성경보수구속사운동센터'의 브랜드명입니다.

휘선(暉宣)은 예수 그리스도의 복음의 참빛이 전 세계 속에 흩어져 있는 수많은 영혼들에게 널리 알려지고 전파되기를 소원하는 이름입니다.